U0253291

国家基础研究重大项目(973 计划)支持(项目编号:G1999043602)
“水资源综合评价”与“水资源可持续利用综合规划”试点研究项目

水资源评价及可持续利用规划理论与实践

谢新民 张海庆 尹明万 贾守喜
唐克旺 张海亮 田金钢 王 浩 等著

黄 河 水 利 出 版 社

内 容 提 要

本书是根据“水资源综合评价”和“水资源可持续利用综合规划”试点研究成果编写而成的。该书基本上覆盖了水资源综合评价和可持续利用综合规划的全部内容,包括水文气象要素的时空变化规律与“四水”转化特征,有关计算模型及方法,水资源评价指标体系与成果,水利工程现状,供用水规模及其结构,用水效率与节水潜力,水资源开发利用程度及所存在的问题,基于GIS的水资源综合评价信息管理系统,宏观经济分析理论与动态投入产出模型,节水高产综合灌溉模式,生产、生活和生态环境需水预测,水资源“三次平衡”的配置思想,水资源配置动态模拟模型,长系列模拟计算与多方案分析,以及水价理论与季节性水价、两部制水价和阶梯式水价政策,地下水超采区划分及管理等。

本书反映了目前我国水资源综合评价和可持续利用综合规划的最新研究成果,提供了一套较完备的水资源评价与可持续利用规划的理论技术体系,可供水利、农业、城建、环境、地矿、计划与有关科研等部门的科技工作者,规划、设计、管理人员,以及大专院校有关专业师生等参考。

图书在版编目(CIP)数据

水资源评价及可持续利用规划理论与实践/谢新民等著.—郑州:黄河水利出版社,2003.8

ISBN 7-80621-625-1

Ⅰ.水… Ⅱ.谢… Ⅲ.①水资源-综合评价②水资源-水利规划 Ⅳ.TV21

中国版本图书馆CIP数据核字(2003)第068537号

出 版 社:黄河水利出版社

地址:河南省郑州市金水路11号　　邮政编码:450003

发行单位:黄河水利出版社

发行部电话及传真:0371-6022620

E-mail:yrcp@public.zz.ha.cn

承印单位:河南第二新华印刷厂

开本:787 mm×1 092 mm　1/16

印张:26　　插页:7

字数:600千字　　印数:1—4 000

版次:2003年8月第1版　　印次:2003年8月第1次印刷

书号:ISBN 7-80621-625-1/TV·290　　定价:80.00元

序

20世纪80年代初,水利部曾组织开展了我国第一次水评价工作,全国和各省、地市所完成的水资源评价成果,为制定社会经济发展和有关行业的专项规划工作提供了可靠的依据,受到了社会各界的高度评价和一致赞誉。经过近二十年的蓬勃发展,我国的人口、资源、环境和经济均发生了前所未有的变化。在新的历史条件下,第一次水资源评价成果已不能反映当前的水资源状况和开发利用情况,也就很难满足和适应目前水资源优化配置与统一管理的实际需要,无法科学地指导水资源的合理开发和高效利用。因此,迫切需要对水资源做出新的评价,并据此制定出全面、科学的规划,统筹安排生活、生产和生态用水,以适应新时期水利工作的需要。

为了贯彻落实国家新时期的治水方针,适应社会经济发展和水资源供求状况的变化,着力解决新时期水资源的开发、利用、配置、节约、保护和治理等重大问题,从我国社会经济发展面临的水资源短缺和水污染问题以及可持续发展对水资源可持续利用的要求,制定科学、全面的水资源可持续利用综合规划,已显得十分必要和迫切。作者在"水资源综合评价"与"水资源可持续利用综合规划"试点研究成果的基础上,编写了《水资源评价及可持续利用规划理论与实践》一书,系统地介绍了当前我国水资源综合评价和规划的最新成果。该书的问世,将为我国目前正在开展的水资源综合评价和规划工作提供重要的参考或借鉴。希望该书的出版,能对广大读者提供有益的帮助,推动我国水资源综合评价、规划和管理工作更上一个新的台阶,促进我国水资源可持续利用和现代水利、可持续发展水利的早日实现。

陈志恺

2003年3月于北京

前　言

自20世纪七八十年代以来，随着人类活动影响的不断加剧，我国大部分地区特别是半干旱半湿润地区，区域水循环规律和产汇流条件发生了深刻的变化。目前单纯依靠水文资料及常规计算方法已很难正确评价人类活动影响下的水资源量及其时空分布规律，探索和研制适用于下垫面条件剧烈变化的水资源评价理论和模型技术，为全国、省（自治区、直辖市）、地市的水资源评价提供新的理论和技术途径，乃是当务之急。

随着水资源条件的变化和工业化、城镇化的蓬勃发展，以及产业结构、水资源开发利用规模与格局的调整，导致水资源开发利用过程中的供、用、耗、排关系和供用水规模、结构等发生了较大改变。"三生"（生活、生产和生态环境）用水需求的不断增长和用水结构的变化，使水资源的供需矛盾日益突出，已严重地影响了21世纪初期我国经济社会的可持续发展。因此，原有的水资源评价与规划成果已不能反映实际情况和适应新时期发展的需要，迫切需要开展全国、省（自治区、直辖市）、地市的水资源综合评价和可持续利用综合规划工作。

河南省安阳市的水资源条件复杂，水利工程门类齐全，水资源开发利用程度高，地下水持续超采，水资源污染日趋严重，目前已严重地制约了当地经济社会的可持续发展，在我国尤其是在北方地区具有较强的代表性。因此，先行选择安阳市作为"水资源综合评价"和"水资源可持续利用综合规划"的试点，通过建立先进的"四水"转化水文模型、地下水数值模拟模型和水资源配置模型等，利用长系列资料重新率定水资源的各种计算参数，对水资源进行精细分析和综合评价；根据水资源"三次平衡"的配置思想，对所拟定的方案进行长系列精细模拟计算，给出安阳市未来30年时间尺度上的水资源可持续利用综合规划成果，并为我国其他地区开展水资源综合评价和可持续利用综合规划工作积累经验及提供先进、科学和实用的理论技术与方法，将是迫切需要和十分必要的。

我们是在"水资源综合评价"和"水资源可持续利用综合规划"试点研究成果的基础上，编写了这部《水资源评价及可持续利用规划理论与实践》学术书籍，希望本书的公开出版和发行，不仅为试点区——安阳市提供一套较完整的水资源综合评价和可持续利用综合规划成果，而且为全国、各省（自治区、直辖市）和地市开展水资源二次评价和综合规划工作提供一整套较完备的理论技术体系，以资借鉴和参考。

全书共分为十八章，分别由谢新民（第三、四、五、六、十、十四、十五、十六、十七、十八章）、张海庆（第二、三、八、九、十、十三、十四、十六、十八章）、尹明万（第二、四、八、九、十、十二、十五、十六章）、贾守喜（第一、八、九、十、十二、十四、十七章）、唐克旺（第七、十一、十五、十七章）、张海亮（第一、四、五、七、八、九、十三章）、田金钢（第六、十二、十六、十八章）、王浩（第二、六、十、十六、十八章）、石玉波（第四、六、七章）、李颖（第三、十四、十七章）、张继昌（第八、九、十二、十六章）、颜勇（第五、十四、十六章）、郭洪宇（第四、五、十、十一章）、翟小宇（第一、八、九、十七章）、马静（第十三、十四章）、张汝信（第三、六、十二章）、王芳（第二、七、十一章）、赵天力（第二、五、十章）、张国建（第五、十一章）、李景海（第二、七、九章）、秦巧凤（第

二、八、九章)、韩素华(第十三、十五章)等编写。全书由谢新民、张海庆统稿,田金钢、王浩审定。

在试点研究及本书编写过程中,得到了水利部领导及水资源司、河南省水利厅、安阳市政府及其有关职能部门和中国水利水电科学研究院领导的高度重视,同时很荣幸地得到了我国水利界前辈陈志恺、刘昌明院士,贺伟程、杨景斌、杨森三、韩琦荣、邢学让等专家的大力支持和热忱指导,尤其是陈志恺院士在百忙中亲自为本书作序,给作者以莫大的鼓励和鞭策。总之,本书的完成和出版在很大程度上可以说是大家共同努力的结果,是集体智慧的结晶,它凝结着有关方面专家的辛勤劳动和汗水。在本书正式出版之际,特向所有支持和帮助过试点项目研究和本书编写出版工作的有关领导和专家一并表示衷心的感谢!

由于编写时间仓促,作者水平所限,不当之处恳请读者批评指正。

作 者

2003 年 6 月 8 日于北京

主持和参加“安阳市水资源综合评价”试点研究工作的单位及人员

组织部门:安阳市人民政府
主持部门:安阳市发展计划委员会　安阳市科学技术局

承担单位:中国水利水电科学研究院　　安阳市水利局
参加单位:河南省豫北水利勘测设计院、河南省安阳水文水资源勘测局、河南省新乡水文地质工程地质勘察院、林州市水务局、安阳县水务局、滑县水务局、内黄县水务局、汤阴县水务局、郊区水利局、安阳市计委、安阳市科委、安阳市环保局、安阳市气象局、安阳市统计局、安阳市财政局、安阳市建委、安阳市矿煤化局、安阳市卫生局、安阳市土地局、安阳市城管局、安阳市农业局

项目负责人:李连庆　王　浩　杨森三　张海庆
技术负责人:谢新民　李　颖　尹明万
主要完成人:谢新民　张海庆　尹明万　贾守喜　唐克旺　张海亮
李令跃　张汝信　王　芳　张国建　郭洪宇　赵天力
翟小宇　马　静　李景海　甘　泓　南素民　张春玲
汪党献　申季维　王素芬　秦巧凤
主要参加人:周万生　冯玉宝　王长普　李　鸿　寇景瑞　孙孟合
刘惠民　崔书金　郝计林　赵贵中　孙宏珍　张继昌
付文斌　郭朝坤　张太山　贾江海　王宝丰　张伟山
王洪庆　李笑民　李文庆　马运海　尹江方　谭庚臣
王红彦　袁庆月　李志辉
报告执笔人:谢新民　尹明万　唐克旺
报告审定人:田金钢　王　浩　韩琦荣

主持和参加“安阳市水资源可持续利用综合规划”试点研究工作的单位及人员

组织部门：安阳市人民政府

主持部门：安阳市发展计划委员会　安阳市科学技术局

承担单位：中国水利水电科学研究院　安阳市水利局

参加单位：河南省豫北水利勘测设计院、河南省安阳水文水资源勘测局、林州市水务局、安阳县水务局、滑县水务局、内黄县水务局、汤阴县水务局、郊区水务局、安阳市经济贸易委员会、安阳市建设委员会、安阳市财政局、安阳市环保局、安阳市卫生局、安阳市国土资源局、安阳市农业局、安阳市统计局、安阳市城市规划管理局、安阳市气象局

项目负责人：李连庆　王　浩　田金钢　张海庆

技术负责人：谢新民　李　颖　尹明万　张海亮

主要完成人：谢新民　张海庆　尹明万　贾守喜　马　静　张海亮
李令跃　张汝信　韩素华　翟小宇　王　芳　王宝丰
唐克旺　甘　泓　秦巧凤

主要参加人：蒋云钟　申季维　汪党献　李建顺　张春玲　张海涛
陈伟芹　李景海　王素芬　周万生　王长普　冯玉宝
冯靖宇　寇景瑞　安利军　付文斌　郭朝坤　张太山
贾江海　刘惠民　任秀珍　郝计林　王洪庆　张福利
孙宏珍　陈敬学　杨顺喜　张伟山　李志辉　余淑娟

报告执笔人：谢新民　尹明万　贾守喜　马　静

报告审定人：田金钢　王　浩　韩琦荣　张继昌

目　录

第一章 概 况

一、自然地理

安阳市位于河南省最北部的晋、冀、豫三省交界处,西依太行山与山西省相望,东与濮阳市相连,南与鹤壁市、新乡市接壤,北临漳河与河北省邯郸市相连。地理坐标为东经113°27′至114°58′30″,北纬35°13′至38°40′20″,南北长128km,东西宽122km,国土总面积7 413km^2。全市辖五区(北关、文峰、铁西、开发区、郊区)、四县(安阳县、汤阴县、滑县、内黄县)和一市(林州市)。其地理分布位置如附图1所示。

(一)地形、地貌

安阳市处于太行山脉与华北平原交界的过渡地带,地势总趋势为西高东低,自西向东呈阶梯式下降,大致以京广铁路为界。西部为山丘区,间有小型盆地,最高山峰海拔高度为1 653m。东部为冲积平原,最低洼地的海拔高度为50m左右。地貌由山地、山间盆地、丘陵、平原、岗地、泊洼六种自然形态组成。山地主要分布在林州市和安阳县西部,多为灰岩和变质岩系,面积约为1 956km^2;山间盆地分布在林州市境内,主要有城关盆地、河涧盆地、临淇盆地,总面积约为247km^2;丘陵主要分布在林州市东部,安阳县、汤阴县西部,系太行山余脉形成的山前丘陵,起伏延绵,多呈弧形分布,面积约702km^2;东部平原为安阳市的主要地貌特征,主要分布在安阳县东部、汤阴县大部及内黄县、滑县境内,地势平坦宽广,总面积约为3 989km^2;泊洼地主要分布在滑县、汤阴县和内黄县境内,总面积约419km^2。岗地主要指汤阴县的火龙岗区,面积约100km^2。

(二)气候特征

安阳市地处半湿润温带大陆性季风气候区。气候总体特点是春旱少雨,回暖快;夏季炎热多雨,且雨量集中;秋季雨量适中;冬季寒冷,少雨雪。根据长系列气象资料统计,多年平均气温13.6℃,水面蒸发量(E_{601})为1 075mm,相对湿度66%。1月平均气温−1.8℃,极端最低气温−21.7℃,7月平均气温26.9℃,极端最高气温41.7℃,多年平均降水量573.5mm,无霜期200天,日照2 338小时。

各气象要素中,降水量的时空变化比较显著。安阳站最大年降水量1 159mm(1963年),最小降雨量仅为267mm(1965年),多年平均降水量565mm。小南海、内黄站多年平均降水量分别为635mm和564mm。降水量随地形由高变低而逐渐减少。另外,年内降水量分配不均,一般多集中在7、8月份,其降水量占全年降水量的55%左右。

二、河流水系

安阳市境内河流分属海河流域和黄河流域。主要河流有:洹河、金堤河、淇河、汤河等。过境河流有漳河、卫河。除金堤河属黄河流域外,其他均属海河流域漳卫河水系。人工渠道主要有红旗渠、跃进渠、漳南渠和万金渠。主要泉域有小南海泉和珍珠泉。

洹河：亦称安阳河，源于林州市清泉村，总体流向自西向东，在内黄县范羊口注入卫河。全长162km，流域面积1 920km^2。主要支流有粉红江、金线河。

漳河：源于山西省和顺县，分浊漳河和清漳河两大支流，总流域面积1.8万km^2。流经安阳市的林州市和安阳县，在安阳市境内的流域面积为606km^2，主要支流有露水河。

汤河：源于鹤壁市孙圣沟，经鹤壁、汤阴于内黄西元村入卫河，全长73.3km，流域面积1 287km^2，主要支流有羑河和永通河。

金堤河：源于新乡县荆张，流经原阳县、封丘县至滑县进入安阳市，至台前县张庄入黄河，形成独特的金堤河流域。河道总长度158.6km，流域面积5 047km^2。流经安阳市的干流长度为39.6km，流域面积为1 648km^2。主要支流有黄庄河和回木沟等。

淇河：源于山西省陵川县，流经林州市南部，经鹤壁市淇县入卫河，流经安阳市长为91km，流域面积2 013km^2。主要支流有淅河。

卫河：源于山西省陵川县夺火镇，流经焦作市、新乡市，于滑县流入安阳市，至河北省馆陶县与漳河汇流，总长度399km，流域总面积1.5万km^2。流经安阳市的长度为64km。主要支流有淇河、汤河、洹河和硝河等。

小南海泉和珍珠泉：位于安阳市西部低山区。小南海泉位于善应镇北善应村西1km处的洹河河谷中，泉域面积为935km^2。有关资料显示，小南海泉五六十年代的平均流量为6～7m^3/s，近几年泉水流量几乎衰减了1km，约为3m^3/s。珍珠泉位于水冶镇西1 km处，泉域面积为250km^2，多年平均流量约为1.89m^3/s(1984年以前)，1984年以后多年平均流量约为1.60m^3/s，近几年已衰减到0.2m^3/s。

漳南干渠：自岳城水库引出，蜿蜒于西部丘陵区过洹河与万金渠接通。多年平均年引水量4 112.29万m^3，近几年引水量逐渐减少。

万金干渠：渠首位于西高平，常年引彰武水库的水供安钢、电厂使用，供水量4m^3/s。下游流经市区后成为排污渠道，东部农田灌溉引用此水。

另外，洹河上游建有两座水库。其一是建于小南海泉以上的小南海水库，主要拦蓄洪水，控制汇水面积850km^2，总库容1.07亿m^3。水库于1990～1993年除险加固期间，由于群众在库区底部开挖石膏矿，致使水库蓄水后严重渗漏。其二是彰武水库，位于西高平，主要接纳小南海泉水，控制汇水面积120km^2，总库容0.78亿m^3，现为安阳市重要供水水源。

三、地质构造

安阳市处于新华夏系第三隆起带和第二沉降带部位，构造形迹以断裂为主，主要分布有新华夏系和北西西向构造。新华夏系的林州断裂、汤西断裂、汤东断裂、长垣断裂构成了北北东西雁列展布的太行山麓隆起、汤阴断陷、内黄隆起和东明断陷四个次级构造单元。而且这些单元都被安阳断裂等北西西向构造所切、错形成了类棋盘式构造，并产生了系列北西西走向的更次一级的凸起和凹陷，由此决定了安阳市的地貌格局。

燕山运动塑造了安阳市所辖区域的基本构造格局，而第三纪以来区内新构造运动较为活跃并具有继承性。其活动方式主要表现为差异运动和断裂活动等。由于地壳区域性的西升东降差异运动，形成了由西向东依次展布的山区、丘陵、冲洪积扇、冲积平原的地貌景观。

四、社会经济状况

安阳市所辖区域内耕地面积 36.334 万 hm^2，占河南省总耕地面积的 5.4%。截至 1998 年底，全市总人口为 508.7 万，其中非农业人口 89.38 万，农业人口 419.36 万。安阳市交通方便，京广铁路纵贯全区，安李、汤鹤、汤濮铁路支线横穿全区于京广铁路相连，以安阳市为中心的公路交通网四通八达。安阳市是一个以农业为主，多种工业并存的国家级历史文化名城。农业一般为一年两熟，主要农作物为小麦、玉米；经济作物主要有棉花、花生。1998 年粮食总产量 243.82 万 t，总产值按 1990 年不变价格计算为487 090万元。安阳市矿产资源丰富，已探明的有煤炭、铁矿石、石灰石、石膏和兰石棉等，这些矿产资源为安阳市的煤炭工业、电力工业、钢铁冶炼业、建材业和化肥生产提供了充足的原料。目前安阳市已经基本形成了一个小而全的新型工业城市，主要工业有钢铁、机械、煤炭、纺织、化工、电力、建筑、轻工、电子等。1998 年工业总产值为 2 830 006 万元，其中乡镇工业产值为 1 805 490 万元。

第二章 水资源的形成、转化机理与评价方法

第一节 水资源形成与转化机理

水资源通常指在现代水循环过程中可以得到恢复和更新的淡水。因此,水资源的评价应在分析水资源形成、运移和转化机理的基础上,探求水资源的数量和质量及其时空上的分布规律,为水资源的合理开发和可持续利用提供可靠的依据。

安阳市西部山丘区降水较丰沛,是洹河、卫河的径流形成区。而东部平原区降水相对较少,蒸发较强烈,降水量除了补给地下水和土壤水外有时也产生局部内涝,是径流散失区。因而,根据安阳市地形、地貌特征和水循环特点,可将安阳市划分为山丘区和平原区两大区域。其中山丘区为径流的主要形成区,平原区为径流的主要散失区。

根据安阳市的水循环特征,分析安阳市水资源形成及运移转化的一般规律。当进入安阳市上空的水汽形成降水落到地表后,首先植物截留少量降水,通过蒸发重新返回大气中,大部分降水到达地面后部分补给河网、坑塘等各种水体,部分从地表入渗土壤中,当降水强度超过下渗强度或降水量满足土壤蓄水容量时,则形成坡面流汇入河道;渗入土壤中的水量,一部分由土壤直接蒸发和通过植物散发返回大气中,一部分以壤中流形式补给河道,其余部分下渗补给地下水;部分地下水被河道切割,以基流的形式补给河道。坡面流和壤中流、基流等水体补给河道的水量构成河川径流量。由于安阳市西部山丘区构造和岩溶裂隙比较发育,为河水渗漏提供了良好的通道,因此在山丘区地表水和地下水之间相互转化频繁,在一些河段河水渗漏转化为地下水,而在另一些河段地下水以泉和基流的形式补给河流,转化成地表水。另外,山丘区地下水中还有一部分水,以山前侧渗和河床潜流形式直接补给平原区地下水。

山丘区地表水资源量加上境外流入量组成河川径流总量,流入平原区后的转化过程一般是:以河床渗漏、渠系渗漏、田间入渗以及各种人工回灌等形式补给平原区地下水,由地表水转化为地下水。因此,流入平原区的河川径流量除流出境外的水量外,其余水量大部分通过各种形式转化,最终以水体蒸发、土壤蒸发、潜水蒸发、植物散发等形式蒸散发返回大气中。而山丘区的地下水除大部分以山前泉水和河川基流的形式转化为地表水外,还有一部分以山前侧渗和河床潜流的形式直接补给平原区的地下水,成为平原区地下水天然补给量的一部分。此外,在平原区降水量中,除有一部分入渗补给平原区地下水和少部分形成地表径流外,其余部分以蒸散发的形式返回大气中。这就是安阳市水循环和水量平衡概化模式,而实际上自然界中各种水量之间的相互转化关系要复杂得多,尤其在人类活动的影响下地表水和地下水之间的转化关系变得更加复杂,自然界原有的水平衡关系不同程度地被打破,形成了新的水平衡关系,因而产生各种生态环境问题。由于各县(市、区)的自然地理条件不同,水循环和水量转化的模式也不尽相同。因此,安阳市水循

环与水资源运移转化规律的研究难度是相当大的，如水汽输送的研究，地表水与地下水之间相互转化关系的研究，人类活动对水循环和水量平衡关系的影响等。

第二节　水资源评价分区

根据项目要求，本次水资源评价采用行政分区和流域分区两种方式。行政分区是在全省二级地市分区的基础上，进一步划分为6个三级县(市、区)行政分区(见表2-1)；流域分区是在全国水资源评价的二级流域分区的基础上，进一步划分为5个三级流域分区和10个四级流域分区(见表2-2)。这些区域划分基本反映了水资源条件的地区差别，保持了流域的完整性，对水文气象条件相似的小流域适当进行合并，以利于水资源的计算和评价。全市的水资源评价分区，如附图2所示。

从表2-1和表2-2中看出，目前安阳市及各分区面积有三套数据。为了与安阳市常用的面积数据保持一致，本次各行政分区的面积仍采用《安阳市统计年鉴》中的数据；而各流域分区的面积，则根据《安阳市统计年鉴》各行政分区面积对本次实际测算的各流域分区面积进行修正，最后确定出安阳市各流域分区的面积。

表2-1　安阳市水资源评价行政分区

序号	行政三级分区	所在流域三级分区		所在流域四级分区				
		编号	名称	编号	名称	面积①(km²)	面积②(km²)	面积③(km²)
1	安阳县	Ⅲ$_{2-7}$	漳河山丘区	Ⅲ$_{2-7-0}$	漳河山丘区	73	73	73
		Ⅲ$_{2-8}$	卫河山丘区	Ⅲ$_{2-8-1}$	洹河山丘区	566	564	566
				Ⅲ$_{2-8-3}$	汤卫河山丘区	114	114	114
		Ⅳ$_{2-7}$	卫河平原区	Ⅳ$_{2-7-1}$	洹卫河平原区	481	480	481
				Ⅳ$_{2-7-2}$	汤卫河平原区	266	265	266
		小计				1 499	1 496	1 499
2	林州市	Ⅲ$_{2-7}$	漳河山丘区	Ⅲ$_{2-7-0}$	漳河山丘区	438	441	438
		Ⅲ$_{2-8}$	卫河山丘区	Ⅲ$_{2-8-1}$	洹河山丘区	834	839	834
				Ⅲ$_{2-8-2}$	淇卫河山丘区	773	778	773
		小计				2 046	2 059	2 046
3	内黄县	Ⅳ$_{2-7}$	卫河平原区	Ⅳ$_{2-7-1}$	洹卫河平原区	229	226	229
				Ⅳ$_{2-7-4}$	硝卫河平原区	862	850	862
		Ⅳ$_{3-C}$	徒马河区	Ⅳ$_{3-C-0}$	徒马河区	35	35	35
		Ⅳ$_{14-1}$	金堤河区	Ⅳ$_{14-1-0}$	金堤河区	36	36	36
		小计				1 161	1 146	1 161

续表 2-1

序号	行政三级分区	所在流域三级分区		所在流域四级分区				
		编号	名称	编号	名称	面积①（km²）	面积②（km²）	面积③（km²）
4	滑　县	Ⅳ$_{2-7}$	卫河平原区	Ⅳ$_{2-7-4}$	淇卫河平原区	54	53	54
		Ⅳ$_{14-1}$	金堤河区	Ⅳ$_{14-1-0}$	金堤河区	1 760	1 731	1 760
		小计				1 814	1 784	1 814
5	汤阴县	Ⅲ$_{2-8}$	卫河山丘区	Ⅲ$_{2-8-3}$	汤卫河山丘区	128	126	128
		Ⅳ$_{2-7}$	卫河平原区	Ⅳ$_{2-7-3}$	汤卫河平原区	518	510	518
		小计				646	636	646
6	安阳市区（郊）	Ⅲ$_{2-8}$	卫河山丘区	Ⅲ$_{2-8-1}$	洹河山丘区	35	35	37
				Ⅲ$_{2-8-3}$	汤卫河山丘区	32	32	34
		Ⅳ$_{2-7}$	卫河平原区	Ⅳ$_{2-7-1}$	洹卫河平原区	80	79	84
				Ⅳ$_{2-7-3}$	汤卫河平原区	88	88	93
		小计				235	233	247
全　市						7 402	7 354	7 413

注：①在 1∶20 万比例尺底图上量算数据；②《安阳市土地利用总体规划（1997～2010 年）》，安阳市人民政府，1999 年；③《安阳市统计年鉴》，安阳市统计局，1999 年。

表 2-2　安阳市水资源评价流域分区

序号	流域三级分区		流域四级分区		所在行政三级分区	面积①（km²）	面积②（km²）	面积③（km²）
	编号	名称	编号	名称				
1	Ⅲ$_{2-7}$	漳河山丘区	Ⅲ$_{2-7-0}$	漳河山丘区	林州市	438	441	438
					安阳县	73	73	73
			小计			511	514	511
2	Ⅲ$_{2-8}$	卫河山丘区	Ⅲ$_{2-8-1}$	洹河山丘区	林州市	834	839	834
					安阳县	566	564	566
					安阳市区（郊）	35	35	37
			Ⅲ$_{2-8-2}$	淇卫河山丘区	林州市	773	778	773
			Ⅲ$_{2-8-3}$	汤卫河山丘区	安阳市区（郊）	32	32	34
					汤阴县	128	126	128
					安阳县	114	114	114
			小计			2 483	2 489	2 486

续表 2-2

序号	流域三级分区		流域四级分区		所在行政三级分区	面积①(km^2)	面积②(km^2)	面积③(km^2)
	编号	名称	编号	名称				
3	Ⅳ$_{2-7}$	卫河平原区	Ⅳ$_{2-7-1}$	洹卫河平原区	安阳市区(郊)	80	79	84
					安阳县	481	480	481
					内黄县	229	226	229
			Ⅳ$_{2-7-2}$	淇卫河平原区	滑县	54	53	54
			Ⅳ$_{2-7-3}$	汤卫河平原区	安阳市区(郊)	88	88	93
					安阳县	266	265	266
					汤阴县	518	510	518
			Ⅳ$_{2-7-4}$	硝卫河平原区	内黄县	862	850	862
				小计		2 576	2 550	2 585
4	Ⅳ$_{14-1}$	金堤河区	Ⅳ$_{14-1-0}$	金堤河区	滑县	1 760	1 731	1 760
					内黄县	36	36	36
				小计		1 796	1 767	1 796
5	Ⅳ$_{3-C}$	徒马河区	Ⅳ$_{3-C-0}$	徒马河区	内黄县	35	35	35
合计						7 402	7 354	7 413

注:①在 1:20 万比例尺底图上量算数据;②《安阳市土地利用总体规划(1997～2010 年)》,安阳市人民政府,1999 年;③《安阳市统计年鉴》,安阳市统计局,1999 年。

第三节 水资源评价方法及指标

一、评价方法

安阳市水资源是在其独特的自然条件下形成的,因此其水资源的评价,应根据各县(市、区)自然地理条件从水循环规律和水量平衡原理着手,研究安阳市水资源形成特征,通过建立相关的计算模型,精细分析各均衡要素(降水、蒸发、地表水与地下水)之间平衡转化关系等,论证安阳市地表水资源量、地下水资源量和水资源总量计算成果的合理性,分析安阳市水资源时空变化特征和人类活动对水资源变化的影响,进行水资源综合评价,为安阳市水资源的合理开发和利用提供可靠的依据。

二、评价指标

为了能定量地分析和评价安阳市水资源数量、质量以及时空分布规律等,拟采用以下评价指标。

(一)气候特征评价指标

多年平均年降水量(P),以 mm 计。年降水量的大小反映气候湿润和干旱程度。

多年平均年蒸发能力(E_0),可用 E_{601}型蒸发器蒸发值代表,以 mm 计。蒸发能力大小与大气中相对湿度等有关,是反映气候干湿状况的重要指标。

干旱指数(r):反映气候干湿程度的综合指标,采用年水面蒸发量(年蒸发能力或可能年蒸发量)和年降水量的比值表示,即 $r=E_0/P$。当干旱指数 r 大于 1 时,说明蒸发能力大于降水量,气候偏于干旱,r 值愈大气候愈干燥;反之,当干旱指数 r 小于 1,说明降水量超过蒸发能力,气候偏于湿润,r 值愈小气候愈湿润。因此,可用干旱指数 r 进行气候干湿程度分区(见表 2-3)。

表 2-3 气候干湿程度分级

气候分带	干旱指数 r	气候分带	干旱指数 r
十分湿润	<0.5	半干旱	3~7
湿润	0.5~1.0	干旱	>7
半湿润	1.0~3		

(二)水资源构成评价指标

地表水资源量:指当地河流、湖泊、水库等地表水体的动态水量,其定量特征用河川年径流量表示,但不包含区外流入本区的径流量,以亿 m^3 计。

地下水资源量:主要是指与大气降水、地表水体有直接补给或排泄关系的动态地下水量,即参与现代水循环而且可以不断更新的地下水量。重点评价矿化度小于 1g/L 的地下淡水资源量。安阳市的地下水资源总量应为山丘区地下水资源量与平原区地下水资源量之和,并扣除二者的重复计算量。山丘区地下水资源量包括河川基流量、河床潜流量、山前泉水流量、山前侧向排泄量(侧渗量)等。由于山丘区地下水大部分已转化为河川径流量,因此,具有实际开采价值的是平原区地下水资源量。本次评价重点是平原区地下水资源量,包括天然补给量(降水入渗补给量)和转化补给量(山前侧渗补给量、河床潜流补给量、河流渗漏补给量、渠系渗漏补给量和渠灌田间入渗补给量)以及井灌回归补给量等。

水资源总量:指当地降水形成的地表和地下产水量,可用当地地表水资源量与不重复的地下水资源量之和表示。

多年平均客水资源量:指评价区域外产流流入本区的多年平均地表水年径流量。

(三)时空分布评价指标

用年内集中度(多年平均连续最大四个月径流量与多年平均年径流量之比值)以及季节和月分配来分析水文要素年内变化特征。

用变差系数 C_v 值和极值比来分析水文要素多年变化。

(四)转化规律评价指标

径流系数:指多年平均河川径流量与多年平均降水量之比值,反映流域降水产生河川径流量的能力。

产水系数:指多年平均水资源总量与多年平均年降水量之比值,反映评价区域内降水产生地表水和地下水的能力。

产水模数:指单位面积上产水量,可用水资源总量与面积的比值来表示。

降水入渗补给系数:指降水入渗补给量与降水量的比值,是计算地下水资源量中降水入渗补给量的重要指标。影响它的主要因素有降水特性、包气带岩性、地下水埋深和前期土壤含水量。在安阳市影响较大的是次降水量、表层岩性等。

河流渗漏补给系数:为河流渗漏补给地下水量与河流径流量之比值。

渠系渗漏补给系数:为渠系渗漏补给地下水量与渠首引水量之比值。

渠灌田间入渗补给系数:为渠灌区田间灌水入渗补给地下水量与田间灌溉水量的比值。

井灌回归补给系数:为井灌区灌水回归补给地下水量与井灌水量的比值。

潜水蒸发系数:为潜水蒸发量与水面蒸发量之比值。

(五)水质状况评价指标

地下淡水:指矿化度(M)小于1g/L的地下水。

微咸水:指矿化度(M)大于1g/L且小于3g/L的地下水。

半咸水、咸水:分别指矿化度(M)大于3g/L且小于5g/L、大于5g/L的地下水。

其中地下淡水和微咸水是本次评价的重点。

河流水质级别:用各水质参数评价代表值比照该参数水质评价标准值或背景值,确定各参数的水质级别,然后用各项参数评价结果的最差水质级别作为该流域或评价区域的地表水水质级别。

第三章 降水与蒸发

大气降水是地表水和地下水的补给来源,降水量的多少基本上反映了水资源的丰枯状况。天然条件下的蒸发是水循环中的主要组成部分,对水循环有着重要的影响。

第一节 降 水

一、全市各分区降水量

本次分析计算,共收集到安阳市所辖区域内及周边地区观测雨量站点共计48处的系列观测资料,经综合分析、比较和筛选,最后选择资料代表性较好、观测精度较高且比较齐全的雨量站41处作为代表站参加分析和计算。其中雨量站分布,如附图3所示。

为了使各代表站资料统一,采用1956~1998年同步系列,对个别缺测月份、年份的降水量分别采用相关法、历年均值替代法等进行插补或延长。为推求1956~1998年系列全市及各分区的年降水量,本次计算是根据各雨量站的长系列资料,利用泰森多边形法计算各分区逐年降水量系列,其计算公式为:

$$\overline{P}_j = \sum_{i=1}^{n_j} P_{ij} \frac{f_{ij}}{F_j} \tag{3-1}$$

式中:$\overline{P}_j$ 为第 j 分区的逐年年降水量,mm;F_j 为第 j 分区的面积,km^2;P_{ij}为第 j 分区第 i 雨量站的逐年年降水量,mm;f_{ij}为第 j 分区第 i 雨量站所能代表的面积,km^2;n_j 为第 j 分区的雨量站数。

根据各分区的逐年年降水量系列,则可计算水资源流域三级分区和全市的多年平均降水量(见表3-1),同样方法可计算各行政分区的多年平均降水量(见表3-2)。

表3-1 流域三级分区1956~1998年平均年降水量

序号	流域三级分区		计算面积	年降水量		占全市年降水量
	编号	名称	(km^2)	(mm)	(亿 m^3)	的百分比(%)
1	$Ⅲ_{2-7}$	漳河山丘区	511	595.2	3.04	7.2
2	$Ⅲ_{2-8}$	卫河山丘区	2 486	628.1	15.62	36.7
3	$Ⅳ_{2-7}$	卫河平原区	2 585	544.8	14.08	33.1
4	$Ⅳ_{14-1}$	金堤河区	1 796	544.4	9.78	23.0
5	$Ⅳ_{3-C}$	徒马河区	35	544.4	0.19	0.4
全 区			7 413	573.5	42.52	100.0

表 3-2 行政三级分区 1956～1998 年平均年降水量

序号	县(市、区)	计算面积(km²)	年降水量(mm)	年降水量(亿 m³)	占全市年降水量的百分比(%)
1	安阳县	1 499	552.0	8.27	19.5
2	林州市	2 046	627.5	12.84	30.2
3	内黄县	1 161	545.5	6.33	14.9
4	滑　县	1 814	545.5	9.90	23.3
5	汤阴县	646	574.9	3.71	8.7
6	安阳市区(郊)	247	584.1	1.44	3.4
全　市		7 413	573.5	42.52	100.0

从表 3-1 和表 3-2 中可以看出,安阳市全境的多年(1956～1998 年)平均降水量为 573.5mm,合 42.52 亿 m^3。根据流域三级分区的分析结果,卫河山丘区(Ⅲ$_{2-8}$)的多年平均降水量最大,为 628.1mm;漳河山丘区(Ⅲ$_{2-7}$)次之,为 595.2mm;金堤河区(Ⅳ$_{14-1}$)和徒马河区(Ⅳ$_{3-C}$)最小,为 544.4mm。根据行政三级分区的分析结果,林州市的多年平均年降水量最大,为 627.5mm;安阳市区(郊)次之,为 584.1mm;内黄县和滑县最小,为 545.5mm。

为了分析降水量实测资料系列长、短对所求得的平均年降水量的影响,论证 1956～1998 年降水量系列的代表性,分别从安阳市区(郊)、林州市、汤阴县、滑县、内黄县、安阳县等选出 7 个实测资料齐全的代表性雨量站,对其长、短系列的平均年降水量进行对比和分析,具体结果列于表 3-3 中。

表 3-3 各行政分区不同长、短系列平均年降水量对比结果

行政分区		平均年降水量 1956～1998 年(mm)	1956～1979 年(mm)	1980～1998 年(mm)	1989～1998 年(mm)	$\frac{\overline{P}_{24}-\overline{P}_{43}}{\overline{P}_{43}}$ (%)	$\frac{\overline{P}_{19}-\overline{P}_{43}}{\overline{P}_{43}}$ (%)	$\frac{\overline{P}_{10}-\overline{P}_{43}}{\overline{P}_{43}}$ (%)	$\frac{\overline{P}_{19}-\overline{P}_{24}}{\overline{P}_{24}}$ (%)	代表站名
安阳县	西部	545.6	563.6	528.6	537.6	3.3	-3.1	-1.5	-6.2	李珍
	东部	474.4	505.9	438.0	444.8	6.6	-7.7	-6.2	-13.4	冯宿
林州市		666.6	712.7	608.5	604.1	6.9	-8.7	-9.4	-14.6	林州
内黄县		564.0	590.7	530.3	568.5	4.7	-6.0	0.8	-10.2	内黄
滑　县		581.5	641.4	515.4	522.9	10.3	-11.4	-10.1	-19.6	道口
汤阴县		573.1	610.5	525.9	540.9	6.5	-8.2	-5.6	-13.9	高汉
安阳市区(郊)		564.8	596.9	524.3	550.1	5.7	-7.2	-2.6	-12.2	安阳

注:$\overline{P}_{43}$为 1956～1998 年平均年降水量;$\overline{P}_{24}$为 1956～1979 年平均年降水量;$\overline{P}_{19}$为 1980～1998 年平均年降水量;$\overline{P}_{10}$为 1989～1998 年平均年降水量;负号“-”表示偏小,其余表示偏大。

从表 3-3 中可以看出，安阳市各行政分区 1956～1979 年的平均年降水量均比 1956～1998 年的偏大，一般偏大 3.3%～10.3%；近 20 年(1980～1998 年)与 1956～1998 年、1956～1979 年相比，平均年降水量分别偏小 3.1%～11.4%和 6.2%～19.6%；而近 10 年(1989～1998 年)与 1956～1998 年相比，平均年降水量除内黄县偏大 0.8%外，一般偏小 1.5%～10.1%，其中滑县不同系列的平均年降水量相差最大，林州市次之，而安阳县西部相差最小。

上述分析结果表明，选择 1956～1979 年系列资料计算的平均年降水量相对偏大一些，而利用近 20 年或 10 年的系列资料分析的结果又相对偏小一些。因此，选择 1956～1998 年的降水量系列资料分析平均年降水量是比较合适的，具有更好的代表性。

安阳雨量站从 1919 年就开始有实测资料，遗憾的是该站 1927～1929 年和 1938～1950 年缺测，同时又找不到合适的参考站进行插补或延长。为了系统地了解安阳市 1956 年以前的降水情况，对安阳站降水系列资料进行了整理和分析。安阳站年降水量历史过程线如图 3-1 所示。

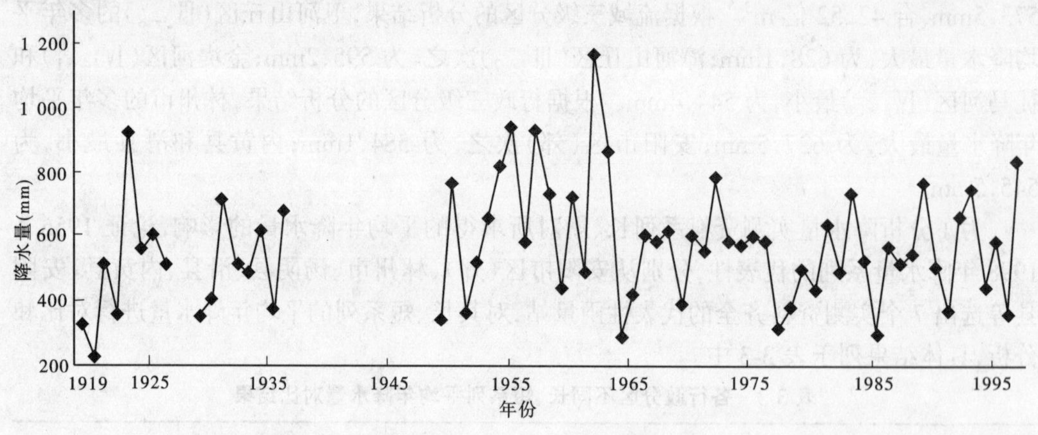

图 3-1　安阳站年降水量过程线

从图 3-1 中可以看出，在 1919～1998 年有历史资料记载的 63 年里共出现特枯水年份有 4 年，分别是 1920 年(223.3mm)、1965 年(266.6mm)、1978 年(291.6mm)、1986 年(268.2mm)；而出现的特丰水年份有 4 年，分别为 1923 年(924mm)、1956 年(929.7mm)、1958 年(918mm)和 1963 年(1 159.1mm)。根据 1919～1998 年有历史资料记载的 63 年降水量资料系列，计算出其平均年降水量为 562.7mm，与 1956～1998 年平均年降水量 564.8mm 相比，仅偏小 0.4%；而与 1956～1979 年平均年降水量 596.9mm 相比，则偏小 5.7%。这也从另一个侧面说明，选用 1956～1998 年降水量资料系列具有较强的代表性。

二、各分区不同频率年降水量

因个别流域四级分区内无雨量观测站，因此，采用相邻区域内的雨量站资料，推求出该区年降水量系列。用各分区逐年降水量系列进行频率分析计算，其均值用 1956～1998 年算术平均值，C_v 及 C_s/C_v 比值运用配线法确定，求得不同频率的年降水量。各流域及行政分区不同频率的年降水量统计分析结果见表 3-4、表 3-5。

表 3-4　流域三级分区不同频率年降水量分析成果

序号	流域三级分区		均值(mm)	C_v	C_s/C_v	不同频率年降水量(mm)			
	编号	名称				20%	50%	75%	95%
1	$Ⅲ_{2-7}$	漳河山丘区	595.23	0.35	2.0	761.6	571.2	446.3	351.1
2	$Ⅲ_{2-8}$	卫河山丘区	628.13	0.30	3.5	766.2	596.6	489.8	420.8
3	$Ⅳ_{2-7}$	卫河平原区	544.81	0.25	3.0	654.0	528.7	446.9	387.0
4	$Ⅳ_{14-1}$	金堤河区	544.40	0.25	2.0	652.8	533.1	446.1	380.8
5	$Ⅳ_{3-C}$	徒马河区	544.40	0.25	2.0	652.8	533.1	446.1	380.8
全　市			573.53	0.25	2.0	688.2	562.1	470.3	401.5

表 3-5　行政三级分区不同频率年降水量分析成果

序号	县(市、区)	均值(mm)	C_v	C_s/C_v	不同频率年降水量(mm)			
					20%	50%	75%	95%
1	安阳县	551.98	0.25	2.5	662.4	535.4	452.6	386.4
2	林州市	627.51	0.25	3.0	753.0	608.7	514.6	445.5
3	内黄县	545.47	0.25	3.0	654.6	529.1	447.3	387.3
4	滑　县	545.51	0.35	2.0	698.3	523.7	409.1	321.9
5	汤阴县	574.85	0.30	2.0	712.8	557.6	448.4	367.9
6	安阳市区(郊)	584.10	0.30	2.5	724.3	560.7	455.6	379.7
全　市		573.53	0.25	2.0	688.2	562.1	470.3	401.5

三、降水量时空分布特征

(一)降水量的区域分布

利用配线法对各雨量站 1956～1998 年系列资料分别进行频率分析,确定各雨量站年降水量均值和 C_v,列于表 3-6 中。根据安阳市各雨量站 1956～1998 年系列的年降水量均值,绘制同步期的平均年降水深等值线图,见附图 15。

表 3-6　安阳市各雨量站降水量统计参数

站次	编号	站名	均值(mm)	C_v	C_s/C_v
1	31022800	口上	750	0.5	6
2	31022950	临淇	706	0.35	2.5
3	31023000	大峪	773	0.3	2.5
4	31023050	茶店	681	0.3	0.5
5	31023300	弓上	715	0.4	4
6	31023400	小店	493	0.36	2.5
7	31023500	土圈	728	0.38	4.0
8	31023750	牛屯	510	0.36	1.0
9	31023850	道口	582	0.35	1.0

续表 3-6

站次	编号	站名	均值(mm)	C_v	C_s/C_v
10	31024150	鹤壁	636	0.35	3.5
11	31024200	小河子	544	0.27	0.5
12	31024350	高汉	573	0.35	5
13	31024450	西元村	560	0.35	2.5
14	31024500	姚村	591	0.3	2
15	31024550	石楼	581	0.34	0.5
16	31024600	南陵阳	479	0.38	2
17	31024650	林县	665	0.31	1
18	31024700	横水	611	0.4	4
19	31024750	小屯	532	0.4	3.5
20	31024800	东姚	633	0.4	2.5
21	31024900	小南海	635	0.35	3.5
22	31025000	河顺	559	0.28	2.0
23	31025050	李珍	546	0.42	2.5
24	31025200	安阳	565	0.35	3
25	31025250	冯宿	474	0.35	2
26	31025350	千口	569	0.45	3.5
27	31025400	内黄	564	0.35	2.0
28	31025440	元村集	513	0.3	0.5
29	31029000	天桥断	569	0.3	1.5
30	31029050	石板岩	614	0.6	3.5
31	31029100	南谷洞	613	0.45	3.5
32	31029200	任村	585	0.35	2.5
33	41426400	大车集	579	0.3	0.5
34	41427550	濮阳	539	0.32	1.5
35	31120200	清丰	534	0.28	0.5
36		朱付	578	0.33	0.5
37		南乐	543	0.32	2.0
38		辉县	624	0.31	2.0
39		汲县	559	0.32	3.0
40		新村	639	0.4	5.0
41		朝歌	597	0.29	2.5

从安阳市多年平均年降水量等值线图中可以看出，安阳市年降水量的区域分布很不均匀，总体上是由南向北呈逐渐递减的趋势，而由东向西则呈逐渐递增的趋势。东部平原年降水量的区域性变化比较平缓，规律性也比较强；但西部山丘区年降水量的区域性变化比较大一些，其中南部区域分布有两个降水量高值区，多年平均年降水量分别高达

773.14mm(大峪站)和728.08mm(土圈站),中部和北部区域分布有一个降水量高值区和两个低值区,多年平均年降水量分别为665.08mm(林州站)和493.30mm(小店站)、479.04mm(南陵阳站)。

(二)降水量的年际变化

采用年降水量变差系数 C_v 和最大年降水量与最小年降水量比值来分别分析安阳市降水量的年际变化特征。利用安阳市各雨量站1956～1998年降水量系列资料,计算确定年降水量统计参数 C_v(见表3-6)和最大年降水量与最小年降水量的比值(见表3-7),并绘制出同步期的年降水量变差系数 C_v 等值线图,见附图16。

表3-7 代表站年降水量最大、最小倍比 (单位:mm)

行政三级分区		代表站名	均值	最大年		最小年		最大、最小倍比
				降水量	年份(年)	降水量	年份(年)	
安阳县	西部	李珍	546	1 101	1963	218	1962	5.0
	东部	冯宿	474	854	1964	103	1956	8.3
林州市	南部	临淇	706	1 425	1963	285	1997	5.0
	中部	林州	665	1 070	1956	326	1997	3.3
	北部	天桥断	569	1 048	1963	282	1986	3.7
内黄县		内黄	564	1 024	1963	252	1965	4.1
滑　县		道口	582	1 070	1963	175	1997	6.1
汤阴县		高汉	573	1 511	1963	292	1981	5.2
安阳市区(郊)		安阳	565	1 159	1963	267	1965	4.3

从安阳市年降水量变差系数等值线图中可看出,安阳市降水量的年际变化幅度比较大。其中平原大部分区域年降水量变化相对比较小,变差系数一般为0.35,而只有内黄县南部区年降水量变化比较剧烈一些,变差系数高达0.45;山丘区年降水量变化相对比较大,各区域的年降水量变化幅度也相差较大,但规律性较强,由东向西年降水量变化幅度呈现出逐步递增的趋势。但中部和北部地区各局部区域的年降水量变化幅度有大有小,不均匀性比较突出,变差系数一般为0.4左右,最高可达0.6,而南部地区各局部区域的年降水量变化幅度也有大有小,变差系数一般为0.35,最高可达0.5。

从表3-7中看出,安阳市不同区域的降水量年际变化是比较大的,年降水量的最大、最小倍比值一般为3.3～8.3。其中西部山丘区的年降水量最大、最小倍比值相差比较小,一般为3.3～5.0,南部区域(临淇盆地)最大,其年降水量最大、最小倍比值为5.0,北部区域次之,年降水量最大、最小倍比值为3.7,中部区域(林州盆地)最小,年降水量最大、最小倍比值为3.3;而东部平原的年降水量最大、最小倍比值相差比较大,一般为4.1～8.3,内黄县最小,年降水量最大、最小倍比值为4.1,安阳县东部最大,年降水量最大、最小倍比值为8.3。从表3-7中还可看出,安阳市各区域之间降水量最大年份出现时间的同步性比较好,在1956～1998年期间降水量最大年份一般出现在1963年,只有林州市中部林州盆地和安阳县东部区域降水量最大年份分别出现在1956年、1964年;但降水量最小年份出现时间的同步性较差,除林州市的南部、中部和滑县西部区域年降水量最小年份均出现在 1997 年外，其他区域年降水量最小年份出现的时间千差万别。这说明安阳市各区域降水量年际变化的复杂性，也从一个侧面反映安阳市全境出现极端严重干旱的可能性不大，但出现极端严重洪涝灾害的可能性却很大，应引起有关方面的足够重视，提早做好防止发生历史罕见特大洪水灾害的前期准备工作。

(三)降水量的年内分配

安阳市降水量的年内分配受水汽条件、地形地貌和地理位置的影响不大，各区域之间的差异较小，雨季开始时间几乎是同步的。各行政分区雨季开始的时间一般均为 6 月份，连续最大四个月降水量均出现在 6～9 月，见表 3-8。

表 3-8　各行政分区连续最大四个月降水量比较

行政分区名称		连续最大四个月降水量(mm)	集中月份	占总降水量百分比(%)	代表站名
安阳县	东部	350.8	6～9	74	冯宿
	西部	398.4	6～9	73	李珍
林州市		507.0	6～9	76	林州
内黄县		400.3	6～9	71	内黄
滑　县		414.5	6～9	71	道口
汤阴县		407.1	6～9	71	高汉
安阳市区(郊)		413.1	6～9	73	安阳

由表 3-8 中可看出，安阳市各区不仅汛期出现的时间基本相同，一进入 6 月份各区域的降水量均明显增多，而且汛期的降水量比较集中，连续最大四个月降水量占全年降水量的百分比均超过 70%，其中林州市最大，超过 76%。这种降水特征容易产生洪涝灾害，给全区的防洪减灾造成很大压力。

根据安阳市各行政三级分区主要代表站 1956～1998 年逐月降水量系列资料，分析和计算各季降水量占全年总降水量的百分比，来表征安阳市年降水量的四季分配情况。具体分析结果，见表 3-9。

由表 3-9 中可以看出，安阳市的年内降水量四季变化比较大。其中夏季(6～8 月)降水量最大，一般占全年总降水量的 62%～66%，秋季(9～11 月)和春季(3～5 月)次之，分别为 16%～18%和 14%～17%，而冬季(12～2 月)降水量最小，一般仅占全年的 1%。但全市年内降水量分配规律在空间区域上的差异不大。如平原区春季降水量占总降水量的 15%～17%，夏季占 62%～66%，秋季占 16%～18%，冬季占 3%；最大月占总降水量的 27%～31%，出现时间为 7 月；最小月占 1%，出现时间为 1 月或 12 月。而山丘区春季降水量占总降水量的 14%～15%，夏季占 65%～66%，秋季占 17%，冬季占 3%；最大月占总降水量的 29%～31%，出现时间为 7 月；最小月占 1%，出现时间为 1 月或 12 月。

根据各行政分区主要代表站 1956～1998 年逐月降水量系列资料，通过频率计算，分析不同频率典型年的降水量月分配情况，见表 3-10。

表 3-9　各行政分区年内降水量四季分配分析结果

行政分区名称		代表站	春季(%)	夏季(%)	秋季(%)	冬季(%)	最大月		最小月	
							占全年(%)	月份	占全年(%)	月份
安阳县	东部	冯宿	15	66	16	3	30	7	1	1
	西部	李珍	15	65	17	3	29	7	1	12
林州市		林州	14	66	17	3	31	7	1	1
内黄县		内黄	17	62	18	3	30	7	1	1
滑　县		道口	17	62	18	3	28	7	1	12
汤阴县		高汉	17	62	18	3	27	7	1	1
安阳市区(郊)		安阳	15	65	17	3	31	7	1	1

四、降水量的丰枯变化

利用代表性测站降水量系列资料分析年降水量的丰枯变化规律，一般选用差积曲线的方法。所谓的差积曲线又称为距平累积曲线，将每年年降水量 P_i 与多年平均降水量 $\bar{P}$ 之差值，逐年依次累加，所得过程线为年降水量差积曲线：

$$\sum_{i=1}^{N}(P_i - \bar{P}) \sim T \quad (3\text{-}2)$$

本次选择 8 个有代表性的雨量站系列资料绘制降水量差积曲线，以此分析所代表区域年降水量的丰枯变化情况，如图 3-2～图 3-10 所示。年降水量差积曲线上升表示偏丰水年，下降表示为偏枯水年，曲线坡度反映降水量的丰枯强度。

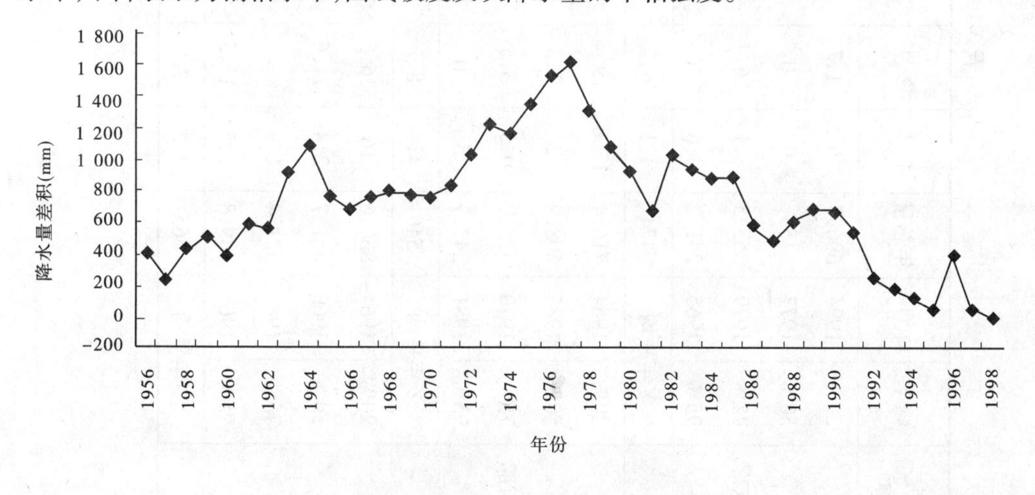

图 3-2　林州站年降水量差积曲线

表 3-10　各行政分区不同频率降水量年内分配

（单位:mm）

行政分区名称		频率	典型年	年总量	1月	2月	3月	4月	5月	6月	7月	8月	9月	10月	11月	12月	代表站名
安阳县	东部	20%	1994	606.7	0	1.7	4	55.4	8	130.1	255.3	65.8	3.3	50.2	20.8	12.1	冯宿
		50%	1977	455	0	0	2.3	24.7	36.9	19.2	256.8	24	4.1	75	10.9	4.1	
		75%	1979	355.5	8.1	16.4	41.6	27.6	11.5	28.9	159.6	13.2	40	0	0.6	8	
		95%	1965	241.7	3.6	16	0.2	40.4	24.7	45.4	27.5	1.7	5.4	53.5	23.4	0	
		多年平均		474	4.1	6.2	13.3	22.9	33.2	55.6	143.9	115.3	36	27.6	12.9	4.9	
	西部	20%	1964	716.4	17.8	19.4	8.1	118.3	78.2	3.1	197.2	128.6	46	88.7	4.1	6.9	李珍
		50%	1985	508.9	2	7.3	6.1	0.2	74	20.4	108.3	98.4	139	53.1	0	0.1	
		75%	1970	378.9	0.5	3.5	4.5	27.9	65.1	34.9	88.6	114.7	23.1	12.1	3.5	0.6	
		95%	1981	247.9	5	0	15.3	0.9	2.6	30.3	96	63.9	26.2	7.8	0	0	
		多年平均		546	4.4	8.2	14.7	26.7	40.3	47.4	156.4	151.2	43.4	32.3	16.3	4.3	
林州市		20%	1964	836.6	16	16.3	13.1	88.6	102.6	20.3	251.1	141.5	74.3	100.8	5.7	6.3	林州
		50%	1969	651.7	2.4	11.6	11.8	81.1	32.6	46.1	167.1	107.7	165	14.2	12.1	0	
		75%	1980	521.4	1.9	0	16.6	26.4	82.6	106.9	145.1	53.3	45.4	41.7	1.5	0	
		95%	1965	349.8	1.5	13.5	5.8	62	12.5	13.4	102.2	31.4	26.2	62.7	18.6	0	
		多年平均		665	4.3	7.8	17.3	31	44.1	61.5	205.2	179.7	60.5	35.1	15.3	4.6	

续表 3-10

行政分区名称	频率	典型年	年总量	1月	2月	3月	4月	5月	6月	7月	8月	9月	10月	11月	12月	代表站名
内黄县	20%	1967	721.9	8	15.5	33.1	24.5	9.6	75.6	195.1	96.4	185.4	5.8	72.8	0	内黄
	50%	1982	541.4	2	6	4.8	7.6	53	9.3	115.3	291.8	9.3	16.8	25.5	0	
	75%	1988	423	0.2	0.3	12.8	0	89.1	24.9	192.5	82.8	4.5	13.3	0	2.5	
	95%	1966	287.6	0	10.6	33.1	21.2	2.6	48.3	111.6	25.9	3.8	16.8	12	1.9	
	多年平均		564	5.1	8.4	18.7	29.3	45.4	62.7	170.4	119	48.2	35.9	18.7	5.7	
滑县	20%	1993	750.8	7.1	8.9	15.6	63.9	41.9	192.1	166.2	86.8	21	67.9	79.3	0	道口
	50%	1990	570.4	21	39.4	68.4	21.6	78.4	108.6	120.8	55.4	19.2	0	37.6	0	
	75%	1985	442.3	3.7	9.3	11.8	5.6	57.9	17.5	67.8	104	121.9	37.4	1.7	3.9	
	95%	1978	273.5	0	8.4	9.1	0	30.1	28.9	87.3	54.1	16.7	29.5	6.2	3.1	
	多年平均		582	5.7	9.7	20.3	32.5	45.4	71.4	160.2	125.6	57.3	32.3	17.7	5.1	
汤阴县	20%	1994	704.8	0	1.2	7.2	52.9	35.5	119.9	261.1	102	21.2	57.7	30.1	16	高汉
	50%	1967	515.7	6.8	16.6	28.8	10.6	31.3	66.3	69.4	119.1	94.8	3.7	68.3	0	
	75%	1995	429.8	0	1.2	11.1	12.1	9.5	57.1	118.5	168.5	6.1	45.6	0	0	
	95%	1986	366.7	0	0.1	12.1	5.4	82.2	132.6	10.9	43.6	33.8	33.3	5.7	7	
	多年平均		573	4.1	8.3	17.4	30.3	47.1	64.4	156.8	136.9	49.1	34.3	18.7	5.8	
安阳市区(郊)	20%	1984	711.6	0	0	5.3	9.8	47.1	82	175.5	302.9	50.9	7.5	10.3	20.2	安阳
	50%	1972	530.9	11.4	5	3.9	4.4	55.6	11	236	91.4	46.4	27.2	38	0.7	
	75%	1995	418	0	0.5	10.6	6.9	2.3	50	146.7	162	2.8	36.2	0	0	
	95%	1997	310.6	0.2	13.1	52.8	20.6	10.1	8.5	88.8	27.5	60.3	6	16.8	5.9	
	多年平均		564.8	3.8	6.9	16.2	28	43.1	59.8	172.8	135	45.5	32.6	16.4	4.8	

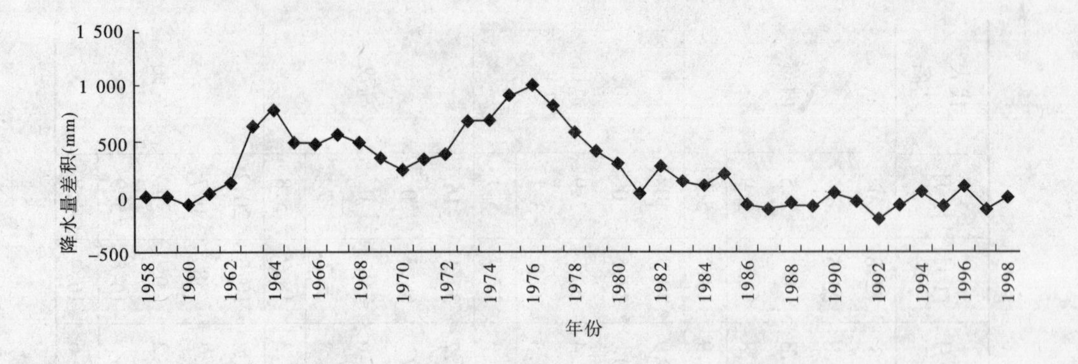

图 3-3 天桥断站年降水量差积曲线

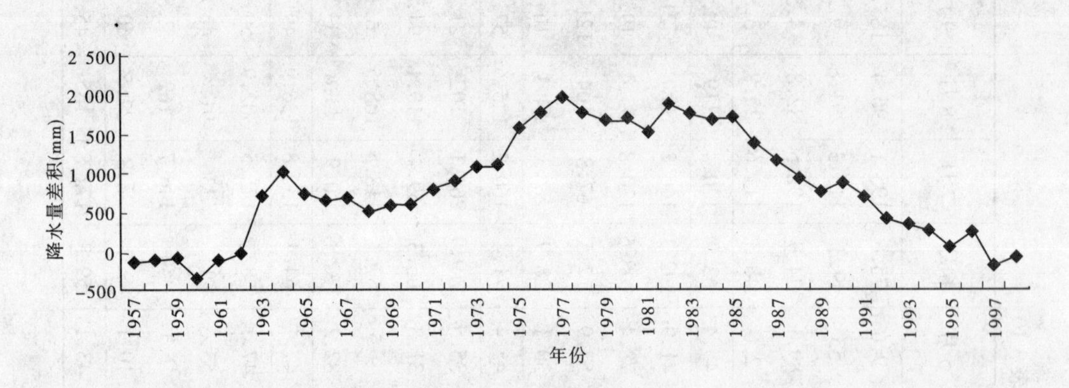

图 3-4 临淇站年降水量差积曲线

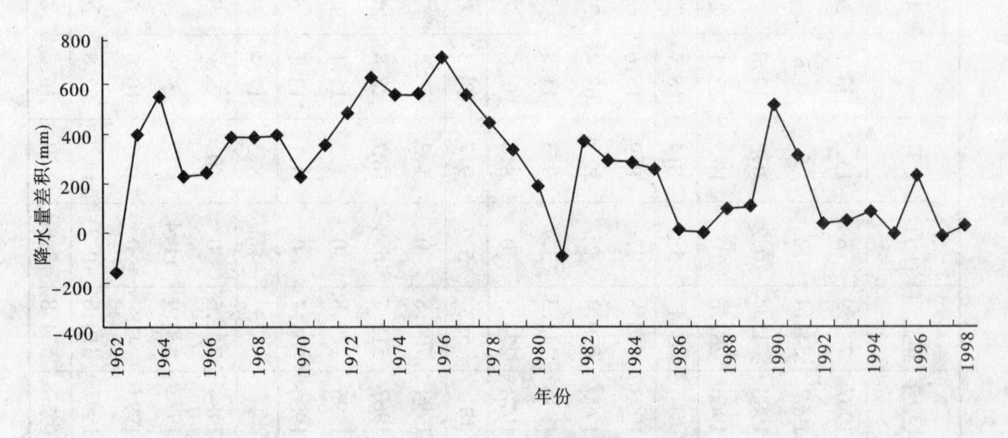

图 3-5 李珍站年降水量差积曲线

从图 3-2～图 3-4 中可以看出，安阳市西部山丘区林州市境内从 50 年代中后期到 70 年代中后期年降水量总体上比较偏丰，属于大的丰水期，而 70 年代中后期至 90 年代后期年降水量普遍偏枯，属于大的枯水期。在大的丰水期中又存在小枯水期或小平水期，如 1966～1970年为小平水期，1957 年和 1960 年为小枯水年，1965 年为特枯水年；而在大的枯水期中也存在小丰水期或小平水期，如林州市中部区 1988～1990 年期间为小丰水期，

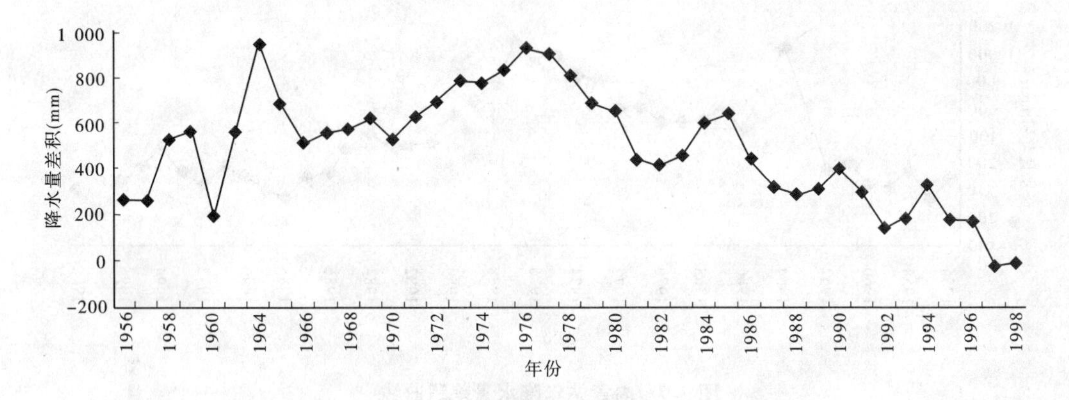

图 3-6　冯宿站年降水量差积曲线

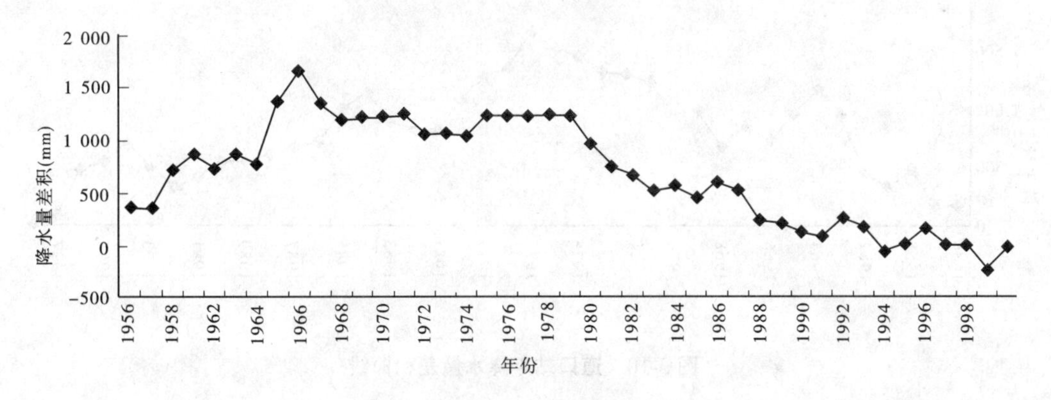

图 3-7　安阳站年降水量差积曲线

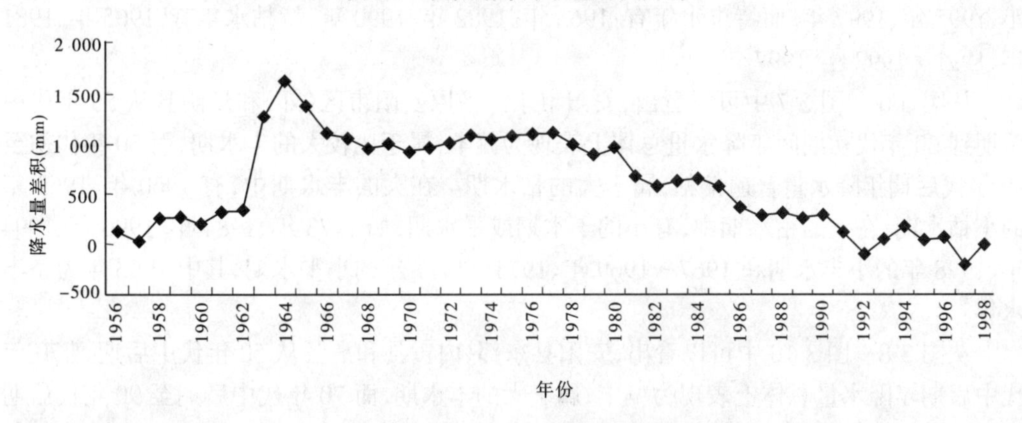

图 3-8　高汉站年降水量差积曲线

1982 年、1996 年为特丰水年；北部区 1987～1989 年期间为小平水期，1982 年、1996 年为较丰水年；南部区 1982 年为特丰水年，1990 年、1996 年、1998 年为小丰水年。

从图 3-5 中可以看出，安阳市西部山丘区安阳县的西部区域，由于邻近东部平原，受地形、地貌等因素影响比较强烈，降水量的年际丰、枯变化频繁，但进入 90 年代以来总体上为偏枯水年。其中偏丰年份有：1963～1964 年、1966～1967 年、1971～1973 年、1975～1976 年、1982 年、1988～1990 年、1996 年，平水年有：1968～1969 年、1987 年、1993～1994

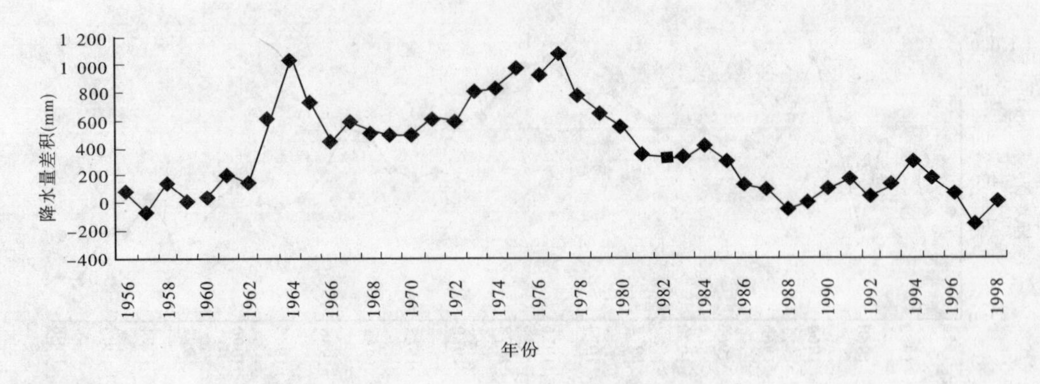

图 3-9　内黄站年降水量差积曲线

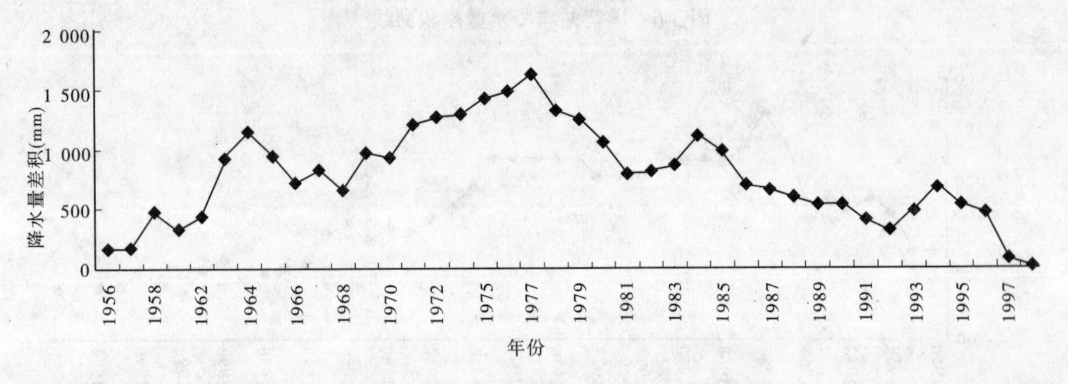

图 3-10　道口站年降水量差积曲线

年，偏枯水年有：1965 年、1970 年、1974 年、1977～1981 年、1983～1987 年、1991～1992 年、1995 年、1997 年，而特丰水年有：1963 年、1982 年、1990 年，特枯水年有：1965 年、1981 年、1991～1992 年、1997 年。

从图 3-6 和图 3-7 中可以看出，安阳市东部平原安阳市区(郊)和汤阴县从 50 年代中后期到 60 年代初期间年降水量总体上表现为偏丰，属于比较大的丰水期，而 60 年代初至 90 年代后期年降水量普遍偏枯，属于大的枯水期。在大的丰水期中，有 1960 年、1962 年的小枯水期；在大的枯水期中，有小的丰水期或平水期，如 1973 年、1984 年、1990 年、1994 年、1998 年的小丰水期和 1967～1969 年、1974～1977 年的小平水期，其中 1963 年为特丰水年。

从图 3-8～图 3-10 中可以看出，安阳县东部、内黄县和滑县从 50 年代中后期到 70 年代中后期年降水量总体上表现为偏丰，属于大的丰水期，而 70 年代中后期至 90 年代后期年降水量普遍偏枯，属于大的枯水期。在大的丰水期中又存在小枯水期或小平水期，如安阳县东部 1957 年、1960 年、1965～1966 年、1970 年的小枯水期，内黄县和滑县 1957 年、1959 年、1962 年、1965～1966 年、1968 年的小枯水期；在大的枯水期中又存在小丰水期或小平水期，如安阳县东部 1983～1985 年、1989～1990 年、1993～1994 年的小丰水期，内黄县和滑县 1984 年、1993～1994 年的小丰水年，1998 年内黄县为偏丰水年，而滑县为偏枯水年。

通过分析我们不难发现，安阳市降水量的年际丰枯变化规律大致可归纳为三种类型：

第一种类型以西部山丘区的林州市、东部平原区的内黄县和滑县为代表，表现为从 50 年代中后期到 70 年代中后期年降水量总体上比较偏丰，属于大的丰水期，而 70 年代中后期至 90 年代后期年降水量普遍偏枯，属于大的枯水期；第二种类型以安阳县的西部区域(属于安阳市的西部山丘区，但邻近东部平原)为代表，表现为降水量的年际丰、枯变化频繁，但进入 90 年代以来总体上为偏枯水年；第三种类型以安阳市区(郊)和汤阴县为代表，表现为从 50 年代中后期到 60 年代初期间年降水量总体上表现为偏丰，属于比较大的丰水期，而 60 年代初至 90 年代后期年降水量普遍偏枯，属于大的枯水期。

为了与前面的分析成果进行对比，选用距平曲线($(P_i-\overline{P})\sim T$)来进一步分析年降水量的丰枯变化幅度，如图 3-11 和图 3-12 所示。

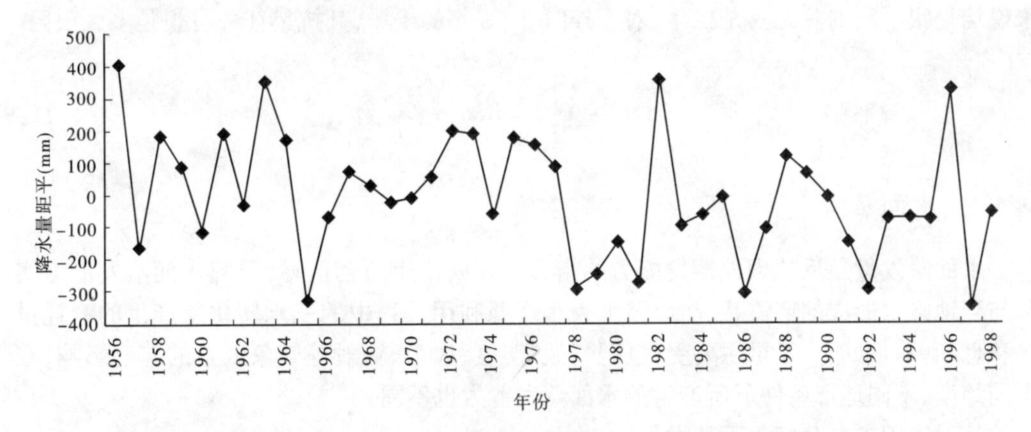

图 3-11　林州站年降水量距平曲线

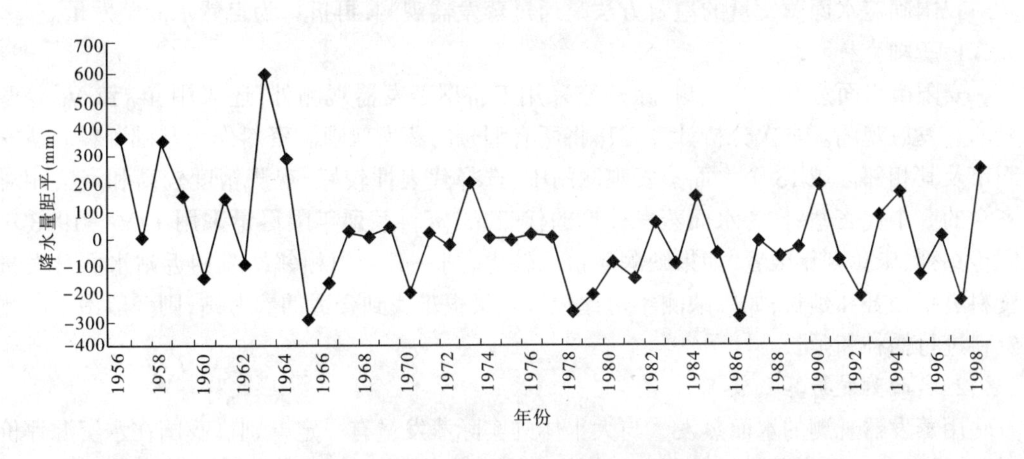

图 3-12　安阳站年降水量距平曲线

从图 3-11 和图 3-12 中可以看出，安阳市西部山丘区在 1956～1998 年期间有 4 个特丰水年(1956 年、1963 年、1982 年、1996 年)，其年降水量分别比多年平均年降水量(665mm)偏丰 61%、53%、55%、50%；而特枯水年份有 6 年(1965 年、1978 年、1981 年、1986 年、1992 年、1997 年)，其降水量分别比多年平均年降水量偏枯 49%、43%、40%、45%、44%和 51%，尤其是进入 90 年代以后遇到了 1 个特丰水年份(山丘区为 1996 年，平原区为 1998 年)和 2 个特枯水年份(1992 年、1997 年)。

对于安阳市东部平原，在1956～1998年期间有4个特丰水年(1956年、1958年、1963年和1964年)，且全部集中在五六十年代，其年降水量分别比多年平均年降水量(566mm)偏丰64%、62%、105%和51%；而特枯水年份有4年(1965年、1978年、1986年、1997年)，其年降水量分别比多年平均年降水量偏枯53%、48%、52%和43%。

通过综合分析表明，安阳市年降水量除了年际丰枯变化幅度较大以外，还存在连续偏丰和连续偏枯的情况。如林州站最长的连丰年是1971～1973年，而最长的连枯年是1978～1981年；安阳站最长的连丰年是1963～1964年，而最长的连枯年是1978～1981年和1985～1989年；道口站最长的连丰年是1971～1977年，而最长的连枯年是1978～1981年和1985～1992年。这种降水量的年际丰枯变化特点，对于安阳市的防洪和抗旱来说均是很不利的。尤其是抗旱，对于连续5～6年的干旱，其抗旱任务可想是多么艰巨。

第二节　蒸　发

一、水面蒸发

水面蒸发量是反映当地蒸发能力的指标。在安阳市所辖区域，研究水面蒸发能力实际与当地降水形成的产流状况，以及地表水资源利用过程中的三水转化所产生的消耗量等息息相关。水面蒸发量主要受气压、气温、湿度、风力、辐射等气象因素的综合影响，在不同纬度、不同地形条件下所产生的水面蒸发能力也不同。

(一)安阳市各分区水面蒸发量

我国确定水面蒸发量的主要方法是通过蒸发器观测，再折算为自然水面蒸发量。

1.基础资料

安阳市水面蒸发量的观测，除一般采用E_{601}型蒸发器观测外，还采用Φ_{20}和Φ_{80}等型号的蒸发皿观测。本次分析计算工作将所有型号的蒸发皿观测资料作为基础资料。从安阳市及其相邻区域13个水面蒸发观测站中，选择代表性较好、观测精度较高和资料相对齐全的8个代表站，作为水面蒸发计算的代表站，资料系列年限尽量采用1956～1998年同步系列，未达到年限者，如果缺测年份比较少，则一般采用相邻站或相近站水面蒸发量资料进行插补和延长；如果缺测年份比较多且又很难找到合适的参考站，则一般不对缺测资料进行插补和延长。

2.水面蒸发折算系数

用蒸发器观测的水面蒸发量与大水体的实际蒸发量有一定差别。我国在水资源评价时，一般以E_{601}型蒸发器的蒸发量近似代表大水体的蒸发量。为此，必须用一个折算系数对Φ_{20}、Φ_{80}蒸发皿观测值进行折算。

从《中国水资源评价》一书中所作的有关分析可以看出，Φ_{20}折算系数分布由南向北逐渐递减，规律性较好，变化范围一般为0.53～0.80。Φ_{80}主要为黄河以南地区所采用，大部分地区折算系数变化范围为0.72～1.0，总的变化趋势由东南沿海向西北和云南中部减少，最大值在浙江省，达1.03，最小值在云南，为0.72。河南省一般采用Φ_{20}、Φ_{80}蒸发皿折算系数分别为0.62和0.83～0.84，故选择安阳市Φ_{20}、Φ_{80}蒸发皿折算系数分别为0.62

和0.83。

3.各分区水面蒸发量

安阳市5个三级流域分区(附图2),分区水面蒸发总量计算,采用不同流域分区内若干个代表站水面蒸发系列资料,利用泰森多边形法或算术平均法推求各分区年水面蒸发量。安阳市与各三级流域分区选用的代表站以及分析成果列于表3-11中。

安阳市6个三级行政分区(附图2),分区水面蒸发总量计算也采取上述方法,对不同行政分区选择数个代表性较好的蒸发站系列资料对各分区年水面蒸发量进行计算。安阳市和各行政分区选用的代表站以及分析成果,列于表3-12中。

表3-11 流域三级分区多年平均水面蒸发量分析成果 (单位:mm)

流域分区	代表站	资料系列	多年平均蒸发量	最大值		最小值		最大值与最小值的比值
				蒸发量	年份	蒸发量	年份	
漳河山丘区	天桥断	1978~1998	1 007.5	1 327	1979	688.5	1984	1.93
卫河山丘区	横水	1978~1998	975.04	1 830.8	1992	722.7	1990	2.53
卫河平原区	淇门、南乐、新村	1956~1998	1 207.39	1 762	1965	818	1989	2.15
金堤河区	大车集、淇门	1956~1998	1 034.68	1 495	1965	719	1989	2.08
徒马河区	大车集、淇门	1956~1998	1 034.68	1 495	1965	719	1989	2.08
全 区			1 074.99	1 653	1965	763	1996	2.17

表3-12 行政三级分区多年平均蒸发量计算成果 (单位:mm)

行政分区	代表站	资料系列	多年平均蒸发量	最大值		最小值		最大值与最小值的比值
				蒸发量	年份	蒸发量	年份	
安阳县	横水、南乐、新村	1956~1998	1 178.01	1 968	1961	840	1989	2.34
林州市	天桥断、横水	1978~1998	991.27	1 469	1992	754	1984	1.95
内黄县	南乐	1956~1998	1 206.00	1 980	1965	705	1991	2.81
滑 县	淇门、大车集	1956~1998	1 034.68	1 495	1965	719	1989	2.08
汤阴县	新村	1956~1998	1 353.00	2 091	1961	862	1996	2.43
安阳市区(郊)	横水、南乐、新村	1956~1998	1 178.01	1 968	1961	840	1989	2.34
全 区			1 074.99	1 653	1965	763	1996	2.17

通过上述分析结果可以看出,安阳市的多年平均年水面蒸发量为1 074.99mm(1956~1998年),合79.69亿m^3,是全市多年平均年降水量42.52亿m^3的1.87倍。由此可见,安阳市作为半湿润地区,其水面蒸发能力是比较强的。但与我国西部干旱半干旱地区的新疆年水面蒸发量1 512mm(1956~1995年)和宁夏年水面蒸发量1 296mm

(1956～1995年)相比,其年水面蒸发量则分别偏小29%和17%。

(二)水面蒸发量的时空分布

1.水面蒸发的地区分布

由表3-11中可以看出,安阳市全区的年水面蒸发量为1 074.99mm,流域三级分区中年水面蒸发量小于1 000mm的低值区只包括卫河山丘区,横水站的年水面蒸发量为975.04mm;年水面蒸发量大于1 000mm的高值区包括漳河山丘区、卫河平原区、金堤河区、徒马河区,其中卫河平原区年水面蒸发量最大,为1 207.39mm。

从表3-12中可以看出,安阳市各行政分区中汤阴县的年水面蒸发量最大,其多年平均水面蒸发量高达1 353mm,而林州市的年水面蒸发量最小,为991.27mm。

总之,由水面蒸发量分析结果可看出,安阳市年水面蒸发量的地区分布规律与年降水量正好相反,即年水面蒸发量的区域变化规律总体上是由南向北呈逐渐递增的趋势,而由东向西则呈逐渐递减的趋势。

2.水面蒸发的年内分配

安阳市水面蒸发年内分配不同地区有一定的差别,但总体来说,山丘区的水面蒸发量年内分配规律与平原的基本一致,只是年内变化幅度不完全相同而已。选择山丘区和平原区代表性测站实测资料系列,分析流域三级分区水面蒸发年内分配的差异,见表3-13。

从表3-13中可以看出,山丘区和平原区的水面蒸发年内分配规律没有较明显的差异,只是在6、7月份时平原区水面蒸发量所占全年总蒸发量的比值(11.0%～15.6%)均大于山丘区水面蒸发量占全年总蒸发量的比值(10.6%～14.4%)。另外,水面蒸发量最大的月份:山丘区出现在5、6月份,其水面蒸发量占全年的14.4%～14.8%;平原区均出现在6月份,蒸发量占全年的15.5%～16.0%。而水面蒸发量最小的月份:山丘区出现在1月份,水面蒸发量占全年的2.8%～3.6%;平原区出现在12月份或1月份,水面蒸发量占全年的2.8%～4.0%。

表3-13　流域三级分区水面蒸发量年内分配分析结果 (%)

流域分区		测站	1月	2月	3月	4月	5月	6月	7月	8月	9月	10月	11月	12月
山丘区	漳河山丘区	天桥断	3.6	4.3	6.9	11.9	13.8	14.4	10.6	9.7	8.0	7.2	5.2	4.3
	卫河山丘区	横水	2.8	4.6	8.5	12.6	14.8	14.1	10.6	9.9	8.0	6.3	4.6	3.2
平原区	卫河平原区	南乐	2.9	4.0	7.5	11.6	14.8	16.0	11.9	10.0	8.2	6.3	3.9	2.8
		新村	3.1	4.3	7.8	11.5	14.4	15.5	11.0	9.6	8.4	7.0	4.2	3.2
	金堤河区	淇门	4.0	4.7	8.6	10.4	12.7	15.6	11.2	10.0	8.3	6.4	4.7	3.3
	徒马河区	淇门	4.0	4.7	8.6	10.4	12.7	15.6	11.2	10.0	8.3	6.4	4.7	3.3

根据各分区主要代表站水面蒸发量系列资料的统计分析结果,安阳市所辖各县(市)区不同季节水面蒸发量的变化趋势基本一致,具有较好的同步性,且蒸发量大小相差不大。如各县(市)区夏季水面蒸发量均为最大,占全年水面总蒸发量的34.7%～37.9%;春季次之,其水面蒸发量占全年的31.6%～34.4%;冬季最小,其水面蒸发量仅占全年的

9.7%～11.2%。全市除林州市水面蒸发量最大的月份为5月以外，其余各县(市)区水面蒸发量最大的月份均为6月，其水面蒸发量一般占全年的14.4%～16.0%，而除内黄县水面蒸发量最小的月份是12月外，其余各县(市)区水面蒸发量最小的月份均为1月，其水面蒸发量一般占全年的2.8%～3.5%。其具体分析结果详见表3-14。

表3-14　行政三级分区水面蒸发量四季分配分析结果　(%)

行政分区	代表站	春季	夏季	秋季	冬季	最大		最小	
						(%)	月份	(%)	月份
安阳县	横水、南乐、新村	34.2	36.7	18.9	10.2	15.7	6	3.0	1
林州市	天桥断、横水	34.4	34.7	19.6	11.2	14.4	5	3.2	1
内黄县	南乐	34.0	37.8	18.4	9.7	16.0	6	2.8	12
滑　县	淇门、大车集	31.6	37.9	19.5	11.0	15.8	6	3.5	1
汤阴县	新村	33.7	36.0	19.7	10.7	15.5	6	3.1	1
安阳市区(郊)	横水、南乐、新村	34.2	36.7	18.9	10.2	15.7	6	3.0	1

综上所述，安阳市春季和夏季是当地蒸发能力最强的时节，也正是冬小麦等农作物生长耗水量最大的季节，一般需要进行补充灌溉，以确保农业丰收。

3.水面蒸发的多年变化

水面蒸发的多年变化与影响其变化的气候等各种因素有关，它相对于年径流量和年降水量的多年变化而言，相对较小一些，最大水面蒸发量与最小水面蒸发量之比一般为1.5～2.8(见表3-11和表3-12)。选择有代表性、资料齐全、系列较长的不同地区测站资料，进行P－Ⅲ型频率分析，确定年水面蒸发量变差系数C_v值。具体计算结果列于表3-15中。

表3-15　流域三级区水面蒸发量变差系数C_v值对比

流域分区	代表站	资料系列	均值(mm)	C_v
漳河山丘区	天桥断	1978～1998	1 007.5	0.19
卫河山丘区	横水	1978～1998	975.04	0.31
卫河平原区	淇门、南乐、新村	1956～1998	1 207.39	0.23
金堤河区	大车集、淇门	1956～1998	1 034.68	0.21
徒马河区	大车集、淇门	1956～1998	1 034.68	0.21
全　区			1 074.99	0.22

从表3-15中可以看出，安阳市的水面蒸发多年变化相对比较大，C_v值为0.22，但比年降水量多年变化要小一些，降水量的C_v值为0.25。漳河山丘区水面蒸发多年变化最小，C_v值为0.19，金堤河区次之；卫河山丘区最大，C_v值为0.31。

为了分析安阳市水面蒸发量的多年变化趋势，选择6个代表性测站的水面蒸发量长系列资料，分成1956～1998年、1956～1979年、1978～1998年、1980～1998年实测系列资料进行对比和分析。其中分析结果如表 3-16 和各代表性测站年水面蒸发量过程线图 3-13 和图 3-14 所示。

表 3-16　流域三级分区不同长、短系列平均年水面蒸发量对比结果

流域分区	测站	水面蒸发量(mm)				$\frac{\overline{E}_{24}-\overline{E}_{43}}{\overline{E}_{43}}$	$\frac{\overline{E}_{21}-\overline{E}_{43}}{\overline{E}_{43}}$	$\frac{\overline{E}_{10}-\overline{E}_{43}}{\overline{E}_{43}}$	$\frac{\overline{E}_{10}-\overline{E}_{21}}{\overline{E}_{21}}$
		1956～1998 年	1956～1979 年	1978～1998 年	1989～1998 年	(%)	(%)	(%)	(%)
漳河山丘区	天桥断			1 007.5	954.8				-5.2
卫河山丘区	横水			975.0	972.7				-0.2
卫河平原区	南乐	1 206	1 434.3	933.8	854.7	18.9	-22.6	-29.1	-8.5
	新村	1 353	1 539.5	1 148.3	1 035.6	13.8	-15.1	-23.5	-9.8
金堤河区	淇门	1 069	1 231.3	899.8	793.2	15.2	-15.8	-25.8	-11.8
徒马河区	淇门	1 069	1 231.3	899.8	793.2	15.2	-15.8	-25.8	-11.8

注:$\overline{E}_{43}$为 1956～1998 年平均年水面蒸发量;$\overline{E}_{24}$为 1956～1979 年平均年水面蒸发量;$\overline{E}_{21}$为 1978～1998 年平均年水面蒸发量;$\overline{E}_{10}$为 1989～1998 年平均年水面蒸发量;“-”表示偏小。

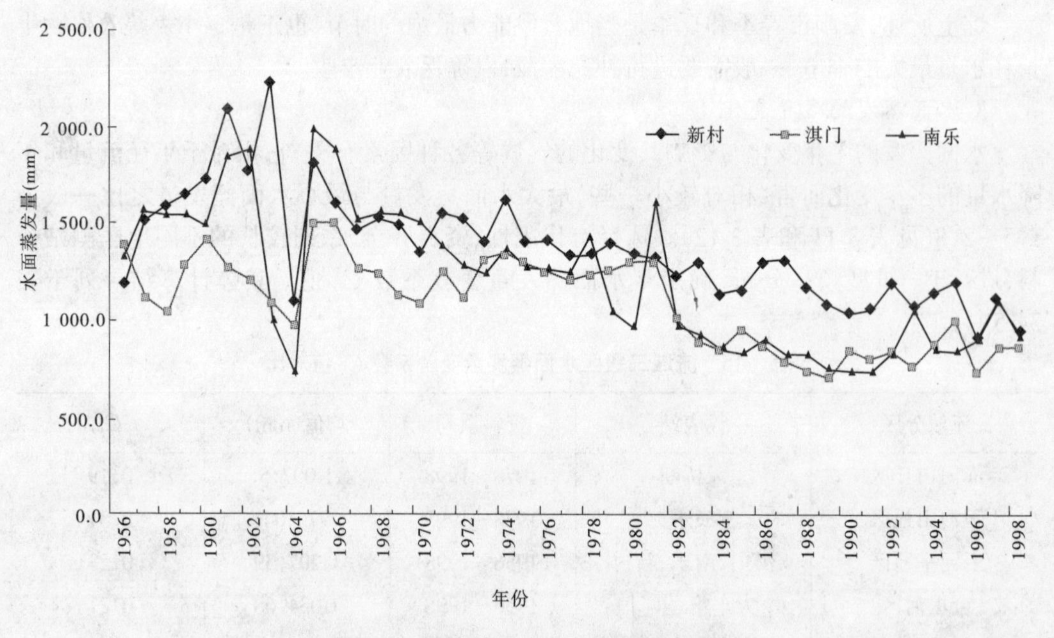

图 3-13　代表性测站水面蒸发量过程线

从表 3-16 中可以看出,水面蒸发量实测资料系列的长短对所求得的平均年水面蒸发量影响是比较大的。由代表性测站南乐、新村和淇门站的分析结果可看出,1956～1979 年系列的平均年水面蒸发量比 1956～1998 年系列的平均年水面蒸发量分别偏大 18.9%、13.8%和 15.2%;而 1978～1998 年系列的平均年水面蒸发量比 1956～1998 年系列分别偏小 22.6%、15.1%和 15.8%;1989～1998 年系列的平均年水面蒸发量与 1956～1998年系列相比偏小则更大,分别偏小 29.1%、23.5%和 25.8%;1989～1998 年系列的平均年水面蒸发量与 1978～1998 年系列相比也偏小,分别偏小 8.5%、9.8%和

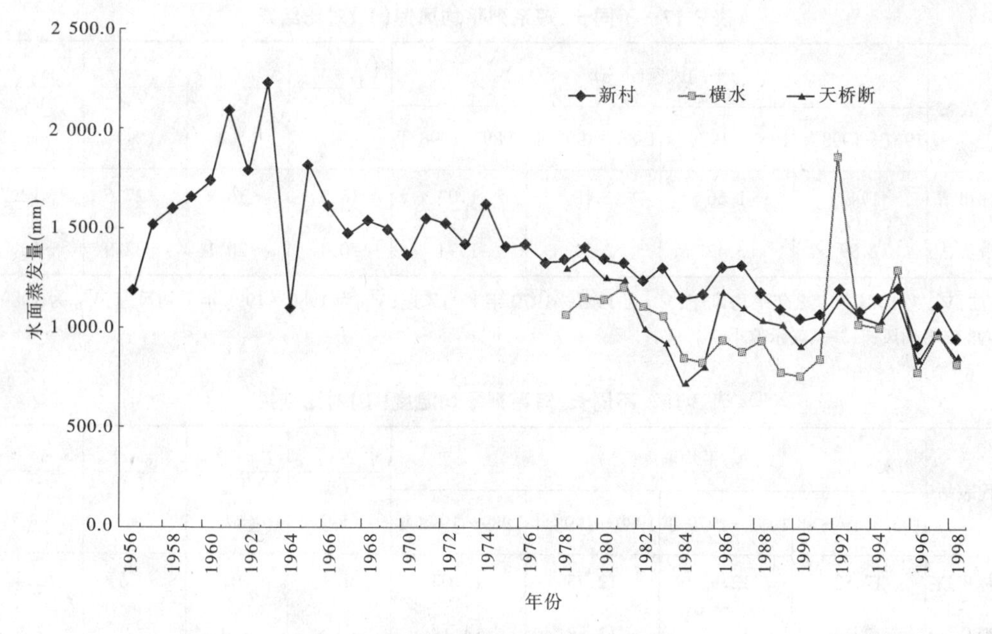

图 3-14　代表性测站水面蒸发量过程线

11.8%。对于山丘区测站天桥断和横水站来说，最近 10 年与最近 21 年的平均年水面蒸发量相比也偏小，分别偏小 5.2% 和 0.2%。由此说明，选用 1956～1979 年的水面蒸发系列资料计算出的多年平均年水面蒸发量偏大，一般偏大 15% 左右，而选用 1978～1998 年的系列资料计算出的年水面蒸发量又偏小，一般偏小 16% 左右。因此，选用 1956～1998 年的系列资料计算多年平均年水面蒸发量具有更好的代表性。

从图 3-13 和图 3-14 中也可以看出，自 20 世纪 60 年代以来安阳市平原区的水面蒸发量总体上呈现出平缓的下降趋势，其中有个别年份水面蒸发量偏大，如南乐站 1981 年水面蒸发量为 1 597mm；而安阳市山丘区的水面蒸发量上下波动相对剧烈一些，个别年份水面蒸发量偏大很厉害（如 1992 年横水站水面蒸发量高达 1 831mm），但总体上看仍呈现下降的趋势。

（三）水面蒸发量变化趋势原因分析

通过降水量与水面蒸发量多年变化趋势分析发现，安阳市水面蒸发量的多年变化趋势与降水量的多年变化趋势基本一致，总体上均呈递减趋势变化。为了进一步分析水面蒸发量呈递减趋势变化的原因，特别选择了林州站和滑县站作为安阳市山丘区与平原区的代表站，分析气象因素（风速、温度、湿度、日照）和水面蒸发量的多年变化趋势，并通过相关分析法计算和确定水面蒸发量与风速、温度、湿度、日照之间的相关系数，分析影响山丘区和平原区水面蒸发量的主要因素。

由于安阳市的气象资料大多数是从 1961 年开始有比较完整的实测记录的，为此选择资料完备性比较好的 1961～1998 年的系列资料，分析各气象因素的多年变化趋势和影响水面蒸发量的主要因素。具体分析结果列于表 3-17～表 3-24 和图 3-15 中。

表 3-17　不同长、短系列平均风速(V)对比结果

代表站	平均风速(m/s)				$\frac{\overline{V}_{19}-\overline{V}_{38}}{\overline{V}_{38}}$	$\frac{\widetilde{V}_{19}-\overline{V}_{38}}{\overline{V}_{38}}$	$\frac{\overline{V}_{10}-\overline{V}_{38}}{\overline{V}_{38}}$	$\frac{\overline{V}_{10}-\widetilde{V}_{19}}{\widetilde{V}_{19}}$
	1961～1998 年	1961～1979 年	1980～1998 年	1989～1998 年	(%)	(%)	(%)	(%)
林州站	1.42	1.66	1.18	1.03	16.9	-16.9	-27.5	-12.7
滑县站	2.89	3.47	2.31	1.94	20.1	-20.1	-32.9	-16.0

注:$\overline{V}_{38}$为 1961～1998 年平均风速;$\overline{V}_{19}$为 1961～1979 年平均风速;$\widetilde{V}_{19}$为 1980～1998 年平均风速;$\overline{V}_{10}$为 1989～1998 年平均风速;“-”表示偏小。

表 3-18　不同长、短系列平均温度(T)对比结果

代表站	平均温度(℃)				$\frac{\overline{T}_{19}-\overline{T}_{38}}{\overline{T}_{38}}$	$\frac{\widetilde{T}_{19}-\overline{T}_{38}}{\overline{T}_{38}}$	$\frac{\overline{T}_{10}-\overline{T}_{38}}{\overline{T}_{38}}$	$\frac{\overline{T}_{10}-\widetilde{T}_{19}}{\widetilde{T}_{19}}$
	1961～1998 年	1961～1979 年	1980～1998 年	1989～1998 年	(%)	(%)	(%)	(%)
林州站	12.82	12.92	12.73	13.03	0.8	-0.7	1.6	2.4
滑县站	13.74	13.60	13.88	14.18	-1.0	1.0	3.2	2.2

注:$\overline{T}_{38}$为 1961～1998 年平均温度;$\overline{T}_{19}$为 1961～1979 年平均温度;$\widetilde{T}_{19}$为 1980～1998 年平均温度;$\overline{T}_{10}$为 1989～1998 年平均温度;“-”表示偏小。

表 3-19　不同长、短系列平均相对湿度(F)对比结果

代表站	平均相对湿度(%)				$\frac{\overline{F}_{19}-\overline{F}_{38}}{\overline{F}_{38}}$	$\frac{\widetilde{F}_{19}-\overline{F}_{38}}{\overline{F}_{38}}$	$\frac{\overline{F}_{10}-\overline{F}_{38}}{\overline{F}_{38}}$	$\frac{\overline{F}_{10}-\widetilde{F}_{19}}{\widetilde{F}_{19}}$
	1961～1998 年	1961～1979 年	1980～1998 年	1989～1998 年	(%)	(%)	(%)	(%)
林州站	66.14	65.56	66.71	67.53	-0.9	0.9	2.1	1.2
滑县站	67.92	67.38	68.45	69.43	-0.8	0.8	2.2	1.4

注:$\overline{F}_{38}$为 1961～1998 年平均相对湿度;$\overline{F}_{19}$为 1961～1979 年平均相对湿度;$\widetilde{F}_{19}$为 1980～1998 年平均相对湿度;$\overline{F}_{10}$为 1989～1998 年平均相对湿度;“-”表示偏小。

表 3-20　不同长、短系列月平均日照(t)对比结果　　(单位:h/月)

代表站	平均日照				$\frac{\bar{t}_{19}-\bar{t}_{38}}{\bar{t}_{38}}$	$\frac{\tilde{t}_{19}-\bar{t}_{38}}{\bar{t}_{38}}$	$\frac{\bar{t}_{10}-\bar{t}_{38}}{\bar{t}_{38}}$	$\frac{\bar{t}_{10}-\tilde{t}_{19}}{\tilde{t}_{19}}$
	1961～1998 年	1961～1979 年	1980～1998 年	1989～1998 年	(%)	(%)	(%)	(%)
林州站	193.21	204.76	181.66	178.15	6.0	-6.0	-7.8	-1.9
滑县站	181.43	197.29	167.23	159.80	8.7	-7.8	-11.9	-4.4

注:$\bar{t}_{38}$为 1961～1998 年平均日照;$\bar{t}_{19}$为 1961～1979 年平均日照;$\tilde{t}_{19}$为 1980～1998 年平均日照;$\bar{t}_{10}$为 1989～1998 年平均日照;“-”表示偏小。

表 3-21 不同长、短系列年平均蒸发量(E)对比结果

代表站		平均蒸发量(mm)				$\frac{\bar{E}_{19}-\bar{E}_{38}}{\bar{E}_{38}}$ (%)	$\frac{\tilde{E}_{19}-\bar{E}_{38}}{\bar{E}_{38}}$ (%)	$\frac{\bar{E}_{10}-\bar{E}_{38}}{\bar{E}_{38}}$ (%)	$\frac{\bar{E}_{10}-\tilde{E}_{19}}{\tilde{E}_{19}}$ (%)
		1961~1998 年	1961~1979 年	1980~1998 年	1989~1998 年				
林州站	横水			965.28	972.66				0.8
	天桥断			976.69	954.77				-2.2
滑县站	淇门	1 045.9	1 226.9	864.9	793.2	17.3	-17.3	-24.2	-8.3

注:$\bar{E}_{38}$为 1961~1998 年平均蒸发量;$\bar{E}_{19}$为 1961~1979 年平均蒸发量;$\tilde{E}_{19}$为 1980~1998 年平均蒸发量;$\bar{E}_{10}$为 1989~1998 年平均蒸发量;"-"表示偏小。

表 3-22 林州站不同年代五项气象指标分析结果对比

指标	60 年代均值	70 年代均值	80 年代均值	90 年代均值	长系列均值	$\frac{\bar{Y}_{60}-\bar{Y}}{\bar{Y}}$ (%)	$\frac{\bar{Y}_{70}-\bar{Y}}{\bar{Y}}$ (%)	$\frac{\bar{Y}_{80}-\bar{Y}}{\bar{Y}}$ (%)	$\frac{\bar{Y}_{90}-\bar{Y}}{\bar{Y}}$ (%)
风速(m/s)	1.66	1.63	1.31	1.03	1.42	16.90	14.79	-7.75	-27.46
温度(℃)	12.86	12.96	12.44	13.06	12.82	0.31	1.09	-2.96	1.87
相对湿度(%)	63.87	67.09	66.23	67.24	66.14	-3.43	1.44	0.14	1.66
日照(h)	208.40	201.48	183.62	179.49	193.21	7.86	4.28	-4.96	-7.10
蒸发(mm)			999.52	951.32	976.69			2.34	-2.60

注:$\bar{Y}_{60}$为 60 年代平均值;$\bar{Y}_{70}$为 70 年代平均值;$\bar{Y}_{80}$为 80 年代平均值;$\bar{Y}_{90}$为 90 年代平均值;$\bar{Y}$ 为 60 年代到 90 年代整个系列的平均值;"-"表示偏小。

表 3-23 滑县站不同年代五项气象指标分析结果对比

指标	60 年代均值	70 年代均值	80 年代均值	90 年代均值	长系列均值	$\frac{\bar{Y}_{60}-\bar{Y}}{\bar{Y}}$ (%)	$\frac{\bar{Y}_{70}-\bar{Y}}{\bar{Y}}$ (%)	$\frac{\bar{Y}_{80}-\bar{Y}}{\bar{Y}}$ (%)	$\frac{\bar{Y}_{90}-\bar{Y}}{\bar{Y}}$ (%)
风速(m/s)	3.74	3.23	2.66	1.94	2.89	29.41	11.76	-7.96	-32.87
温度(℃)	13.57	13.63	13.57	14.22	13.74	-1.24	-0.80	-1.24	3.49
相对湿度(%)	67.01	67.72	67.69	69.30	67.92	-1.34	-0.29	-0.34	2.03
日照(h)	204.45	192.27	172.24	161.67	181.43	12.69	5.97	-5.07	-10.89
蒸发(mm)	1 233.6	1 220.9	917.54	806.36	1 045.9	17.95	16.73	-12.27	-22.90

注:$\bar{Y}_{60}$为 60 年代平均值;$\bar{Y}_{70}$为 70 年代平均值;$\bar{Y}_{80}$为 80 年代平均值;$\bar{Y}_{90}$为 90 年代平均值;$\bar{Y}$ 为 60 年代到 90 年代整个系列的平均值;"-"表示偏小。

表 3-24 安阳市水面蒸发量与其余气象指标的相关系数(r)计算成果

代表站	系列长度	风速	温度	相对湿度	日照
林州站	1980~1998 年	+0.37	+0.02	-0.56	+0.63
滑县站	1961~1998 年	+0.78	-0.23	-0.47	+0.35

注:"-"代表负相关,"+"代表正相关。

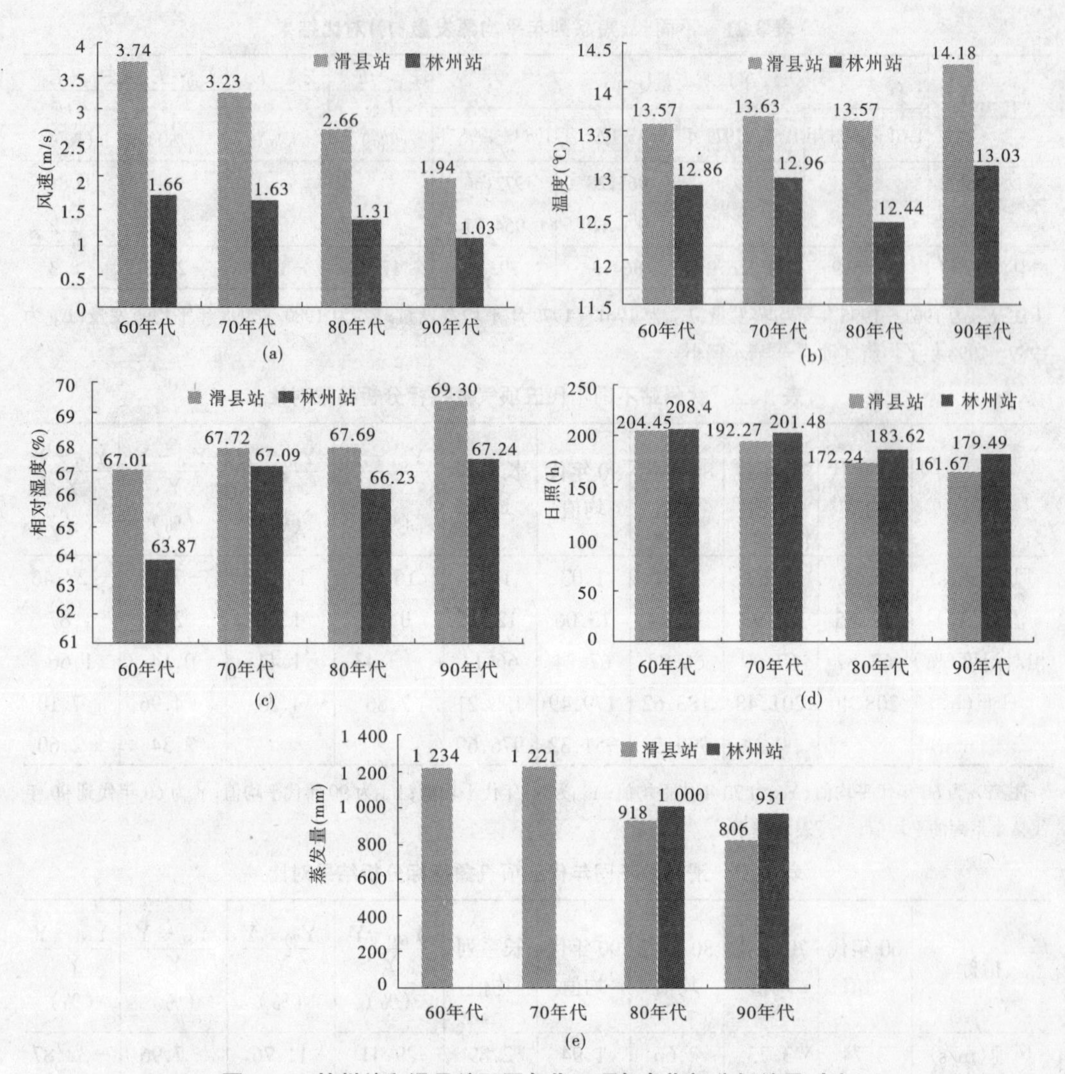

图 3-15　林州站和滑县站不同年代五项气象指标分析结果对比

从表 3-17~表 3-23 和图 3-15 中可以得出如下结论：

(1)安阳市无论山丘区还是平原区风速在近 40 年来总体上均呈现逐年递减变化的趋势。六七十年代的平均风速相对偏大，山丘区和平原区分别为 1.66m/s、3.47m/s，高于其长系列平均风速的 16.9%和 20.1%；而八九十年代的平均风速则相对偏小，山丘区和平原区分别为 1.18m/s 和 2.31m/s，低于其长系列平均风速的 16.9%和 20.1%。其中 90 年代平均风速最小，山丘区和平原区分别为 1.03m/s、1.94m/s，低于其长系列平均风速的 27.5%和 32.9%；80 年代次之，其平均风速分别低于长系列平均值的 7.75%和 7.96%；而 60 年代的平均风速最大，山丘区为 1.66m/s，平原区为 3.74m/s，分别高于其长系列平均值的 16.90%和 29.41%；70 年代次之，分别高于长系列平均值的 14.79%和 11.76%。

(2)山丘区和平原区平均温度在近 40 年来总体上呈逐步递增的变化趋势。山丘区八九十年代的平均温度低于六七十年代平均温度 0.19℃，90 年代的平均温度高出六七十年代平均温度 0.11℃。其中 90 年代的温度最高，为 13.03℃，比八九十年代(近 20 年)的平均温度增高了2.4%,比其长系列平均值增高了1.6%;平原区八九十年代(近20年)的平均温度高出六七十年代平均温度0.28℃,90年代的平均温度更是高出六七十年代平均温度0.58℃,而且与八九十年代的平均温度相比,90年代的平均温度增高了2.2%,达到了14.18℃。总的来说,自60年代以来全市的平均温度总体上是升高的,80年代的平均温度有所回落,但90年代平均温度升高的幅度最大,山丘区和平原区1989~1998年平均温度分别比长系列(1961~1998年)平均值增高了1.6%、3.2%。

(3)山丘区和平原区的平均相对湿度在近40年来总体上是呈逐年递增趋势变化的。六七十年代的平均相对湿度最小,山丘区为65.56%,平原区为67.38%;90年代的平均相对湿度最大,山丘区为67.53%,平原区为69.43%;山丘区和平原区八九十年代(近20年)的平均相对湿度分别比长系列平均湿度高出了0.9%、0.8%,而90年代(近10年)的平均相对湿度分别比长系列平均值增高了2.1%和2.2%。

(4)山丘区和平原区平均日照时间在近40年来总体上是呈逐年递减趋势变化的。六七十年代的平均日照时间最长,山丘区为204.76h/月,平原区为197.29h/月,分别高于其长系列平均值的6.0%和8.7%;八九十年代的月平均日照时间分别低于长系列平均值的6.0%和7.8%;九十年代月平均日照时间最短,山丘区为178.15h/月、平原区为159.80h/月,分别低于其长系列平均值的7.8%和11.9%。

(5)由于山丘区横水代表站1982年的平均水面蒸发量为1 830mm,比平均蒸发量大了近一倍,导致90年代的平均蒸发量数值偏大,因而作为异常偏大的年份处理。所以选定天桥断站为山丘区的代表站。总的来说,山丘区和平原区的年平均水面蒸发量总体上是呈逐年递减趋势变化的。山丘区90年代(近19年)的平均水面蒸发量与其整个长系列的平均值相比,减少了2.2%;平原区六七十年代的平均水面蒸发量最大,与整个长系列的平均值相比,增大了17.3%,八九十年代的平均水面蒸发量与整个长系列的平均值相比,减少了17.3%,90年代平均水面蒸发量最小,低于其整个长系列平均值24.2%。

从山丘区和平原区代表站的分析结果可看出,安阳市六七十年代的平均风速最大,平均温度最低,平均相对湿度最小,平均日照时间最长,而平均年水面蒸发量也都是最大的;进入80年代以来,平均风速减小、温度升高、相对湿度变大,平均日照时间变短,平均水面蒸发量均变小;而90年代的平均风速、日照时间均减小,平均相对湿度和温度都增大,平均蒸发量变小。总之,水面蒸发量受风速、温度、相对湿度、日照的影响比较大。为了进一步分析安阳市水面蒸发量与风速、温度、相对湿度、日照之间的相关程度,选择两个代表站,即山丘区和平原区分别选择林州站、滑县站作为代表站,利用长系列资料分别计算年水面蒸发量与其他气象指标之间的相关系数(见表3-24)。其计算公式为:

$$r = \frac{\sum (x_i - \bar{x})(y_i - \bar{y})}{\sqrt{\sum (x_i - \bar{x})^2 \cdot \sum (y_i - \bar{y})^2}} \tag{3-3}$$

式中:r为两个变量的相关系数;x_i与y_i为两个变量不同年代系列的平均值;$\bar{x}$与$\bar{y}$为两个变量整个系列长度的平均值。

从表3-24中可以看出,安阳市山丘区水面蒸发量与风速、温度和日照之间为正相关,而与相对湿度之间为负相关,也就是说水面蒸发量与风速、温度和日照的变化趋势一致,与相对湿度的变化趋势正好相反。其中水面蒸发量与日照的相关性最密切，相关系数为0.63，表现为正相关关系；其次是与相对湿度，其相关系数为-0.56，表现为负相关关系；而最差的是与温度，其相关系数为0.02，表现为正相关关系。安阳市平原区水面蒸发量与风速、日照之间表现为正相关关系，其相关系数分别为0.78和0.35，而与相对湿度、温度之间呈负相关关系，相关系数分别为-0.47、-0.23。由此看出，平原区水面蒸发量受风速影响最大，其次是湿度，最差是温度。

综上所述，安阳市山丘区水面蒸发量的主要影响因素是日照时间，其次是相对湿度，而受温度的影响则非常小；平原区水面蒸发量的主要影响因素是风速，其次是相对湿度和日照时间，而受温度的影响比较小。这说明，我国实施的植树造林计划是很有意义的，大量的植树造林不仅可以有效地美化环境，而且可以减小风速，从而降低区域的陆面蒸发能力，使得作物耗水量减少，可以有效地降低灌溉定额，减少农业灌溉需水量，在一定程度上可缓解日益尖锐的供需水矛盾。

二、陆面蒸发

陆面蒸发量，通常为陆地表面土壤蒸发量、植物蒸散发量以及水体蒸发量之和。在多年平均的条件下，流域的蓄变量一般都比较小，可以不予考虑。根据水量平衡原理，天然情况下流域的多年平均总陆面蒸发量或称降水陆面蒸发量由多年平均年降水量减去天然河川年径流量和地下水潜流量求得。因此，天然情况下流域的多年平均总陆面蒸发量（降水陆面蒸发量）主要与其年降水量和河川年径流量、地下水潜流量密切相关。其水量平衡方程式可表示为：

$$E_{天然} = P - R_{天然} - R_u \tag{3-4}$$

式中：$E_{天然}$为降水陆面蒸发量；P为降水量；$R_{天然}$为天然河川径流量；R_u为地下水潜流量。

由于人类活动的影响，流域的总陆面蒸发量不仅与该流域的年降水量和天然河川年径流量、地下水潜流量有关，而且还与人类活动直接引起的蒸散发量密切相关。其水量平衡方程式可表示为：

$$E_{实际} = E_{天然} + E_{活动} = P - R_{天然} - R_u + E_{活动} \tag{3-5}$$

式中：$E_{实际}$为总陆面蒸发量；$E_{活动}$为人类活动直接引起的蒸散发量，包括修建水库、塘坝和引水灌溉等直接引起的蒸散发量；其他符号含义同前。

利用式(3-4)、式(3-5)，就可计算流域分区和行政分区1956～1998年多年平均降水陆面蒸发量及总陆面蒸发量。具体分析结果列于表3-25和表3-26中。

从表3-25和表3-26中可以看出，安阳市多年平均降水陆面蒸发量和总陆面蒸发量分别为353.46mm、554.24mm。从流域分布看，降水陆面蒸发量和总陆面蒸发量差别最大的是徒马河区，分别为394.31mm和729.54mm；差别最小的是漳河山丘区，其降水陆面蒸发量和总陆面蒸发量分别为237.96mm、322.62mm。从行政区域看，降水陆面蒸发量和总陆面蒸发量差别最大的是内黄县，分别为393.88mm和675.17mm；差别最小的是林州市，分别为291.28mm和408.61mm。

表 3-25　流域三级分区陆面蒸发量计算成果汇总

流域分区	计算面积（km^2）	降水陆面蒸发量（mm）	总陆面蒸发量（mm）	降水陆面蒸发量（亿 m^3）	总陆面蒸发量（亿 m^3）
漳河山丘区	511	237.96	322.62	1.22	1.65
卫河山丘区	2 486	305.99	432.30	7.61	10.75
卫河平原区	2 585	393.52	674.78	10.17	17.44
金堤河区	1 796	393.58	612.02	7.07	10.99
徒马河区	35	394.31	729.54	0.14	0.26
全　区	7 413	353.46	554.24	26.20	41.09

表 3-26　行政三级分区陆面蒸发量计算成果汇总

行政分区	计算面积（km^2）	降水陆面蒸发量（mm）	总陆面蒸发量（mm）	降水陆面蒸发量（亿 m^3）	总陆面蒸发量（亿 m^3）
安阳县	1 499	346.50	548.08	5.19	8.22
林州市	2 046	291.28	408.61	5.96	8.36
内黄县	1 161	393.88	675.17	4.57	7.84
滑　县	1 814	393.57	613.89	7.14	11.14
汤阴县	646	376.17	626.74	2.43	4.05
安阳市区(郊)	247	369.95	607.81	0.91	1.50
全　市	7 413	353.46	554.24	26.20	41.09

第三节　干旱指数

干旱指数(r)是反映气候干湿程度的指标,等于该地区水面蒸发量(E_{601})与年降水量(P)之比。安阳市不同区域的水面蒸发量与年降水量状况均存在一定的差别,在西部山丘区降水量相对较大,水面蒸发量却相对较小,而在东部平原区降水量相对较小,水面蒸发量却相对较大。

一、安阳市各分区干旱指数

利用安阳市及各分区的水面蒸发量(E_{601})和降水量分析结果,分别计算安阳市及各分区的干旱指数。其具体分析结果列于表 3-27 和表 3-28 中。

根据气候干湿程度分级表 2-3,由表 3-27 中可以看出,安阳市平均干旱指数 r 为 1.87,属于半湿润气候区。其中山丘区的干旱指数 r 相对较小一些,为 1.68～1.78;而卫河平原区和金堤河区、徒马河区的干旱指数 r 相对较大一些,为 1.90～2.22。从表 3-28 可知,林州市的干旱指数 r 最小,为 1.58;滑县次之,其干旱指数 r 为 1.90;而汤阴县最大,其干旱指数 r 为 2.35。总之,安阳市的干旱指数 r 具有一定的地带性分布规律,总体上呈现出从北向南、从东向西逐渐递减的趋势。

表 3-27 流域三级分区 1956～1998 年平均干旱指数(r)分析结果

序号	流域三级分区		年水面蒸发量(mm)	年降水量(mm)	干旱指数 r
	编号	名称			
1	$Ⅲ_{2-7}$	漳河山丘区*	1 007.5	565.61	1.78
2	$Ⅲ_{2-8}$	卫河山丘区*	975.04	581.15	1.68
3	$Ⅳ_{2-7}$	卫河平原区	1 207.39	544.81	2.22
4	$Ⅳ_{14-1}$	金堤河区	1 034.68	544.40	1.90
5	$Ⅳ_{3-C}$	徒马河区	1 034.68	544.40	1.90
全 市			1 074.99	573.53	1.87

注：* 漳河山丘区和卫河山丘区的资料系列长度为 1978～1998 年。

表 3-28 行政三级分区 1956～1998 年平均干旱指数(r)分析结果

序号	县(市、区)	年水面蒸发量(mm)	年降水量(mm)	干旱指数
1	安阳县	1 178.01	551.98	2.13
2	林州市	991.27	627.51	1.58
3	内黄县	1 206.00	545.47	2.21
4	滑 县	1 034.68	545.51	1.90
5	汤阴县	1 353.00	574.85	2.35
6	安阳市区(郊)	1 178.01	584.10	2.02
全 市		1 074.99	573.53	1.87

二、干旱指数的多年变化

干旱指数的多年变化用最大年与最小年干旱指数的比值来表征。其具体分析结果列于表 3-29 和表 3-30 中。

从表 3-29 中可以看出，全区最干旱年份为 1965 年，其平均干旱指数为 5.24，表现为半干旱气候特征；而全区最湿润年份为 1964 年，其平均干旱指数为 1.09，表现为半湿润气候特征。其中各分区最干旱年份出现的同步性较差，分别为 1981 年、1992 年、1966 年和 1965 年，其干旱指数一般为 4.22～6.20，山丘区的最大干旱指数比平原区的偏小，但均表现为半干旱气候特征；各分区最湿润年份出现的同步性也较差，分别为 1982 年、1996 年、1993 年和 1964 年，其干旱指数一般为 0.81～1.07，山丘区的最小干旱指数比平原区的偏小，均小于 1.0，表现为湿润气候特征，而平原区的最小干旱指数均大于 1 和小于 3，表现为半湿润气候特征。

同时，各流域分区干旱指数的最大值与最小值相差比较大，其最大、最小倍比一般为 4.46～6.02，说明满足不同年份农作物正常生长所需的灌溉补水量相差较大，这对于实现农业的旱涝保收增添了很大困难。但由于各流域分区出现干湿年份的同步性比较差，这对于农业抗旱和除涝还是比较有利的。

表 3-29　流域三级分区干旱指数最大与最小倍比

流域分区	资料系列	最大值		最小值		最大与最小的比值
		干旱指数	年份	干旱指数	年份	
漳河山丘区	1978～1998	4.22	1981	0.83	1982	5.08
卫河山丘区	1978～1998	4.36	1992	0.81	1996	5.38
卫河平原区	1956～1998	6.20	1965	1.03	1964	6.02
金堤河区	1956～1998	4.77	1966	1.07	1993	4.46
徒马河区	1956～1998	4.77	1966	1.07	1993	4.46
全　区		5.24	1965	1.09	1964	4.81

表 3-30　行政三级分区干旱指数最大与最小倍比

行政分区	资料系列	最大值		最小值		最大与最小的比值
		干旱指数	年份	干旱指数	年份	
安阳县	1956～1998	7.32	1965	1.09	1956	6.72
林州市	1978～1998	3.39	1992	0.81	1996	4.19
内黄县	1956～1998	7.82	1965	0.80	1964	9.78
滑　县	1956～1998	6.02	1966	0.83	1964	7.23
汤阴县	1956～1998	5.46	1965	1.16	1998	4.71
安阳市区(郊)	1956～1998	6.35	1965	1.04	1964	6.11
全　市		5.24	1965	1.09	1964	4.81

从表 3-30 中可以看出,安阳市各县(市)区除了林州市和滑县外最干旱年份均出现在 1965 年,最大干旱指数为 5.46～7.82,而林州市和滑县最干旱年份分别为 1992 年、1966 年,其干旱指数为 3.39 和 6.02。其中安阳县和内黄县表现为干旱气候特征,林州市、滑县、汤阴县和安阳市区(郊)表现为半干旱气候特征。各县(市)区最湿润年份内黄县、滑县和安阳市区(郊)均为 1964 年,而安阳县、林州市和汤阴县分别为 1956 年、1996 年和 1998 年,其干旱指数一般为 0.80～1.16,林州市、内黄县和滑县表现为湿润气候特征,其余各县(市)区则表现为半湿润气候特征。

另外,内黄县干旱指数的最大值与最小值相差最大,其最大、最小倍比为 9.78;林州市最小,其最大、最小倍比为 4.19。由于安阳市各县市区(郊)最干旱年份出现的同步性较好,最湿润年份出现的同步性较差,且干旱指数的最大、最小倍比均比较大(4.19～9.78)。说明安阳市的抗旱任务还是比较严峻的,而除涝形势比较好一些,但农业抗旱保丰收的难度是比较大的。

为了更详细地分析安阳市干旱指数的多年变化趋势,选择流域三级区的干旱指数长系列分析成果,分成 1956～1998 年、1956～1979 年、1978～1998 年、1980～1998 年系列分析结果进行对比和分析(见表 3-31)。

表 3-31　流域三级分区不同长、短系列平均干旱指数对比结果

流域分区	平均干旱指数				$\frac{\bar{r}_{24}-\bar{r}_{43}}{\bar{r}_{43}}$ (%)	$\frac{\bar{r}_{21}-\bar{r}_{43}}{\bar{r}_{43}}$ (%)	$\frac{\bar{r}_{10}-\bar{r}_{43}}{\bar{r}_{43}}$ (%)	$\frac{\bar{r}_{10}-\bar{r}_{21}}{\bar{r}_{21}}$ (%)
	1956～1998 年	1956～1979 年	1978～1998 年	1989～1998 年				
漳河山丘区			1.78	1.68				-5.6
卫河山丘区			1.68	1.63				-3.0
卫河平原区	2.22	2.41	2.03	1.73	8.6	-8.6	-22.1	-14.8
金堤河区	1.90	1.94	1.74	1.53	2.1	-8.4	-19.5	-12.1
徒马河区	1.90	1.94	1.74	1.53	2.1	-8.4	-19.5	-12.1
全　区	1.87	2.08	1.82	1.64	11.2	-2.7	-12.3	-9.9

注：$\bar{r}_{43}$为 1956～1998 年平均干旱指数；$\bar{r}_{24}$为 1956～1979 年平均干旱指数；$\bar{r}_{21}$为 1978～1998 年平均干旱指数；$\bar{r}_{10}$为 1989～1998 年平均干旱指数；“-”表示偏小。

从表 3-31 中可以看出，全区与各分区不同长、短系列的干旱指数变化规律是一致的，且总体上均呈现出下降的趋势，与年降水量和年水面蒸发量的变化趋势大致相同。即 1956～1979 年系列的干旱指数均比 1956～1998 年系列的偏大，全区偏大 11.2%、卫河平原区偏大 8.6%、金堤河区和徒马河区偏大 2.1%；1978～1998 年、1989～1998 年系列的干旱指数均比 1956～1998 年系列的偏小，全区分别偏小 2.7%、12.3%，卫河平原区分别偏小 8.6%和 22.1%，金堤河区和徒马河区分别偏小 8.4%和 19.5%；1989～1998 年系列的干旱指数比 1978～1998 年系列的偏小，全区偏小 9.9%，卫河平原区偏小最大，为 14.8%，金堤河区和徒马河区偏小次之，为 12.1%，卫河山丘区偏小最小，为 3.0%。

上述分析结果表明，安阳市全区在 1956～1998 年期间仅有 5 年表现为半干旱气候特征，其余 38 年均表现为半湿润气候特征，即总体上表现为半湿润气候特征。其中山丘区在 1978～1998 年期间表现为半干旱气候特征的有 3 年，表现为半湿润气候特征的有 16 年，表现为湿润气候特征的有 2 年；平原区在 1956～1998 年期间表现为半干旱气候特征有 6～8 年，其余年份均表现为半湿润气候特征。

第四章　地表水资源量

地表水资源量通常指河流、湖泊、水库等地表水体的动态水量，其定量特征为河川径流量。本次地表水资源量计算是在以前有关评价成果基础上，采用1956～1998年资料系列，分别按流域分区和行政分区计算地表水资源量。

第一节　地表水资源量计算

一、计算方法

安阳市山丘区是地表水资源的主要形成区，平原区由于地下水埋深普遍较大，一般为10～20m，产流形式主要为超渗产流，降水产生的地表径流量通常较小。因此，安阳市山丘区的地表水资源量是本次地表水资源评价工作的重点；平原区由于在大埋深条件下水的各种循环和转换关系比较复杂，本次采用多种模型方法来评价其地表水资源量。

(一)山丘区地表水资源量计算方法

(1)有水文站控制的河流，按实测径流还原后的同步系列资料推求多年平均年径流量，再加上或减去水文站至出山口区间由等值线图或水文比拟法估算出的产水量，即为河流出山口多年平均年径流量。

(2)没有水文站控制的河流，包括季节性河流和山洪沟，只要有山丘区集水面积的，可用等值线图或水文比拟法估算出年径流量。

(3)将评价区内有水文站控制河流的天然年径流量和用等值线图或水文比拟法来估算的年径流量相加即为评价区的河流总径流量。若评价区界线与流域天然界线一致时，评价区河流径流量即为评价区内降水形成的地表水资源量。若评价区界线与流域天然界线不一致时：当出山口河流径流量包含评价区外产流流入本区的水量时，评价区地表水资源量应从出山口河流总径流量中扣除区外来水量；当评价区内河流有水量在出山口前流出境外时，则评价区地表水资源量应为出山口处河川径流量加未控制的出境水量。

在上述方法中，本次评价山丘区地表水资源量计算采用的主要方法是：在对各种用水情况、流域间调入调出水量情况、水利工程调蓄情况进行详细调查分析的基础上，对有水文站控制的河流的实测径流量进行还原；利用还原获得的天然河川径流量直接计算有关各分区的地表水资源量；对于不能直接计算的分区，则根据研究分区地形地貌、植被特点、水文特点、水利工程情况、水资源开发利用情况、上下游的特点和与研究评价区域的关系，依据天然河川径流量系列资料，采用水文比拟法计算分区的地表水资源量；对于某些人类活动影响较小的上游分区，则利用有关水库的入库径流系列，采用水文比拟法计算分区的地表水资源量。

（二）平原区地表水资源量计算方法

由于受下垫面条件的影响，安阳市平原区降雨径流关系极其复杂。对同一个地区而言，年降水量的多寡、空间分布以及降雨的集中程度对该区产流的多少都有较大影响。同时，水利措施的实施、地下水大规模的开发利用，地表植被种类改变及不同时期的生长状态等下垫面条件对产流量影响十分显著。所以，一个地区年降水量相同的两个不同年份径流量可能相差悬殊。同一年份不同地区的径流量更无法比较。但某些下垫面条件相似的地区，其产流模式也有共性。如安阳市山前倾斜平原区一般地面坡度相对比较大，虽然表层岩土颗粒较粗，有利于下渗，但由于地下水埋深较大，土壤蓄水能力较强，次降雨很难使整层土壤饱和，故其产汇流模式以超渗产流为主，即只有当降雨强度大于土壤下渗强度时才有地表径流产生。对于一般的平原区，由于地下水埋深较大，表层土壤颗粒较粗，土壤蓄水能力比较强，其产汇流模式与山前倾斜平原区类似，也以超渗产流为主。因此，在现状条件下安阳市平原区地表径流主要来源于汛期较大的降雨，非汛期由于降水量小，极难产生径流。除个别年份外，年径流量主要集中在汛期，7～8月份的几场暴雨往往会形成全年径流量的绝大部分或者全部。所以，径流量的年内分配比降水量的年内分配更为集中。这种以洪涝水为主要形式的地表径流特征，给平原区地表水资源的开发和利用带来了很大困难。

由于暴雨在分布上的地域性和随机性，使得年径流地区分布极不均匀。即使在枯水年份，暴雨中心地带往往会造成局部涝灾，而大面积的非暴雨中心地区，在丰水年也很难产流或根本不产流。总之，平原区产流规律十分复杂，加之人类活动的影响，使其产流方式更趋于复杂。

20世纪80年代初进行地表水资源评价时，主要采用了建立分区产汇流降水与年径流相关的办法，计算平原区的年径流量。产流降水是指形成某年年径流量的主要降水。选各种时段最大降水，作为产流降水。依据产流降水和年径流量之间的相关关系的密切程度，选取产流降水时段。根据所建立的产流降水与年径流量之间的相关关系，计算平原各分区的年径流量系列。在此基础上，有人还进一步提出了平原各分区年降水径流经验公式：

$$R = a(P - C)^b \tag{4-1}$$

式中：R 为某分区的年径流量；P 为某分区的年降水量；C 为某分区降水径流关系线纵坐标截距，相当于产流所需的最小降水量；a 和 b 为待定系数。

可见，过去所建立的平原区降水径流相关关系，主要考虑了年降水量和年降水集中程度，基本上未考虑下垫面条件的改变，特别是地下水埋深的变化对平原区降水径流关系的影响。

由于近20年来大规模的人类活动，使区域的下垫面情况有了很大变化，对平原区的蒸散发、地表产流、降水入渗补给以及河水与地下水之间的补给和排泄关系等，均产生了不同程度的影响，使平原“四水”（大气水、地表水、土壤水和地下水）转化关系发生了明显变化。因此，在建立平原区的地表水产流计算模型时，应考虑浅层地下水埋深因素的影响。自20世纪70年代初期开始，我国陆续设立了浅层地下水观测井，地下水动态资料比较充分。所以，在地表水资源评价时，一般以浅层地下水埋深作为参数，建立平原区降水径流关系,以反映下垫面条件变化所产生的影响。在建立平原区降水径流关系时,必须首先进行年降水量 $P_{年}$、有关时段最大降水量、6 月份平均地下水埋深 $h_{6月}$ 及年径流量 $R_{年}$ 的还原计算。平原区各流域的年径流量的还原计算,分别采用以下三种方法进行:

(1)水量平衡法。对于区间流域,采用此法进行年径流量还原计算。计算方法是,依据上下游站实测月径流量和流域进出水量及河道渗漏量等资料,进行水量平衡计算,求得各月的径流量。将为负值的月份的月径流量视为零,并将为正值的月份的月径流量相加,即得区间的年径流量。

(2)分析切割法。对于平原区的小河站流域各年的实测径流量资料和代表站 70 年代初至 80 年代初各年的实测径流量资料,由于受人类活动影响相对较小,可采用此法推求年径流量。推求方法是,对照绘制降水径流过程线,选取降水径流相应的洪水过程,将非降水形成的径流部分,如灌溉退水、城市排污水和跨流域引水等从洪水过程线中切掉,使之成为与降水相对应的洪水过程,将全年各次降水形成的径流量相加,即为流域的年径流量。

(3)分项调查法。对于平原区受人类活动影响较大的流域,年径流量采用此法进行还原计算。调查还原水量包括流域内的工农业用水、河道和渠道蓄水、跨流域引水等。此外,还需对流域内田面、洼地积涝面积上的涝水量进行还原。计算各项还原水量与流域出口断面实测水量的代数和,即得流域的年径流量。

在大规模人类活动影响下,平原区的"四水"转化关系有了很大变化,在现状条件下大量水利工程措施的采用,如某些区域地表水灌溉量和地下水开采量的增加或减少,无疑对这些区域的下垫面条件(如地下水埋深、土壤蓄水量等)产生一定影响。这些因素的改变反过来又会对地表产流量、降雨入渗补给量等产生某些影响,因而引起该区域水资源量的变化。

平原水文诸要素变化的复杂性及影响这些要素变化原因的多元性使传统的水文学计算方法已无法科学、圆满地揭示出各要素之间的影响关系及作用力度。因此,研制安阳市平原"四水"转化水文模拟模型,解决大规模人类活动影响情况下,平原区的"四水"转化问题,进而评价其地表水资源量及其变化趋势,是非常必要的。

"六五"期间作为国家重点科技攻关项目,对平原区的"四水"转化关系,特别是对降雨入渗补给地下水机理,地下含水层给水度随埋深、岩性的变化,潜水蒸发以及河道渗漏等问题,做过比较深入的研究和试验。"七五"期间对这些项目又进行了深入的试验研究工作。综合这些研究成果,将流域计算单元作为一个系统考虑,把降水、地表水、土壤水、地下水、农业灌概及种植结构等统一起来,运用水文学水循环和水均衡的基本原理,可以通过建立数学模型的方式,进行不同条件下水量转化关系的研究。本次对平原区地表水资源量的计算,主要是利用"四水"转化水文模拟模型,并配以水量均衡法和水文比拟法等。

二、山丘区地表水资源量

(一)资料的插补和延长

本次选用的水文站主要有新村站、安阳站和横水站。利用上述各站的实测径流、水面蒸发等系列资料和相应区域的供水工程资料、农业用水、工业用水以及城乡生活用水、跨流域调入、调出水量系列资料等,对新村站、安阳站和横水站的实测径流系列进行还原计算。本次径流还原计算充分参考和利用了以前历次的还原资料。各站的径流资料情况见表 4-1。

表 4-1 各水文站径流系列资料情况

站　名	实测径流系列	原已还原的天然系列	本次还原的天然系列	共有天然系列
横水站	1962～1966 年 1976～1986 年 1996～1999 年		1995～1999 年	1995～1999 年
安阳站	1952～1999 年	1952～1984 年	1985～1999 年	1952～1999 年
新村站	1952～1999 年	1952～1994 年	1995～1999 年	1952～1999 年

由于缺乏横水站以上流域的用水资料,本次仅依据供、用水现状调查的有关资料(1995～1999 年),还原计算横水站 1995～1999 年的天然径流系列。为使各站各方面的系列资料具有一致性,本次评价一律采用 1956～1998 年资料系列。对于缺乏的资料,采取插补延长的方法补齐。

凡有若干年实测资料的水文站都尽量进行插补延长,对汛期缺测或全年缺测的站年资料,只进行年值插补延长,对非汛期个别缺测月进行月值插补,具体采用的几种插补延长方法如下:

安阳市的河流汛期水量集中,一般河流连续最大四个月径流量占年径流量的 60%～80%,而非汛期水量少且年际变化稳定。因此,汛期平均流量与年平均流量关系是最好的,相关系数一般在 0.95 左右,实测点偏离相关线 ±5% 以内。故对有汛期实测资料的站,均采用此法插补延长系列。

安阳市的河流主要发源于山丘区,大多数为独立的中、小河流,一般同一坡向且发源于同一山脉的相邻河流,其水文气象条件很相似,河流的丰枯变化也基本相同,在这种河上仅有一个水文站,找相邻河流建立年径流量相关,相关系数也很好,一般在 0.85 左右。

安阳市河流径流补给来源主要是大气降水,径流量与流域内降水多少有关。因此,单一的气象因子与径流量有一定的相关关系。本次选用的站中有少数站采用降水量与径流量相关。

(二)年径流的还原计算

天然年径流由于受人类活动影响,改变了原来的时空分布规律,测站断面实测资料往往不能反映流域内的天然径流情况。为了使测站断面的实测径流资料能反映天然径流情况,并使资料系列具有一致性,以便采用数理统计方法对地表水资源量进行统计分析。还原项目包括农业灌溉用水量,工业用水量,城镇生活用水量,跨流域引水,大中小型水库、闸坝蓄变量,蒸发损失量和渗漏量等。

还原计算时段内的水量平衡方程为:

$$W_{天然}=W_{实测}+W_{还原}$$
$$=W_{实测}+W_{灌溉}+W_{工业}+W_{生活}+W_{环境}\pm W_{库蓄}+W_{库蒸}\pm W_{引水}\pm W_{分洪}+W_{库渗} \quad (4\text{-}2)$$

式中:$W_{天然}$为还原后的天然径流量;$W_{实测}$为水文站断面实测径流量;$W_{灌溉}$为农业灌溉耗水量;$W_{工业}$为工业耗水量;$W_{生活}$为城镇生活耗水量;$W_{环境}$为河道外生态环境耗水量;$W_{库蓄}$为计算时段始末水库、闸坝蓄水变量(增加为正、减少为负);$W_{库蒸}$为水库、闸坝水面蒸发量和相应的陆面蒸发量的差值;$W_{引水}$为跨流域引水量(引出为正、引入为负);$W_{分洪}$为河道分洪(决口)水量(分出为正、分入为负);$W_{库渗}$为水库、闸坝渗漏水量(只对水库、闸坝本身进行还原)。

在水文站断面实测径流资料进行还原计算时,需要进行大量的调查和统计分析工作。特别是农业耗水量,需要收集测站断面以上流域内的作物组成、实际灌溉面积、灌水次数和灌水定额等资料,对各种参数及灌水定额进行面上平衡。同时,还应根据农作物需水量与实际供水能力进行对比,当水源枯竭、无水可引时,即没有农业灌溉耗水量。这样逐站逐年进行分析,求出测站的天然径流系列,然后进行统计分析。

由于还原项目较多,为了验证调查资料是否可靠,选用的各种数据是否合理,采用了上下游、汛期与非汛期对照,与实测资料对照分析,与水利工程和调水情况联系分析,利用年降雨径流关系、多元回归方程和产流模型等多种方法,对还原后的天然年径流系列进行合理性检验。

新村站和安阳站位于山丘区与平原区之间的交界处附近,基本上控制了淇河与洹河(安阳河)流域山丘区的产水量。

林州市淇卫河山丘区与山西省壶关县交界处,淅河上有弓上水库。弓上水库上游山丘区,人类活动对径流量的影响比较轻微,可以近似当作天然径流,即淅河上游的产水量。

林州市淇卫河山丘区与河南省辉县交界处,淇河上有要街水库。要街水库上游还有三郊口、陈家园、柿园水库,有一定数量的农业引用水。因此,要街水库上游人类活动对径流量的影响要比弓上水库的大。由于缺乏引用水资料,无法对此进行具体的还原计算。该区域与淅河上游近邻,都是山丘区,地形、地势、地貌、植被都很相似,故可以认为它们的径流模数相同,即用流域水文比拟法分析计算要街水库上游的径流量系列。

林州市洹河山丘区洹河上游设有横水水文站,该站可作为洹河山丘区的代表性控制站。本次对该站进行了径流还原计算,并对径流量系列进行了插补延长。用该站的径流模数,计算洹河山丘区的产水量。

林州市漳河山丘区由于缺乏区域实测径流和引用水资料,无法对此进行具体的还原计算。通过分析表明,其产水量可用流域水文比拟法分析计算。漳河山丘区与洹河山丘区近邻,工农业均不发达,并且地形、地势、地貌、植被都很相似,故可以近似认为它们的径流模数基本相同。另外,漳河山丘区有一条露水河,是漳河的一条支流。露水河有两条支流。南支上有南谷洞水库,该水库有1981～1999年的入库径流量系列资料。南谷洞水库上游是高山峡谷,人口稀少,耕地很少,没有城镇和工业企业,植被等基本上都保持着天然状态,故南谷洞水库的入库径流量系列资料可以看做天然径流量系列资料,只是系列不够长,需要插补延长。所以,可利用南谷洞水库的入库径流量系列资料,复核和修正用流域水文比拟法分析计算的漳河山丘区的地表径流量。

安阳县漳河山丘区由于缺乏实测径流和引用水资料,也无法对其径流量系列进行具体的还原计算。该区与安阳县洹河山丘区近邻,都是山丘区,工农业均不发达,并且地形、地势、地貌、植被都很相似,故也采用流域水文比拟法近似认为其径流模数与安阳县洹河山丘区的相同,由此计算其地表产水量。

横水站与安阳站区间主要包括安阳县洹河山丘区、安阳市郊区的洹河山丘区以及少量洹河山前平原区。这些地区的径流模数依据安阳站的天然径流量的多年平均值和横水站的天然径流量的多年平均值之差,以及横水站与安阳站的区间面积进行分析计算。其中安阳站和新村站的天然径流量、实测径流量及还原量系列分析结果,如图 4-1 和图 4-2 所示。

(三)统计参数

1.均值的计算

选用站中有 3 个水文站(新村站、安阳站、横水站)的实测或插补后的资料系列长度达到 43 年(1956~1998 年),其均值一律采用算术平均值。

2.变差系数 C_v 值和偏态系数 C_s 值的计算

新村站、安阳站、横水站天然径流量系列的变差系数 C_v 值和偏态系数 C_s 值,均选用 P－Ⅲ型曲线,利用本次分析计算得出的各站天然径流量系列资料,通过最优配线的方法确定,即各年天然径流量的实际值与计算值(配线上的点)之差的平方和最小为配线的优化目标,确定各站天然径流量系列的统计参数。其中新村站、安阳站天然径流量系列的统计参数,见表 4-2。

表 4-2　新村站、安阳站天然径流量系列的主要统计参数

站　名	天然径流系列	天然径流量系列均值		变差系数 C_v	C_s/C_v
		亿 m^3	mm		
安阳站	1956~1998 年	2.97	199.82	0.54	3.00
新村站	1956~1998 年	4.58	216.24	0.71	4.00

根据 1956~1998 年还原后的天然径流量系列资料计算出的新村站多年平均径流深比安阳站偏大一些(约 16mm)。这与《海滦河流域年径流分析报告》(1976 年 11 月)的统计分析结果是一致的。同时,新村站天然径流量系列变差系数为 0.71,比安阳站偏大 0.17。这说明,新村站控制断面的天然径流量年际变化比较剧烈,而安阳站则相对较平缓一些。

(四)计算成果

根据本次评价的要求,需按行政分区和流域分区,分别计算各分区当地产流的多年平均地表径流量。其计算方法是用系列延长后的各分区代表站 1956~1998 年逐年天然年径流量系列计算的各分区 1956~1998 年逐年地表水资源量系列,分别计算出各分区地表水资源量。其主要计算成果列于表 4-3 和表 4-4 中。

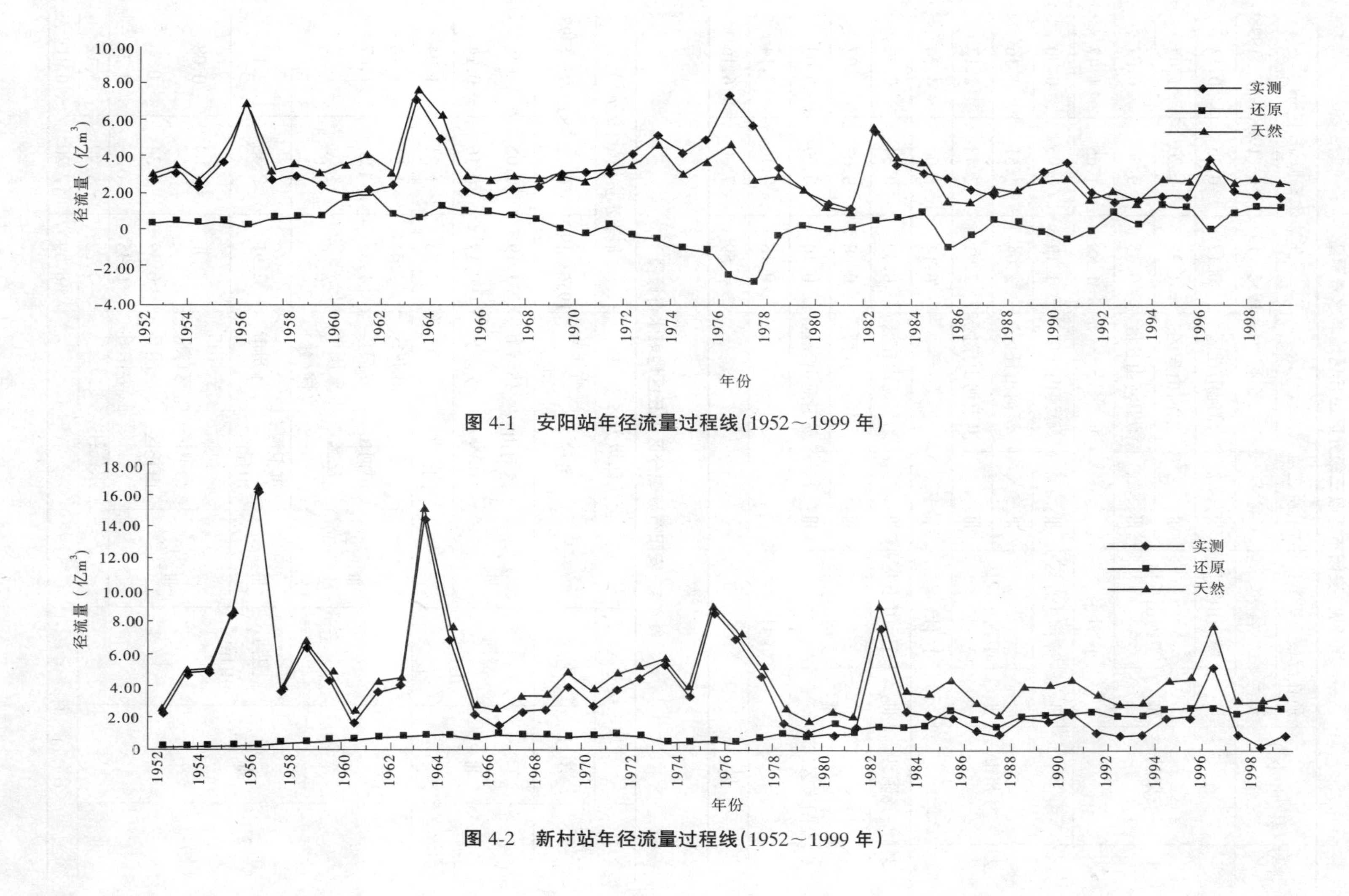

图 4-1 安阳站年径流量过程线(1952～1999 年)

图 4-2 新村站年径流量过程线(1952～1999 年)

表 4-3　安阳市行政三级分区山丘区地表水资源量

序号	县(市、区)	所在流域三级分区		所在流域四级分区		地表水资源量(亿 m³)		
		编号	名称	编号	名称	1956～1979	1956～1998	1969～1998
1	安阳县	Ⅲ$_{2-7}$	漳河山丘区	Ⅲ$_{2-7-0}$	漳河山丘区	0.17	0.15	0.14
		Ⅲ$_{2-8}$	卫河山丘区	Ⅲ$_{2-8-1}$	洹河山丘区	1.35	1.20	1.07
				Ⅲ$_{2-8-3}$	汤卫河山丘区	0.35	0.30	0.27
		小计				1.88	1.65	1.47
2	林州市	Ⅲ$_{2-7}$	漳河山丘区	Ⅲ$_{2-7-0}$	漳河山丘区	1.19	1.05	0.90
		Ⅲ$_{2-8}$	卫河山丘区	Ⅲ$_{2-8-1}$	洹河山丘区	2.04	1.51	1.16
				Ⅲ$_{2-8-2}$	淇卫河山丘区	2.91	2.48	2.17
		小计				6.14	5.04	4.24
3	汤阴县	Ⅲ$_{2-8}$	卫河山丘区	Ⅲ$_{2-8-3}$	汤卫河山丘区	0.39	0.34	0.30
4	安阳市区(郊)	Ⅲ$_{2-8}$	卫河山丘区	Ⅲ$_{2-8-1}$	洹河山丘区	0.08	0.07	0.07
				Ⅲ$_{2-8-3}$	汤卫河山丘区	0.10	0.09	0.08
		小计				0.18	0.16	0.14
合计						8.59	7.20	6.16

表 4-4　安阳市流域分区山丘区地表水资源量

序号	流域三级分区		流域四级分区			地表水资源量(亿 m³)		
	编号	名称	编号	名称	所在县(市、区)	1956～1979	1956～1998	1969～1998
1	Ⅲ$_{2-7}$	漳河山丘区	Ⅲ$_{2-7-0}$	漳河山丘区	林州市	1.19	1.05	0.9
					安阳县	0.17	0.16	0.14
			小计			1.36	1.21	1.04
2	Ⅲ$_{2-8}$	卫河山丘区	Ⅲ$_{2-8-1}$	洹河山丘区	林州市	2.04	1.51	1.16
					安阳县	1.35	1.2	1.07
					安阳市区(郊)	0.08	0.07	0.07
			Ⅲ$_{2-8-2}$	淇卫河山丘区	林州市	2.91	2.48	2.17
			Ⅲ$_{2-8-3}$	汤卫河山丘区	安阳市区(郊)	0.1	0.09	0.08
					汤阴县	0.39	0.34	0.3
					安阳县	0.35	0.3	0.27
			小计			7.22	5.99	5.12
合计						8.59	7.20	6.16

从表4-3中可以看出，安阳市山丘区河川径流量1956～1979年、1956～1998年、1969～1998年三个系列的均值依次为8.59亿m^3、7.20亿m^3、6.16亿m^3。1956～1998年和1969～1998年系列的年均径流量分别比1956～1979年系列的下降了16.2%和28.4%。可见从第一次水资源评价以来，安阳市山丘区的地表水资源量下降是非常明显的。

1969～1998年系列山丘区地表水资源量比1956～1998年系列降低14.5%，这主要是由于五六十年代是明显的丰水段，没有包括进去。利用1956～1998年系列资料确定出的山丘区地表水资源量是比较有代表性的，而利用1969～1998年系列资料所求出的山丘区地表水资源量则要偏小一些，但是从偏安全的角度考虑，用于水资源规划是比较合适的。

从表4-4中可以看出，安阳市的卫河山丘区河川径流量占整个安阳市山丘区河川径流量的83%以上，漳河山丘区河川径流量占的比例较小，并且大部分流入漳河，有相当大一部分水量，不能被安阳市所利用。

安阳市山丘区河川径流量统计分析结果，见表4-5和表4-6。

表4-5　安阳市山丘区不同频率典型年的河川天然径流量　（单位：亿m^3）

频率(%)	年份	山丘区总来水量	境外来水量	当地产径流量
50	1974	7.09	0.83	6.25
75	1978	5.50	0.56	4.94
80	1991	4.77	0.74	4.03
90	1987	3.45	0.42	3.03
95	1979	3.19	0.33	2.86

安阳市山丘区地表水资源量入境水量主要有两个来源：一是淇河上游的两个支流的入境水量，即弓上水库和要街水库以上的地表水产水量1.09亿m^3（1956～1998年）；另一个是漳河支流露水河上游入境水量，但这部分入境水量很快又流出林州市进入界河漳河，因此这部分水量可以不予考虑。

通过系列资料分析可以看出，在1956～1998年期间安阳市山丘区多年平均天然河川径流量为8.29亿m^3，其中境内产径流量7.20亿m^3，境外来水量1.09亿m^3；而河川径流量最大的一年是1956年，为24.69亿m^3，其中境内产径流量20.77亿m^3，境外来水量为3.92亿m^3；河川径流量最小的一年为1981年，为2.33亿m^3，其中境内产径流量1.92亿m^3，境外来水量0.41亿m^3。天然河川径流量特丰的年份还有1963年、1982年、1964年、1996年和1975年，而特枯的年份还有1979年、1980年、1987年、1986年和1993年。其中具体的统计分析结果，列于表4-6中。

（五）人类活动对地表水资源量的影响

通过对安阳市山丘区控制性水文站——新村站和安阳站的实测径流量、还原水量与天然径流量系列资料进行分析计算，可定量确定不同时期的人类活动对地表水资源量的影响程度。其具体分析结果，列于表4-7和表4-8中。

表 4-6　安阳市山丘区 1956～1998 年河川天然径流量统计　　（单位：亿 m^3）

年份	山丘区		年径流系列由大到小排列			
	年径流量	其中境外来水量	序号	年份	年径流量	其中境外来水量
1956	24.69	3.92	1	1956	24.69	3.92
1957	8.03	0.89	2	1963	24.39	3.58
1958	11.22	1.61	3	1982	18.07	2.09
1959	8.56	1.14	4	1964	15.69	1.82
1960	6.79	0.48	5	1996	12.92	1.78
1961	9.67	1.01	6	1975	12.87	2.11
1962	8.40	1.08	7	1976	12.65	1.69
1963	24.39	3.58	8	1973	11.39	1.33
1964	15.69	1.82	9	1958	11.22	1.61
1965	6.40	0.62	10	1961	9.67	1.01
1966	5.70	0.54	11	1972	9.44	1.21
1967	6.86	0.77	12	1971	8.77	1.10
1968	6.71	0.78	13	1959	8.56	1.14
1969	8.29	1.13	14	1962	8.40	1.08
1970	6.76	0.84	15	1969	8.29	1.13
1971	8.77	1.10	16	1957	8.03	0.89
1972	9.44	1.21	17	1977	7.73	1.22
1973	11.39	1.33	18	1983	7.39	0.79
1974	7.09	0.83	19	1990	7.26	0.98
1975	12.87	2.11	20	1988	7.18	0.88
1976	12.65	1.69	21	1984	7.09	0.76
1977	7.73	1.22	22	1974	7.09	0.83
1978	5.50	0.56	23	1967	6.86	0.77
1979	3.19	0.33	24	1960	6.79	0.48
1980	3.38	0.55	25	1994	6.78	0.93
1981	2.33	0.41	26	1970	6.76	0.84
1982	18.07	2.09	27	1968	6.71	0.78
1983	7.39	0.79	28	1965	6.40	0.62
1984	7.09	0.76	29	1995	6.14	0.97
1985	5.59	0.99	30	1989	5.90	0.85
1986	3.54	0.63	31	1966	5.70	0.54
1987	3.45	0.42	32	1985	5.59	0.99
1988	7.18	0.88	33	1978	5.50	0.56
1989	5.90	0.85	34	1998	5.34	0.61
1990	7.26	0.98	35	1991	4.77	0.74
1991	4.77	0.74	36	1997	4.52	0.62
1992	4.19	0.58	37	1992	4.19	0.58
1993	3.66	0.60	38	1993	3.66	0.60
1994	6.78	0.93	39	1986	3.54	0.63
1995	6.14	0.97	40	1987	3.45	0.42
1996	12.92	1.78	41	1980	3.38	0.55
1997	4.52	0.62	42	1979	3.19	0.33
1998	5.34	0.61	43	1981	2.33	0.41
均值	8.29	1.09		均值	8.29	1.09

表 4-7　安阳站不同时期各种水量占天然径流量的比例

时　期 (年)	实测径流量所 占比例(%)	跨流域引水量 所占比例(%)	用耗水量所 占比例(%)	还原水量所 占比例(%)	还原水量 (亿 m^3)	天然径流量 (亿 m^3)
1960～1998	101.6	-81.8	80.2	-1.6	-0.05	2.84
1960～1979	102.8	-65.8	63.7	-2.8	-0.10	3.45
1980～1998	99.6	-108.2	108.6	0.4	0.01	2.19

安阳站从 20 世纪 60 年代开始引入水量逐渐增加,到 70 年代中期达到最大,然后引入水量逐渐减小。八九十年代跨流域引水量占安阳站天然径流量的比例很大(表 4-7 中负号表示净引入),基本上与安阳站上游的天然径流量大致相当。从表 4-7 中可知,安阳站 1960～1979 年、1980～1998 年实测径流量与天然径流量基本相同,而安阳站还原水量占天然径流量的比例较小,但这并不表明人类活动对河川径流的影响较小,实际上从 70 年代到现在人类活动的影响比较大,只是外引入水量不断减少了而已。

表 4-8　新村站不同时期各种水量占天然径流量的比例

时　期 (年)	实测径流量所 占比例(%)	跨流域引水量 所占比例(%)	用耗水量所 占比例(%)	还原水量所 占比例(%)	还原水量 (亿 m^3)	天然径流量 (亿 m^3)
1960～1998	70.5	8.1	21.4	29.4	1.25	4.23
1960～1979	86.1	-11.9	25.8	13.9	0.67	4.85
1980～1998	48.3	36.6	15.1	51.6	1.85	3.58

从表 4-8 中可知,新村站 1960～1979 年实测径流量是天然径流量的 86.1%,总还原水量的比例比较小,仅占天然径流量的 13.9%,这说明人类活动对河川径流量的影响比较小。而到了 1980～1998 年河川实测径流量的比例急剧下降,仅占天然径流量的 48.3%;而总还原水量的比例明显增大,占天然径流量的 51.7%(其中跨流域引水量占 36.6%,用耗水量占 15.1%),这说明人类活动的影响明显加剧了。

为了更充分地揭示和反映不同时期降水量与天然径流量关系的变化趋势,对不同时期的降水量、天然径流量和径流系数进行统计和对比分析。具体分析结果,列于表 4-9 和表 4-10 中。

从表 4-9 中可以看出,淇卫河山丘区和洹河山丘区 1956～1979 年系列的多年平均径流系数最大,分别为 0.320 和 0.386;1956～1998 年系列的多年平均径流系数次之,分别为 0.295 和 0.331;而对于淇卫河山丘区,1978～1998 年系列的多年平均径流系数最小,为 0.251;对于洹河山丘区,1989～1998 年系列的多年平均径流系数最小,为 0.267。这说明,安阳市山丘区不同时期的产汇流变化规律是基本一致的,流域的产水能力变化大致保持不变。

从表 4-10 中可以看出,淇卫河山丘区和洹河山丘区不同时期径流系数的变化规律是基本一致的,但变化的幅度大小不同。如淇卫河山丘区 1978～1998 年多年平均径流系数是 1956～1998 年的 84.91%,而洹河山丘区 1978～1998 年多年平均径流系数是 1956～

1998 年的 81.49%，即淇卫河山丘区近 20 年（1978～1998 年）径流系数衰减幅度比洹河山丘区偏小一些。

表 4-9　新村站和安阳站的天然年径流量的分段统计

流域分区	控制站名	时　期（年）	降水深（mm）	天然径流深（mm）	天然径流量（亿 m^3）	径流系数
淇卫河山丘区	新村站	1956～1998	731.94	216.24	4.580	0.295
		1969～1998	698.42	189.02	4.003	0.265
		1956～1979	793.43	253.54	5.370	0.320
		1978～1998	643.50	161.43	3.419	0.251
		1989～1998	657.45	171.86	3.640	0.261
洹河山丘区	安阳站	1956～1998	599.41	199.82	2.965	0.331
		1969～1998	574.26	170.22	2.526	0.294
		1956～1979	628.09	241.04	3.577	0.386
		1978～1998	551.56	148.44	2.203	0.270
		1989～1998	566.95	144.64	2.147	0.267

表 4-10　不同时期新村站和安阳站的径流量、径流系数与长系列的对比结果

流域分区	控制站名	时 期（年）	降水深比例（%）	天然径流量比例（%）	径流系数比例（%）
淇卫河山丘区	新村站	1956～1998	100.00	100.00	100.00
		1969～1998	95.42	87.41	89.53
		1956～1979	108.40	117.25	108.16
		1978～1998	87.92	74.65	84.91
		1989～1998	89.82	79.48	88.48
洹河山丘区	安阳站	1956～1998	100.00	100.00	100.00
		1969～1998	95.80	85.18	88.88
		1956～1979	104.78	120.63	116.65
		1978～1998	92.02	74.28	81.49
		1989～1998	94.58	72.38	80.65

三、平原区地表水资源量

平原区降雨径流关系很复杂。随着工农业生产的发展和人民生活水平的提高，平原地区对水的需求量越来越大。平原地区大搞机井建设，大量开采地下水；调整种植结构，建设大面积的稳产高产田。特别是 20 世纪 70 年代后期以来，随着对浅层地下水的长期过量开采，使得地下水埋深大幅度区域性下降。大规模的人类活动，使区域的下垫面情况发生了很大变化，对区域蒸散发、地表产流、降水入渗补给以及河水与地下水之间的补给和排泄关系等，均产生了不同程度的影响，使平原“四水”转化关系发生了明显变化。

基于上述考虑，在对平原区地表水资源量进行分析和评价时，选用“四水”转化水文模拟模型，并参照水量平衡分析法和水文比拟法等，可以保证评价结果的精度和可靠性。

(一)"四水"转化水文模拟模型

1.基本概念

"四水"(大气水、地表水、土壤水和地下水)转化关系是指"四水"之间相互联系、相互依存、相互制约、相互作用和相互转化的关系,如图4-3所示。在某些文献中,也可以看到"三水"转化关系的概念,其中"三水"是指大气水、地表水、地下水。其转化关系的概念与"四水"转化关系的概念是一致的。"四水"转化关系分析是根据水循环机理和水平衡原理,以水文学径流形成理论为基础,结合水文水资源的科学试验研究,探求降水、径流、蒸发等要素的平衡关系和地表水、土壤水及地下水之间的转化关系,为估算区域产水量以及合理开发利用水资源提供依据。

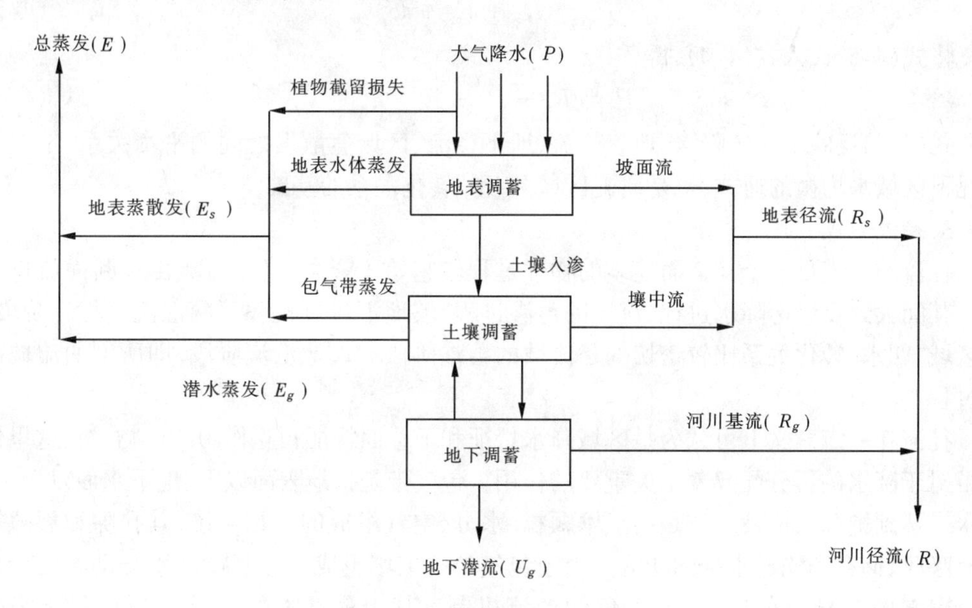

图4-3 "四水"转化关系概念

2.循环与水均衡

在水循环过程中,大气降水是地表水、土壤水、地下水年复一年不断得到补充的源泉。大气水分通过凝结等作用,变为液态或固态降水,降水到达地面后,转化为地表水、土壤水和地下水。而地表水、土壤水及地下水又通过蒸发或散发回到了大气,成为大气水的重要组成部分。与此同时,地表水、土壤水与地下水之间,不同区域之间也不断产生水量交换。如此周而复始,循环往复,构成了天、地、人复合大系统的水循环过程。事实上,任何一个区域的"四水"转化关系,都比图4-3中所展示的关系复杂得多,其既受气候、地形、地貌、土壤、植被、地质构造、水文地质条件等自然因素的影响和制约,也受人类社会、经济活动的影响而改变。

对一个区域而言,如果把地表水、土壤水、地下水作为一个整体看待,则天然情况下总补给量为大气降水量,总排泄量为河川径流量、总蒸发量、地下水潜流量三项之和。总补给量与总排泄量之差为区域内地表、土壤、地下的蓄水变量。区域水平衡方程用下式表示:

$$P = R + E + U_g \pm \Delta V \tag{4-3}$$

式中:P、R、E、U_g 分别为区域时段内降水量、河川径流量、总蒸散发量和地下水潜流量;ΔV 为区域时段内的蓄水变量。

在多年均衡情况下,区域蓄水变量一项可以忽略不计。将河川径流量(R)划分为地表径流(R_s,包括壤中流)和河川基流量(R_g),则式(4-3)可改写为:

$$P = R_s + R_g + E + U_g \tag{4-4}$$

按照天然情况下地下水补给量与排泄量相等的原理,地下水的降水入渗补给量(P_r)应为河川基流、潜水蒸发、地下水潜流三项之和,即

$$P_r = R_g + E_g + U_g \tag{4-5}$$

将式(4-5)代入式(4-4),得

$$P = R_s + P_r + E - E_g \tag{4-6}$$

式(4-6)反映了大气降水、地表径流、地下径流、区域蒸散发之间的平衡关系,是多年情况下区域水均衡的通式,也是研究区域"四水"转化关系的基础。

3.径流形成

径流的形成是一个复杂而连续的物理过程。它始于降水,终于流域出口断面流量过程。其间大致要经历降水过程、流域的蓄渗过程、坡地汇流过程和河网汇流过程等阶段。与区域"四水"转化关系比较密切的是流域的蓄渗阶段和坡地汇流阶段,即所谓的流域产流过程。

径流在一定意义上可认为是区域降水特征和下垫面特征相互作用的产物。在这里包气带对于降水的再分配起着至关重要的作用。包气带是指地表面以下、地下水面以上,土壤水未达到饱和的地带。它是由土壤颗粒、水分、空气组成的三相系统,其孔隙和裂隙等具有吸收、储存和输送水分的功能。由于包气带的土壤组成、分层状况、水分动态的变化等诸因素的差异,形成了形形色色的产流机制。其中最基本的产流机制是基于霍顿(R.H.Horton)提出的控制产流的两个基本条件:①降雨强度超过下渗容量;②包气带的土壤含水量超过田间持水量。基于这一理论,人们提出了两种基本的产流机制,即超渗产流机制与蓄满产流机制。

超渗产流机制的基本观点是:当降雨强度小于下渗强度时,所有的降水量都被土壤所吸收。当降雨强度大于下渗强度时,土壤吸收率只能等于下渗强度,其余部分变为地表径流。其产流公式为:

$$R_s = \int_{i > f_p} (i - f_p)\mathrm{d}t \tag{4-7}$$

式中:i、f_p 分别为降雨强度与下渗强度。

当降雨强度大、历时短,或虽降雨强度小,但在石质山丘区、表层黏土区下渗能力很小时,一般以此产流机制为主。

蓄满产流机制的基本观点是:包气带的含水量在达到田间持水量以前,所有的降雨都被土壤所吸收,不产流。而当包气带的土壤含水量达到田间持水量以后,降水的稳定入渗部分形成地下径流,余者形成地表径流。即

$$R = 0, 当 P - E \leqslant W_M - W_1$$

$$R = P - E - (W_2 - W_1), 当 P - E > W_M - W_1 \tag{4-8}$$

$$R = R_s + R_g \tag{4-9}$$

$$R_g = F_c \tag{4-10}$$

$$R_s = R - R_g \tag{4-11}$$

式中:P 为时段降雨量;E 为时段蒸散发量;R 为时段产流总量;W_M 为田间持水量;W_1、W_2 为时段始、末土壤含水量;F_c 为时段稳定入渗量。

当流域内土壤含水量较高、地下水埋深较浅时,或当降雨强度小、历时长时,一般以蓄满产流模式为主。事实上,由于降雨在时程分配和空间分布上的复杂性以及流域内各点下垫面情况的差异,使得流域内实际产流机制比上述的两种产流模式要复杂得多。一个地区在某一时期产流模式可能以超渗产流为主,在另一时期可能又以蓄满产流为主。甚至同一地区在同一场降雨中,不同地点不同时间产流模式不同。本模型在处理流域产流时,是将超渗与蓄满两种产流模式结合起来考虑的。

4.土壤水分

土壤水分在"四水"转化过程中是最活跃的因素。其主要补给来源是大气降水(包括雨、雪、雹等)、潜水蒸发及大气凝结水等。主要消耗项为陆面蒸发和入渗补给。在某些条件下,土壤水分也有横向的水量交换。由于土壤水分的运移空间处于大气与地下水的中间地带,故其所处状态及运移变化情况对"四水"转化关系至关重要。

水分进入土壤后,受到各种力的作用。按其所受的吸力不同,土壤中的水分一般分为四种基本类型,即吸附水、薄膜水、毛管水和重力水。如按传统的土壤水分形态概念,土壤中保持各类水分的能力都可以用数量表示出来。在一定条件下,土壤中某一类型水分含量相对稳定时的数量特征,称为土壤水分常数。与"四水"转化关系较密切的有凋萎含水量、田间持水量等。凋萎含水量是指作物产生永久凋萎时的土壤含水量,可作为作物可利用土壤水分的下限值。田间持水量又称土壤最大持水量,是指土壤中毛管悬着水达到最大量时的土壤含水量,一般可为稳定条件下土壤所能保持水分的上限值。在"四水"转化关系中所谓土壤蓄水容量,指一定深度土层单位面积田间持水量与凋萎含水量的差值。

单位体积内土壤含水量(W)随时间(t)的变化可用下式来反映:

$$\frac{dW}{dt} = P(t) - P_r(t) - R_s(t) + E_g(t) - E_T(t) \tag{4-12}$$

式中:$P(t)$为降雨量;$P_r(t)$为降雨入渗补给地下水量;$R_s(t)$为地表径流量;$E_g(t)$为潜水蒸发量;$E_T(t)$为陆面蒸散发量。

可见,式(4-12)等式右边诸项如有一项变化,土壤含水量将随之改变。

5.降水入渗对地下水的补给

降水入渗是地下水的主要补给来源。由于降水入渗是降水、地表调蓄、土壤调蓄后的综合产物,故降水量级的大小、时程分布、地表状态、包气带岩性、地下水埋深等因素,对其均有影响。而对其影响最大的是降水的量级与地下蓄水库容的大小。很明显,下渗到土壤中的水量在包气带的损失状况如何,也是造成降水入渗补给量大小的主要因素之一。

前期少雨干旱，土壤亏水量增加，雨后土壤吸水量大，入渗补给量变小；影响入渗补给量的另一个重要因素则是非饱和带重力水库容的大小，满足土壤亏水后的入渗水量只有当地下有足够的蓄水库容时，才能真正变为地下水补给量。如地下水位升至接近地面，埋深很小，虽然土壤吸纳的水量减少，但由于蓄水库容也小，大部分降水只能转化为地表径流，因而补给量也不会大。在一般情况下，降水量级相同，地下水埋深由小增大，入渗补给水量也随之增多(埋深在2～3m以上)。这时虽有部分降水补充了土壤亏水，但对入渗补给量起控制作用的是土壤重力水库容的大小。随地下水埋深(埋深大于2～3m)进一步加大，库容增加，但入渗路径增长，土壤吸收量随之增加，使入渗减少。此时，虽有足够的库容但无足够的水量，对入渗补给量起控制作用的是土壤包气带累积亏水量。但当地下水埋深达到某一深度(4～5m或6～8m)以下时，降水入渗补给量基本上不再随埋深的变化而变化。

(二)模型结构

"四水"转化水文模拟模型是建立在流域水文模型基础上的一种用于水资源数量评估计算的工具，是水资源系统工程的一个重要组成部分。"四水"转化模型以水循环和水均衡原理为理论基础，把计算流域(单元或区域)看成一个系统，把降水、蒸发、地表水、土壤水、地下水及人类活动等视为既相互联系又相互制约、影响的各个子系统，从而在逻辑上建立一套完整严密的计算体系，在计算机上实现。在计算过程中，一方面考虑"四水"转化过程的连续性，因而采用连续模拟；另一方面又考虑"四水"转化系统的动态规律，因而又以时段来作水量均衡计算。通过模型模拟和参数优化，得到"四水"间相互转化的关系结果。

考虑到平原区地势平坦，大气降水、地表水、土壤水、地下水的相互交换主要在垂直方向上进行，同时由于人类活动比较强烈，故平原区"四水"转化模拟模型中考虑了多水体之间的交换或转化，并考虑了人类活动如地下水开采、地表水灌溉及不同作物种植等对水平衡的影响。

本模型将包气带土壤计算层分为上、下两层。上层包括植物的截留和地表填洼等影响，当上层土壤含水量足够大时，其土壤蒸发量等于蒸散发能力。上层土壤水分蒸发完后，进入下层，下层蒸发量设定与该层的土壤蓄水量成正比关系。蒸发和降雨入渗均自上而下进行。降雨和灌溉后，先满足上层土壤的蒸发和容蓄。上层土壤达到田间持水量(蓄满)并满足上层土壤蒸发后，剩余水量进入下层。两层均以土壤张力水蓄水容量作为各自土壤蓄水量的上限。在包气带中，设置了包气带入渗能力和重力水蓄水能力来调节剩余水量的再分配。时段内剩余水量大于包气带入渗能力，超过部分将产生地表径流。剩余总水量如大于包气带整层重力水蓄水能力也将产生地表径流。入渗补给的重力水，用一个包气带重力水滞后调节系数，经包气带调蓄后再补给地下水，使地下水位抬升。当地下水位受入渗补给的影响上升到一定高度，超过河、渠切割深度时，模型考虑了一个线性地下水出流过程，使部分地下水以基流形式流出地表，并汇同地表径流一起作为总径流量。

由于模型重点是研究"四水"间的形成、转化及其数量关系，故在考虑汇流系统时做了简单处理。在模型中，总径流量经一个经验单位线的分配后，形成流域出口流量过程线。地下水的潜水蒸发量由地下水库进入下层包气带，补充该层土壤蓄水量，并参与该层的土壤蒸发。当农田开采地下水时,地下水位随之下降,包气带蓄水库容随之增加,这部分开采量又将自上而下进入包气带参加调蓄,但不产生径流。模型中侧渗补给量作为一个独立补给项,直接进入地下水库。平原区"四水"转化水文模拟模型结构框图,如图4-4所示。

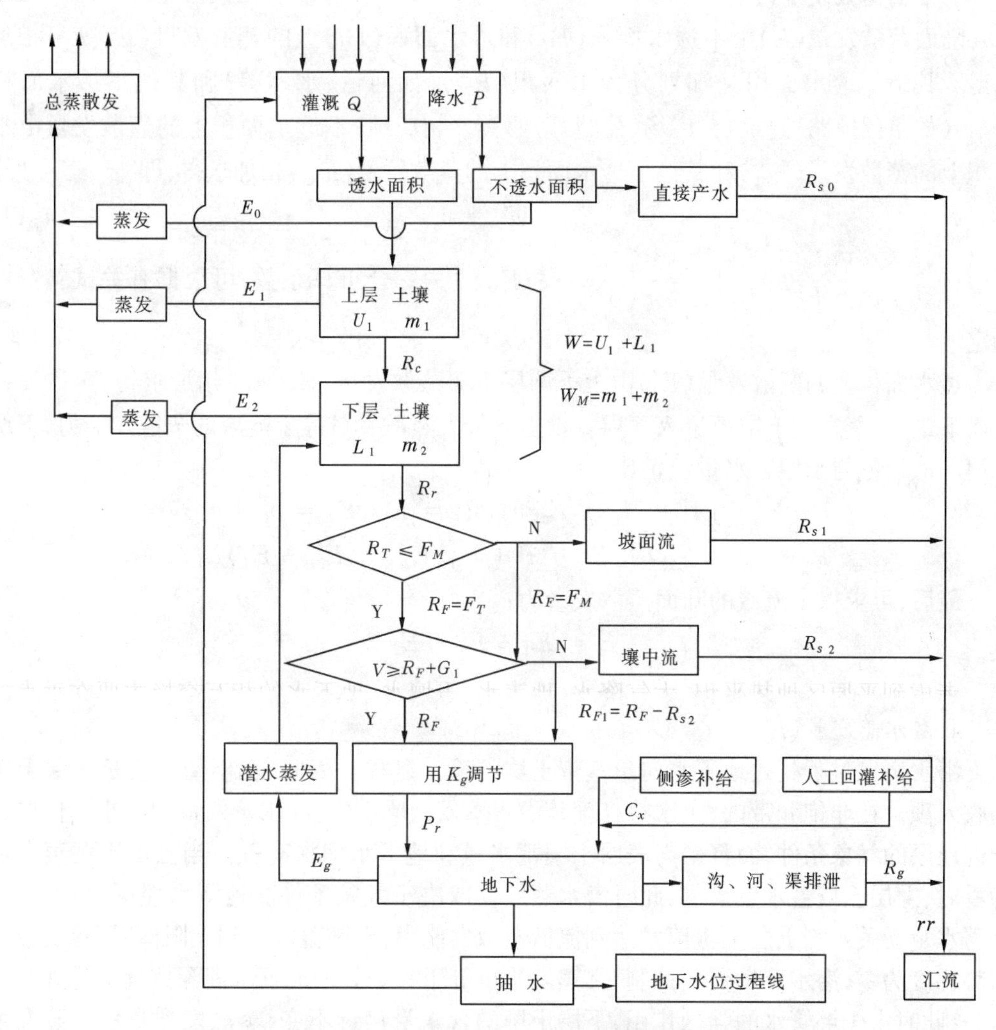

图4-4 平原区"四水"转化水文模拟模型结构

1.降水与灌溉水量

大气降水为平原地区水资源的主要来源。用算术平均法或泰森多边形法计算流域逐日平均降水量。同时,将灌溉水量作为外来水源,同降水量一起,一并作为模型输入项;但灌溉水量不产流,只对土壤含水量产生影响。降水量与地表水灌溉量逐时段系列均在模型外做预先处理。

2.流域蒸散发能力(E_M)

流域蒸散发能力是指流域充分供水条件下的蒸散发,可用蒸发皿观测值乘以改正系数来估计。本模型采用E_{601}蒸发器观测值(ET_0)作为模型输入。模型综合考虑植物种植

结构、生长期、覆盖率等因素对流域蒸散发的影响,用一综合改正系数(C_0),将 ET_0 换算成 E_M,即

$$E_M = C_0 ET_0 \tag{4-13}$$

3.陆面蒸散发量(E)

陆面蒸散发量(E)由不透水面积(F_1)和透水面积(F_2)上的蒸散发量(E_0、E')相加求得。其中不透水面积又细划分为水面积(F_{11})(如河道、水库等)和其他不透水面积(F_{12})(如市区道路、建筑物、广场、公路等)两类。相应地,不透水面积上的蒸散发量由水面积上的蒸散发量(E_{01})和其他不透水面积上的蒸散发量(E_{02})相加求得,即

$$E_0 = E_{01} + E_{02} \tag{4-14}$$

式中:$E_{01} = \dfrac{F_{11}}{F_1 + F_2} ET_0$;$E_{02} = \dfrac{F_{12}}{F_1 + F_2} \cdot \xi \cdot E_M$;$\xi$ 为综合折算系数,可根据有关试验资料确定。

透水面积上的蒸散发量(E')由上下两层土壤蒸散发量(E_1、E_2)相加求得,蒸散发自上而下进行,蒸发完上层再进入下层。设上层最大蒸散发量等于流域的蒸散发能力,下层土壤蒸散发量与土壤含水量成正比。即

当 $P + U_1 \geqslant E_M$ 时,$E_1 = E_M, E_2 = 0$

当 $P + U_1 < E_M$ 时,$E_1 = P + U_1, E_2 = (E_M - E_1) L_1 / m_1$

最后,可求得全流域的陆面蒸散发量为:

$$E = E_0 + E_1 + E_2$$

4.潜水蒸发量(E_g)

潜水蒸发过程就是地下水向包气带土壤的输水过程。因此,在模型中它是下层土壤的收入项。在非饱和带内,土水势梯度是潜水蒸发的原动力,潜水蒸发量的大小不仅取决于近地层的气象条件,而且也与表层土壤蓄水量和地下水埋深有关。当上层土壤蒸发量为零时,上层土壤蓄水量为零,此时潜水蒸发仅取决于气象条件和地下水埋深,与上层土壤蓄水量无关。当上层土壤蒸发达到流域蒸散发能力,土壤蓄水达到上限值时,包气带土水势梯度为零,潜水蒸发受到抑制,其蒸发量也等于零。如果地下水埋深持续上升并接近地表,此时由于毛管水的强烈作用,下层土壤的含水量接近不变,蒸散发均靠潜水蒸发维持,故可将阿维里扬诺夫公式改写为:

$$E_g = (E_M - E_1)(1 - D_1 / D_0)^n \tag{4-15}$$

式中:D_1、D_0 分别为时段初地下水埋深和极限埋深;n 为参数,它与植被和岩性等有关。

5.上层土壤含水量

当 $P + U_1 \leqslant E_1$ 时,上层土壤蓄水量全部提供给蒸散发,此时上层土壤时段末含水量 U_2 等于零。

当 $P + U_1 > E_1$ 时,即满足蒸散发后仍有余量。余量将以上层土壤蓄水容量为上限控制,蓄存于上层土壤,其余部分进入下层。时段末上层土壤蓄水量按水量平衡方程式计算,即

$$当\ P + U_1 \leqslant E_1\ 时, U_2 = 0 \tag{4-16}$$

$$当\ P + U_1 - E_1 \geqslant m_1\ 时, U_2 = m_1 \tag{4-17}$$

$$当\ P + U_1 - E_1 < m_1\ 时, U_2 = P + U_1 - E_1 \tag{4-18}$$

6.下层土壤含水量

如果时段内上层土壤含水量没有满足流域蒸散发量,则蒸发进入下层,下层土壤蒸发量为 E_2。此时,下层土壤时段末土壤含水量为:

$$L_2 = L_1 + E_g - E_2 \tag{4-19}$$

当上层土壤蓄满产生了剩余水量(R_c)时,R_c 将进入下层。此时,根据假定 $E_2=0$ 且 $E_g=0$,则

$$当\ R_c + L_1 \geqslant m_2\ 时, L_2 = m_2 \tag{4-20}$$

$$当\ R_c + L_1 < m_2\ 时, L_2 = R_c + L_1 \tag{4-21}$$

以上式中:U_1、U_2 分别为时段初、末的上层土壤含水量;L_1、L_2 分别为时段初、末的下层土壤含水量;m_1、m_2 分别为上、下层土壤蓄水容量。

7.上层剩余水量(R_c)

上层剩余水量(R_c)是降水量扣除上层土壤蒸发及满足上层蓄水以后的余水量,即

$$R_c = P + U_1 - E_1 - m_1 \tag{4-22}$$

8.包气带总产水量(R_T)

设 $W_M = m_1 + m_2$,则

$$M_3 = (1 + b)W_M \tag{4-23}$$

$$E = E_0 + E_1 + E_2$$

$$W = U_1 + L_1$$

式中:W_M 为流域平均蓄水容量;M_3 为流域最大蓄水容量;E 为流域平均蒸散发量;W 为时段初流域平均蓄水量;b 为流域蓄水容量面积分配曲线的形状系数。

流域蓄水容量面积分配曲线采用抛物线型,则在分配曲线上相当于流域平均蓄水量的数值 A 为:

$$A = M_3\left[1 - \left(1 - \frac{W}{W_M}\right)^{\frac{1}{1+b}}\right] \tag{4-24}$$

当 $P - E + A < M_3$ 时,不发生全流域产流,但由于土壤蓄水量在流域上分布的不均匀性,局部地区有可能产流,此时根据流域蓄水容量曲线,总产水量为:

$$R_T = P - E - \left[W_M - W + W_M\left(1 - \frac{P - E + A}{M_3}\right)^{(1+b)}\right] \tag{4-25}$$

当 $P - E + A \geqslant M_3$ 时,发生全流域产流。根据流域水量平衡方程,可得

$$R_T = P + W - W_M - E \tag{4-26}$$

9.地表产流量(R_s)

在不透水面积上的产流量(R_{s0})由水面积和其他不透水面积上的产流量组成,即

$$R_{s0} = R_{s01} + R_{s02} \tag{4-27}$$

式中：$R_{s01} = \frac{F_{11}}{F_1 + F_2}(P - E_{01})$；$R_{s02} = \frac{F_{12}}{F_1 + F_2}(P - E_{02})$。

而透水面积上的产流量计算，模型在分配地表产流量和入渗补给地下水量时，分两步进行。

第一步：设置一个包气带（表层土壤）入渗能力 F_M，当 R_T 大于F_M 时，超过部分产生地表径流 R_{s1}。即

$$\text{当 } R_T > F_M \text{ 时}, R_F = F_M, R_{s1} = R_T - F_M \tag{4-28}$$

$$\text{当 } R_T \leqslant F_M \text{ 时}, R_F = F_T, R_{s1} = 0 \tag{4-29}$$

式中：R_F 为入渗量。

第二步：考虑时段初地下水埋深（D_1）以上包气带重力水蓄水库容对入渗补给量的限制，同时考虑当地下水位上升到河、渠切割深度以上时地下水出流腾出的库容（ΔV），此时限制的蓄水库容计算式为：

$$V = 1\ 000\mu D_1 + \Delta V \tag{4-30}$$

式中：μ 为岩土给水度。

设时段初包气带已蓄满重力水量为 G_1，若 $R_F + G_1 > V$，可得

$$R_{s2} = R_F + G_1 - V$$

$$R_{F1} = V - G_1 \tag{4-31}$$

$$R_s = R_{s1} + R_{s2} \tag{4-32}$$

式中：R_{s2}为第二次分出的地表水量；R_{F1}为蓄存于包气带的入渗量。

10. 降雨入渗补给量（P_r）

任意时段内蓄存于包气带的入渗量（R_{F1}）并非在该时段内全部入渗到地下水成为降雨入渗补给量，而是要受到包气带的调节作用。如用线性地下水库来模拟包气带对重力水的蓄泄关系，则

$$P_r = K_g(R_{F1} + G_1) \tag{4-33}$$

式中：K_g 为包气带入渗重力水泄流系数，$K_g \leqslant 1$。

这时，时段末滞留在包气带中的重力水 G_2 为

$$G_2 = (1 - K_g)(R_{F1} + G_1) \tag{4-34}$$

11. 地表径流系列（$rr(i)$）

如上所述，只有当地下水面上升到接近地表，并超过河、渠切割深度时，才有基流量（R_g）产生。设 R_g 受线性地下水库的调节，与河（渠）底以上到地下水面之间的厚度成正比。此时，地下总产水量是 R_s 与 R_g 之和。考虑到河网对总产水量的调节作用，由一个经验单位线对总产水量进行调节，作为流域出口断面的流量过程。

12. 侧渗补给量（C_x）

侧渗补给量为流域地下水侧向流入量与流出量之差，以 mm/d 计。在山前平原区，此量一般为正值。此值可以由实测资料和其他模型的分析结果作为该模型的初始值，并在模型模拟过程中调试确定。

13.地下水埋深

地下水埋深的增减变化,同时受到几个方面的因素影响。地下水开采量 Q、潜水蒸发量 E_g、地下基流流出量 R_g 均增加了地下水埋深。降雨入渗补给量 P_r、渠灌补给量 Q_{sr}、井灌回归补给量 Q_{gr}、侧向补给量 C_x 减小了地下水埋深。故时段末地下水平均埋深 D_2 与时段初地下水平均埋深 D_1 的关系可写为:

$$D_2 = D_1 + (P_r + Q_{sr} + Q_{gr} + C_x - Q - E_g - R_g)/(1\,000\mu) \tag{4-35}$$

(三)模型功能

平原区"四水"转化水文模拟模型主要有两大功能:一是用于流域模型参数率定的功能;二是用于流域或区域的"四水"转化数值的计算功能。在模型模拟功能中又可分为计算机优化模型参数与交互式手动调参两种模型参数率定方式。

1.模型的参数率定功能

本模型共有 9 个参数需要确定,即由 E_{601} 水面蒸发观测值转换成作物生长期流域陆面蒸散发能力的改正系数 C_0;上、下层土壤张力蓄水容量 m_1 和 m_2;流域蓄水容量曲线的形状系数 b;浅层地下水含水层给水度 μ;日入渗能力 F_M;包气带入渗补给的泄流系数 K_g;潜水蒸发极限埋深 D_0;地下水侧向补给与排泄差值 C_x。

在以上这些参数中,有些参数比较稳定。b 值可直接采用经验数据,如华北平原一般为0.2。D_0 在华北平原的研究也较多,一般为3~4m。K_g 不能改变入渗总量的大小,但它对地下水峰形变化起决定作用。一般地,如地下水位埋深较大,则入渗路径增长,补给较慢,此时 K_g 值取小一些;反之,如地下水位埋深较浅,入渗补给地下水较快,则 K_g 取大一些。土壤类型也对 K_g 值有影响,砂类土壤入渗较快,黏土类入渗较慢,其变化在0.5~0.7之间。μ 值一般计算流域均有给水度分析资料,也较好确定。因此,要决定的主要参数为 m_1、m_2、F_M 和 C_0 值。

m_1、m_2 的取值对计算成果有重大影响,尤其对降雨入渗补给量起着关键性作用。土壤张力水蓄水容量 W_M($W_M = m_1 + m_2$)值越大,降雨入渗补给量越小,结果造成汛期地下水上涨的幅度也越小。而且在 W_M 相同的情况下,m_1 和 m_2 的比例对降雨入渗及地表产流量亦有影响。一般当 m_1 调大,则流域蒸散发量增加,入渗及产流减少。这两个参数需要经程序反复调试方能确定。

C_0 的调试影响作物生长期地下水位过程的升降。C_0 调大,过程线整段上移;C_0 调小,过程线下移。这是由于 C_0 值的大小关系到实际流域蒸散发量的大小,而蒸散发量的大小直接影响土层实际蓄水量的多寡,雨前土层蓄水量的多寡又对降雨入渗补给量产生直接影响。

F_M 是控制地面产流量多少的一个重要参数,其对"四水"转化关系中其他水分项也有很大影响。首先 F_M 控制第一次地面径流量。F_M 调大,入渗能力加大,地面径流减少;反之,则地面径流增加。另外,F_M 调大后,地面径流量减小了,但入渗补给土壤水(或地下水)的水量增加了。这不仅对本次降雨产生的入渗补给量有影响,而且对后续降雨量在包气带中的水量再分配也产生直接影响。北方地区产流条件复杂,F_M 是一个比较难调的参数之一。

该模型设置两种方式用来参数的调试率定。一是计算机自动对参数按模型效率大小进行优选；二是人机交互式的手工调参。两种方式也可结合起来使用。

自动优选调参时，程序首先以给定的初始值为中心确定上、下可调范围，然后在此范围内设置若干个节点。程序运行时可对设置的调试参数给出其不同节点值的组合，进行模型效率计算，最终优选出效率最高的前十组参数值。自动优选调参的优点是调试范围比较大，节省人工，最终能给出较优的参数值组。但由于模型中参数较多，模拟时段较长，故计算机运行时间很长。另外由于计算机内存容量的限制，也不允许一次对所有参数进行统一优选。另一个比较重要的问题是，计算机自动优选参数时是完全按照模型效率的大小作为惟一的判别标准。有时模型效率值最大时的一组参数值，并不一定是最符合当地客观实际的参数值。其原因一是由于水文气象、流域情况及人类活动等因素的复杂性，模型结构中不可能一一反映，如地下水的弹性回升等问题。再就是模型效率计算时只用地下水埋深过程线拟合好坏作为判别标准，没有考虑对地表水径流的拟合等。

手工调整参数可按人机交互式一次对一个参数或几个参数作调整。方法灵活，适应性强。模型在给出试验流域模拟期各项指标、模型效率的同时，还可对地下水位过程线或地表径流过程线做出图形显示，供调参者比较、权衡。一次调整不满意可再次重新调整，直到满意为止。缺点是此法比较麻烦，如经验不足费时费力。一般可采用程序自动优选和手动调整参数相结合的方法。首先对给定的初始参数值组，在给定的允许范围内，对主要参数（如 m_1、m_2、F_M 等）由程序优选参数，调试者根据优选结果，确定一组效率较高的参数值；然后调试者综合过程线拟合情况及地表径流量、年平均埋深等各项指标，进行手动调参，直到找出一组认为满意的参数值为止。

2.模型效率功能

模型用地下水埋深过程和地表径流量资料相结合来率定模型参数和检验参数。目前，流域上人类活动对地表径流量的大小与径流过程均产生了不同程度的影响，如流域上排水沟渠的建设，排水通道内建闸、挡水坝等。因此，很难用平原河流实测径流过程线作为模型参数率定的基础。由于安阳市平原区地下水埋深观测点较多，资料精度一般较好，故在模型参数率定时一般采用地下水埋深过程线拟合程度好坏，作为模型效率高低的判别标准，并以地表径流总量作为控制，为参数率定时参考。

模型效率用 F 表示，则

$$F = (F_0 - F_1)/F_0 \tag{4-36}$$

式中：F 用百分数表示；F_0 为初始方差和；F_1 为计算与实测方差和。F_0 和 F_1 的计算公式为：

$$F_0 = \sum (D_i - \overline{D}_i)^2 \tag{4-37}$$

$$F_1 = \sum (D_i - d_i)^2 \tag{4-38}$$

式中：D_i 为地下水埋深实测值；$\overline{D}_i$ 为 D_i 的平均值；d_i 为地下水埋深计算值。

（四）模型运算流程

众所周知，作为水资源系统的两个子系统——地表水子系统与地下水子系统关系十分密切，它们通过包气带土壤水的运移来发生物质和能量交换，完成地表水与地下水之间水循环过程。由于人类大规模活动的影响，平原区的水循环规律、地表水与地下水之间的相互转化关系变得非常复杂，为了能保证平原区水资源系统的完整性、提高水资源评价的计算精度，有必要把大气降水、地表水、土壤水和地下水作为一个整体，将定量描述地下水运动规律的数学模拟模型和定量描述大气降水、地表水、土壤水和地下水之间转化关系的“四水”转化模拟模型耦合起来，建立平原区地下水与地表水资源统一评价的二元耦合模型。

对于拥有较丰富地下水动态资料的平原地区，把“四水”转化水文学模型与地下水动力学模型相耦合，组成一个信息通畅和高度共享的水资源统一评价的二元耦合模型，利用长系列实测降水、河川径流和地下水动态资料等，对耦合模型进行率定和检验，以提高水资源评价结果的可信程度。二元耦合模型中任何一个都可以进行单独运算，但为了提高模型的运算效率和计算精度，通过模型之间的耦合运算，借助于两模型公共参量和变量等信息的传输和反馈功能，将其构建成一个二元耦合模型，可以更充分地利用已有的资料和信息资源，确保有关参数和参量的共享与相互验证，进一步提高在人类剧烈活动影响、下垫面条件发生深刻变化和水循环过程更加复杂的条件下平原区水资源评价的准确性与高效率。

由于以重点解决地下水资源评价问题的地下水数学模拟模型，是一种分布参数模型，模型中不包含有空间坐标的变量，其基本原理就是首先把复杂的水文地质条件概化为水文地质概念模型，然后在概念模型的基础上构造出评价（研究）区域地下水的数学模拟模型，最后求模型的解，以其解表征地下水的运动规律，确定地下水的各种补给量、排泄量及其可开采量或进行地下水资源预报等。而以解决地表水资源评价问题为主的“四水”转化水文模拟模型，是一种集中参数模型，模型中不包含有空间坐标的变量，即模型参数、参量和变量均与空间坐标无关。因此，对于每一个水文地质参数分区，都需要建立一个“四水”转化水文模拟模型。也就是说，对于评价（研究）区域包含有几个水文地质参数分区，就需要相应地建立几个“四水”转化水文模拟模型。通过两模型的耦合运算，不仅可提高模型率定的效率，而且可充分地利用有关的实测资料，确保水资源统一评价的计算精度。

为了实现“四水”转化水文模拟模型和地下水数学模拟模型的耦合运算，需要根据这两个模型的结构和特点，首先设置时间转换器，以解决两模型计算时段不一致的问题：

降水入渗补给量　$W_{pb_j}=\sum_{i=1}^{n_j}\xi_i P_{r_{ij}}\qquad (j=1,2,\cdots,n)$

渠灌入渗补给量　$W_{s_j}=\sum_{i=1}^{n_j}\xi_i Q_{s_{ij}}\qquad (j=1,2,\cdots,n)$

井灌回归补给量　$W_{q_j}=\sum_{i=1}^{n_j}\xi_i Q_{g_{ij}}\qquad (j=1,2,\cdots,n)$

河流入渗补给量　$W_{hq_j}=\sum_{i=1}^{n_j}\xi_i Q_{hq_{ij}}\qquad (j=1,2,\cdots,n)$

侧向补给排泄量　$W_{qms_j}=\sum_{i=1}^{n_j}\xi_i Q_{ms_{ij}}\qquad (j=1,2,\cdots,n)$

地下水开采量　$W_{qg_j}=\sum_{i=1}^{n_j}\xi_i Q_{qg_{ij}}\qquad (j=1,2,\cdots,n)$

渠灌引水量　$W_{sq_j}=\sum_{i=1}^{n_j}\xi_i Q_{sq_{ij}}\qquad (j=1,2,\cdots,n)$

河流来水量　$W_{hqq_j}=\sum_{i=1}^{n_j}\xi_i Q_{hqq_{ij}}\qquad (j=1,2,\cdots,n)$

降水量 $W_{p_j} = \sum_{i=1}^{n_j} \xi_i P_{ij} \quad (j=1,2,\cdots,n)$

地下水位 $h_j = \sum_{i=1}^{n_i} h_{ij} \quad (j=1,2,\cdots,n)$

式中：ξ_i 为时间转换因子；j、n 分别表示地下水数学模拟模型第 j 计算时段和计算时段数；i 表示“四水”转化水文模拟模型第 i 计算时段；n_j 表示地下水数学模拟模型第 j 计算时段的“四水”转化水文模拟模型计算时段数。

为了便于表达，将上述转换式写成一个通用的数学表达式：

$$W_j = \sum_{i=1}^{n_j} \xi_i Q_{ij} \quad (j = 1,2,\cdots,n)$$

式中：W_j、Q_{ij} 分别代表地下水数学模拟模型的各种参量和“四水”转化水文模拟模型相应的各种参量。

然后，利用系列资料对两模型进行耦合识别，确定出二元耦合模型的有关参数、参量和变量等：

参数——给水度 μ；降水入渗补给系数 α；潜水蒸发系数 C；渠灌入渗补给系数 $\beta_{渠}$；井灌回归补给系数 $\beta_{井}$；陆面蒸散发能力的改正系数 C_0；上、下层土壤张力蓄水容量 m_1 和 m_2；蓄水容量曲线的形状系数 b；日入渗能力 F_M；包气带入渗补给的泄流系数 K_g。

参量和变量——降水入渗补给量 W_{pb_j}、$P_{r_{ij}}$；渠灌入渗补给量 W_{s_j}、$Q_{s_{ij}}$；井灌回归补给量 W_{q_j}、$Q_{g_{ij}}$；河流入渗补给量 W_{hq_j}、$Q_{hq_{ij}}$；侧向补给排泄量 W_{qms_j}、$Q_{ms_{ij}}$；地下水开采量 W_{qg_j}、$Q_{qg_{ij}}$；渠灌引水量 W_{sq_j}、$Q_{sq_{ij}}$；河流来水量 W_{hqq_j}、$Q_{hqq_{ij}}$；降水量 W_{p_j}、P_{ij}；地下水位 h_j、h_{ij}。

最后，给出二元耦合模型参数率定的精度标准：

对于地下水数学模拟模型，有

$$\left| h_i^{(k+1)} - h_i^{(k)} \right| \leqslant \varepsilon \quad (i = 1,2,\cdots,m)$$

对于“四水”转化水文模拟模型，有

$$\left| F_j^{(k+1)} - F_j^{(k)} \right| \leqslant \varepsilon' \quad (j = 1,2,\cdots,mn)$$

式中：m 为地下水计算节点数；mn 为水文地质参数分区数。

利用 FORTRAN77 语言编制二元耦合模型的计算程序，在计算机上就可以利用长系列实测资料对耦合模型进行识别、验证和分析计算。其计算流程如图 4-5 所示。

（五）计算成果

通过对实测降水系列资料分析发现，1993～1998 年短系列资料的多年平均降水量与 1956～1998 年系列的均值大致相同（见表 4-11），即说明 1993～1998 年短系列资料具有一定的代表性。因此，选用 1993～1998 年短系列实测资料对二元耦合模型进行率定和精细计算，确定模型的计算参数和参量。其中模型参数及模拟结果，分别见表 4-12、表 4-13 和第五章有关成果。

根据表 4-13 中各流域四级分区的径流系数，计算出在现状下垫面条件下 1956～1998 年地表天然径流量系列，并由此确定出平原区不同系列地表水资源量，见表 4-14 和

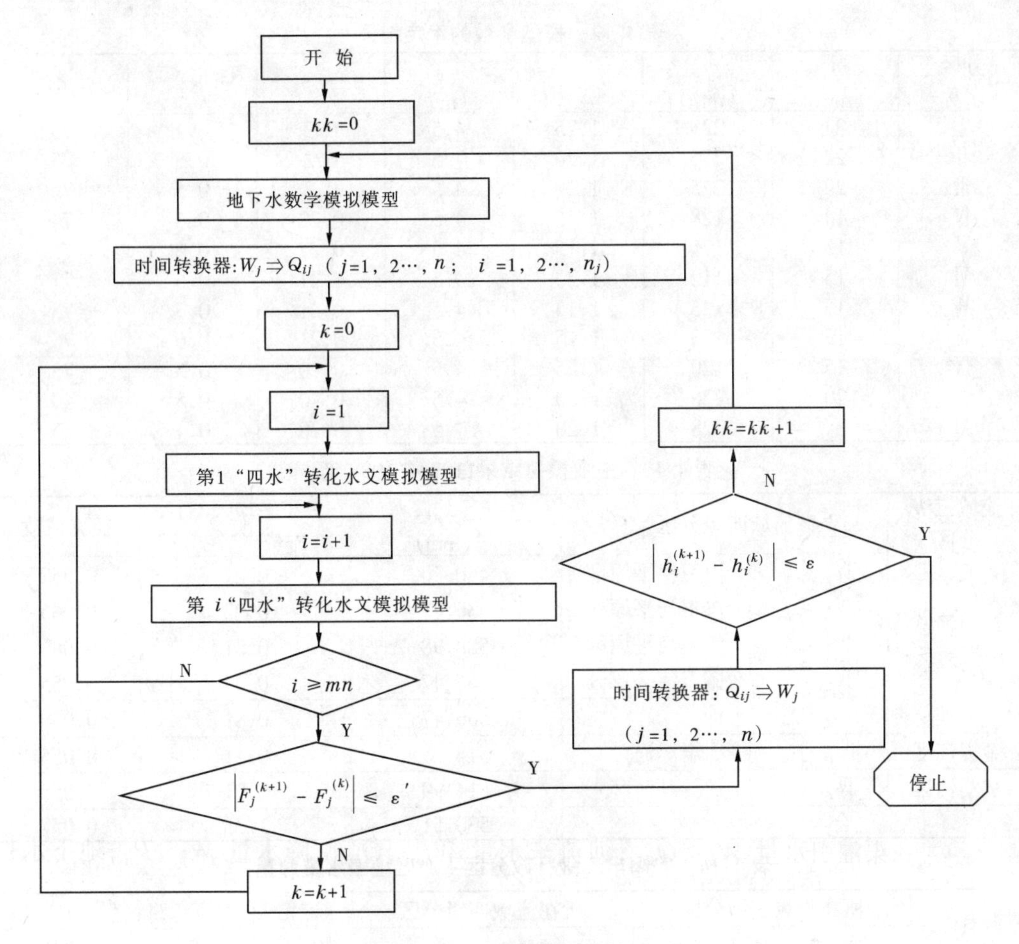

图 4-5 二元耦合模型计算流程

表 4-15。

从表 4-14 和表 4-15 中的分析结果可看出,在现状下垫面条件下,1956～1979 年系列的地表水资源量最大,为 1.48 亿 m^3;1956～1998 年系列的地表水资源量次之,为 1.37 亿 m^3;1969～1998 年系列的地表水资源量最小,为 1.33 亿 m^3。即利用 1956～1998 年 43 年长系列资料确定的地表水资源量比利用 1956～1979 年(前 24 年)的偏小,而比 1969～1998年(后 30 年)的偏大。这从一个侧面说明,利用 1956～1998 年系列资料确定的地表水资源量比较有代表性,可作为本次地表水资源评价的成果。

表 4-11 不同分区长短系列年均降水量对比 (单位:mm)

行政分区	安阳市区(郊)	汤阴县	滑县	内黄县	安阳县	全市
长系列(1956～1998 年)年降水量($\overline{P}_{43}$)	569.0	573.1	569.1	547.9	514.5	554.7
短系列(1993～1998 年)年降水量($\overline{P}_6$)	580.0	589.0	516.3	540.1	498.4	530.5
$\frac{\overline{P}_6 - \overline{P}_{43}}{\overline{P}_{43}} \times 100\%$	1.9	2.8	−9.3	−1.4	−3.1	−4.4

表 4-12　模型参数的率定结果

分区名称	m_1 (mm)	m_2 (mm)	C_0	D_0 (m)	b	K_g	F_M
Ⅰ	24	228	1.25	4.5	0.2	0.4	73
Ⅱ	22	225	1.20	4.5	0.2	0.5	75
Ⅲ	22	225	1.20	4.5	0.2	0.5	75
Ⅳ	14	128	1.15	4.5	0.22	0.6	74
Ⅴ	15	125	1.15	4.5	0.22	0.6	71
Ⅵ	15	112	1.20	4.5	0.21	0.6	71
Ⅶ	13	123	1.15	4.5	0.21	0.7	75
Ⅷ	13	123	1.15	4.5	0.21	0.6	75
Ⅸ	15	120	1.25	4.5	0.20	0.5	73
Ⅹ	20	220	1.20	4.5	0.20	0.5	45
Ⅺ	24	228	1.20	4.5	0.20	0.4	65

表 4-13　主要模拟结果(1993～1998 年)

流域三级分区	流域四级分区		多年平均降水量(mm)	多年平均天然径流量(亿 m^3)	径流系数
卫河平原区	Ⅳ$_{2-7-1}$	洹卫河平原区	460.70	0.21	0.058
	Ⅳ$_{2-7-2}$	淇卫河平原区	530.77	0.02	0.065
	Ⅳ$_{2-7-3}$	汤卫河平原区	588.98	0.31	0.060
	Ⅳ$_{2-7-4}$	硝卫河平原区	566.47	0.27	0.055
	小计		566.47	0.81	0.058
金堤河区	Ⅳ$_{14-1-0}$	金堤河区	514.99	0.51	0.055
徒马河区	Ⅳ$_{3-C-0}$	徒马河区	514.99	0.01	0.055
合　计			530.51	1.33	0.057

表 4-14　安阳市三级行政分区平原区地表水资源量

县(市、区)	所在流域三级分区		所在流域四级分区		地表水资源量(亿 m^3)		
	编号	名 称	编号	名 称	1956～1979 年	1956～1998 年	1969～1998 年
安阳县	Ⅳ$_{2-7}$	卫河平原区	Ⅳ$_{2-7-1}$	洹卫河平原区	0.14	0.14	0.13
			Ⅳ$_{2-7-2}$	汤卫河平原区	0.10	0.09	0.09
	小 计				0.24	0.23	0.22
内黄县	Ⅳ$_{2-7}$	卫河平原区	Ⅳ$_{2-7-1}$	洹卫河平原区	0.07	0.06	0.06
			Ⅳ$_{2-7-4}$	硝卫河平原区	0.29	0.26	0.26
	Ⅳ$_{3-C}$	徒马河区	Ⅳ$_{3-C-0}$	徒马河区	0.01	0.01	0.01
	Ⅳ$_{14-1}$	金堤河区	Ⅳ$_{14-1-0}$	金堤河区	0.01	0.01	0.01
	小 计				0.38	0.34	0.34
滑 县	Ⅳ$_{2-7}$	卫河平原区	Ⅳ$_{2-7-4}$	淇卫河平原区	0.02	0.02	0.02
	Ⅳ$_{14-1}$	金堤河区	Ⅳ$_{14-1-0}$	金堤河区	0.59	0.54	0.53
	小计				0.61	0.56	0.55
汤阴县	Ⅳ$_{2-7}$	卫河平原区	Ⅳ$_{2-7-3}$	汤卫河平原区	0.19	0.18	0.17
安阳市区(郊)	Ⅳ$_{2-7}$	卫河平原区	Ⅳ$_{2-7-1}$	洹卫河平原区	0.03	0.03	0.02
			Ⅳ$_{2-7-3}$	汤卫河平原区	0.03	0.03	0.03
	小 计				0.06	0.06	0.05
合计					1.48	1.37	1.33

表 4-15　安阳市流域分区平原区地表水资源量

流域三级分区		流域四级分区		地表水资源量(亿 m^3)		
编号	名称	编号	名称	1956～1979 年	1956～1998 年	1969～1998 年
Ⅳ$_{2-7}$	卫河平原区	Ⅳ$_{2-7-1}$	洹卫河平原区	0.24	0.22	0.21
		Ⅳ$_{2-7-2}$	淇卫河平原区	0.02	0.02	0.02
		Ⅳ$_{2-7-3}$	汤卫河平原区	0.32	0.30	0.29
		Ⅳ$_{2-7-4}$	硝卫河平原区	0.29	0.27	0.26
		小计		0.87	0.81	0.78
Ⅳ$_{14-1}$	金堤河区	Ⅳ$_{14-1-0}$	金堤河区	0.60	0.55	0.54
Ⅳ$_{3-C}$	徒马河区	Ⅳ$_{3-C-0}$	徒马河区	0.01	0.01	0.01
合计				1.48	1.37	1.33

四、全市各分区地表水资源量

利用所确定的各分区地表水资源量系列(1956～1998 年),通过频率计算给出安阳市及各分区地表水资源量计算成果,见表 4-16 和表 4-17。

表 4-16　流域三级分区地表水资源量统计分析结果

分区名称	地表水资源量(亿 m^3)	C_v	C_s/C_v	不同频率年径流量(亿 m^3)			
				20%	50%	75%	95%
漳河山丘区	1.21	0.70	3.00	1.71	0.94	0.61	0.47
卫河山丘区	5.99	0.60	3.00	8.27	4.97	3.41	2.64
卫河平原区	0.81	0.35	2.50	1.03	0.77	0.61	0.49
金堤河区	0.55	0.30	2.00	0.68	0.53	0.43	0.35
徒马河区	0.01	0.20	2.00	0.01	0.01	0.01	0.01
全 区	8.57	0.60	3.00	11.83	7.22	4.88	3.77

表 4-17　行政三级分区地表水资源量统计分析结果

分区名称	地表水资源量(亿 m^3)	C_v	C_s/C_v	不同频率年径流量(亿 m^3)			
				20%	50%	75%	95%
安阳县	1.88	0.50	2.50	2.56	1.69	1.18	0.88
林州市	5.04	0.75	3.00	7.16	3.83	2.42	1.92
内黄县	0.35	0.35	2.50	0.44	0.33	0.26	0.21
滑　县	0.56	0.30	2.00	0.69	0.54	0.44	0.36
汤阴县	0.52	0.50	3.00	0.70	0.46	0.33	0.25
安阳市区(郊)	0.22	0.40	3.00	0.28	0.20	0.15	0.13
全　市	8.57	0.60	3.00	11.83	7.22	4.88	3.77

从表 4-16 和表 4-17 中可以看出,安阳市山丘区的地表水资源量为 7.20 亿 m^3,占地表水资源总量(8.57 亿 m^3)的 84%,而平原区地表水资源量为 1.37 亿 m^3,占地表水资源总量的 16%。即安阳市的地表水资源量主要产自山丘区,山丘区是安阳市地表水资源开发利用和保护的重点。

五、出、入境水量

(一)出境水量

安阳市流出境外的主要河流有淇河和卫河。

(1)淇河。该河流入鹤壁市境内,在两市交界的鹤壁市境内设有新村水文站。新村站有从1952~1999年的长系列径流实测资料,按面积比拟法确定出淇河出境断面的实测径流系列资料。通过对1956~1998年出境断面实测径流系列资料进行统计分析,确定淇河多年平均出境年径流量为3.22亿 m^3,其年径流量过程线如图4-6所示。

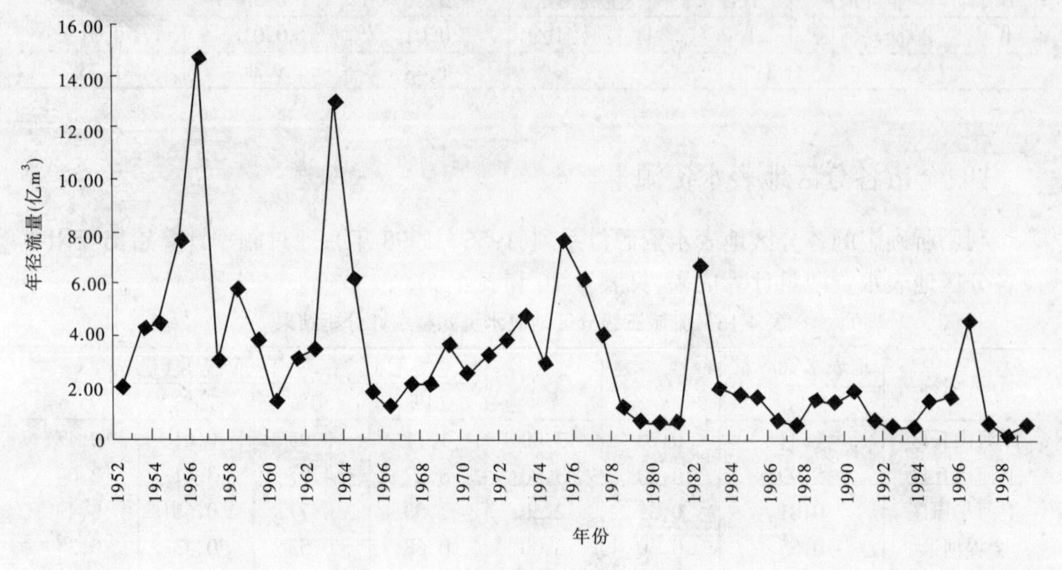

图4-6　淇河出境实测年径流过程线

(2)卫河。该河流入濮阳市境内,在两市交界的安阳市境内曾设有楚旺水文站,而在濮阳市境内设有元村集水文站。楚旺站和元村集站基本上控制了安阳市的大部分出境水量,但楚旺站有1950~1979年实测径流资料系列,元村集站有1979~1999年实测径流资料系列。利用面积比拟法推算出卫河出境断面的实测径流系列资料,经过统计和分析计算,确定出卫河1956~1998年多年平均出境年径流量为17.49亿 m^3,其出境年径流量过程线如图4-7所示。

根据已有资料分析显示,安阳市流入境外的主要河流包括淇河、卫河和金堤河。由于金堤河缺少实测系列资料,并且年径流量不大,故暂且不予考虑。通过对淇河与卫河出境实测系列资料统计分析可知,全市出境年径流量为20.71亿 m^3,其中流入鹤壁市3.22亿 m^3、流入濮阳市17.49亿 m^3。

(二)入境水量

安阳市主要有6条河流(渠)的部分支流河源在境外。淅河的上游源自山西省境内;淇河上游支流源于新乡市和山西省境内;卫河上游支流源自焦作市和新乡市境内;大功河的上游水源主要来自新乡市封丘县引黄灌区退水;红旗渠、跃进渠和漳南干渠的引水源为漳河。这些河流(渠)入境处有些有实测资料系列,有些无实测资料,如淅河、卫河和红旗

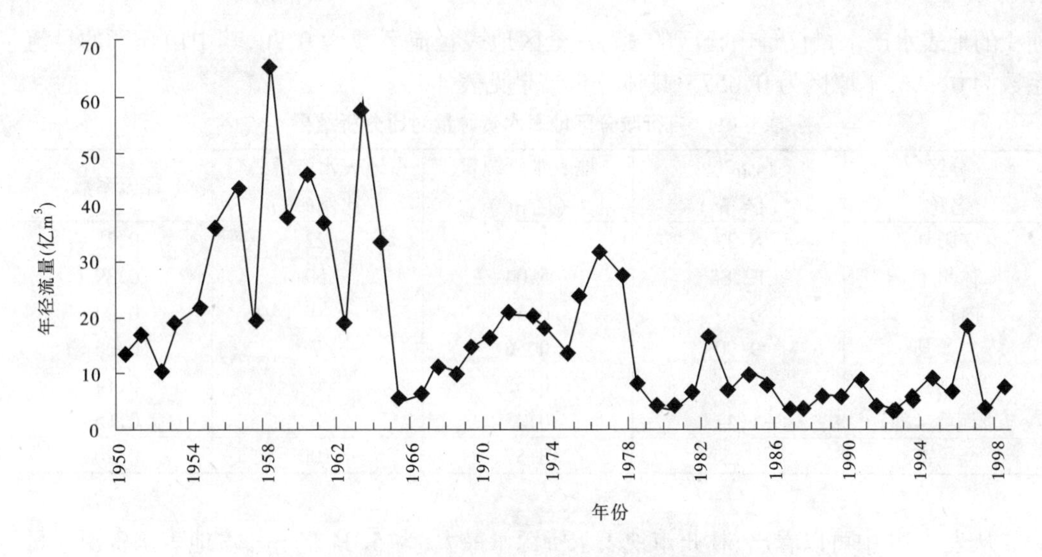

图 4-7 卫河出境实测年径流量过程线

渠、跃进渠有实测资料系列,淇河和大功河无实测资料。对于无入境实测资料的淇河,其入境年径流量按在境外的流域面积和由新村站实测径流资料推算出的年径流深值进行估算确定。主要分析结果见表 4-18。

表 4-18 安阳市多年平均入境水量统计分析结果

河(渠)名称	上游集水面积(km^2)	入境水量(亿 m^3)	从何处流入(引入)
淅河	605	0.64	山西省
淇河	426	0.45	新乡市
卫河	9 393	9.13	焦作市、新乡市
小计	10 424	10.22	
红旗渠		2.69	漳河
跃进渠		0.64	漳河
漳南干渠		1.38	岳城水库
小计		4.71	

第二节 地表水资源量时空分布特征

一、地表水资源量地区分布

从表 4-16 中可以看出,全市地表水资源总量为 8.57 亿 m^3,其中有 84%分布于山丘区,有 16%分布在平原区。全市单位面积产地表水资源量为 11.56 万m^3/km^2,其中山丘区单位面积产地表水资源量为 24.02 万 m^3/km^2,平原区为 3.10 万m^3/km^2,平原区单位面积的地表水产水量仅是山丘区的13%；全区地表径流系数为0.20,其中山丘区的径流系数为0.386,平原区为0.057。具体分析结果见表4-19。

表4-19 各行政分区地表水资源量对比分析结果

分区名称	降水量（亿 m^3）	地表水资源量（亿 m^3）	占地表水资源总量比例(%)	径流系数
安阳县	8.27	1.88	22	0.23
林州市	12.84	5.04	59	0.39
内黄县	6.33	0.35	4	0.06
滑　县	9.90	0.56	7	0.06
汤阴县	3.71	0.52	6	0.14
安阳市区(郊)	1.44	0.22	3	0.15
全　市	42.52	8.57	100	0.20

从表4-19中可以看出,林州市地表水资源量最大,为5.04亿 m^3,占地表水资源总量的59%；其次为安阳县,地表水资源量为1.88亿 m^3,占地表水资源总量的22%；最小的为安阳市区(郊),其地表水资源量为0.22亿 m^3,仅占地表水资源总量的3%。而林州市的径流系数最大,为0.39,约是全市平均值的2倍；其次为安阳县,其径流系数为全市平均值的1.13倍；内黄县地表径流系数最小,仅为全市平均值的27%。

二、地表水资源量的年际变化

(一)地表水资源量不同年代的变化趋势

根据安阳市各分区地表水资源量系列,分析和确定不同年代的地表水资源量及其对比分析结果,见表4-20和图4-8。

表4-20 各分区不同年代的地表水资源量及其对比分析结果

时间	地表水资源量 山丘区（亿 m^3）	平原区（亿 m^3）	全区（亿 m^3）	$\frac{W_{山}-\overline{W}_{山}}{\overline{W}_{山}}$ (%)	$\frac{W_{平}-\overline{W}_{平}}{\overline{W}_{平}}$ (%)	$\frac{W_{全}-\overline{W}_{全}}{\overline{W}_{全}}$ (%)
50年代	11.24	1.84	13.07	56	34	53
60年代	8.71	1.39	10.09	21	1	18
70年代	7.42	1.44	8.86	3	5	3
80年代	5.55	1.21	6.76	−23	−12	−21
90年代	5.31	1.30	6.61	−26	−5	−23
1956～1998年	7.20	1.37	8.57	0	0	0

从表4-20和图4-8中可以看出,在1956～1998年43年地表水资源量系列中各代表年代丰枯变化大体与降水量相同,且全市1956～1959年平均地表水资源量比长系列(1956～1998年系列)均值偏多53%,1960～1969年平均地表水资源量比长系列均值偏多18%,1970～1979年平均地表水资源量比长系列均值偏多3%,1980～1989年平均地表水资源量比长系列均值偏少21%,1990～1998年平均地表水资源量比长系列均值偏少23%。其中山丘区和平原区不同年代的地表水资源量的变化趋势与安阳市全区的情况基

本一致，从50年代到70年代的地表水资源量均比长系列均值偏大，一般偏大3%～56%，80年代和90年代的地表水资源量均比长系列均值偏少，一般偏少5%～26%，山丘区地表水资源量的年代变化幅度比平原区偏大一些。

由此可见，全市及各分区50年代地表水资源量偏大幅度最大，为34%～56%；而全市及山丘区90年代地表水资源量偏少幅度最大，为26%，平原区80年代地表水资源量偏少幅度最大，为12%。

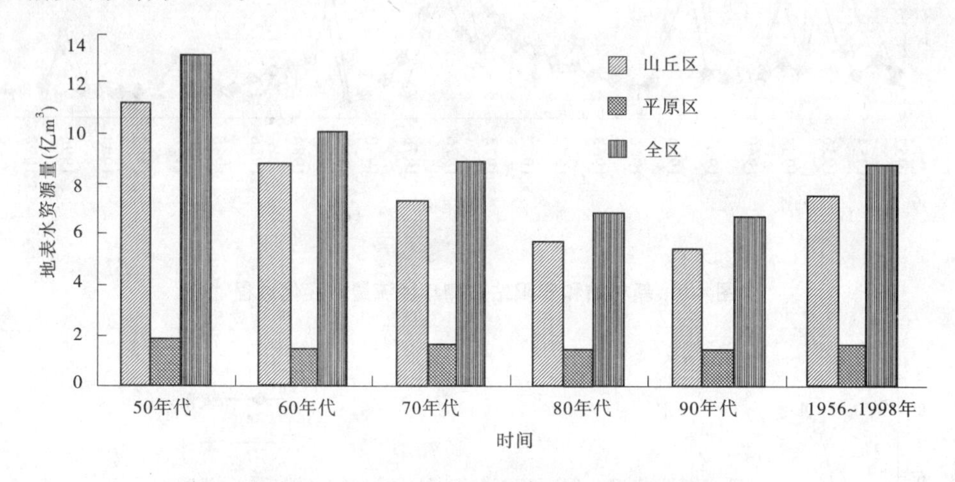

图4-8　安阳市地表水资源量年代变化柱状图

(二)河川径流量变化趋势

为了进一步分析在人类活动影响下安阳市主要河流实际径流量的变化趋势，特选用其主要水文站——新村站和安阳站控制断面的实测径流量系列资料进行统计和分析。具体分析结果，见表4-21和图4-9、图4-10。

表4-21　新村站和安阳站不同时期的实测年径流量统计结果

站名	时　期 (年)	实测径流量 (亿 m³)	$\frac{W-\overline{W}_{43}}{\overline{W}_{43}}$ (%)	站名	时　期 (年)	实测径流量 (亿 m³)	$\frac{W-\overline{W}_{43}}{\overline{W}_{43}}$ (%)
新村站	1956～1998	3.414	0	安阳站	1956～1998	2.960	0
	1969～1998	2.610	-24		1969～1998	2.870	-3
	1956～1979	4.749	39		1956～1979	3.573	21
	1978～1998	1.668	-51		1978～1998	2.220	-25
	1989～1998	1.493	-56		1989～1998	2.033	-31

从表4-21和图4-8、图4-9中可以看出，新村站与安阳站不同时期的实测径流量的变化趋势基本一致。滑动平均图十分清楚地表明了两站的实测径流量都呈下降趋势，趋势方程分别为：

$$Y_{安} = -0.0202T + 3.7248$$

$$Y_{新} = -0.0976T + 6.7819$$

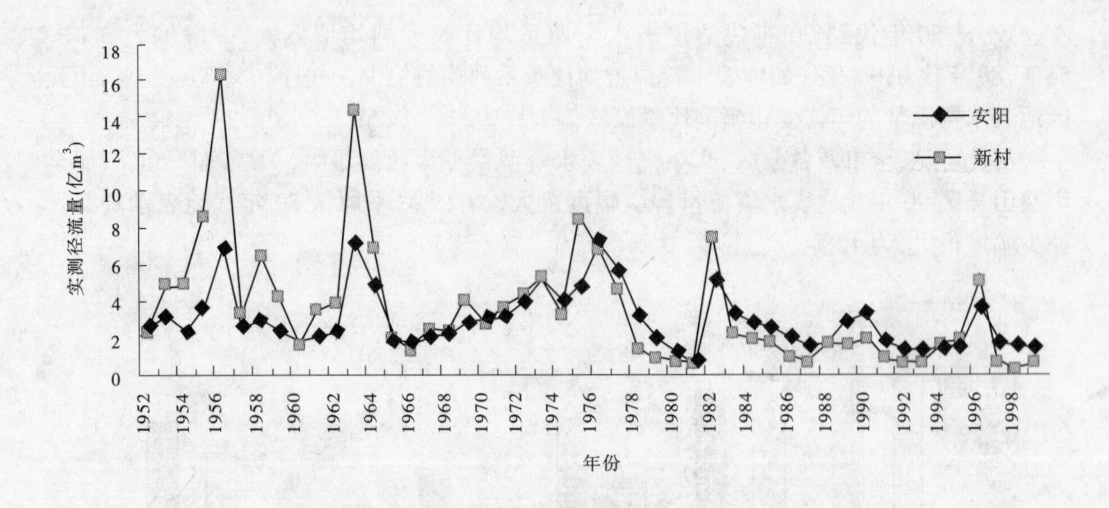

图 4-9 新村站和安阳站实测年径流量的变化过程

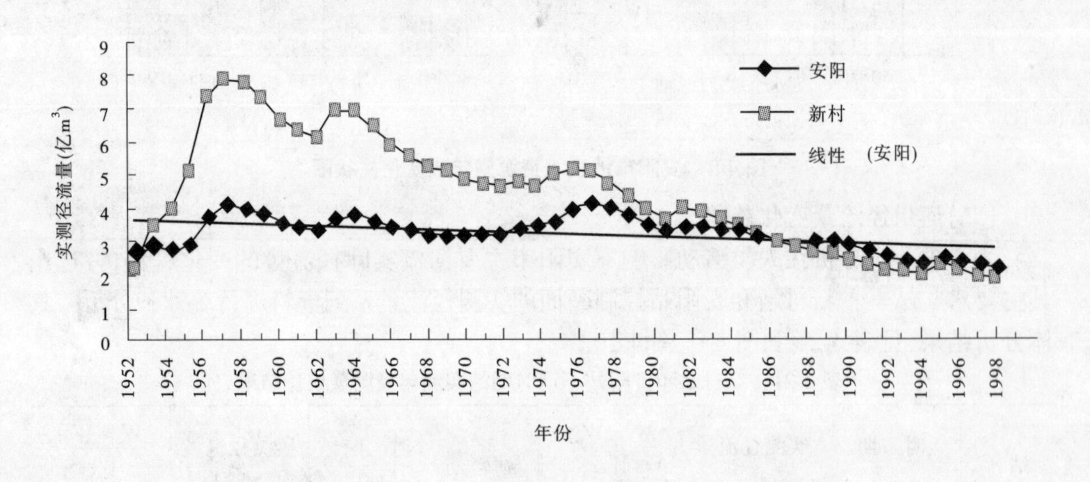

图 4-10 新村站和安阳站实测径流量 10 年滑动平均趋势图

式中：$Y_{安}$ 为安阳站年径流量；$Y_{新}$ 为新村站年径流量；T 为时间(年数)(从 1952 年算起)。

新村站和安阳站 1989～1998 年实测径流量比长系列(1956～1998 年)均值偏小最大,分别偏小 56%和 31%;而 1956～1979 年实测径流量比长系列均值分别偏大 39%和 21%。近 10 年(1989～1998 年)新村站和安阳站的实测年径流量与前 20 年(1956～1979 年)均值比较,新村站仅为 31%,安阳站为 57%。总之,上述分析结果表明,淇河与洹河实际来水量近 20 年来严重衰减,对其供水区域的工农业生产和生态环境等造成巨大影响。

为了进一步分析不同时期安阳市主要河流天然径流量的变化趋势,选用其主要水文站——新村站和安阳站控制断面的天然径流量系列资料进行统计和分析。具体分析结果,见表 4-22、表 4-23 和图 4-11。

表 4-22　新村站和安阳站天然年径流量分段统计分析结果

站名	时期(年)	降水深(mm)	天然径流深(mm)	天然径流量(亿 m^3)	径流系数
新村站	1956～1998	731.94	216.24	4.580	0.295
	1969～1998	698.42	189.02	4.003	0.265
	1956～1979	793.43	253.54	5.370	0.320
	1978～1998	643.50	161.43	3.419	0.251
	1989～1998	657.45	171.86	3.640	0.261
安阳站	1956～1998	599.41	199.82	2.965	0.331
	1969～1998	574.26	170.22	2.526	0.294
	1956～1979	628.09	241.04	3.577	0.386
	1978～1998	551.56	148.44	2.203	0.270
	1989～1998	566.95	144.64	2.147	0.267

表 4-23　不同时期的降水量、径流量与长系列均值比较

站名	时　期(年)	降水深比例(%)	天然径流深比例(%)	径流系数比例(%)
新村站	1956～1998	100.00	100.00	100.00
	1969～1998	95.42	87.41	89.53
	1956～1979	108.40	117.25	108.16
	1978～1998	87.92	74.65	84.91
	1989～1998	89.82	79.48	88.48
安阳站	1956～1998	100.00	100.00	100.00
	1969～1998	95.80	85.18	88.88
	1956～1979	104.78	120.63	116.65
	1978～1998	92.02	74.28	81.49
	1989～1998	94.58	72.38	80.65

从上面的分析结果可看出,新村站和安阳站的天然径流深与降水深均保持了相同的变化趋势。即 1956～1979 年的平均年降水量和平均年径流量均比长系列均值偏高;而 1978～1998 年属于大的枯水段,其降水量和径流量均值最低;1989～1998 年新村站的平均降水量和径流量,以及安阳站的平均降水量均比长系列均值偏低,但比 1978～1998 年略偏高一些;而 1989～1998 年安阳站的径流量比 1978～1998 年的均值还要偏低一些。1989～1998 年天然径流量均值与 1956～1979 年的均值相比,新村站为 67%、安阳站为 60%。

由此可见,淇河与洹河的天然径流量下降的趋势也是非常明显的。其中在 1956～1998 年的 43 年中新村站的实测径流量下降得相对较快一些,而安阳站的天然径流量下降得相对较慢一些,其主要原因是有跨流域引水。

从表 4-23 中看出,1989～1998 年安阳站的降水量均值比长系列(1956～1998 年)均值减少了 5.4%,而径流系数却比长系列均值减小了 20%;新村站的降水量均值比长系列均值减少了 10%,而径流系数比长系列均值减小了 12%。这表明,人类活动对降雨径流

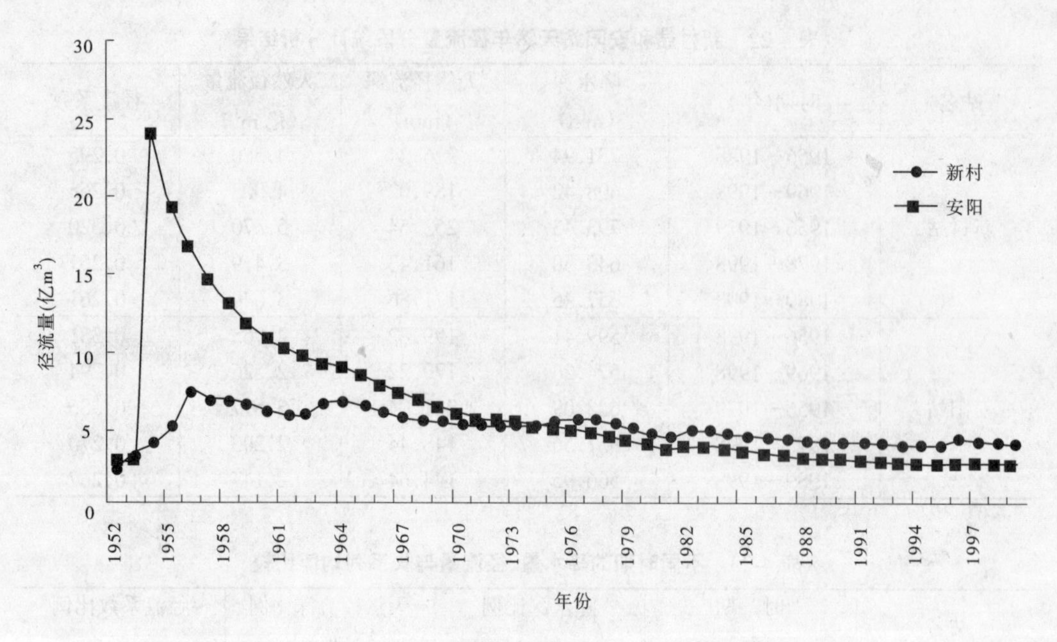

图 4-11　新村站和安阳站天然径流量 10 年滑动平均趋势

关系已经产生了相当大的影响。

通过综合分析可以看出,新村站和安阳站的实测径流和天然径流的变化趋势与降水趋势是基本吻合的。20 世纪五六十年代是大的丰水段。不同时期的统计分析结果表明,五六十年代的降水量、实测径流量和天然径流量均值,明显高于 70 年代、80 年代和 90 年代的均值。这种差异在新村站尤为突出。从长短系列的降雨径流系数对比分析可知,1956～1979年系列的降雨径流系数比 1956～1998 年系列的高 8%～16%,这主要是由于 1956～1979 年的降水量明显较多的结果,下垫面的影响居次要地位。对处于山丘区的 7 座大中型水库(没有包括小南海水库)的入库径流系列分析结果也表明,山丘区的下垫面变化对河川径流量的影响较小。综合分析知,山丘区下垫面条件的变化对河川径流量虽然有一定影响,但不很显著,1956～1998 年的天然河川径流量具有较好的代表性和一致性。

另外,从尊重历史的角度,对于水资源评价而言也应该采用 1956～1998 年的资料系列;而从比较现实、可靠的角度,对于水资源规划则比较适宜采用 1969～1998 年的资料系列。

(三)大中型水库入库水量变化趋势

安阳市共有 8 座大中型水库,其中小南海水库与彰武水库相距很近,入库径流量用一个系列即可,现采用彰武水库的入库水量系列。各库的多年平均入库水量见表 4-24。7 座(不含小南海水库)大中型水库的总入库水量为 4.3 亿 m^3,其中各年入库水量及其变化趋势,如图 4-12 所示。

从图 4-12 可以看出,安阳市 7 座(不含小南海水库)大中型水库入库水量有逐年减少的趋势,但不是十分明显。这些水库的位置与安阳站和新村站不同,它们在河流上游,在山区或出山口,径流量受人类活动的影响比两水文站小得多。这从一个侧面说明,山丘区的下垫面条件变化不是很大，其产水量衰减得不是十分强烈。

表 4-24　安阳市大中型水库多年平均入库水量统计结果

序号	水库名称	资料系列(年)	多年平均入库水量(万 m^3)
1	彰武水库	1973～1999	23 578
2	南谷洞水库	1976～1999	4 983
3	弓上水库	1976～1996	6 380
4	石门水库	1991～1999	453
5	双全水库	1982～1999	674
6	汤河水库	1981～1999	5 732
7	琵琶寺水库	1980～1999	1 187
合　计			42 987

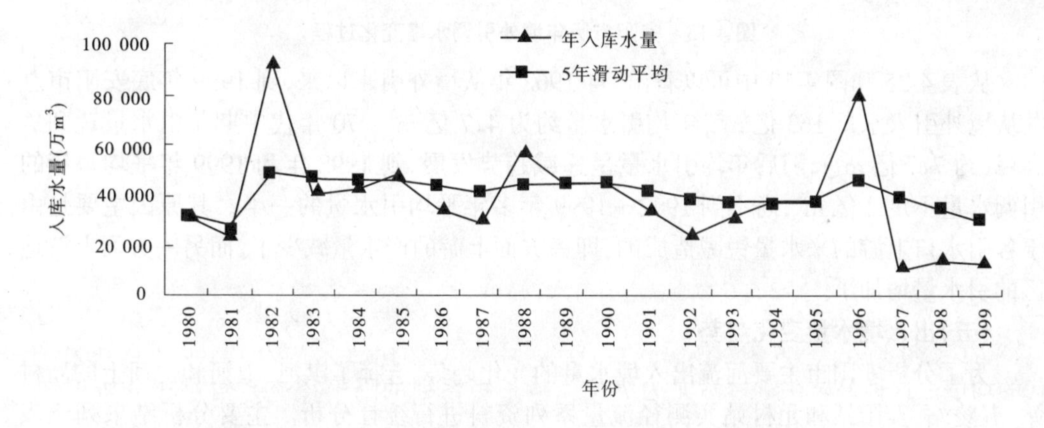

图 4-12　安阳市大中型水库入库水量的变化趋势

(四)引调水量变化趋势

安阳市从境外引水的渠道主要有红旗渠、跃进渠、漳南干渠以及引淇入琵渠、大功干渠等。引淇入琵渠道的引水量较小，而且只有少数年份有引水。另外，该渠道的引水是在林州市下游，所引水量包含林州市的产水量，不是严格意义上的境外引水，所以本次计算境外引水量时不计引淇入琵渠道的引水量。大功干渠的引水量一般较小且很不稳定，主要受上游引黄灌溉退水量的影响，在此暂忽略不计。不同时期安阳市年均从境外的引调水量及其变化趋势，见表 4-25 和图 4-13。

表 4-25　不同时期安阳市从境外的引调水量统计分析结果　　(单位：亿 m^3)

项目	时期(年)	红旗渠	跃进渠	漳南干渠	合计
年均引调水量	1962～1969	1.28	0	2.11	3.39
	1970～1979	4.19	0.98	2.56	7.73
	1980～1989	2.82	0.48	0.62	3.92
	1990～1999	1.75	0.60	0.37	2.72
	1962～1999	2.69	0.64	1.38	4.71
历年总引调水量(1962～1999 年)		94.00	16.65	52.27	162.92

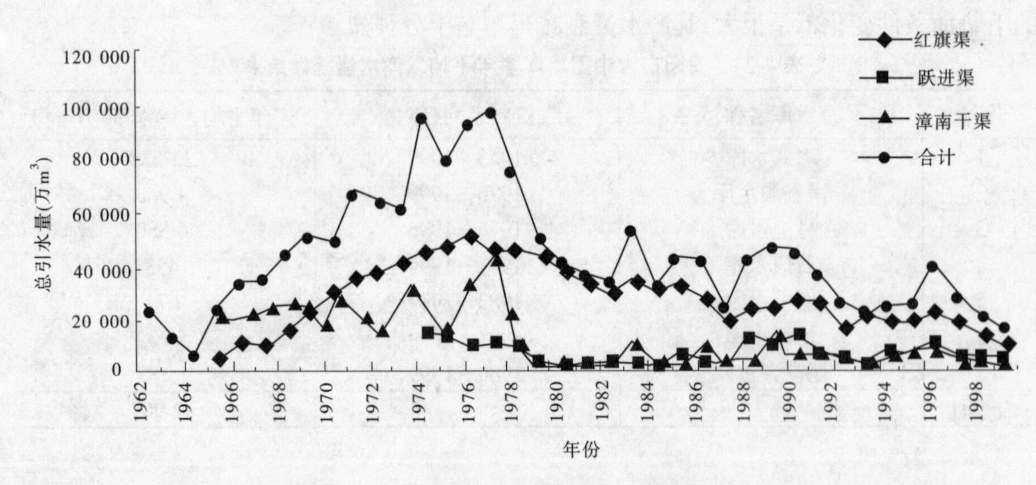

图 4-13 安阳市历年境外引调水量变化过程

从表 4-25 和图 4-13 中可以看出，自 1962 年从境外引水以来，到 1999 年底安阳市总共从境外引入水量 163 亿 m^3，年均引水量约为 4.7 亿 m^3。70 年代中期年引水量达到最高峰(约 7.7 亿 m^3)，随后年均引水量呈递减趋势发展，到 1998 年和 1999 年平均每年的引调水量不足 2 亿 m^3，尚不到 1962～1999 年多年平均引水量的一半。其原因主要是由于各引水口上游的来水量锐减造成的，即一方面上游的产水量减少了，而另一方面上游地区的引水量增加了。

(五)出入境水量变化趋势

为了分析安阳市主要河流出入境水量的变化趋势，选择了淇河、卫河和洹河上的新村站、五陵站、安阳站和元村站实测径流量系列资料进行统计分析。主要分析结果列于表 4-26 中。

表 4-26 主要水文站不同年代的实测径流量统计分析结果 (单位:亿 m^3)

河流名称	监测站名称	60 年代	70 年代	80 年代	90 年代
淇河	新村站	4.23	4.13	1.94	1.49
洹河	安阳站	2.92	4.20	2.41	1.94
卫河	五陵站	9.22	15.14	6.12	6.41
	元村站	25.74	19.80	7.59	7.90

注:元村站 20 世纪六七十年代的资料是根据面积比由楚旺站资料推算确定的。

从表 4-26 中可以看出，安阳市主要出境站新村站和元村站的年径流量自 60 年代以来一直是处于衰减趋势，新村站年径流量由 60 年代的 4.23 亿 m^3 衰减到 90 年代的 1.49 亿 m^3，衰减幅度高达 65%；元村站年径流量则由 60 年代的 25.74 亿 m^3 衰减到 90 年代的 7.90 亿 m^3，衰减幅度高达 69%。而主要入境站五陵站年径流量由 60 年代的 9.22 亿 m^3 增加到 70 年代的 15.14 亿 m^3，增加幅度高达 64%，并由此衰减到 90 年代的 6.41 亿 m^3，衰减幅度高达 58%。而安阳站的年径流量由 60 年代的 2.92 亿 m^3 增加到 70 年代的 4.20 亿 m^3，增加幅度达到 44%，并由此衰减到 90 年代的 1.94 亿 m^3，衰减幅度达 34%。由此表明，安阳市自六七十年代以来出入境水量均存在不同程度的衰减趋势，但出境水量的衰减幅度比入境水量的衰减幅度偏大约 10%。

安阳市山丘区的入境水量主要有两个来源：一是淇河上游的两个支流的入境水量，即弓上水库和要街水库以上的地表水产水量（1956～1998年系列均值）1.09亿m^3；二是浊漳河支流露水河上游入境水量，但这部分入境水量很快又流出安阳市境内，进入界河漳河里，因此这部分可不予考虑。具体统计分析结果，列于表4-27中。

表4-27 不同时期安阳市山丘区入境河川径流量

时 期（年）	入境河川径流量（亿m^3）	$\frac{W-\overline{W}_{43}}{\overline{W}_{43}}$（%）
1956～1979	1.27	17
1956～1998	1.09	0
1969～1998	0.95	-13

从表4-27中可以看出，安阳市山丘区的境外来水量（河川径流量）近30年（1969～1998年）比长系列（1956～1998年）均值偏小13%，比前20年（1956～1979年）的均值偏小25%；而前20年（1956～1979年）的境外来水量比长系列均值偏大17%。由于山丘区的来水量不仅相对较大，而且其水质一般较为优质，所以其来水量的多寡对于安阳市的供水影响比较大。针对这种地表水资源量近20年来不断衰减的严酷现实，为保障安阳市社会经济的快速、健康和可持续发展，应及早采取有力措施来克服或减缓上游来水量不断减少所导致的一些负面影响。

三、地表水资源量年内分布

前面的分析结果表明，安阳市地表水资源量的主要构成是山丘区的地表水资源量，即山丘区河川径流量。因此，新村站和安阳站天然径流量的年内分布情况，就基本上反映出了整个安阳市地表水资源量的年内分布特征。

为了分析安阳市地表水资源量的年内分布情况，特选用新村站和安阳站天然径流量系列资料，分析不同系列天然径流量的年内分布特征。具体分析结果见表4-28和表4-29。

表4-28 新村站不同系列天然径流量的各季节分布比例 （%）

系列	春季	夏季	秋季	冬季	连续最大三个月
	（3～5月）	（6～8月）	（9～11月）	（11～2月）	（8～10月）
1952～1999年	13.16	42.32	29.80	14.71	54.58
1956～1998年	13.55	41.60	29.97	14.87	53.64
1956～1979年	12.57	44.58	30.66	12.19	58.91
1980～1998年	14.37	39.47	30.47	15.70	51.63

表4-29 安阳站不同系列天然径流量的各季节分布比例 （%）

系列	春季	夏季	秋季	冬季	连续最大三个月
	（3～5月）	（6～8月）	（9～11月）	（11～2月）	（8～10月）
1956～1998年	15.18	32.52	31.64	20.66	38.72
1956～1979年	14.31	31.14	34.01	20.55	38.92
1980～1998年	16.75	35.24	27.21	20.80	39.19

从表 4-28 和表 4-29 中可以看出,安阳市不同系列的天然径流量的年内分布规律基本上是一致的。即夏季和秋季的天然径流量占全年总径流量的比例为最大,一般为 27%～45%;而春季的天然径流量比例最小,一般为 12%～17%;而径流量连续最大三个月是 8 月、9 月和 10 月,其径流量占全年径流总量的 38%～59%。由于安阳市春季的降水量和地表来水量均比较少,而这时又恰是冬小麦返青、生长和春播最需要水的时期,所以安阳市的春季抗旱任务是十分艰巨的。

为了进一步分析地表水资源量年内分配特征,选择新村站和安阳站 1956～1998 年天然径流量系列,针对不同的来水情况分析其典型年天然径流量月分布规律。为了避免个别年份天然径流量月分布过程的特异性,每种典型年均选择三个年份的天然径流量,确定其算术平均值。丰水年选择年径流量最大的三年天然径流量平均值,平水年选择年径流量频率为 50%附近的三年径流量平均值,偏枯水年选择年径流量频率为 75%附近的三年径流量平均值,特枯水年选择年径流量最小的三年径流量平均值。不同典型来水情况下,新村站和安阳站天然径流量的年内月分布过程见图 4-14 和图 4-15。

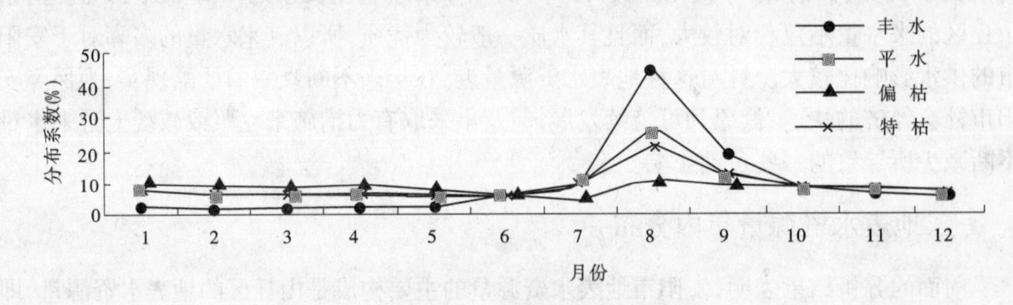

图 4-14　新村站天然径流量年内月分布过程线

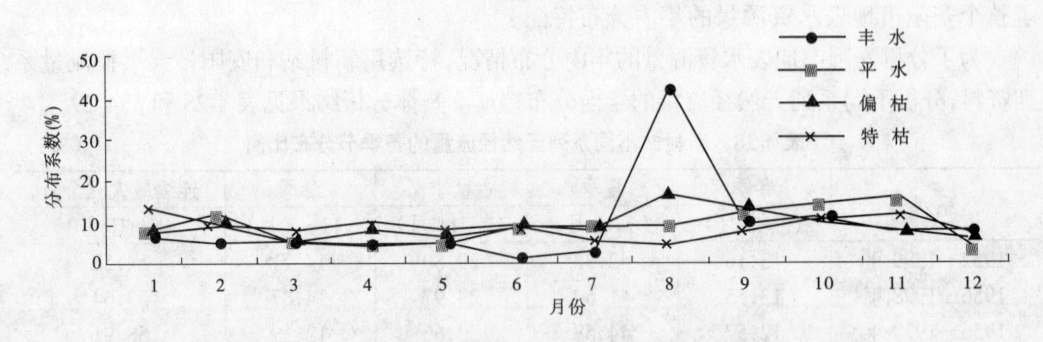

图 4-15　安阳站天然径流量年内月分布过程线

从图 4-14 和图 4-15 中可以看出,新村站丰水年的天然来水最为集中,主要集中在 7、8、9 月三个月份。其中月天然径流量最大的是 8 月份。天然径流量集中程度从大到小依次为丰水年、平水年、特枯年和偏枯年。偏枯年的天然径流量年内月分布最为均匀,特枯年和偏枯年基本上都没有明显的汛期特征。

安阳站丰水年的天然径流量也最为集中,主要集中在 8、9、10 月三个月份。其中月天然径流量最大的是 8 月份。天然径流量年内分布最集中的是丰水年;其次是偏枯年;最差的是平水年,平水年汛期的天然径流量年内分布不集中,并且汛期前后游荡;特枯年基本上没有明显的汛期特征。

从安阳市主要河流(淇河和洹河)的天然径流量年内月分布过程可以看出,安阳市的地表水资源量(径流量)在平水年和枯水年有利于利用,但其地表水资源总量(径流量)不大;而在丰水年,虽然地表水资源量比较大,但其年内分布又极其不均匀,主要集中在 7~9 月份,不利于利用。所以,安阳市面临着地表水资源总量不足和时空分布极不均匀的双重挑战。

第五章 地下水资源量

地下水资源量主要是指与大气降水、地表水体有直接补给或排泄关系的动态地下水量,即参与现代水循环而且可以不断更新的地下水量。以野外试验资料和长期的地下水动态观测资料为基础,按不同水文地质单元或水文地质亚区计算确定有关水文地质参数,分析"四水"转化关系及地下水的补、排关系,探索大规模人类活动影响下地下水资源的时空分布和动态变化规律,分析和计算地下水资源补给量、资源量和可开采资源量等。

根据第四章资料系列代表性分析结果,本次选用1993～1998年系列资料分析和评价地下水资源量。

第一节 评价类型区划分及计算方法

一、评价类型区划分

首先,根据安阳市区域地形、地貌特征,将评价区划分为平原区、山丘区,作为一级类型区。其次,根据次一级地形地貌特征、地层岩性及地下水类型,将山丘区划分为淇河山丘区、洹河山丘区和漳河山丘区;将平原区划分为山前倾斜平原区、一般平原区,作为二级类型区。然后,根据地下水矿化度(M)将二级类型区划分为淡水区($M \leqslant 1g/L$)、微咸水区($1g/L < M \leqslant 3g/L$)、半咸水区($3g/L < M \leqslant 5g/L$)和咸水区($M > 5g/L$),称三级类型区,其中淡水区是本次评价的重点,对微咸水区也要进行评价。最后,根据水文地质条件将各三级类型区划分为若干个水文地质单元,作为计算单元。

分区地下水资源量系指该评价区内山丘区地下水资源量加平原区地下水资源量,减去二者重复量,即为该分区地下水资源量。

二、计算方法

山丘区以多年平均排泄量作为地下水资源量,排泄量包括河川基流量、河床潜流量、山前侧向排泄量、地下水实际开采净消耗量和未计入基流的泉水量等所组成,一般以多年平均排泄量作为山丘区地下水资源量。由于山丘区地下水大部分已转化为河川径流,部分补给平原区,山丘区地下水一般没有多大实际开采价值,因而安阳市地下水资源评价的重点在平原区。

平原区以地下水总补给量减去地下水回归补给量作为地下水资源量,并用总排泄量校核。平原区的总补给量及资源量包括:①天然补给量——降水入渗补给量;②转化补给量——山前及相邻区域侧渗补给量、山前泉水入渗补给量、河床潜流量、河流渗漏补给量、渠系入渗补给量、田间灌溉等;③回归补给量——井灌和用于工业、生活与生态环境的地下水的入渗补给量。其中前两项为地下水资源量,回归补给量是地下水本身的重复量、不计在地下水资源量内。而总排泄量包括潜水蒸发量、侧向排泄量和地下水实际开采量等。

安阳市是我国较严重缺水的城市之一,地下水资源是其主要的供水水源,地下水的年开采量占其全年总供用水量的80%以上,且地下水的开采区域主要集中在平原区。由于地下水开采布局不合理、局部区域地下水超采严重,引起地下水位持续下降,目前地下水的最大埋深已达到38m,水位降落漏斗范围不断扩大,已形成了区域性水位降落漏斗;同时,地下水已遭受到不同程度的污染。因此,安阳市平原区地下水资源评价是本次工作的重点。利用现代的数值模拟技术和传统的水量均衡法,对平原区地下水资源进行精细计算和评价。

第二节　区域水文地质条件

一、地下水赋存条件和分布规律

安阳市西部山丘区,由侵蚀剥蚀中山区和剥蚀—堆积低山丘陵区等组成,沟谷发育、地形坡度大。侵蚀剥蚀中山区西起太行山主山脉,东至林州断裂(F_1),由于林州断裂的长期活动和大于1 500m的断距,致使断层西盘形成陡峻挺拔的太行山,太行山脉由震旦系石英岩、石英砂岩及寒武—奥陶系灰岩组成;剥蚀—堆积低山丘陵区分布于林州断层以东至庙口—鹤壁—水冶—岗子窑一线,其岩性主要由寒武—奥陶系碳酸盐岩性燕山期闪长岩组成,山间盆地发育,如林州城关盆地、临淇盆地、原康盆地等,盆地内大多沉积了较厚的新第三系和第四系堆积物,岩性主要有亚黏土、亚砂土、砂和砂砾石,赋存有孔隙潜水或承压水。由于安阳市山丘区断裂、沟谷、溶蚀裂隙和小型溶洞十分发育,山间盆地较平坦,因此有利于降水和地表水对地下水的入渗补给,地下水与地表水相互转化密切。

安阳市东部平原区,地处太行山东麓,自第四纪以来接受了太行山剥蚀下来的大量碎屑物质,构成了巨厚的第四纪沉积物,第四纪沉积物具有明显的岩相分带性,加上太行山地表径流的强烈补给及半湿润气候条件,因而构成了山前冲洪积扇型的水文地质单元。由于黄河频繁改道和洪水泛滥带来大量冲积物,与山前冲洪积物交错沉积,呈现出典型的山前倾斜平原和黄河冲积平原两大水文地质单元特征。

平原区地下水类型以孔隙潜水为主,包括山前冲洪积倾斜平原孔隙潜水与河谷潜水等。在山前倾斜平原前缘地带和交错沉积的黄河平原内广泛分布有浅层的承压水;主要含水层为中粗砂层、中细砂层和粉细砂层等。潜水形成条件有较明显的分带性,山前倾斜平原的地下水埋藏较深,此处表土层较薄,其下部为卵砾石层,易接受地表水流及当地降雨垂直入渗补给,故为地下水接受地表水和大气降水补给的渗入带(又称地下水的深藏带)。此带含水层单一,富水性强。深藏带以东,随着地形的突然变缓迅速过渡到浅藏带或径流带,其地下水埋深一般较浅,由于岩相发生变异,形成了两个以上的含水层,第一含水层为潜水,以下为承压水。

平原区广泛分布着承压水,承压含水层主要由砂砾石与中粗砂层组成,隔水顶、底板多由亚黏土组成,且连续性较差,含水层产状复杂;承压含水层大多在地面以下30～50m即可遇到,主要是接受垂向补给和侧向径流补给,人工开采是该层地下水排泄的主要方式。

二、含水岩(层)组特征

根据安阳市境内含水介质的岩性、贮水条件、含水程度等水文地质特征,划分出如下四大含水岩(层)组。

(一)裂隙岩溶含水岩组

该含水层组分布在中山和低山丘陵区,大部分裸露地表,在山间盆地和山前地带,被第四系覆盖和被前第四系埋藏。因此,在不同地段含水层组的层位和富水性差异很大。同一地层在西部的林州市境内出露在山顶,为透水而不含水层,但在覆盖区或埋藏区,其顶板埋藏于地下十几米至近千米,成为良好的含水层组。该含水层组的主要含水层是奥陶系上部的纯质灰岩、角砾状灰岩,寒武系中上部厚层灰岩(称张夏灰岩)等。在张性或张扭性断裂带、地下水强径流带、岩性迥然不同的接触带都是找水打井的有利部位。

(二)基岩裂隙含水岩组

由太古界(A_r)片麻岩、震旦系(Z)石英砂岩、不同时期的火成岩(δ)组成,局部出露的寒武系页岩也属于此类含水岩组。该含水岩组分布零散,主要在林州大断层(F_1)西侧的中山区以及河顺镇和小南海水库附近有小面积出露。该含水岩组的岩性组成虽然复杂,但其含水机理大致相同。各种成因的裂隙是地下水运移、赋存的主要场所。裂隙多以风化裂隙为主,次为构造裂隙。其特征是:密度大、规模小、连贯性差,浅部较深部发育,脆性岩层较柔性岩层发育。因此,其富水性一般较差,仅在地势低洼处和构造复合部位等富水性较好。

(三)碎屑岩类孔隙裂隙含水岩组

由零星出露的石炭系(C)砂岩、砂质页岩、炭质页岩、二叠系(P)砂页岩、砂岩和大面积出露的第三系(N)砂岩、页岩、砾岩等组成,分布在铜冶至小南海一线以东的丘陵区。该含水岩组的岩性组成较为复杂,多数地层富含泥质,柔性相对较大,孔隙裂隙不甚发育且易被泥质充填。主要含水的砂岩、砂砾岩层均夹在上述柔性岩层中间,而且其厚度都不大,多在几米到十几米,局部可达到20~30m。综上所述,该岩组岩性不利于地下水形成和赋存,富水性较差,较富水地段多在向斜轴部或单斜地的倾没端或沟谷的出口处。

(四)松散层孔隙含水岩组

由第四系(Q)冲积、冲洪积、坡洪积以及风积等作用形成的卵石、砾石、砂等松散层组成。主要分布在铜冶至小南海一线以东的洪冲积扇、洪冲积斜地及黄河冲积平原,其面积占全市总面积的60%以上。该含水岩组在安阳市成因复杂、岩性多变、分布广泛,富水性良好,是主要供水目的层。在京广铁路以西,含水层以卵砾、砾石、含砾中粗砂为主。在冲洪积扇的轴部和古河道带,含水层颗粒粗、厚度大,但分选性差,向边缘地带过渡,粒度渐渐变小、厚度逐渐变薄,但分选性逐渐变好;京广铁路以东至卫河之间的倾斜平原地带,主要含水层为砂砾石(局部卵砾石)、中粗砂层,其分布特点多呈条带沿古河道展布,在上游颗粒粗、厚度大、分选性差,下游分选性好、颗粒细、厚度小、分布范围大;卫河以东的黄河冲积平原区,主要含水层是中砂、细砂、细粉砂,厚度较稳定,分布面积广、富水性变化小。

三、富水性划分

划分依据及原则:①含水岩(层)组岩性及厚度,所处地貌形态,地下水补径排及埋藏条件;②单井出水量大小(岩溶水、裂隙水或孔隙裂隙水单井出水量按水位降深 15m 换算;孔隙水单井出水量按水位降深 5m 换算);③每种含水岩(层)组单独划分。具体分布情况,参见安阳市水文地质图(附图 17)。

(一)裂隙岩溶含水岩组

该岩组分布广泛,所处地貌形态复杂,具有裸露型、覆盖型、埋藏型三种类型。

1.裸露型

强富水区(单井出水量 5 000~3 000m^3/d,以下同):仅分布在珍珠泉上游的许家沟附近及其西北地区和天喜镇至善应一带,含水岩性为奥陶系灰岩。

中等富水区(单井出水量 3 000~1 000m^3/d,以下同):分布范围较大,主要分布在王家瑶、大塔脑、御甲坪—龙尾岗等小南海泉域的中下游地段,其次分布在北部猴尖山南,南部的原康—茶店等地。含水岩性为奥陶系灰岩。

弱富水区(单井出水量 1 000~100m^3/d,以下同):主要分布在地势较高的低山丘陵区。如北部的奶山及其以北,中部的合涧东至秦家坡、东姚东,南部的临淇南以及林州大断层(F_1)以西,原康西南的边缘山丘区等。含水岩性主要为奥陶系灰岩,其次为寒武系灰岩。

2.覆盖型

中等富水区:主要分布在林州盆地的城关—姚村、城关—横水—马家一带,其次在临淇盆地亦有小面积分布。含水层岩性主要为奥陶系灰岩,被第四系冲洪积物所覆盖。

弱富水区:主要分布在林州盆地西缘,合涧—原康东北。含水岩性主要为奥陶系灰岩。

3.埋藏型

上覆地层主要是石炭系、二叠系,其次为第三系。

强富水区:分布于珍珠泉和天喜镇—善应镇—王家岭一带。含水层岩性为奥陶系灰岩。

中等富水区:分布在铜冶—水冶至龙泉一带,含水层岩性为奥陶系灰岩。

(二)基岩裂隙含水岩组

该含水岩组均分布在中山和低山丘陵区,多为地表水或地下水的分水岭部位。岩性坚硬,裂隙稀疏,不利于地下水的补给与贮存。含水性差,单井出水量一般小于 1 000m^3/d,为弱富水区。

(三)碎屑岩类孔隙裂隙含水岩组

该含水岩组主要分布在石炭二叠系和第三系中,由于石炭二叠系在评价区内只零星出露,第三系虽然大面积出露,但其岩性较软,孔隙裂隙均不发育。既不利于地下水补给,亦无良好的贮水场所。该含水岩组地下水较贫乏,根据单井出水量,均属于弱富水区。

(四)松散层孔隙含水岩组

该含水层组分布广泛,补给条件各地不同,含水性有明显差异。

极强富水区(单井出水量大于 5 000m^3/d,以下同):分布在安阳市区内的洹河南部的京广铁路两侧及安阳市北部丰乐村附近,含水层岩性为卵石、砾石及含砾中粗砂层,且厚度大,质地纯,分选性好,补给及赋水条件优越,含水层调节能力极强。

强富水区:分布在安阳市区及丰乐—辛店一带,汤河冲洪积扇顶部及宜沟镇东部,含水层岩性为砾卵石层、含砾中粗砂层,厚度大,分选性好,补给和赋水条件良好,含水层调节能力强。

中等富水区:分布在洪冲积扇、洪冲积斜地和冲积平原的广大地区,含水层岩性为砂砾石,中粗砂或中细砂,厚度较大,分选性较好,有利于地下水补给和贮存,是平原区工农业的主要水源。

弱富水区:分布在岗前、韩陵山南、四间房及滑县南部,含水层岩性为细砂和粉细砂,单层厚度不大,贮水条件差,属于弱含水区。

四、地下水补给、径流、排泄条件

安阳市西部为巍巍耸立的太行山,东部为广阔的山前冲洪积倾斜平原和黄河冲积平原,中部为平缓的丘陵。地势西高东低,错落有致,地下水的补给、径流、排泄明显受地势和岩性的制约。不同地带,地下水存在着迥然不同的补径排特征。自西向东可划分为相互平行的三个条带,见安阳市水文地质图(附图 17)。

(一)西部——中低山丘陵区

北自铜冶镇向南经许家沟至小南海一线以西,含林州市全部和安阳县西部。碳酸盐岩类裂隙岩溶含水岩组和基岩裂隙含水岩组均分布在该区,其面积约占全区总面积的35%。

1.地下水补给条件

地下水主要接受降水入渗补给。由于可溶性灰岩出露面积大,尤其奥陶系灰岩厚度大、质地纯、分布广,其地表、地下裂隙岩溶均较发育,极易接受降水入渗补给,地下水的补给条件优越,且有宏大的储存场所,为地下水的形成、富集提供了极为有利的先天条件。红旗渠建成后,漳河水源源不断地进入该区,使近半数的农田得到自流灌溉。因此,农田灌溉水的入渗补给成了该区地下水的又一补给源。

2.地下水径流条件

该区地下水总的径流方向与地势一致——自西向东。由于受次级地貌单元的制约,地下水径流方向往往发生偏转,例如:坟头—东岗—都里一线之间,地下水向北和东北方向径流;坟头—东岗—都里一线以南至河顺—许家沟之间,地下水基本向东径流;林州盆地南北两端地下水分别向林州市城区一带径流;原康一带地下水向东径流;临淇一带地下水向北径流,至石门寺汇合后向东径流;东姚一带地下水向北径流。

在古河道及古岩溶强发育带的控制下,区内形成多条地下水强径流带。自南向北依次有:临淇—石门寺,合涧—石门寺,横水—御甲坪—龙尾岗,横水—马家—善应,大众煤矿—王家岭—天喜镇,许家沟—水冶等。该区地下水径流通畅。

3.地下水排泄条件

区内天然形成的珍珠泉群、小南海泉群、石门寺泉群,是该区地下水排泄的显著特征。

上述三个泉群所形成的泉域占该区总面积的90%左右。北部的珍珠泉域面积250km^2，泉排水量1990年前为1.46 m^3/s，后为0.63 m^3/s左右。由于上游地区人工开采和矿坑排水致使泉排水量下降，故人工开采和泉排为该泉域地下水的主要排泄方式。中部的小南海泉域面积约为935 km^2，可控制林州市的大部分地下水，泉水排泄量近几年衰减得比较厉害。南部的石门寺泉域，面积约为350km^2，泉水多年平均为0.38 m^3/s；人工开采和泉排是该泉域地下水的主要排泄途径。除此之外，北部和南部的边缘地带分别归属河北省的黑龙潭、新乡市的百泉和庙口等泉域。总之，该区地下水排泄是以泉水、人工开采和矿坑排水等形式为主。

（二）中部——平缓丘陵区

该区系指铜冶—许家沟—小南海一线以东的平缓丘陵区，主要为孔隙、裂隙水分布区。

1. 地下水补给条件

大气降水是该区地下水的主要补给源。由于地面起伏不平，地表岩性多为亚黏土，孔隙裂隙均欠发育，不仅不利于地下水补给，而且贮水条件较差，水位变幅大，地下水调节能力差。由于引入外来水进行农田灌溉，对地下水有一定的补给，但农田灌溉入渗补给量亦相当有限。

2. 地下水径流条件

在铜冶、水冶、善应一带，矿坑较多，地下水多被矿坑排出。地下水流向多变，不被人为干扰地带地下水仍自西向东流，水力坡度达到1.13%左右。安阳南北岗、汤阴西岗地下水均向东径流，汤阴东南的瓦岗至菜园一带的四十五里岗北端地下水向北和东径流。

3. 地下水排泄条件

人畜引用、矿坑排水是该区地下水的主要排泄途径，其次为农灌开采和侧向流出境外。

（三）东部——冲洪积扇和冲积平原区

由洹河冲洪积扇、漳河冲洪积扇的南半部与汤、羑河冲洪积斜地、黄河冲积平原等地貌单元相互交错和连接，形成了具有统一地下水位和水力联系密切的水文地质体，贮存着比较丰富的地下水。

1. 地下水补给条件

该区的地下水主要有三种补给来源：降水入渗补给、地表水体入渗补给和农田灌溉入渗补给。

降水入渗补给：该区地形较为平坦，地表岩性多为亚砂、粉细砂及局部亚黏土，有利于降水直接入渗补给地下水，故大气降水补给是该区地下水的主要补给源。

地表水体入渗补给：该区内有洹河、漳河、卫河、汤河、羑河等常年性河流，河水常年侧向补给或自由渗漏补给地下水，成为该区地下水的另一主要补给源。

农田灌溉入渗补给：该区是粮食高产区，滑县是产粮大县。因此，农田水利化程度比较高，井灌、渠灌、井渠结合灌溉已形成相当的规模，农田大多能得到灌溉，大部分农田达到旱涝保收。所以，农田灌溉用水量较大，灌溉入渗补给地下水量不可忽视。

2.地下水径流条件

该区地下水均在松散介质的孔隙中缓慢渗流。滑县地下水基本是自西南向东北径流,西南的牛屯—上官一带水力坡度为0.063%,东北部仅为0.014%。仅在冯营村、东盘丘、滑营村等局部地段形成平缓的地下水位降落漏斗。除滑县外,其他地带地下水总流向为自西向东流。但由于安阳市区大量开采地下水,已经形成面积近150km^2,中心水位埋深达38m的地下水位降落漏斗。在强大的水动力作用下,致使韩陵山以西的漳河冲洪积扇地下水改向南流入漏斗,水力坡度达0.55%左右,使韩陵山南、经汪家店、牛房一线以西的洹河冲洪积扇地下水反向西流入漏斗,水力坡度达0.16%左右。

3.地下水排泄条件

韩陵山—汪家店—牛房一线以西地下水逐年超采,地下水位持续下降。此线以东,地下水开采是其主要排泄方式,其次为侧向流出。

自20世纪70年代以来,尤其是80年代中后期开始,随着安阳市社会经济的蓬勃发展,城市缺水日益严重,造成了对地下水的掠夺性开采,导致了平原区地下水位持续下降,水位降落漏斗不断扩大,地下水动力场和水化学场均发生了深刻变化。目前,安阳市平原区的地下水,无论是潜水还是承压水,其水位均有较大幅度的下降,与70年代相比一般下降10～15m,最大埋深可达38m。其补给方式以大气降雨入渗补给和灌溉、河流入渗补给为主,排泄方式则主要为人工开采。

五、地下水埋藏条件及动态特征

地下水的埋藏条件一方面受地形、地貌和水文地质条件的控制,另一方面受降水、地表水体等补给条件和人工开采的影响。由于地下水动态特征主要受人工开采和大气降水的影响,以下所述的地下水埋藏条件及动态特征为有地下水动态观测资料以来的情况(1977～1999年)。

(一)地下水位的年际变化

安阳市山丘区除山间盆地以外大部分地下水属于基岩裂隙水、岩溶裂隙水,其动态变化比较剧烈,且受大气降水影响较明显。为了较详细地分析林州市地下水动态变化趋势,选择了两个具有一定代表性的地下水动态观测孔5#(小店乡七泉村)、10#(姚村镇河街村),通过分析其动态观测资料可以看出,安阳市山丘区的基岩裂隙水和岩溶裂隙水,从70年代末到90年代末其水位(水头)下降幅度高达20～30m,且年际、年内变化较大,年内最高和最低水位相差可达20～30m;而盆地内的松散孔隙水,从70年代末到90年代末其水位下降幅度一般为3～4m,其年际、年内变化相对比较小,年内最高和最低水位相差3～4m。具体情况见图5-1～图5-4。

在安阳市东部平原区,由于地下水开采量的不断增加和各种补给量的日趋衰减,造成了地下水位(水头)的大幅度持续下降。根据平原区5个县(市)区12个观测孔的地下水动态观测资料,在1977年至1998年期间地下水位普遍下降了13～19m,年均下降速率达0.8m。详见图5-5～图5-11和表5-1。

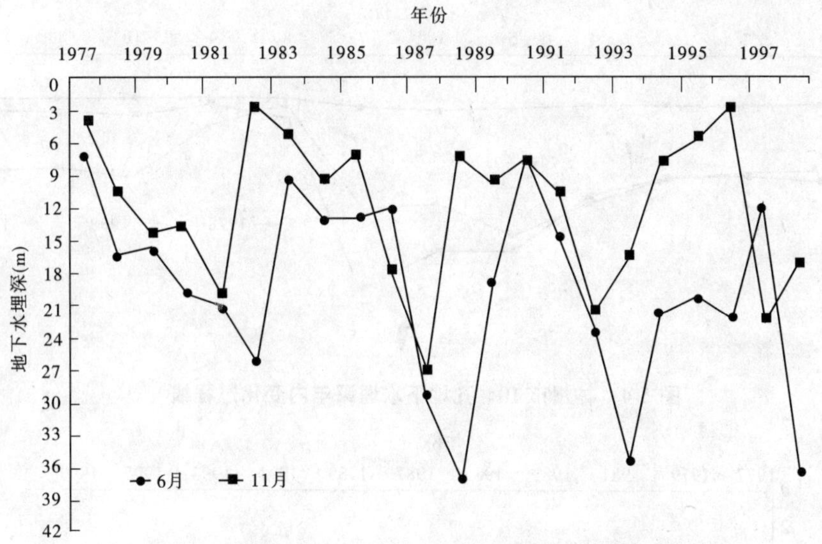

图 5-1　林州市 5＃孔地下水埋深年际变化过程线

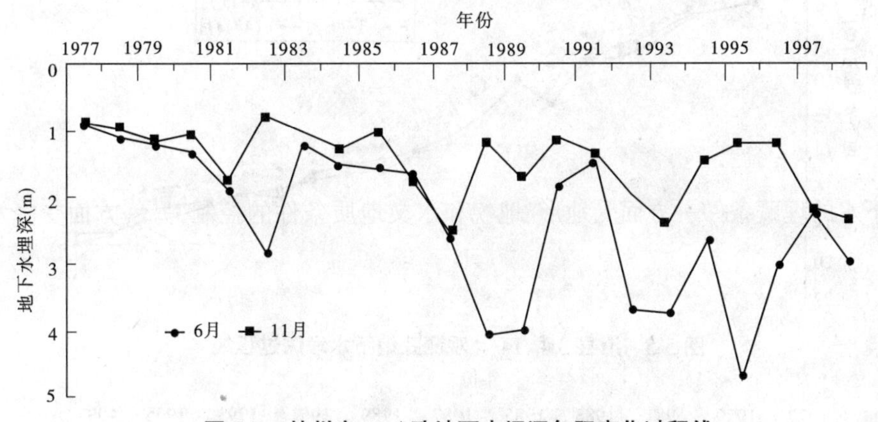

图 5-2　林州市 10＃孔地下水埋深年际变化过程线

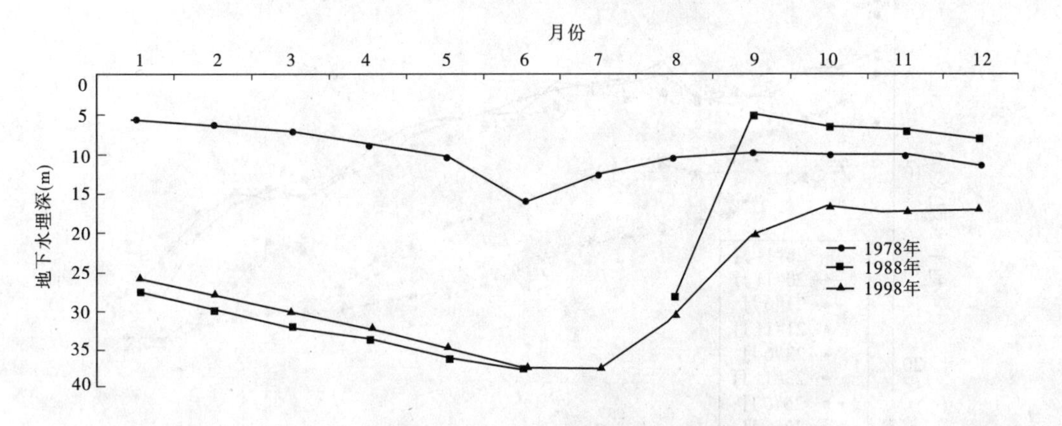

图 5-3　林州市 5＃孔地下水埋深年内变化过程线

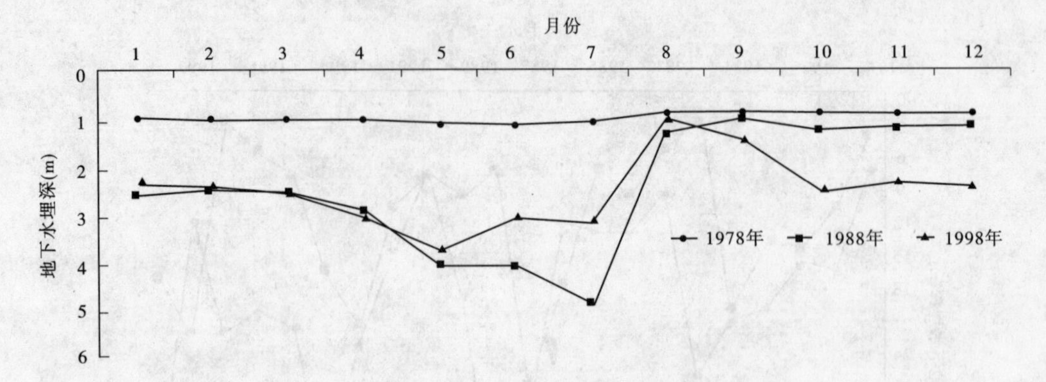

图 5-4　林州市 10♯孔地下水埋深年内变化过程线

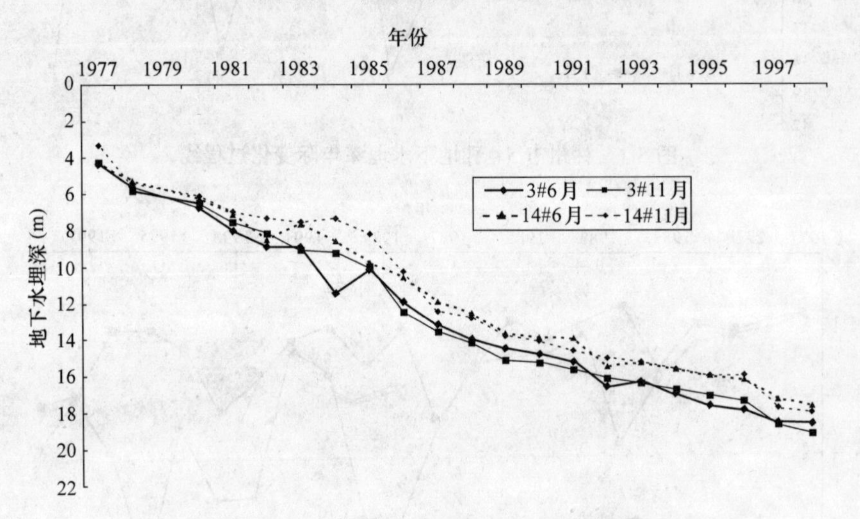

图 5-5　滑县 3♯、14 ♯观测孔地下水埋深过程线

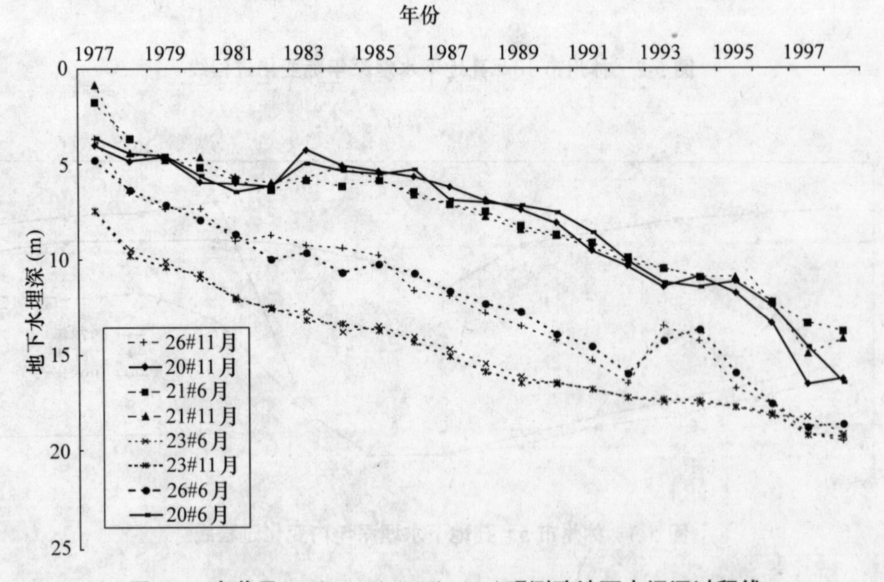

图 5-6　内黄县 20♯、26♯、23♯、21♯观测孔地下水埋深过程线

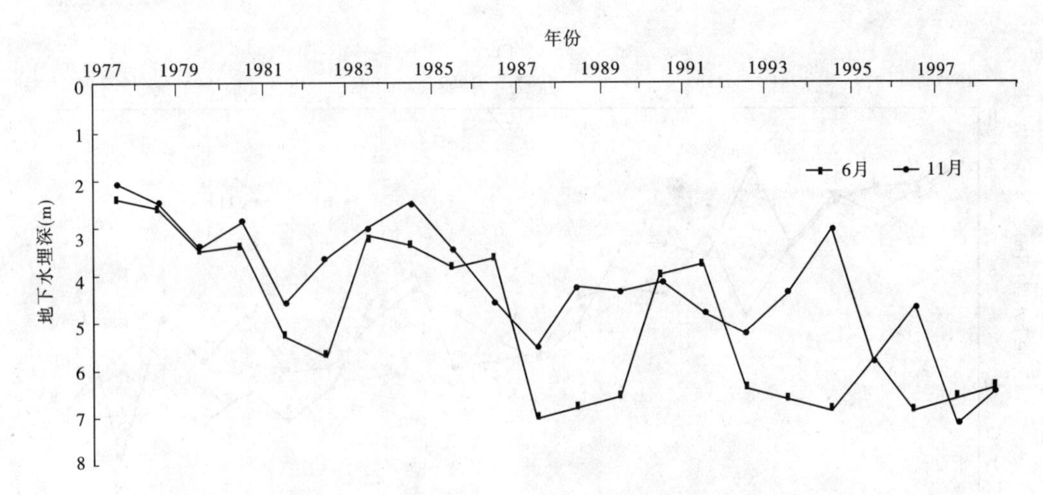

图 5-7　内黄县 31＃观测孔地下水埋深过程线

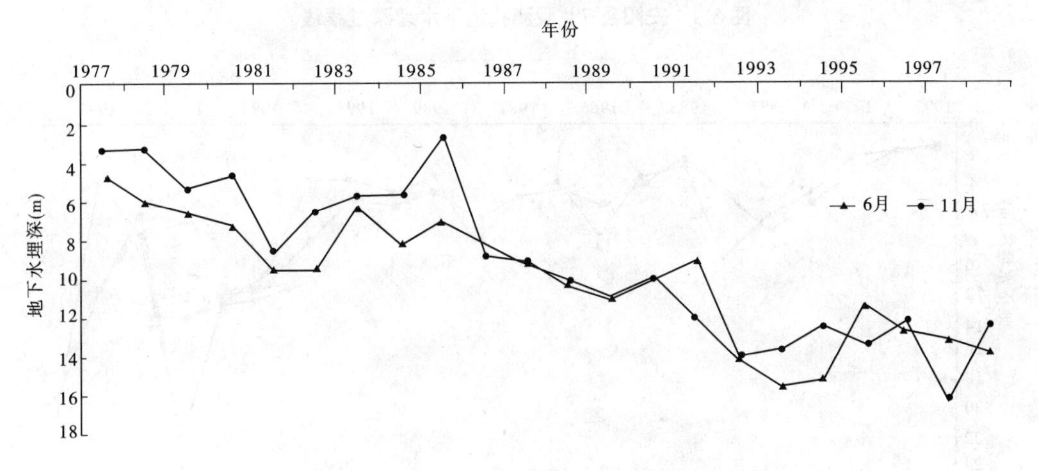

图 5-8　汤阴县 11 ＃观测孔地下水埋深过程线

表 5-1　各分区地下水埋深下降幅度统计分析结果

县(市、区)观测孔编号		具体位置	80 年代下降幅度(m)	90 年代下降幅度(m)	80 年代每年下降速率(m/年)	90 年代每年下降速率(m/年)
汤阴县 11＃*		任固镇任固村	6	3	0.6	0.3
滑县	3＃	留固镇横村	9	4	0.9	0.4
	14＃	老店乡常屯村	8	4	0.8	0.4
内黄县	20＃	城关镇西仗堡村	2	9	0.2	1.0
	21＃	后河乡后河村	3	5	0.3	0.6
	26＃	亳城乡南高堌村	5	5	0.5	0.6
	23＃	中召乡东街村	6	7	0.6	0.8
安阳县	7＃*	宝莲寺镇刘干坡村	5	3	0.5	0.3
市区(郊)	18＃*	北郊乡后皇甫村	7.8	13	0.78	1.4

注： *表示安阳县 7＃、安阳市区(郊)18＃和汤阴县 11＃的水位波动幅度、波动速率。

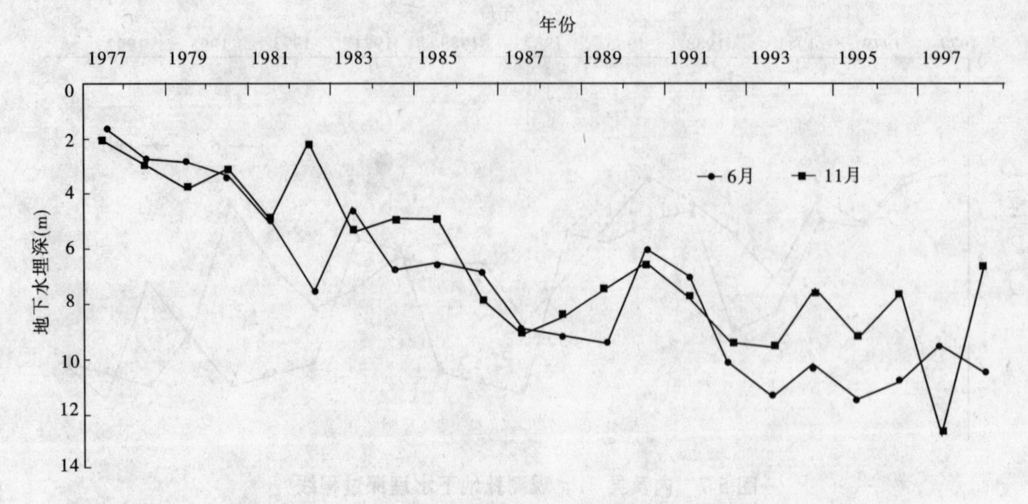

图 5-9　安阳县 7＃观测孔地下水埋深过程线

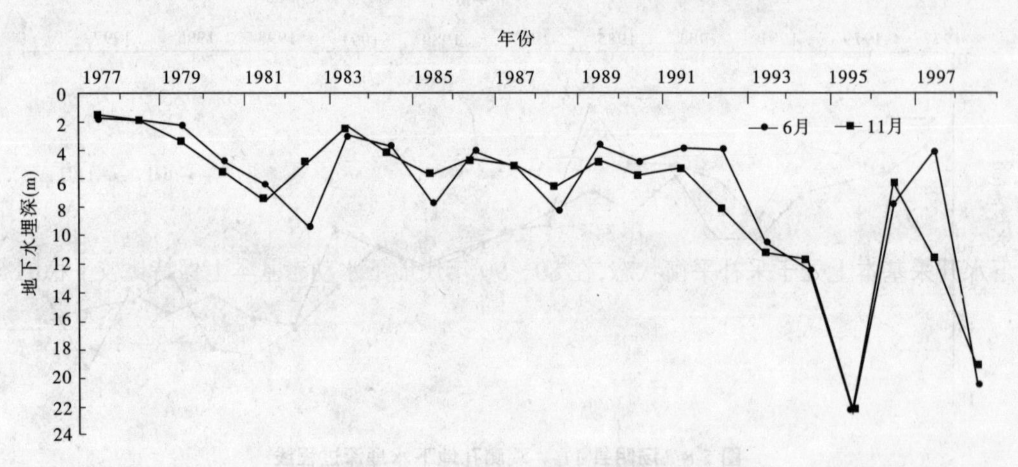

图 5-10　安阳市区(郊)18＃观测孔地下水埋深过程线

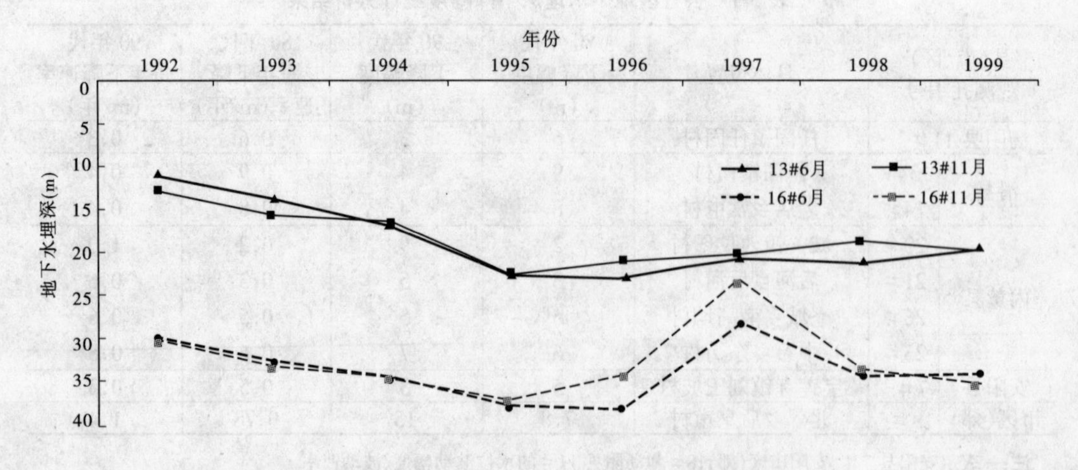

图 5-11　安阳市区(郊)13＃、16＃观测孔地下水埋深过程线

从图 5-5～图 5-11 和表 5-1 中可以看出,安阳市区(郊)的地下水埋深最大,为 38m;而内黄县豆公灌区(31＃观测孔——豆公乡北街村)的地下水埋深最小,为 6～8m。滑县和内黄县的地下水动态特征基本类似,地下水动态变化主要受地下水开采影响,大气降水的影响相对较微弱,其动态类型属于明显的人工超采型。滑县和内黄县地下水埋深从 1977 年的 3～4m 下降到 1998 年的 16～18m;但对于内黄县以污水灌溉为主的豆公灌区,其地下水位变化不大,地下水埋深一般保持在 6～8m。安阳县、安阳市区(郊)和汤阴县的地下水动态特征较为类似,属于降水入渗—开采型,其地下水动态变化明显地受到大气降水和人工开采的双重影响。在 80 年代,地下水位下降幅度最大的是滑县,累计下降了 8～9m,平均年下降速率为 0.8～0.9m;其次是汤阴县和安阳县,地下水位累计下降幅度分别为 6m 和 5m;再次是内黄县,地下水位累计下降幅度为 2～6m。在 90 年代,地下水位波动幅度最大的是安阳市区(郊),为 13m,平均年变幅为 1.4 m/年;其次是内黄县,地下水位下降幅度为 5～9m,平均年下降速率为 0.6～1.0m;水位变化幅度最小的是安阳县和汤阴县,平均年变幅为 0.3 m。安阳县、安阳市区(郊)和汤阴县地下水位总体上呈现出下降趋势,但到了 90 年代总体上基本处于采补平衡的准稳定状态,随年降水量的丰枯变化而呈现出上升、下降的态势。

总之,从上面地下水埋深过程线图可以看出,滑县和内黄县(除豆公灌区以外)地下水基本上处于严重超采状态,造成地下水位持续下降。其中滑县尤其严重,即使在丰水年地下水位抬升也不明显;安阳县、安阳市区(郊)和汤阴县地下水也处于超采状态,地下水位总体上表现为持续下降的趋势,但在丰水年份地下水位能明显抬升;内黄县豆公灌区的地下水开采基本上处于采补平衡状态,在 80～90 年代地下水动态基本上保持比较平稳的态势,并随降水量的变化而上下起伏。

(二)地下水位的年内变化

为了分析地下水位的年内变化规律,选择代表性地下水动态观测孔的系列资料进行分析(观测孔分布位置,见图 5-20)。代表性观测孔的地下水埋深年内变化过程线,见图 5-12～图 5-17。

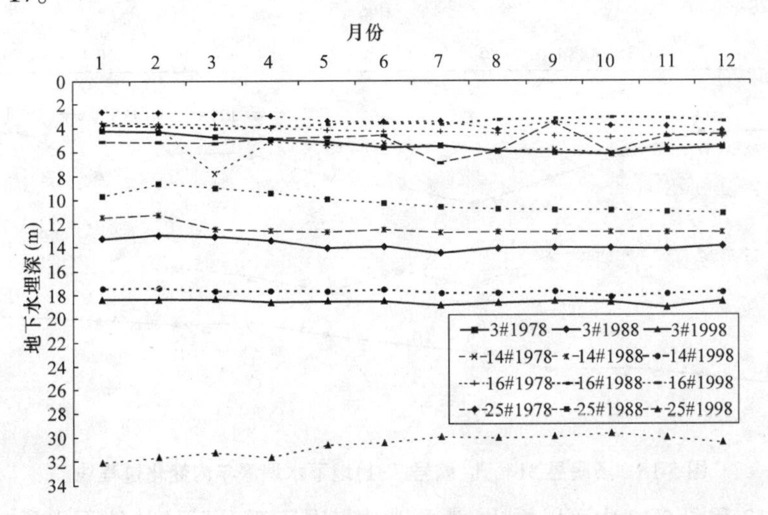

图 5-12　滑县 3＃、14＃、16＃和 25 ＃孔(编号 H03、H14、H16、H25)地下水埋深年内变化过程线

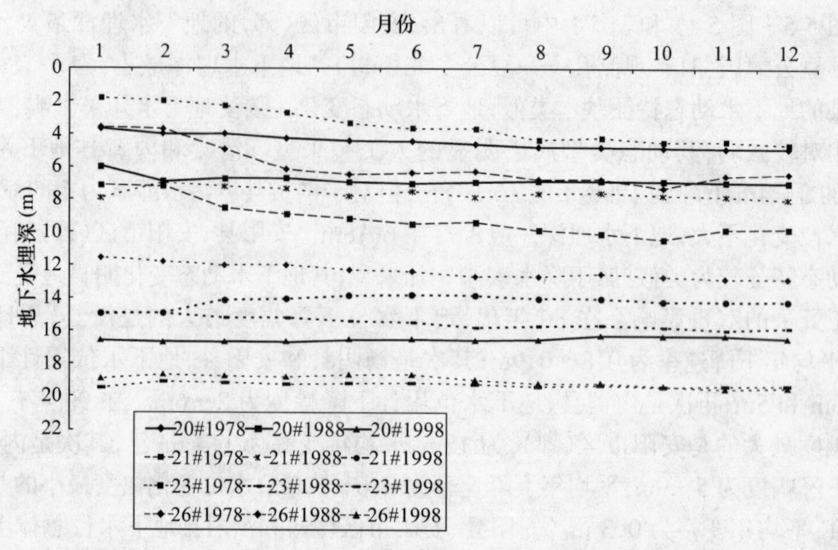

图 5-13 内黄县 20♯、21♯、23♯、26♯孔(编号 N21、N23、N26)地下水埋深年内变化过程线

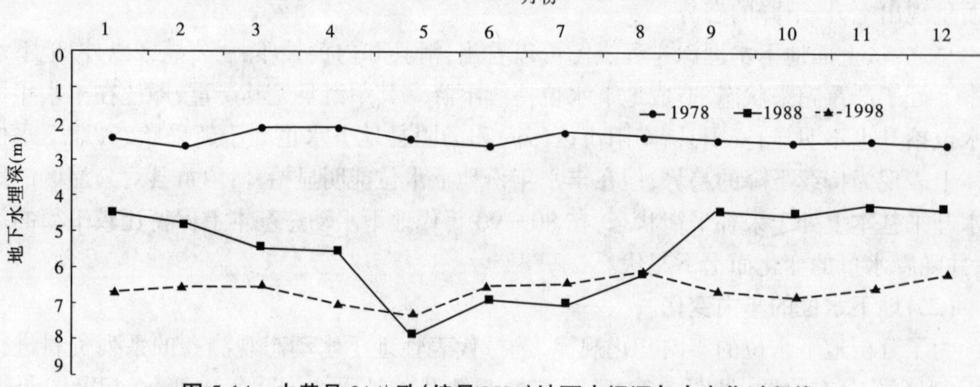

图 5-14 内黄县 31♯孔(编号 N31)地下水埋深年内变化过程线

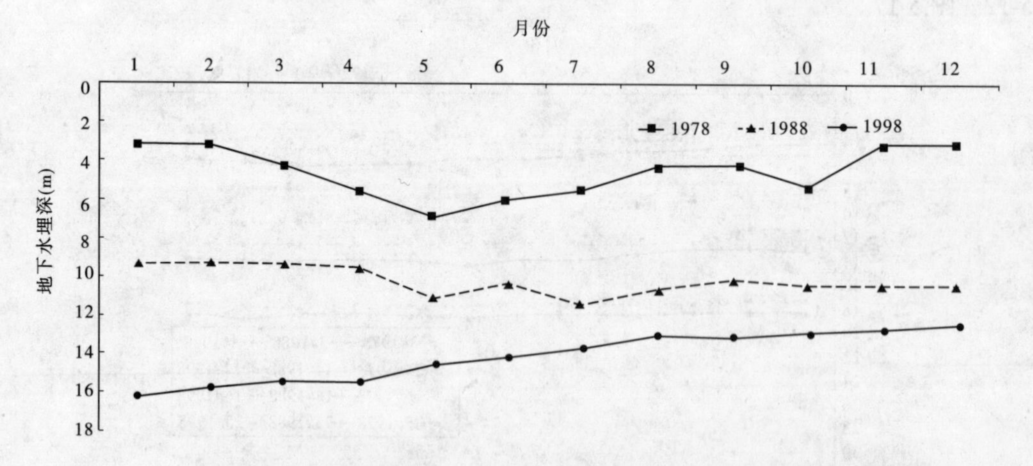

图 5-15 汤阴县 31♯孔(编号 T31)地下水埋深年内变化过程线

从图 5-12 和图 5-13 中可以看出,滑县和内黄县大部分区域的地下水位年内变化比

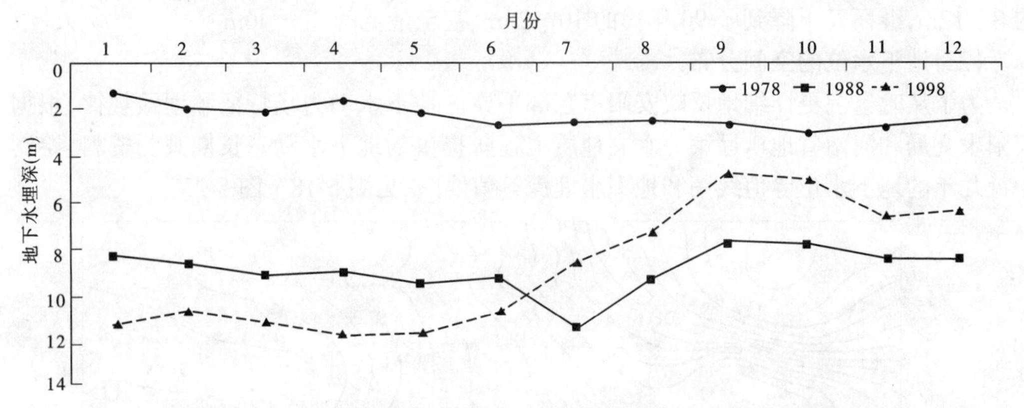

图 5-16　安阳县 7＃孔(编号 A×7)地下水埋深年内变化过程线

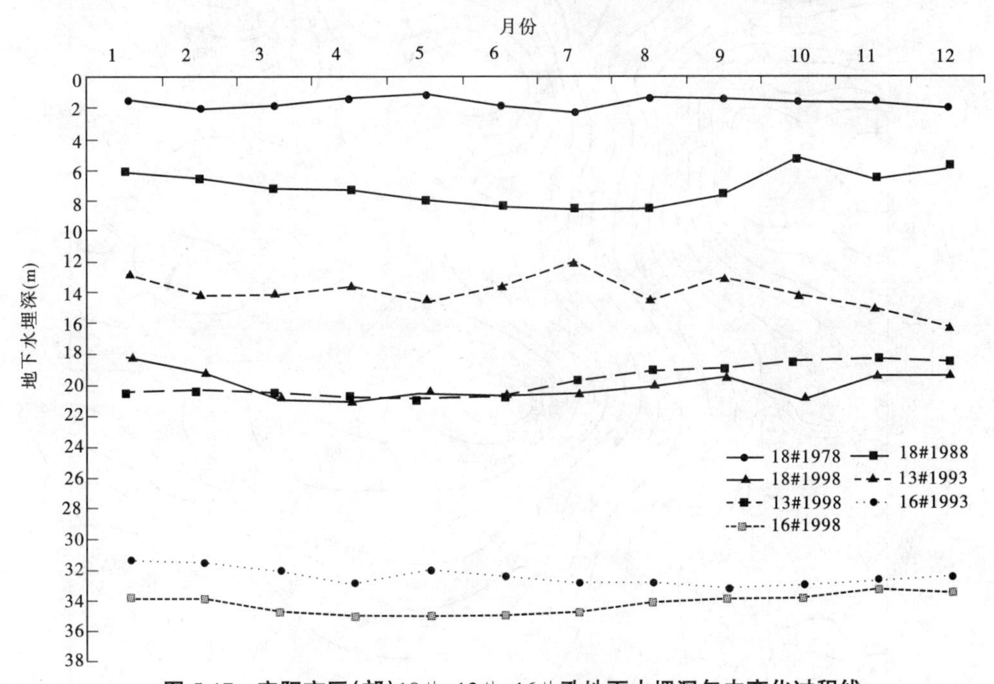

图 5-17　安阳市区(郊)18＃、13＃、16＃孔地下水埋深年内变化过程线

较平缓;而从图 5-14～图 5-17 中可以看出,内黄县的豆公灌区和汤阴县、安阳市区(郊)(13＃观测孔——安阳市南郊乡三里屯村,16＃观测孔——东风乡寺沟村)的地下水位年内变化相对比较大一些。安阳市东部平原区地下水位的年内变化仍不同程度地存在一定的季节性规律,按照时间可分为平、低、高、平四个变化过程:1～2 月份和 11～12 月份,变化不大,70 年代基本上以下降为主、有些区域也有上升的趋势(小埋深条件下),80～90 年代则基本上以上升为主(大埋深条件下);3～6 月份地下水位总体上呈现出下降趋势,7～10 月份地下水位基本上呈现上升的态势。值得说明的是,内黄县豆公灌区由于引污灌溉,地下水位 80～90 年代基本上保持在 4～8m 之间波动,其水位变化基本上可分为:1～5 月份下降,6～12 月份总体上呈现上升的趋势。从全市地下水埋深的总体形势看,近 20 多年来地下水位下降了 10～20m,从 70 年代的地下水埋深一般为 2～4m,下降到 80 年代的 8～12m,继而又下降到了 90 年代的 10～20m、甚至最低的 30～40m。

(三)地下水位的空间分布

为了从时空上更详细地反映安阳市东部平原区地下水动力场特征和埋藏规律,根据安阳水文局和河南省地矿厅第一水文地质工程队提供的地下水动态长期观测资料,绘制了近几年的地下水位等值线图和地下水埋深等值线图,见图 5-18～图 5-23。

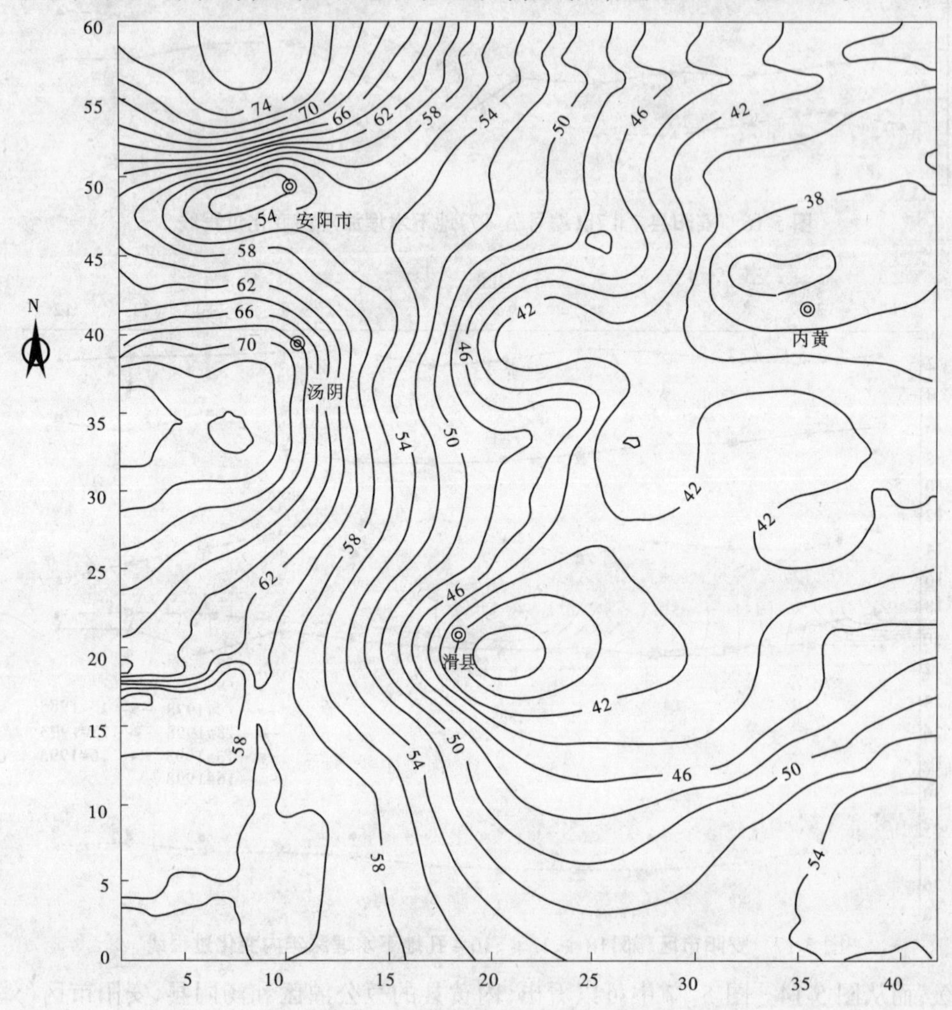

图 5-18 1993 年 11 月 6 日实测地下水位等值线图(坐标单位:20km)

从图 5-18 和图 5-19 中可以看出,随着近几年地下水开采量的增大,特别是城区开采量的增加,在平原区出现了 3 个较大的区域性地下水位降落漏斗和两个反漏斗(以下简称漏斗),即安阳市区(郊)、内黄县城区漏斗和滑县城关漏斗,以及内黄县豆公(灌区)反漏斗、浮体闸反漏斗。从 1993 年到 1998 年,安阳市区(郊)漏斗中心水位下降了近 10m,滑县城关漏斗中心水位下降了 8m 左右,内黄县城区漏斗下降了 4m 左右。其中滑县城关漏斗和内黄县城区漏斗面积扩展较为明显,滑县城关漏斗进一步向西部和东部扩展,向西已延伸到鹤壁市境内,向东发展波及白道口镇,并与内黄县城区漏斗相连接;内黄县城区漏

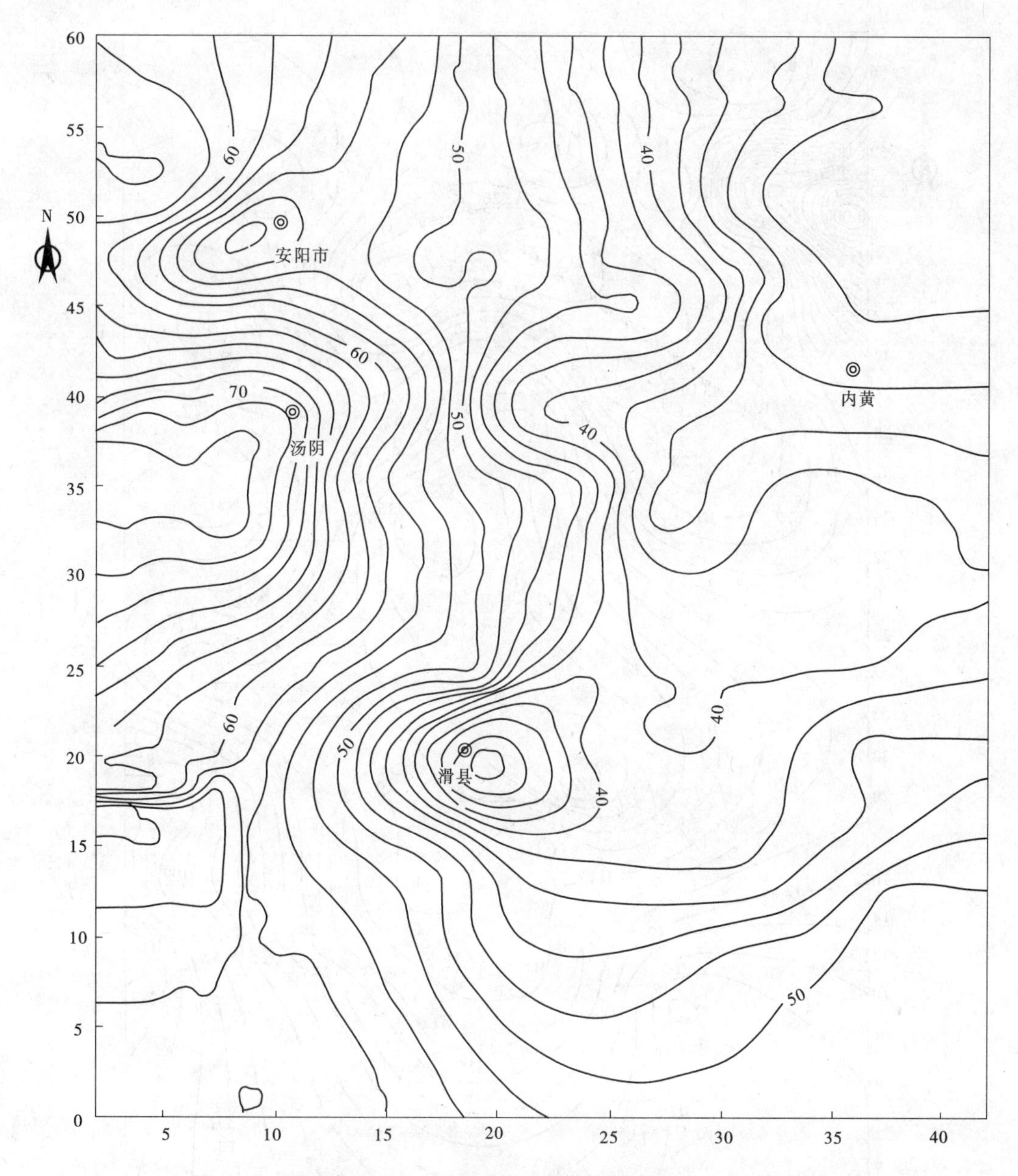

图 5-19　1998 年 11 月 6 日实测地下水位等值线图(坐标单位:20km)

斗中心向东北方向的濮阳市境内迁移,说明内黄县从 90 年代初以前从濮阳市夺取地下水侧向径流量,发展到 90 年代末地下水侧向径流量被濮阳市夺取,即内黄县由夺取利用一部分濮阳市的地下水资源量,发展到有一部分地下水资源量被濮阳市夺取利用。目前安阳市的三大漏斗中心区域,以安阳市区(郊)的漏斗最深,最大埋深达到了 38m;滑县次之,为 30m;内黄县最小,为 20m。

90 年代初期安阳市只有一个豆公反漏斗,发展到 90 年代末两个反漏斗——豆公反漏斗和浮体闸反漏斗,豆公反漏斗形成的主要原因是豆公闸常年蓄水和豆公灌区污水灌溉入渗与河水渗漏补给,而浮体闸反漏斗则是由于浮体闸蓄水使得地下水常年接受洹河

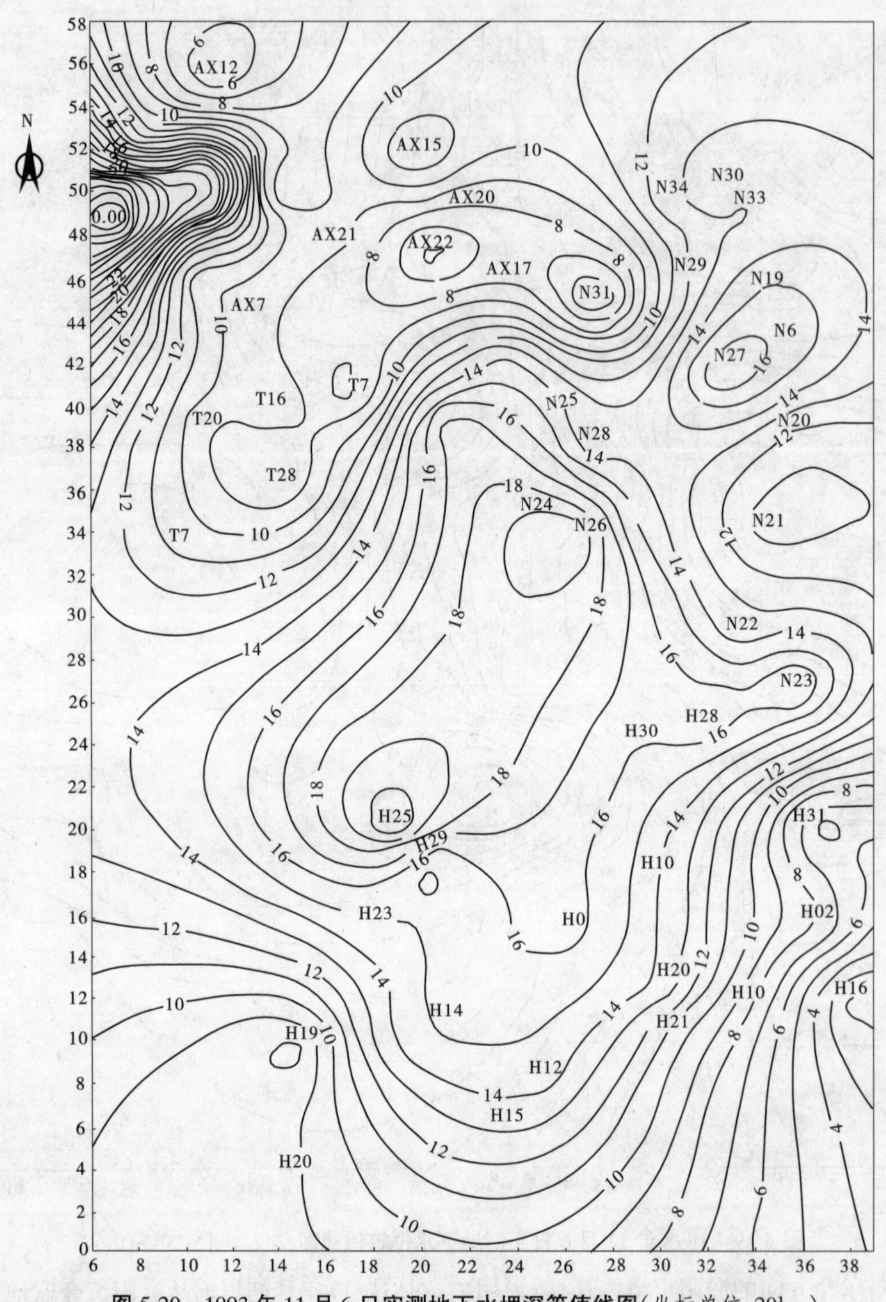

图 5-20　1993 年 11 月 6 日实测地下水埋深等值线图(坐标单位:20km)

河水的渗漏补给造成的。

从图 5-20～图 5-23 中可以看出,安阳市东部平原区地下水埋深大部分在 7m 以上,局部区域(桑村干渠附近)地下水埋深为 4～5m。其中,安阳市区(郊)地下水埋深比较大,一般在 20～40m;内黄县北部和西南部埋深较大,为 20～25m;安阳县东部大部分平原区、内黄县南部、汤阴县除岗区以外的大部分平原区,以及滑县的大部分区域地下水埋深一般都在 10～16m。另外,滑县东部的桑村干渠、内黄县的豆公灌区和汤阴县沿汤河附近,以

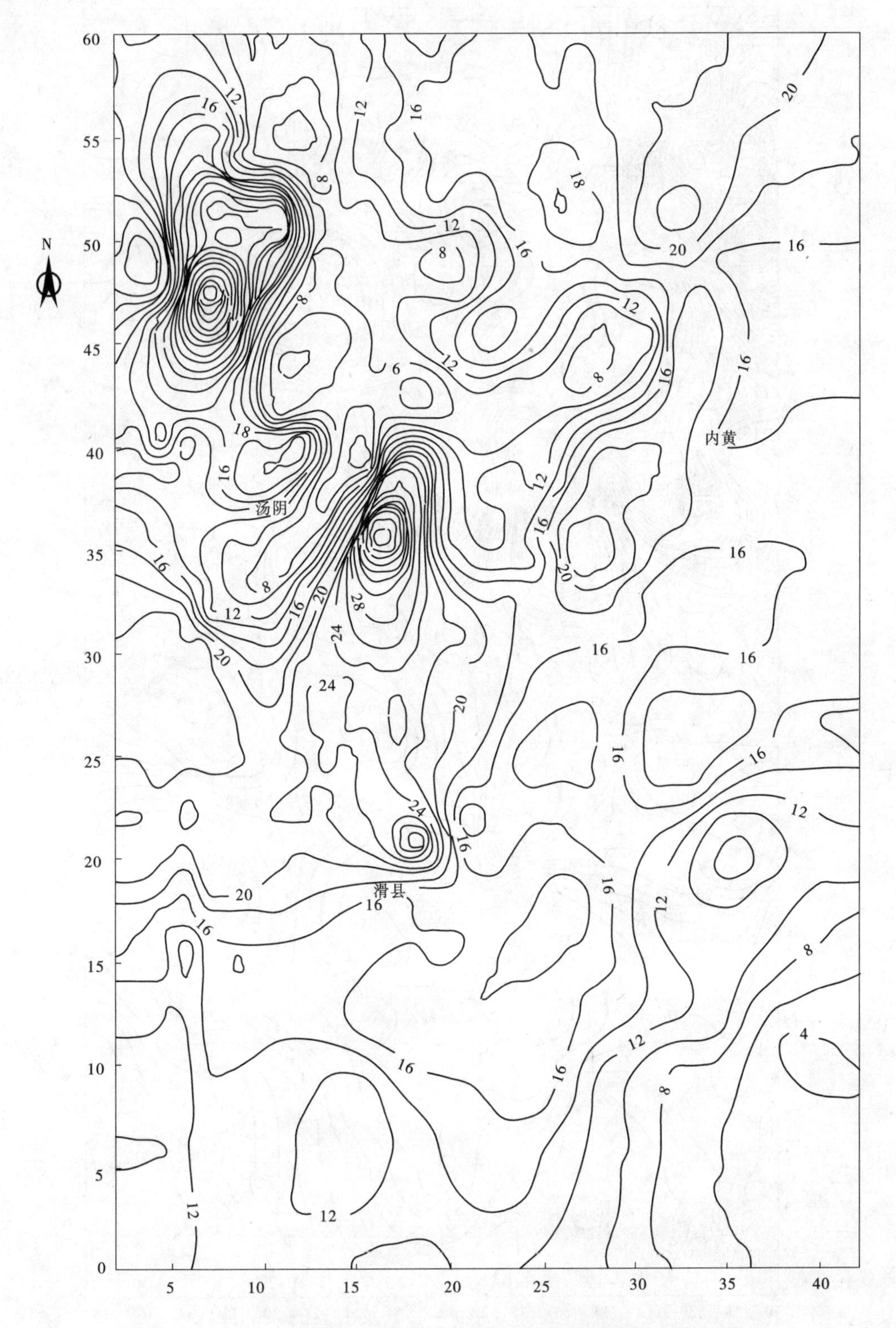

图 5-21　1998 年 12 月 25 日实测(统测)地下水埋深等值线图(坐标单位:20km)

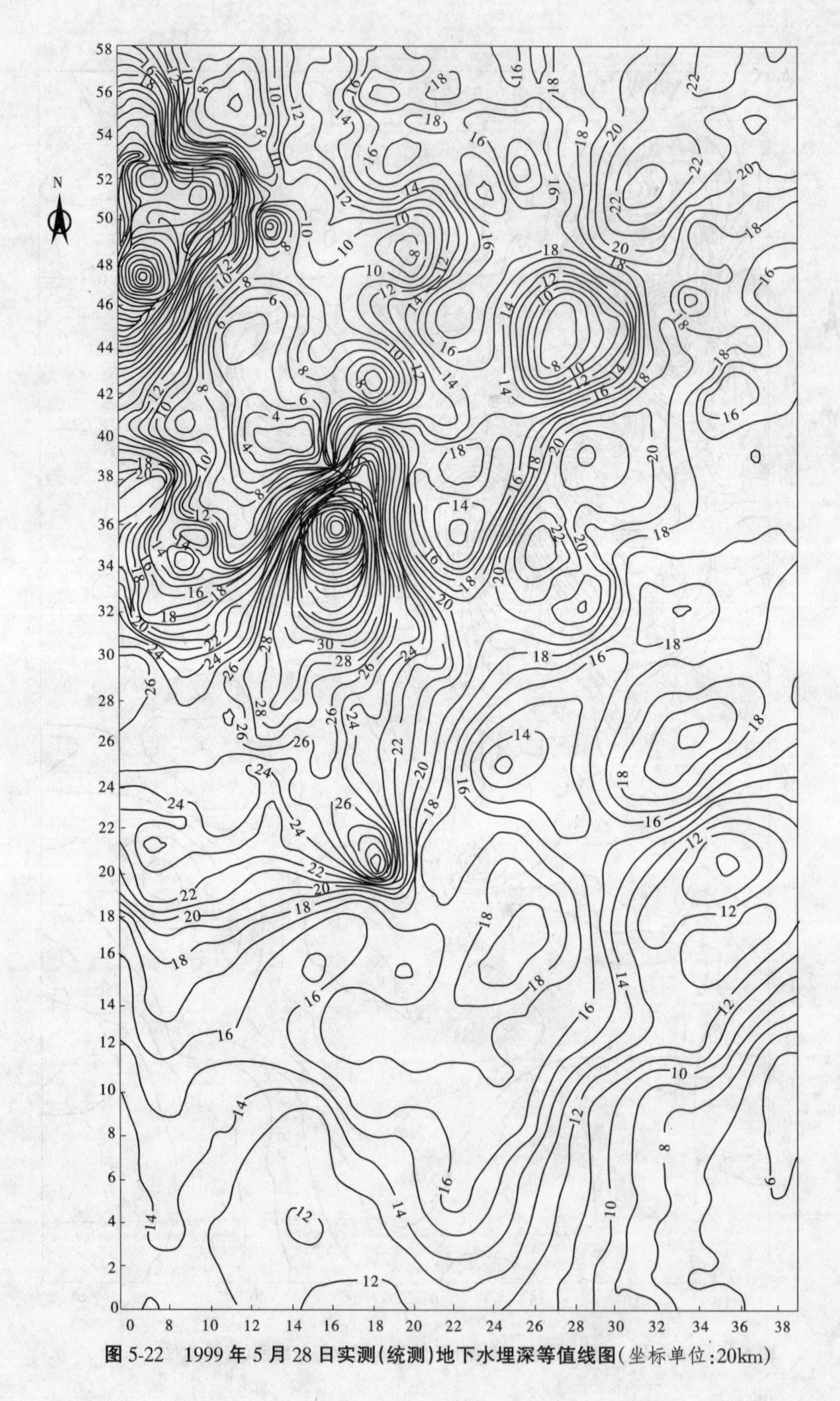

图 5-22　1999 年 5 月 28 日实测(统测)地下水埋深等值线图(坐标单位:20km)

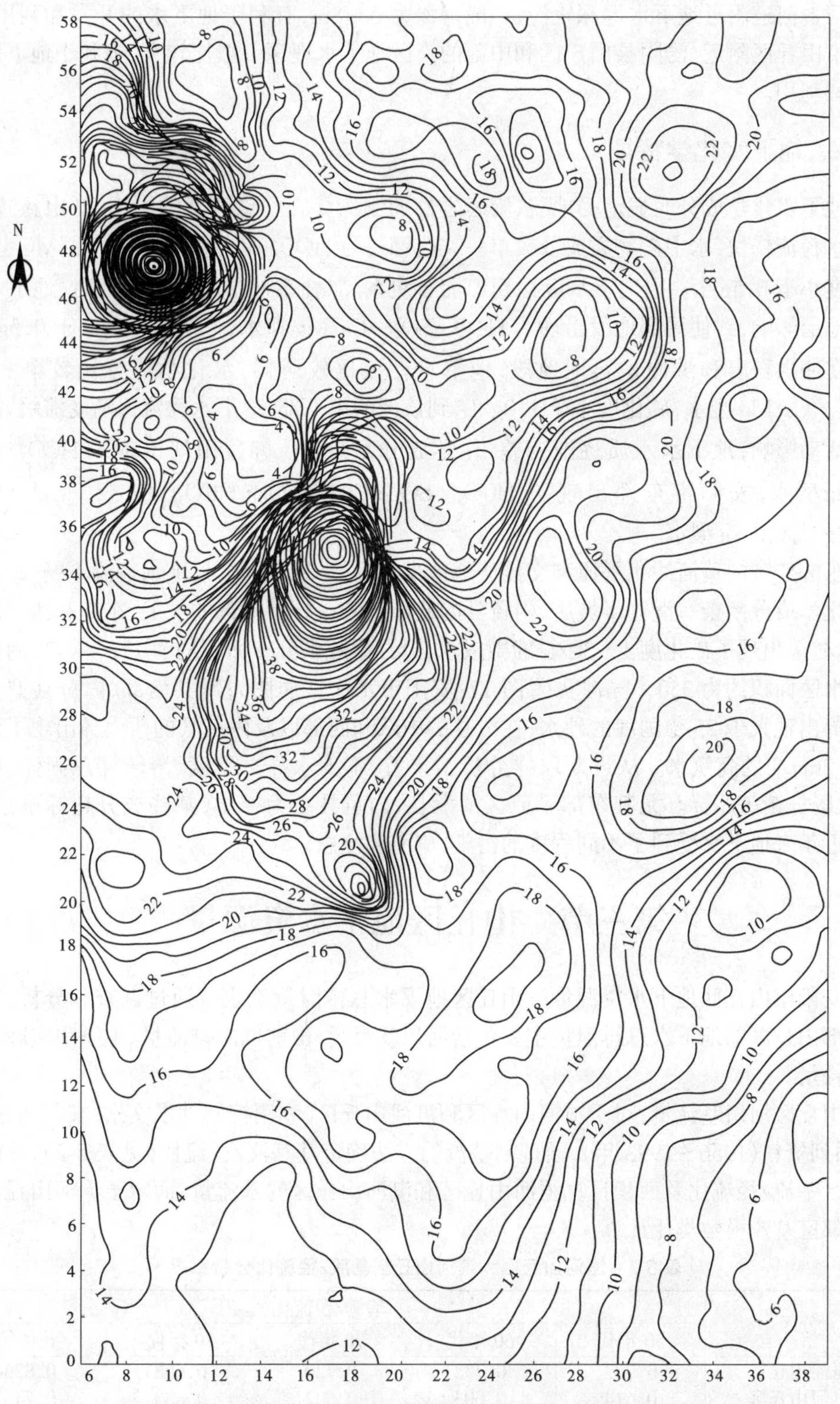

图 5-23　1999 年 12 月 23 日实测(统测)地下水埋深等值线图(坐标单位:20km)

及淇河古河道附近地下水埋深较浅，一般埋深为6～8m，有利于地下水的开发和利用；而安阳市山丘区附近、汤阴县山丘区和中部的岗区地下水埋深一般比较大，不利于地下水的开发和利用。

六、地下水化学特征

地下水化学成分明显地受地貌、围岩岩性的制约。安阳市西部的中山、低山丘陵区，地下水径流畅快，水中矿物质成分较单一，含量低，为HCO_2—Ca或HCO_3—Ca·Mg型水，矿化度小于0.5g/L。当地下水运移到山前石炭系、二叠系地层断续出露区时，地下水受煤系地层影响，致使局部地段出现了HCO_3·SO_4—Ca·Mg型水，但矿化度仍小于0.5g/L。

在冲洪积扇和洪冲积斜地地段，地下水径流比较通畅，水化学成分比较单一，为HCO_3—Ca·Mg型水，矿化度小于1.0g/L，到该区的中下部，地下水径流逐渐变滞缓，加之人类活动影响，地下水水质逐渐变差，化学成分复杂化。韩陵山南出现了HCO_3·Cl—Ca·Mg型水，安阳市东部出现了HCO_3·SO_4·Cl或SO_4·HCO_3·Cl或HCO_3·Cl—Ca·Mg或Ca·Na型水。

东部广阔的黄河冲积平原和交接洼地地带，地形平坦、低洼，地下水径流不畅，致使地下水化学成分复杂。滑县半坡店，内黄县的北部楚旺、马上，中部的城关、东庄和西部的亳城、六村等出现了矿化度1～3g/L的微咸水，滑县微咸水分布面积约为172.4km^2，内黄县微咸水区面积约为350.6km^2(见附图17:安阳市水文地质图)；滑县南部、内黄县城关至井店等出现大于25德国度的硬水，在滑县的中部和西部以及内黄县的西南部出现了含量在1～2mg/L的高氟水。从近期取样分析结果看，不少水样总硬度、溶解性总固体、挥发酚、大肠杆菌等超标。尤其东部平原区的滑县、内黄县更为突出，某些成分超标逾千倍。说明近年来地下水受到了不同程度的污染，应引起注意。

第三节　山丘区地下水资源量

安阳市山丘区地下水资源量以山丘区地下水总排泄量确定。通过调查和分析，安阳市西部山丘区的地下水总排泄量主要包括河川基流量、山前侧向排泄量、地下水实际开采净消耗量。

山丘区河川基流量：对于洹河山丘区和淇河山丘区，利用控制性水文站(安阳站、新村站)系列资料(1956～1998年)，通过割基流的方法确定其基流/径流比(见表5-2)，并根据评价区基流/径流比及面积计算洹河山丘区和淇河山丘区的基流量；而对于漳河山丘区则按相邻区基流模数类比计算。

表5-2　洹河山丘区和淇河山丘区基流/径流比分析结果

分区	基流/径流比				
	50年代	60年代	70年代	80年代	90年代
洹河山丘区	0.702	0.752	0.720	0.688	0.826
淇河山丘区	0.614	0.603	0.602	0.653	0.743

从表5-2中可以看出，安阳市山丘区从50年代起基流/径流比就比较大，洹河山丘区与淇河山丘区分别为0.702、0.614，即洹河与淇河天然径流量中基流量占了60%～70%；而到了90年代，洹河山丘区与淇河山丘区基流/径流比分别为0.826和0.743，说明基流量所占总径流量的比例更大了，达到了74%～83%。历史经验表明，基流量一般比较稳定，有利于开发和利用。所以，安阳市的地表水资源量中有20%左右的洪峰流量不好利用，这也正是下一步规划时要重点考虑的。

山前侧向排泄量，山丘区的山前侧向排泄量等于其山前倾斜平原的侧向补给量。对于安阳市境内的洹河山丘区与平原区之间的侧向补排量，由东部平原地下水数学模拟模型反演计算确定。

根据本次利用数学模拟模型反演计算确定的平原区井灌回归补给系数，并参照其他一些分析成果，通过具体分析，最后选定山丘区井灌回归补给系数为0.12。

根据上述分析方法，计算出安阳市西部山丘区各分区的地下水资源量，列于表5-3和表5-4中。

表5-3　山丘区流域分区地下水资源量计算结果

名　称	编号	名　称	地下水资源量(亿 m^3)			
			河川基流量	山前侧向排泄量	地下水开采净消耗量	合计
漳河山丘区	$Ⅲ_{2-7-0}$	漳河山丘区	0.758	0.614	0.186	1.558
卫河山丘区	$Ⅲ_{2-8-1}$	洹河山丘区	2.131	1.449	1.070	4.650
	$Ⅲ_{2-8-2}$	淇河山丘区	1.058	0.508	0.183	1.750
	$Ⅲ_{2-8-3}$	汤卫河山丘区	0.394	0.066	0.017	0.476
合　计			4.341	2.637	1.456	8.434

表5-4　山丘区行政分区地下水资源量计算结果

名　　称	地下水资源量(亿 m^3)			
	河川基流量	山前侧向排泄量	地下水开采净消耗量	合　计
林州市	2.945	1.702	0.612	5.259
安阳县	1.110	0.580	0.788	2.478
汤阴县	0.183	0.066	0.017	0.266
安阳市区(郊)	0.103	0.289	0.039	0.431
合　计	4.341	2.637	1.456	8.434

从表5-3和表5-4中可以看出，安阳市西部山丘区地下水资源总量为8.434亿 m^3，其中河川基流量最大，为4.341亿 m^3，占山丘区地下水总资源量的52%；其次是山前侧向排泄量，为2.637亿 m^3，占山丘区地下水总资源量的31%；最小的是地下水开采净消耗量，为1.456亿 m^3，占山丘区地下水总资源量的17%。

第四节　平原区地下水资源量

为了确保本次地下水资源评价的精度，利用水文部门和原地矿部门提供的地下水动态观测系列资料、水资源开发利用现状调查资料，以及野外试验等基础资料，通过建立平原区地下水资源系统数学模拟模型，并辅助于水量均衡法，对平原区地下水资源量进行精细计算和分析评价。

一、地下水资源系统概念模型

在综合分析现有资料的基础上，对安阳市东部平原区地下水资源系统进行抽象和概化，达到既满足数学模拟模型的技术要求，又不失实际复杂系统的主要特征。这样建立起来的概念性模型，称为地下水资源系统概念模型。

（一）水文地质条件概化

通过分析和研究安阳市平原区水文地质条件与有关的地下水位长期观测资料、地下水开采情况等，将安阳市东部平原区地下水目前的主要混合开采层概化为统一的地下水资源系统，并将该系统概化为非均质各向同性的、与外界环境有密切联系的开放性系统；将系统的边界概化为第一类的水位边界和第二类的流量边界，即将东南部边界概化为系统的第一类边界（在该边界上分布有足够数量的水位长期观测孔，且边界水位受地下水开采的影响比较小），而将其他边界概化为第二类边界——补给边界或排泄边界；将地下水的水动力特征概化为准承压平面二维非稳定流，并且符合达西定律。

（二）水文地质参数分区

根据地下水的形成条件和地下水混合开采层的岩性、厚度、富水性以及埋藏条件等，将安阳市东部平原区地下水资源系统划分为 11 个参数分区（见附图 4），并将每一个分区概化为均质各向同性的。水文地质参数的参考值和已有的成果，列于表 5-5 和表 5-6 中。

表 5-5　有关水文地质参数的已有成果统计

渗透系数 K(m/日)	给水度 μ	降雨入渗补给系数 α	渠灌入渗补给系数 $\beta_{渠}$
43～450		0.2～0.22	0.1
	0.028～0.077	0.053～0.240	
	0.064～0.068	0.175～0.265	0.062～0.071

表 5-6　水文地质参数参考值统计

松散岩石	渗透系数 K(m/d)	给水度 μ		
		最大	最小	平均
黏土		0.05	0.00	0.02
亚黏土	0.001～0.10	–	–	–
亚砂土	0.10～0.50	–	–	–
砂黏	–	0.12	0.03	0.07
粉砂	0.50～1.00	0.19	0.03	0.18
细砂	1.00～5.00	0.28	0.10	0.21
中砂	5.00～20.0	0.32	0.15	0.26
粗砂	20.0～50.0	0.35	0.20	0.27
砾砂	50.0～150.0	0.35	0.20	0.25
卵石	100.0～500.0	–	–	–
细砾	–	0.35	0.21	0.25
中砾	–	0.26	0.13	0.23
粗砾	–	0.26	0.12	0.22

二、数学模拟模型及计算方法

为了进一步分析和研究地下水资源系统的基本特征，以达到对地下水资源进行评价、预测、管理等目的，研制系统的数学模拟模型是非常必要的。数学模拟模型是通过数学模拟方法对系统定性描述的概念模型进行定量刻画的一种工具，它通常是将系统的概念模型抽象为数学模拟模型来刻画和描述系统内部的各变量、参数之间的关系。通过对地下水资源系统数学模拟模型的识别和验证，又反过来加深对系统实际特征的进一步理解和认识，为地下水资源评价和管理等奠定坚实的基础。

（一）数学模拟模型

在安阳市东部平原区地下水资源系统概念模型的基础上，根据质量守恒定律和能量守恒定律，建立地下水资源系统的数学模拟模型：

$$div(Tgradh) = \mu\frac{\partial h}{\partial t} - W(x,y,t) + \sum_{j=1}^{m} Q(x_j,y_j,t)\cdot\delta(x-x_j,y-y_j)$$

$$(x,y)\in\Omega;t>0 \qquad (5\text{-}1)$$

$$h(x,y,t)|_{t=0} = h_0(x,y) \quad (x,y)\in\Omega_1 \qquad (5\text{-}2)$$

$$h(x,y,t)|_{\Gamma_1} = h_1(x,y,t) \quad (x,y)\in\Gamma_1;t\geqslant 0 \qquad (5\text{-}3)$$

$$(Tgradh\cdot\vec{n})|_{\Gamma_2} = q(x,y,t) \quad (x,y)\in\Gamma_2;t\geqslant 0 \qquad (5\text{-}4)$$

式中：h 为水位；Q 为抽水量；T 为导水系数；μ 为给水度；W 为垂向补排强度；δ 为单位脉冲函数；h_0 为初始水位；h_1 为第一类边界水位；q 为第二类边界上的单宽流量；$\vec{n}$ 为第二类边界上单位外法线向量；Ω 为计算区域；Γ_1 为第一类边界；Γ_2 为第二类边界；$\Omega_1=\Omega+\Gamma_1+\Gamma_2$。

（二）求解方法

目前，数学模拟模型的求解方法主要有：解析法和数值法两种。由于运用解析法求解数学模拟模型，需要进行大量简化、作很多假设，对于解决比较复杂的地下水资源系统数学模拟模型计算问题，一般是不太适合的，计算精度很难保证。国内外普遍的做法是：利用解析法来分析野外抽水试验资料，以确定有关的水文地质参数；而利用数值法来求解数学模拟模型，对地下水资源系统进行数值模拟，以达到评价、预测和管理地下水资源的目的。现在利用比较多的数值法有有限单元法、有限差分法和边界元法等。本次计算采用迦辽金有限单元法。

首先，将边值问题——数学模拟模型（式(5-1)～式(5-4)）转化为变分问题。然后，根据不规则网格剖分的基本原则对地下水资源系统进行区域不规则网格剖分（见附图 5），共剖分三角形单元 562 个，总节点 335 个，其中计算节点 327 个（内节点 229 个，第二类边界节点 98 个），第一类边界节点 8 个。最后，通过构造形状函数和基函数，将边值问题进行离散、变换和整理，得到地下水资源系统数值模拟模型：

$$[B]_{m\times n}\cdot\{h\}_{n\times 1} = \{C\}_{m\times 1} \qquad (5\text{-}5)$$

式中：$[B]=[A]/2+[D]/\Delta t$；$\{C\}=\{F\}-([A]/2-[D]/\Delta t)\{h^k\}$，其中$[A]$为导水矩阵；$[D]$为储水矩阵；$\{F\}$为水量矩阵；$\{h\}=\{h^{k+1}\}$；$n$ 为总节点数；m 为计算节点数。

三、模型的识别与验证

地下水资源系统数值模拟模型的识别与验证,就是利用系统的输入和输出的历史系列观测资料,对模拟模型进行率定和校正,以使模型能真实地反映地下水资源系统状态的发展变化规律,提高模型的模拟仿真能力,进而反求有关的水文地质参数,检验系统的边界性质等。

(一)模型的识别

根据分析和整理安阳市东部平原区长期观测孔的地下水位系列资料,选择 1993 年 11 月 6 日~1998 年 6 月 6 日期间的实测水位作为模拟模型识别的标准水位,以各雨量站的降水量实测资料系列作为模型运算的已知参量,以实际调查统计的地下水开采量和渠灌引水量,以及有关的实测、调查统计分析结果等作为模型运算的参考值;把以前的有关参数和本次野外抽水试验确定的有关参数、一些有关的经验参数等作为模型参数识别的初始值。根据地下水资源系统的动态特征,将每个水文年划分为一个丰水期(6 月 6 日~11 月 26 日)和一个枯水期(11 月 26 日~翌年 6 月 6 日),共可划分为 10 个计算时段。

根据已分析和整理出来的有关系列资料,利用所编制的计算软件,在计算机上就可以与第四章所建立的"四水"转化水文模拟模型进行耦合计算(见图 4-5),对模拟模型的水文地质参数和有关的参量进行识别。其中模型的计算水位与实测水位拟合情况见表 5-7 和图 5-24~图 5-31 所示,模拟识别出的有关水文地质参数值和有关参量值,见表 5-8~表 5-12 和图 5-32。

表 5-7 计算水位与实测水位拟合统计

时段	$\Delta H \leqslant 1.0$m 的节点数	η_1 (%)	$\Delta H \leqslant 0.5$m 的节点数	η_2 (%)	方差 S^2
1	275	84.10	197	60.24	1.693
2	281	85.93	194	59.33	1.076
3	256	78.29	198	60.55	1.470
4	296	90.52	199	60.86	1.207
5	270	82.57	198	60.55	1.496
6	275	84.10	197	60.24	1.521
7	230	70.34	175	53.52	1.687
8	270	82.57	213	65.14	1.078
9	278	85.02	196	59.94	1.446
10	270	82.57	189	57.80	1.161

注:ΔH 为绝对误差,$\Delta H(j,i)=|h(j,i)-hz(j,i)|$,其中 h 为计算水位,hz 为实测水位;η_1、η_2 分别为绝对误差小于 1.0m、0.5m 的节点数占计算节点数的百分比。

通过对安阳市东部平原区地下水资源系统进行数值模拟发现,降雨入渗补给系数除

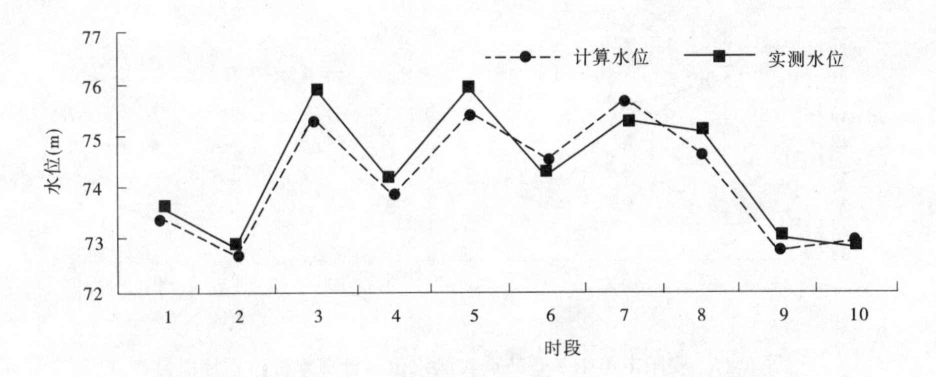

图 5-24 滑县第 216 号节点计算水位与实测水位过程线拟合

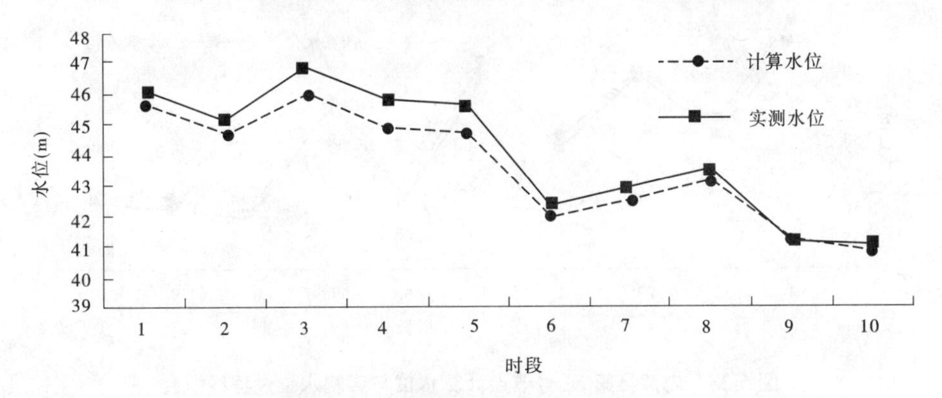

图 5-25 汤阴县第 171 号节点计算水位与实测水位过程线拟合

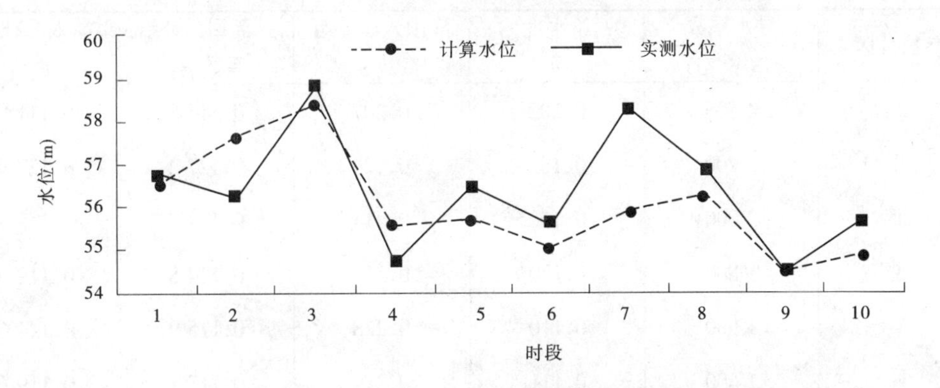

图 5-26 安阳县第 115 号节点实测水位与计算水位过程线拟合

与包气带岩性有关外，与降雨量大小有密切的关系，随着降雨量的增大，其相应的降雨入渗补给系数也增大。当然，其降雨入渗补给系数也与地下水埋深等因素有关，但受年降雨量大小的影响是最为明显的。这个结论与冉庄水文水资源实验站分析结果和中国水利水电科学研究院水资源所在保定市东部平原区的研究成果基本一致，即在地下水埋深大于6～8m以后，降雨入渗补给系数不再受地下水埋深大小的影响，只与降雨量大小成单一关系。从地下水位等值线图 5-20～图 5-23 可知，安阳市东部平原区地下水埋深基本都大于6m 以上。通过模拟识别确定出的不同降雨量的降雨入渗补给系数值，列于表 5-9 中。

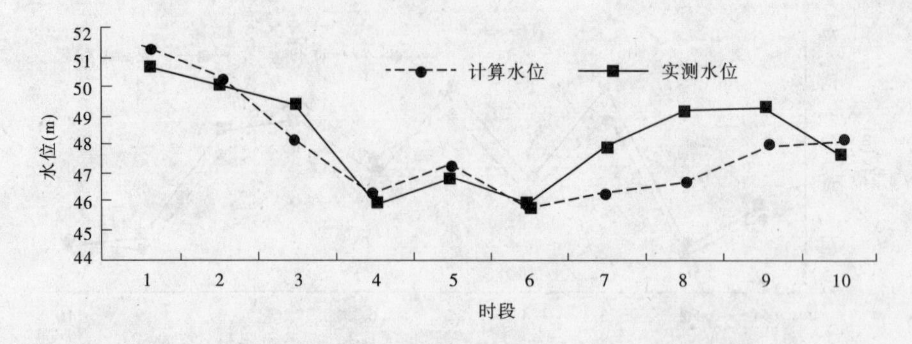

图 5-27　安阳市第 167 号节点实测水位与计算水位过程线拟合

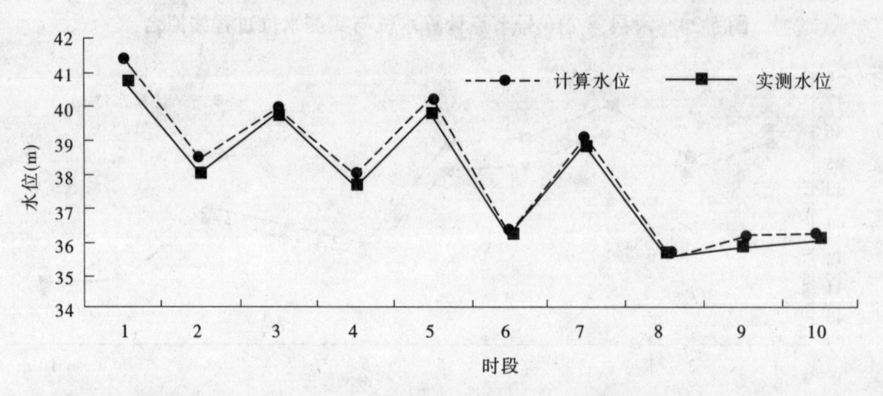

图 5-28　内黄县第 52 号节点计算水位与实测水位过程线拟合

表 5-8　模拟识别出的水文地质参数值

参数分区	导水系数 $T(m^2/d)$	给水度 μ	降雨入渗补给系数 α^*	井灌回归补给系数 $\beta_{井}$	渠灌入渗补给系数 $\beta_{渠}$
Ⅰ	4 500	0.202	0.207	0.113 8	0.111 9
Ⅱ	3 200	0.182	0.224	0.127 2	0.127 9
Ⅲ	3 000	0.152	0.214	0.119 7	0.119 1
Ⅳ	1 800	0.120	0.216	0.114 8	0.119 6
Ⅴ	1 600	0.110	0.228	0.115 9	0.124 6
Ⅵ	1 600	0.111	0.216	0.113 8	0.119 6
Ⅶ	1 800	0.121	0.224	0.118 6	0.124 6
Ⅷ	1 500	0.121	0.224	0.115 4	0.119 6
Ⅸ	1 300	0.110	0.216	0.115 9	0.124 1
Ⅹ	1 200	0.115	0.139	0.114 8	0.120 7
Ⅺ	1 500	0.106	0.173	0.112 7	0.118 0

注：* 表示当降雨量大于 300mm 且小于 500mm 时的降雨入渗补给系数。

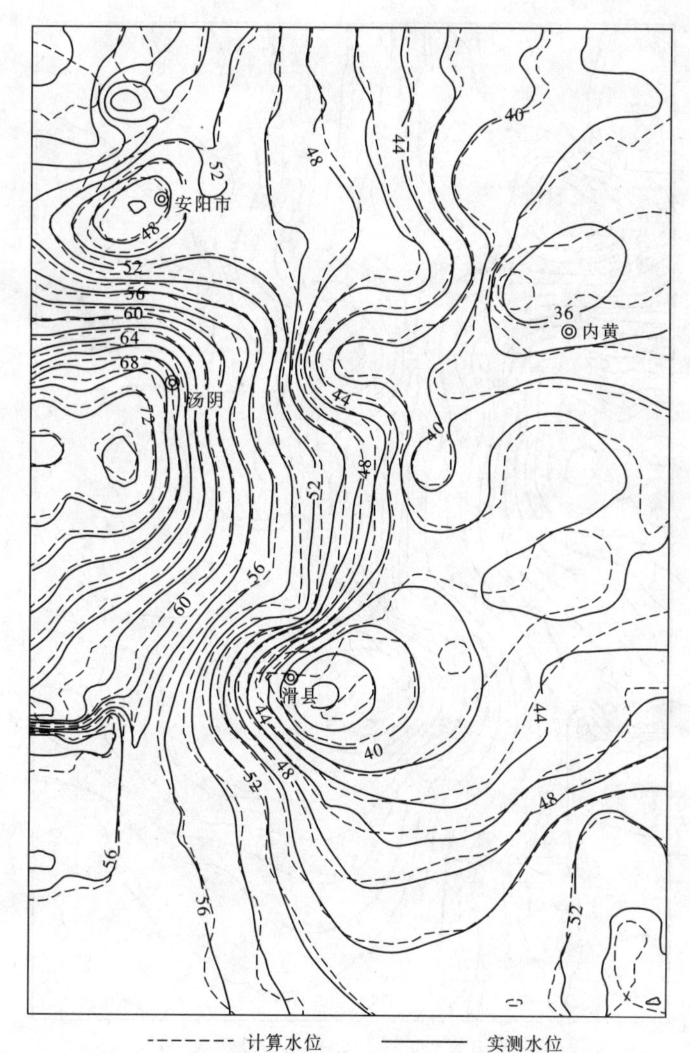

图 5-29 1995 年 6 月 6 日地下水位等值线拟合

表 5-9 模拟识别出的相应于不同降雨量的降雨入渗补给系数值

参数分区	降雨量 PN(mm)	降雨入渗补给系数 α	参数分区	降雨量 PN(mm)	降雨入渗补给系数 α
Ⅰ	PN>700	0.272	Ⅰ	500<PN<700	0.243
Ⅱ	PN>700	0.296	Ⅱ	500<PN<700	0.264
Ⅲ	PN>700	0.282	Ⅲ	500<PN<700	0.252
Ⅳ	PN>700	0.284	Ⅳ	500<PN<700	0.254
Ⅴ	PN>700	0.300	Ⅴ	500<PN<700	0.268
Ⅵ	PN>700	0.284	Ⅵ	500<PN<700	0.254
Ⅶ	PN>700	0.295	Ⅶ	500<PN<700	0.263
Ⅷ	PN>700	0.296	Ⅷ	500<PN<700	0.264
Ⅸ	PN>700	0.284	Ⅸ	500<PN<700	0.254
Ⅹ	PN>700	0.183	Ⅹ	500<PN<700	0.163
Ⅺ	PN>700	0.227	Ⅺ	500<PN<700	0.203

图 5-30　1995 年 11 月 6 日地下水位等值线拟合

表 5-10　模拟识别出的有关参量值　（单位：亿 m^3）

时段	开采量	降雨补给量	回归补给量	渠灌补给量	河流补给量	第二类边界	
						侧向补给量	侧向排泄量
1	4.878 9	5.631 1	0.800 5	0.169 0	1.076 4	0.549 6	0.053 7
2	9.630 1	1.407 8	0.386 1	0.050 3	1.032 8	1.016 8	0.532 8
3	6.607 5	6.085 0	1.076 9	0.776 4	0.954 1	0.800 6	0.106 3
4	8.926 0	1.521 2	0.384 6	0.050 3	0.882 9	0.514 2	0.120 6
5	4.735 8	2.863 4	0.815 2	0.074 6	1.034 5	0.890 7	0.034 7
6	7.018 0	0.715 8	0.298 6	0.050 3	0.868 2	1.602 7	0.088 0
7	4.504 5	3.961 6	0.724 8	0.133 0	1.366 8	1.693 4	0.041 8
8	7.842 6	0.990 4	0.323 9	0.060 3	1.105 3	1.460 1	0.107 2
9	12.389 6	1.964 2	2.089 8	0.147 7	0.621 7	1.184 5	0.124 5
10	6.069 8	4.910 5	0.236 9	0.035 6	2.087 6	1.255 7	0.119 1

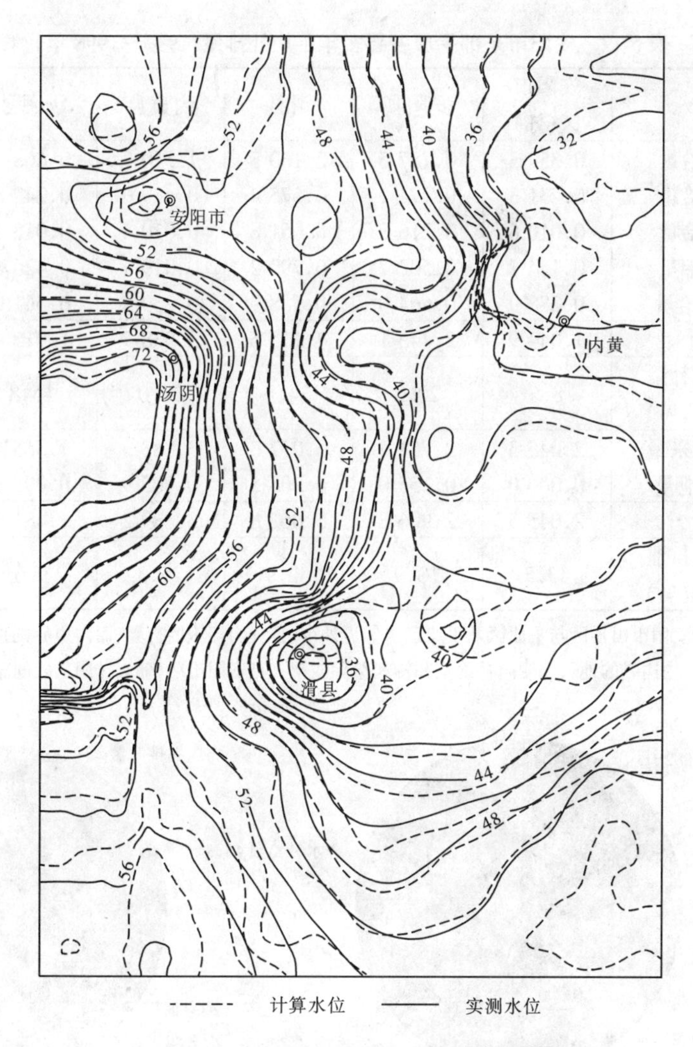

图 5-31　1998 年 6 月 6 日地下水位等值线拟合

表 5-11　安阳市东部平原地下水多年平均补排量(1993～1998 年)

补排项		补排量(亿 m^3)	占总量的百分比(%)
补给项	降水入渗补给	5.486 9	45.3
	回归补给	1.762 6	14.5
	渠灌入渗补给	0.302 8	2.5
	河流渗漏补给	2.202 7	18.2
	边界侧向补给	2.361 9	19.5
	合 计	12.116 9	100.0
排泄项	开采量	15.122 6	98.3
	边界侧向排泄	0.262 2	1.7
	合 计	15.384 8	100.0

注:回归补给量包含井灌回归补给量和用于工业、生活、生态环境的地下水的回归补给量。

表 5-12　安阳市东部平原各县多年平均补排量(1993～1998 年)　(单位:亿 m^3)

	补排项	安阳市区(郊)	安阳县	滑县	内黄县	汤阴县	合计
补给项	降水补给量	0.359 3	0.787 5	2.160 3	1.510 9	0.668 9	5.486 9
	回归补给量	0.231 3	0.274 1	0.575 4	0.439 0	0.242 8	1.762 6
	渠灌补给量	0.010 6	0.216 8	0.051 8	0.010 4	0.013 1	0.302 8
	河流补给量	0.154 8	0.502 7	0.799 2	0.319 4	0.426 6	2.202 7
	外边界补给量*	0.288 9	0.664 0	0.588 9	0.259 0	0.561 0	2.361 9
	合 计	1.044 9	2.445 1	4.175 6	2.538 7	1.912 4	12.116 9
	占全市总补给量的比例(%)	8.6	20.2	34.5	21.0	15.8	100.0
排泄项	地下水开采量	2.045 3	2.751 3	5.057 3	3.883 3	1.385 4	15.122 6
	外边界排泄量*	0.000 0	0.155 0	0.005 5	0.005 9	0.095 9	0.262 2
	合 计	2.045 3	2.906 3	5.062 8	3.889 2	1.481 3	15.384 8
	占全市总排泄量的比例(%)	13.3	18.9	32.9	25.3	9.6	100.0

注: * 外边界系指安阳市山丘区与平原区及平原区与邻近外市(县、区)接壤的边界;而内边界则指各县、市区(郊)之间接壤的边界。由于内边界的地下水侧向补给量和排泄量除安阳县与安阳市区(郊)、汤阴县之间较大外,其他一般比较小,可忽略不计。

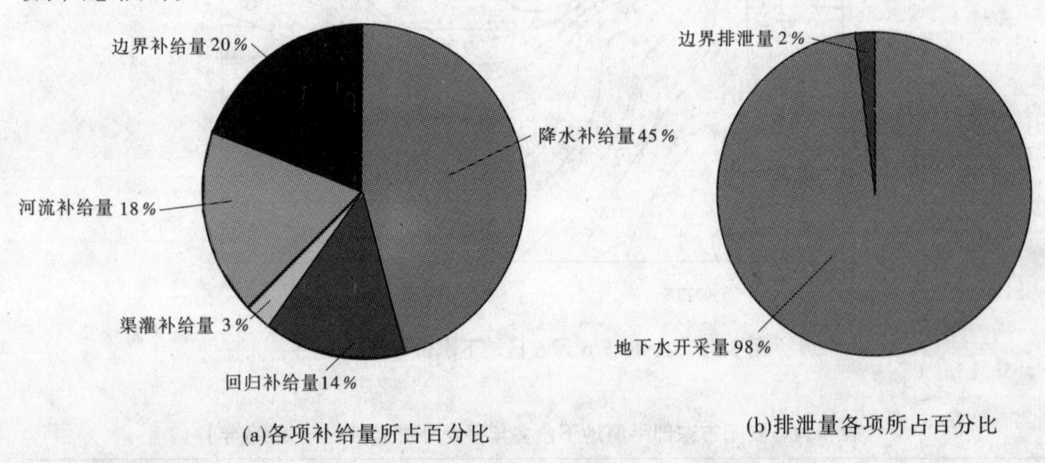

(a)各项补给量所占百分比　(b)排泄量各项所占百分比

图 5-32　安阳市东部平原地下水各项补排量所占比例

从表 5-7 中可以看出,计算水位与实测水位之间的绝对误差小于 1.0m 的计算节点数占总节点数百分比均大于 70%,而小于 0.5m 的计算节点数占总节点数百分比均大于 50%;模型识别计算的水位值与实测水位值的方差均小于 1.7。同时,从不同时期地下水位等值线拟合图 5-24～图 5-30 中可以看出,地下水位的计算值和实测值在时空分布上是基本一致的。因此,上述统计结果说明模型识别的计算精度是相当高的。众所周知,一方面,地下水位长期观测孔的实测水位值受到开采和观测误差等因素影响;另一方面,对实际地下水资源系统、开采量和降雨量以及有关参数、边界等条件进行了不同程度的概化,这些均可对模型的计算水位值产生一定影响。总之,本次利用系列资料所识别出的模拟模型具有相当高的模拟能力和计算精度,模拟反求得的各种参数和有关参量是可靠的,所建立的模型基本上能反映出安阳市东部平原地下水资源系统的实际特征。

从表 5-11 中可以看出,安阳市平原区地下水补给量为 12.12 亿 m^3,排泄量为 15.38 亿 m^3,地下水资源系统处于负均衡状态。而在地下水补给量中降水入渗补给量为最大,占平原区总补给量的 45.3%;其次是边界侧向径流补给量和河流渗漏补给量,分别占总补给量的 19.5%和 18.2%;最小的渠灌入渗补给量,仅占总补给量的 2.5%。而排泄量中地下水开采量占绝大多数,占总排泄量的 98.3%;其余为边界侧向径流排泄量,仅占总排泄量的 1.7%。由于含水层的降解纳污能力有限,而安阳市各条河流水污染又没有明显的改善,因此安阳市珍贵的地下水面临着被污染或污染进一步加剧的威胁,将会对安阳市 21 世纪经济社会可持续发展带来严峻的挑战。

从表 5-12 中可以看出,全市 5 个县市区(郊)中滑县的地下水补给量最大,为 4.18 亿 m^3,占全市东部平原地下水总补给量的 34.5%;内黄县和安阳县次之,其补给量分别为 2.54 亿 m^3 和 2.45 亿 m^3,分别占全市总补给量的 21.0%和 20.2%;安阳市区(郊)最小,其补给量为 1.04 亿 m^3,仅占全市总补给量的 8.6%。安阳市区(郊)地下水补给量由大到小依次排序为:降水入渗补给量、边界侧向补给量、回归补给量、河流渗漏补给量和渠灌入渗补给量;安阳县和汤阴县由于靠近山丘区,其补给量由大到小依次为:降水入渗补给量、边界侧向补给量、河流渗漏补给量、回归补给量、渠灌入渗补给量;滑县地下水补给量由大到小依次排序为:降水入渗补给量、河流渗漏补给量、边界侧向补给量、回归补给量、渠灌入渗补给量;内黄县补给量由大到小排序为:降水入渗补给量、回归补给量、河流渗漏补给量、边界侧向补给量、渠灌入渗补给量。由于安阳县的山丘区边界最长而内黄县整个位于平原区,所以边界补给量是安阳县最大、内黄县最小,河流补给量和回归补给量滑县最大、安阳市最小,渠灌补给量安阳县最大、内黄县最小。

对于全市东部平原地下水排泄量而言,滑县的排泄量最大,占总排泄量的 32.9%;内黄县次之,占总排泄量的 25.3%;最小为汤阴县,仅占总排泄量的 9.6%。其中安阳县的边界侧向排泄量最大,为 0.155 亿 m^3,汤阴县次之,安阳市区(郊)最小。

(二)模型的验证

为了进一步检验识别模拟模型的可靠程度和模拟能力,通常利用有观测水位资料的时段进行模拟验证,将识别好的有关参数和已确定的有关参量代入系统的识别模拟模型,通过两种图件来反映模拟模型的适应能力:一是用反映水位梯度场变化规律的等水位线拟合图;二是用反映水位降速场变化规律的水位过程线拟合图。

在利用 1993 年 11 月 6 日～1998 年 6 月 6 日期间有关调查统计资料和实测水位资料等对模拟模型进行模拟识别的基础上,运用 1998 年 11 月 6 日实测水位资料对模拟模型进行验证。由于 1998 年的降雨量(664.03mm)与 1994 年的降雨量(669.10mm)比较接近,故选择 1994 年 11 月 6 日的水资源开发利用方式(包括地下水开采方式和地表、地下水利用方式等)和有关参量(如地下水开采量、侧向补给量和排泄量等)作为 1998 年 11 月 6 日相应的水资源开发利用方式与有关的参量值,将第一类边界的水位、有关参数和参量代入模拟模型进行计算,得出模拟模型的预测验证结果,详见表 5-13 和图 5-33、图 5-34 所示。

表 5-13　识别模拟模型的预测验证结果　　（单位：m）

长观孔编号		AS17	AX22	AX7	N34	T11	T7	H16	H31
节点编号		167	33	115	52	5	171	273	216
11 月 6 日	H	48.4	47.9	58.5	36.1	40.8	75.8	50.4	43.5
	H_Z	49.8	50.6	59.2	35.5	42.4	73.7	51.0	44.5

注：H 为计算水位；H_Z 为实测水位。

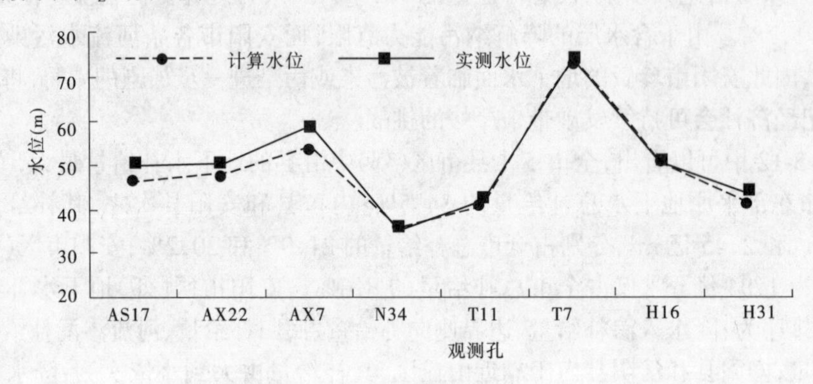

图 5-33　1998 年 11 月 6 日关键节点计算水位与实测水位拟合对比图

从表 5-13 和图 5-33 中可以看出，识别出的模拟模型能反映出安阳市东部平原地下水资源系统的状态特征。由于假定模型的输入参量值大多是 1994 年的值，可能与实际情况有很大的差别，因此会引起一定的误差。从地下水长观孔（节点）的水位过程线图 5-33 中可看出，代表性长观孔（节点）的计算水位和实测水位相差不大，其中有 6 个节点的计算水位比实测水位偏小，其余 2 个节点的计算水位比实测水位偏大，虽然计算水位与实测水位有一定的差异，但水位的变化趋势是比较符合实际情况的。

从图 5-34 中可以看出，模型预测得到的计算水位值与实测水位值在平面上基本上是吻合的。综合上述模拟验证结果分析说明，前面所识别出的模拟模型基本能反映安阳市东部平原地下水资源系统的主要特征、系统状态的时空变化规律，可用于安阳市东部平原地下水资源的评价和数值预测、管理等工作。

四、平原区地下水资源量

根据所建立的数学模拟模型确定的平原区各种补排量，分析和计算出安阳市东部平原区各分区的地下水资源量，见表 5-14 和表 5-15。

表 5-14　安阳市平原区各行政分区地下水资源量计算结果　　（单位：亿 m^3）

项目	安阳市区(郊)	安阳县	滑县		内黄县		汤阴县	合计	
			地下水资源量	其中微咸水	地下水资源量	其中微咸水		地下水资源量	其中微咸水
天然补给量	0.359	0.788	2.160	0.261	1.511	0.534	0.669	5.487	0.796
转化补给量	0.454	1.384	1.440	0.081	0.589	0.100	1.001	4.867	0.181
回归补给量	0.231	0.274	0.575	0.055	0.439	0.133	0.243	1.763	0.187
地下水资源量	0.814	2.171	3.600	0.342	2.100	0.634	1.670	10.354	0.976

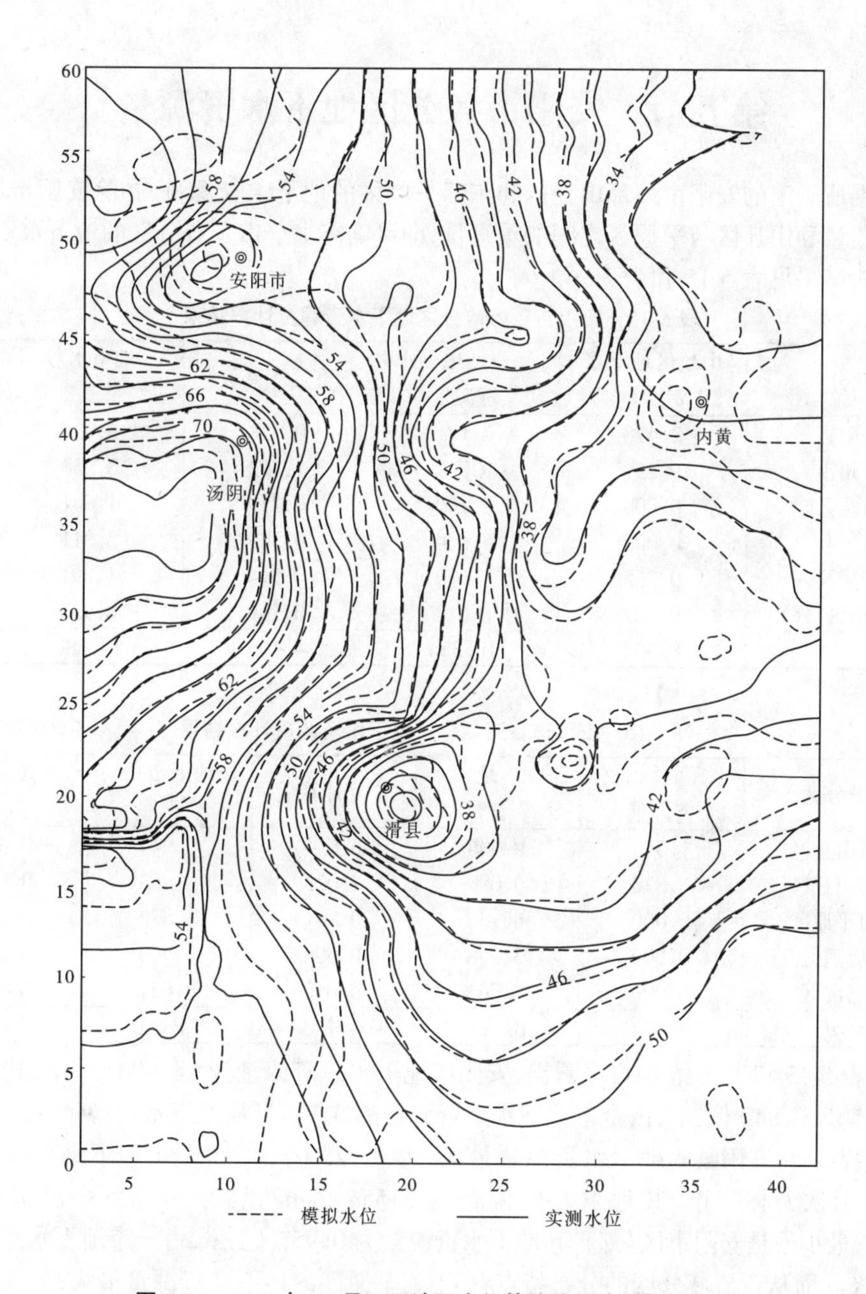

图 5-34　1998 年 11 月 6 日地下水位等值线拟合(模拟验证)

从表 5-14 中可以看出,安阳市东部平原区地下水资源量为 10.354 亿 m^3,其中微咸水资源量为 0.976 亿 m^3,占地下水资源量的 9%。平原区地下水的天然补给量(降水补给量)为 5.487 亿 m^3,占地下水资源量的 53%;转化补给量为 4.867 亿 m^3,占地下水资源量的 47%。

第五节　安阳市各分区地下水资源量

根据所确定的安阳市西部山丘区和东部平原区的地下水资源量，扣除安阳市境外的侧向补给量和山丘区与平原区之间的重复量，即可确定出全市及各分区的地下水资源量。具体分析结果见表5-15和表5-16。

表5-15　安阳市各行政分区地下水资源量计算结果　（单位：亿 m^3）

行政分区	山丘区地下水资源量	平原区地下水资源量	重复计算量	地下水总资源量	其中微咸水
安阳县	2.478	2.171	0.724	3.925	0.000
林州市	5.259	0.000	1.702	3.556	0.000
内黄县	0.000	2.100	0.259	1.841	0.556
滑　县	0.000	3.600	0.589	3.011	0.286
汤阴县	0.265	1.670	0.544	1.391	0.000
安阳市区(郊)	0.432	0.814	0.289	0.957	0.000
合　计	8.434	10.354	4.108	14.680	0.842

表5-16　安阳市各流域分区地下水资源量计算结果　（单位：亿 m^3）

流域分区	山丘区地下水资源量	平原区地下水资源量	重复计算量	地下水总资源量	其中微咸水
漳河山丘区	1.558	0.000	0.614	0.944	0.000
卫河山丘区	6.876	0.000	2.023	4.853	0.000
卫河平原区	0.000	6.733	0.861	5.872	0.556
金堤河区	0.000	3.558	0.598	2.960	0.286
徒马河区	0.000	0.063	0.012	0.051	0.000
合　计	8.434	10.354	4.108	14.680	0.842

从表5-15和表5-16中可以看出，安阳市地下水总资源量为14.680亿 m^3，其中微咸水资源量为0.842亿 m^3，占全市地下水总资源量的5.7%。从地下水资源量在各行政区的分布特点看，安阳县的地下水资源量最大，为3.925亿 m^3，占全市地下水总资源量的26.7%；其次为林州市，其地下水资源量为3.556亿 m^3，占全市地下水总资源量的24.2%；最小的是安阳市区(郊)，其地下水资源量为0.957亿 m^3，占全市地下水总资源量的6.5%。而从各流域分区的分布特点看，卫河平原区的地下水资源量最大，为5.872亿 m^3，占全市地下水总资源量的40.0%；其次是卫河山丘区，其地下水资源量为4.853亿 m^3，占全市地下水总资源量的33.1%；最小的是徒马河区，其地下水资源量为0.051亿 m^3，仅占全市地下水总资源量的0.3%。

第六章　水资源总量及其可利用量

第一节　转化关系与计算方法

“四水”转化关系是指大气降水、地表水、土壤水、地下水之间水量循环和平衡关系。大气降水是水资源总来源，地表水和地下水是水资源的两种表现形式，均处于同一个水循环系统中，它们之间互相联系而又不断转化，河川径流中包括一部分地下水排泄量，地下水补给量中有一部分来源于地表水的入渗。因此，计算某一区域的水资源总量时，必须在深刻了解区域水循环规律的基础上，分析大气降水、地表水、土壤水、地下水之间以及山丘区与平原区、山丘区与山丘区、平原区与平原区之间的水量转化关系，扣除水资源的重复计算量。

某一区域的水资源总量定义为：当地降水形成的地表径流量和地下产水量。地表径流量包括坡面流和壤中流，而不包括河川基流量；地下产水量指降水入渗对地下水的补给量，应为河川基流、潜水蒸发、河床潜流和山前侧渗等项之和。

根据降水、地表水、地下水的转化平衡关系，区域水资源总量可用下式计算：

$$W = R_s + U_p$$

或

$$W = R + U_p - R_g \tag{6-1}$$

式中：W 为水资源总量；R_s、R 分别为地表径流量与河川径流量；U_p 为降水入渗对地下水的补给量；R_g 为河川基流量。

式(6-1)是将地表水和地下水统一考虑后，扣除了地表水和地下水互相转化的重复量，来计算区域水资源总量。式(6-1)原则上适用于山丘、平原等各种类型区的水资源总量计算。根据安阳市水资源的形成、运移转化机理分析，计算全市水资源总量的计算式为：

$$W = R + Q - D \tag{6-2}$$

式中：W 为水资源总量；R 为地表水资源量；Q 为地下水资源量；D 为地表水与地下水互相转化的重复水量。

地表水资源量(R)，等于平原区产生的地表径流和山丘区地表水资源量之和，即降水形成的河川径流量，不包括区域以外产流流入的水量，但包括了山丘区地下水补给河流的基流量。

地下水资源量(Q)，等于山丘区地下水资源量($Q_{山}$)加平原区地下水资源量($Q_{平}$)，并减去山前侧渗量和平原区与相邻外市(县、区)接壤的边界侧向补给量(D_g)。

地表水与地下水互相转化的重复水量(D)包括两项：一项是河川基流量 R_g，因山丘区地下水资源中也包含有河川基流量 R_g；另一项是平原河流渗漏补给量和渠灌入渗补给

量 Q_s。

全市水资源总量计算公式：

$$W = R + Q - R_g - Q_s \tag{6-3}$$

第二节 安阳市各分区水资源总量

一、水资源总量分析

根据安阳市水资源总量计算方法，按式(6-3)计算各行政分区和流域分区的水资源总量，具体结果列于表6-1和表6-2中。

表6-1 安阳市各行政分区水资源总量计算结果 （单位：亿 m^3）

行政分区	地表水资源量	地下水资源量	地下水与地表水的重复量	水资源总量	其中微咸水	产水系数
安阳县	1.880	3.925	1.830	3.975	0.000	0.481
林州市	5.040	3.556	2.944	5.652	0.000	0.440
内黄县	0.350	1.841	0.330	1.861	0.456	0.294
滑　县	0.560	3.011	0.851	2.720	0.205	0.275
汤阴县	0.520	1.391	0.623	1.288	0.000	0.347
安阳市区(郊)	0.220	0.957	0.268	0.909	0.000	0.631
合 计	8.570	14.680	6.847	16.403	0.662	0.386

表6-2 安阳市各流域分区水资源总量计算结果 （单位：亿 m^3）

流域分区	地表水资源量	地下水资源量	地下水与地表水的重复量	水资源总量	其中微咸水	产水系数
漳河山丘区	1.210	0.944	0.758	1.396	0.000	0.459
卫河山丘区	5.990	4.853	3.583	7.260	0.000	0.465
卫河平原区	0.810	5.872	1.660	5.022	0.456	0.357
金堤河区	0.550	2.960	0.836	2.674	0.205	0.273
徒马河区	0.010	0.051	0.010	0.051	0.000	0.268
合　计	8.570	14.680	6.847	16.403	0.662	0.386

从表6-1和表6-2中可以看出，本次评价的安阳市水资源总量为16.403亿 m^3。其中微咸水资源量0.662亿 m^3，占全市水资源总量的4%；地表水资源量为8.570亿 m^3，占全市水资源总量的52%；地下水资源量为14.680亿 m^3，占全市水资源总量的90%；地表水与地下水资源的重复量为6.847亿 m^3，占全市水资源总量的42%。全市产水系数为0.386，与河南省和黑龙江省1998年的平均产水系数(0.38)大致相当，是1998年全国平均产水系数(0.50)的77%。从本次评价结果可以看出，全市的水资源总量(16.403亿 m^3)比第一次水资源评价(1987年)的结果(17.101亿 m^3)减少了4.1%。由此可见，安阳市的水资源总量衰减的态势是比较明显的。

从各行政分区水资源总量分布看，林州市水资源总量最大，为5.652亿 m^3，占全市水资源总量的34%;其次是安阳县,水资源总量为3.975亿m^3,占全市水资源总量的24%;水资源总量最小的是安阳市区(郊),为0.909亿m^3,占全市水资源总量的6%。

从流域分区水资源总量分布看,卫河山丘区的水资源总量最大,为7.260亿m^3,占全市水资源总量的44 %;其次是卫河平原区,水资源总量为5.022亿m^3,占全市水资源总量的31%;水资源总量最小的是徒马河区,为0.051亿m^3,占全市水资源总量的0.3%。

二、人均和公顷平均水资源占有量分析

利用已获得的分析结果,可以确定现状年安阳市各行政分区人均、每公顷耕地水资源占有量的分析结果(见表6-3)。全市人均水资源占有量为322m^3,每公顷耕地水资源占有量为4 515m^3,均低于河南省平均水平(人均水资源占有量470m^3,每公顷耕地水资源占有量6 000m^3),分别为全国人均水资源占有量的1/7和公顷平均水资源占有量的1/6。由此可见,安阳市的水资源是很贫乏的。

从各行政分区看,林州市的人均水资源占有量和每公顷耕地水资源占有量最高,安阳市区(郊)的人均水资源占有量最低,滑县的每公顷耕地水资源占有量最低。

表6-3 1998年安阳市人均、公顷平均水资源占有量

分区名称	水资源总量(亿m^3)	总人口数(万人)	耕地面积(万hm^2)	人均水资源占有量(m^3/人)	每公顷耕地水资源占有量(m^3/hm^2)
安阳县	3.975	111.507 8	8.42	356	4 725
林州市	5.652	96.471 3	5.13	586	11 025
内黄县	1.861	67.823 4	6.39	274	2 910
滑　县	2.72	117.323	11.42	232	2 385
汤阴县	1.288	43.792 1	4.14	294	3 120
安阳市区(郊)	0.909	71.817 3	0.84	127	10 860
全　市	16.403	508.734 9	36.33	322	4 515

第三节　水资源可利用量

由于受自然、技术、经济条件的限制以及生态环境对水的需求,水资源开发利用有一定的限度。在水资源数量评价的基础上,估算水资源可利用量,为安阳市各级政府及其水行政主管部门科学地管理水资源,制定计划用水和节约用水计划,以及编制经济、社会和生态环境发展规划,协调生活、生产和生态环境用水提供依据。

一、计算原则和方法

(一)地表水可利用量

地表水可利用量是指在经济合理、技术可行及满足河道内(含河流、湖泊及有关湿地)生态环境用水的前提下,通过地表水工程措施可能为河道外用户提供的一次性最大水量(不包括回归水的重复利用)。可利用量估算的技术途径如下:

(1)应根据地表水资源丰枯情况,合理安排河道内与河道外的用水比例。

(2)对于水量非常丰富的流域,还要考虑工程调蓄能力、可能发展的灌溉面积以及未来经济社会发展可能增加的需水量等影响因素,合理确定地表水可利用量。例如,淇河流域山高水低,耕地不多,引用河水发展灌溉的难度很大,目前地表水开发利用率比较低,预计未来也不会达到洹河流域目前的开发利用水平。

(3)随着经济社会的发展,经济、技术水平不断提高,人们控制利用水的能力增强,生态环境需水也会发生变化,估算的可利用量具有不确定性和动态性。

(4)根据安阳市水资源条件特点,对地表水可利用量所采用的保证率要求是:计算多年平均及 $P=50\%$、$P=75\%$两种保证率的可利用量。

(二)地下水可利用量

地下水可利用量是指在经济合理、技术可行且不引起生态环境恶化条件下的可开采量。技术要求如下:

(1)可开采量评价的地域范围为安阳市范围内,主要包括目前已开采的和有开采前景的地区,没有开采价值和无人居住的地区不作评价。平原区浅层地下水的调蓄能力大,只计算多年平均可开采量,其量值应小于相应地区的总补给量;山丘区地下水可开采量与河川基流有密切的关系,为了避免它与地表水可利用量重复计算,不进行可开采量评价。

(2)平原区浅层地下水可开采量一般选用下列方法估算:①用补给量减去不可夺取的排泄量作为可开采量;②在动态观测资料较长和地下水开采程度较高的地区,选用地下水位变幅相对稳定年段的开采量作为可开采量;③采用代表性地区的开采系数,用类比法推求相似地区的可开采量。

(3)对于严重超采区,要以控制地下水位不再继续下降为约束条件,用多年调节计算法核定可开采量。

(三)水资源可利用量

分析地表水与地下水利用过程中的水量转化关系,用扣除地下水可开采量本身的重复利用量,以及地表水可利用量与地下水可开采量之间的重复利用量的办法,估算水资源可利用总量。

重复利用量主要有以下三项:①平原区浅层地下水的渠系渗漏和渠灌田间入渗补给量,是地表水灌溉消耗后的剩余水量,与地表水可利用量相重复;②平原区浅层地下水的河流入渗补给量,与地表水可利用量相重复;③平原区浅层地下水的井灌回归补给量,是地下水本身的重复利用量。

二、地表水可利用量

安阳市西部山丘区地表水资源量中有近60%为基流量,这部分基流量比较稳定,便于开发和利用,因此将这部分基流量全部作为地表水的可利用量。由于洹河上游(山丘区)修建有三座大中型水库——小南海水库、彰武水库和双全水库,所以通过调整水库调度运行规则,可有效地调控和利用一部分汛期洪水资源。

安阳市东部平原区的地表水资源,由于其产流方式绝大部分属于超渗产流,地表水资源量不稳定,且常常与山丘区洪水资源相遭遇,因此利用这部分地表水资源量一般较为困难。但考虑到平原区修建有大量的拦河闸、坝和塘堰等,若运用得当,可有一部分地表水被有效地开发和利用。

初步分析表明,如果调整水库技术参数和调度规则,合理启用拦河闸、坝和塘堰等,并实现地表水与地下水联合高效利用,则洹河上游的汛期洪水资源和东部平原区地表水资源量可望有50%被有效地开发和利用。具体分析结果列于表6-4和表6-5中。

表6-4 安阳市各流域分区地表水可利用量分析结果 (单位:亿 m^3)

分区名称	地表水资源量	不同保证率的地表水资源量		地表水可利用量	不同保证率的地表水可利用量	
		50%	75%		50%	75%
安阳县	1.88	1.69	1.18	1.56	1.42	1.01
林州市	5.04	3.83	2.42	2.99	2.94	2.07
内黄县	0.35	0.33	0.26	0.18	0.17	0.13
滑　县	0.56	0.54	0.44	0.28	0.27	0.22
汤阴县	0.52	0.46	0.33	0.22	0.21	0.19
安阳市区(郊)	0.22	0.20	0.15	0.13	0.13	0.12
全　市	8.57	7.11	4.88	5.35	5.13	3.74

表6-5 安阳市各行政分区地表水可利用量分析结果 (单位:亿 m^3)

分区名称	地表水资源量	不同保证率的地表水资源量		地表水可利用量	不同保证率的地表水可利用量	
		50%	75%		50%	75%
漳河山丘区	1.21	0.94	0.61	0.76	0.75	0.49
卫河山丘区	5.99	4.97	3.41	3.91	3.73	2.73
卫河平原区	0.81	0.77	0.61	0.41	0.39	0.31
金堤河区	0.55	0.53	0.43	0.28	0.27	0.22
徒马河区	0.01	0.01	0.01	0.01	0.01	0.01
全　区	8.57	7.11	4.88	5.35	5.13	3.74

从表6-4和表6-5中可以看出,全市地表水可利用量为5.35亿 m^3,占全市地表水资源总量的62%;保证率为50%、75%的地表水可利用量分别为5.13亿 m^3 和3.74亿 m^3,分别占其地表水资源总量的72%和77%。

三、地下水可利用量

从安阳市东部平原地下水动态特征(图5-5~图5-17)可以看出,安阳县、安阳市区(郊)和汤阴县进入20世纪90年代后地下水动态总体上呈现出下降的状态,并随降水量的多少而上下起伏,说明地下水总体上呈现出负均衡状态,处于轻度超采的态势;而滑县和内黄县除局部区域(豆公灌区和桑村干渠附近)地下水处于准稳定状态外,其余大部分区域地下水位持续下降,处于严重超采状态。从地下水位等值线图可以看出,安阳市区(郊)地下水位降落漏斗已经发展到安阳县和汤阴县境内,由于大量袭夺安阳县和汤阴县的地下水侧向补给量,进入90年代后期安阳市区漏斗向外扩展速度相对减缓,补排差值呈减小趋势,但仍处于微超采状态。因此,安阳县、安阳市区(郊)和汤阴县作为一个单元来分析和计算地下水可利用量比较合理、科学一些。根据东部平原各分区地下水动态特点和开发利用的实际情况,选用不同的计算地下水可利用量的方法:对于安阳县、安阳市区(郊)和汤阴县,选用"补给量减去不可夺取的排泄量作为可开采量"的方法来计算地下水可利用量;对于滑县和内黄县,采用开采系数法并通过多年调节计算法以控制地下水位不再继续下降为约束条件进行可开采量的核定,最后确定出其可开采量。具体计算结果列于表6-6和表6-7中。

表6-6 安阳市东部平原各行政分区地下水可利用量分析结果 (单位:亿 m^3)

行政分区	实际开采量	地下水资源量	补给量①	内边界补排量②	地下水可利用量	其中微咸水可利用量	地下水超采量	地下水超采率(%)
安阳县	2.75	2.17	2.45	-0.03	2.26	0.00	0.49	22
内黄县	3.88	2.10	2.54	0.00	2.15	0.65	1.73	80
滑县	5.06	3.60	4.18	0.00	3.54	0.33	1.51	43
汤阴县	1.39	1.67	1.91	-0.74	1.08	0.00	0.30	28
安阳市区(郊)	2.05	0.81	1.04	0.77	1.81	0.00	0.23	13
合计	15.12	10.35	12.12	0.00	10.85	0.98	4.27	39

注:①指不含安阳市内各县市区(郊)(内边界)之间的地下水侧向补给量;②指安阳市所辖区域内各县市区(郊)(内边界)之间的地下水侧向补给量(+)与排泄量(-)的代数和。

表6-7 安阳市东部平原各流域分区地下水可利用量分析结果 (单位:亿 m^3)

流域分区	实际开采量	地下水资源量	补给量	地下水可利用量	其中微咸水可利用量	地下水超采量	地下水的超采率(%)
卫河平原区	9.97	6.73	7.91	7.27	0.65	2.70	37
金堤河区	5.03	3.56	4.13	3.51	0.33	1.52	43
徒马河区	0.12	0.06	0.08	0.07	0.00	0.05	80
合计	15.12	10.35	12.12	10.85	0.98	4.27	39

从表6-6和表6-7中可以看出,安阳市东部平原区地下水可利用量为10.85亿 m^3,占其补给量的90%,其中微咸水可利用量为0.98亿 m^3,占平原区地下水可利用量8%。地下水的超采量(实际开采量减去可利用量)为4.27亿 m^3,占可利用量的39%(超采率)。由此可以看出,目前安阳市东部平原区地下水总体上处于严重超采状态。

四、水资源可利用总量

根据表6-3~表6-7中的分析结果,并分析需要扣除的地下水可开采量本身的重复利用量和地表水可利用量与地下水可开采量之间的重复利用量,最后确定安阳市水资源的可利用量。具体分析结果列于表6-8和表6-9中。

从表6-8和表6-9中可以看出,全市水资源可利用总量为11.94亿 m^3,占全市水资源总量的73%,其中微咸水可利用量为0.70亿 m^3,占全市水资源可利用总量的6%。由于地下水资源具有较强的稳定性和多年调节能力,保证率为50%和75%的地下水可利用量可近似等于地下水的多年平均可利用量,并由此计算出安阳市不同保证率的水资源可利用总量，即保证率为50%、75%的水资源可利用总量分别为11.72亿m^3和10.32亿m^3。

表6-8　安阳市各行政分区水资源可利用总量分析结果　（单位：亿m^3）

分区名称	地表水可利用量	不同保证率的地表水可利用量		地下水可利用量	重复利用量	水资源可利用总量	其中微咸水可利用量	不同保证率的水资源可利用总量	
		50%	75%					50%	75%
安阳县	1.56	1.42	1.01	2.26	0.99	2.82	0.00	2.68	2.27
林州市	2.99	2.94	2.07	–	–	2.99	0.00	2.94	2.07
内黄县	0.18	0.17	0.13	2.15	0.77	1.56	0.47	1.55	1.51
滑　县	0.28	0.27	0.22	3.54	1.43	2.40	0.23	2.39	2.34
汤阴县	0.22	0.21	0.19	1.08	0.68	0.62	0.00	0.61	0.59
安阳市区(郊)	0.13	0.13	0.12	1.81	0.40	1.54	0.00	1.54	1.53
全　市	5.35	5.13	3.74	10.85	4.27	11.94	0.70	11.72	10.32

表6-9　安阳市各流域分区水资源可利用总量分析结果　（单位：亿m^3）

分区名称	地表水可利用量	不同保证率的地表水可利用量		地下水可利用量	重复利用量	水资源可利用总量	其中微咸水可利用量	不同保证率的水资源可利用总量	
		50%	75%					50%	75%
漳河山丘区	0.76	0.75	0.49	–	–	0.76	0.00	0.75	0.49
卫河山丘区	3.91	3.73	2.73	–	–	3.91	0.00	3.73	2.73
卫河平原区	0.41	0.39	0.31	7.27	2.84	4.85	0.47	4.83	4.75
金堤河区	0.28	0.27	0.22	3.51	1.41	2.38	0.23	2.37	2.32
徒马河区	0.01	0.01	0.01	0.07	0.02	0.05	0.00	0.05	0.05
全　区	5.35	5.13	3.74	10.85	4.27	11.94	0.70	11.72	10.32

从行政分区水资源可利用总量分布看，林州市的水资源可利用量最大，为2.99亿m^3，占全市水资源可利用总量25%；其次是安阳县，其水资源可利用量为2.82亿m^3，占全市水资源可利用总量的24%；最小的是汤阴县，其水资源可利用量为0.62亿m^3，占全市水资源可利用总量的5%。其中内黄县微咸水可利用量为0.47亿m^3，占内黄县水资源可利用总量的30%；滑县微咸水可利用量为0.23亿m^3，占滑县水资源可利用总量的10%。由此说明，内黄县的水资源问题比较严重，地下水不仅超采80%，而且微咸水的可利用量占水资源可利用总量的30%。

从流域分区水资源可利用总量分布看，卫河平原区的水资源可利用量最大，为4.85亿m^3，占全市水资源可利用总量41%；其次是卫河山丘区，其水资源可利用量为3.91亿m^3，占全市水资源可利用总量的33%；最小的是徒马河区，其水资源可利用量为0.05亿m^3，占全市水资源可利用总量的0.5%。

第四节　客水资源量及其可利用量

安阳市的客水资源量主要包括通过跨流域调水工程引入的水量和由天然河道流入境内的河川径流量两部分。安阳市的入境地表水资源量主要包括：红旗渠、跃进渠和漳南干渠从漳河的引水量，1956～1998 年年均引水 4.37 亿 m^3；淇河入境水量(包括淅河和淇河的入境量之和)，1956～1998 年年均 1.09 亿 m^3；露水河有一部分入境水量，其径流量很快又流入漳河，不仅资料不全，而且可利用数量很小，忽略不计；卫河的入境水量的水质太差，没有使用功能，不计入水资源量；大功河的入境水量较小，并且无资料，也忽略不计。

地表客水资源量的可利用量估算原则：根据安阳市实际情况，对入境地表水资源量的用后流向下游的出境水量没有硬性约束，即只要有可能允许全部用掉；从漳河引入的水量几乎能全部利用，但是从淇河流入的水量，有相当一部分不能利用。因为淇河经过的安阳市境内区域是山丘区，耕地不多，发展灌溉面积的潜力不大，而且开发利用难度较大。

需要说明的是，在计算漳河客水资源可利用量时主要考虑的是历史引水情况，而不是简单地按分水比例计算。历史系列资料分析显示，20 世纪 90 年代以来安阳市从漳河的引水量均没有达到 48% 的分水指标。近 10 年来安阳市平均每年剩余引水额度为 1.35 亿 m^3；如果不考虑 1996 年(大洪水年)，则 9 年平均每年剩余引水额度为 0.85 亿 m^3。但是由于受用水的时间性和调蓄能力以及经济性等多种因素的制约，丰水期或洪水期时河南与河北两省可能都没有引足自己的分水比例。如果都按比例引足，则漳河就会出现全年断流、河床干枯的现象，下游河道内生态环境将无水可用，而河道外更无水可引用。因此，本次根据历史引水系列资料，并考虑分水比例等综合因素来计算和确定安阳市的客水资源可利用量。具体分析结果见表 6-10。

表 6-10 安阳市不同保证率下客水资源量及其可利用量 (单位：亿 m^3)

	客水资源量			客水可利用量		
	1956～1998 年	$P=50\%$	$P=75\%$	1956～1998 年	$P=50\%$	$P=75\%$
漳河	4.37	4.10	2.50	–	–	–
淇河	1.09	0.88	0.62	–	–	–
合计	5.46	4.98	3.12	4.37	3.98	2.50

从表 6-10 中可以看出，安阳市的客水资源量为 5.46 亿 m^3，其可利用量为 4.37 亿 m^3；50% 和 75% 保证率下的客水资源量分别为 4.98 亿 m^3、3.12 亿 m^3，相应的可利用量分别为 3.98 亿 m^3、2.50 亿 m^3。从本次评价结果可以看出，全市的客水资源可利用量(4.37 亿 m^3)比第一次水资源评价(1987 年)的结果(12.32 亿 m^3)减少了 65%。由此可见，安阳市客水资源的可利用量衰减得非常严重。因此，安阳市一定要与上游省份协调制订好漳河流域的水资源总体开发利用规划，上游切不可盲目新建引调水工程，以避免重复建设和效益搬家。

第七章　水资源质量

自中共十一届三中全会以来，伴随着社会经济的快速发展和人民生活水平的不断提高，安阳市的水资源问题越来越突出，尤其是急剧下降的水资源质量问题，已成为制约安阳市21世纪经济社会可持续发展的重要因素。

在近1 000km长的评价河段上，水质较好的Ⅱ类和Ⅲ类河段长度仅占总评价河段长度的7%；Ⅳ类和Ⅴ类污染河段长度占16%；而完全丧失任何使用功能的超Ⅴ类严重污染河段长度竟占77%。在河流水质不断恶化的同时，作为生活和生产供水水源地的水质状况也不容乐观。其中为安阳电厂和钢厂等供水的彰武水库、汤阴县境内的汤河水库水质已经达到Ⅳ类和Ⅴ类，遭受了严重的污染。其他水源也已经受到程度不同的污染或面临着污染的威胁。全市水源地的水质日趋恶化，对当地的供水安全和居民身体健康以及社会经济的长远发展构成了严峻的挑战。

随着地表水水质的严重恶化，地下水也未能幸免。1985年安阳市区豆腐营一带地下水受到电镀废水的污染，导致自来水水源井关闭。1995年汤阴县菜园镇西街村居民吃水井水质不断变黄，上面还漂浮着白色异物。1999年安阳县安丰乡蔡村一带地下水受到挥发酚和苯胺类污染，污染面积达3.5km^2。近几年安阳县水冶镇、滑县等有20多处相继发生地下水污染事件。这些日益严重的水污染事件不仅造成当地的供水紧张、影响人民的身体健康和正常生产，同时诱发地区之间严重的水事纠纷，群众上访数量剧增，已经严重地影响到了人民的身体健康、经济的发展、社会的安定。

考虑到安阳市所面临的水量和水质双重压力，应该从保持安阳市社会经济健康发展和水资源持续利用的战略高度认识安阳市的水资源质量问题。“安阳市水资源及其开发利用现状调查评价”项目将水资源质量评价作为其中的一项重要内容，给予了高度重视，以期研究成果能为安阳市水资源保护和水污染治理提供可靠依据。

第一节　评价内容和方法

安阳市水资源质量评价的主要区域包括海河流域漳卫南水系（卫河流域）和黄河流域，其中卫河流域再细划分为洹河、淇河和汤河流域。其评价的主要内容包括：安阳市水资源质量评价、水污染现状分析及其发展趋势预测、应采取的对策措施等。

（一）水资源质量评价

水资源质量评价主要依据目前水资源质量监测和评价方面的基础数据与有关成果，再适度补充一些水质监测工作。本次评价工作除了利用已有的长期水质监测资料和成果外，还进行了第一次水质统测工作，即于2000年3月9～16日在全市范围内进行了一次水质统一监测（地表水与地下水）工作，共取样64个（水质统测点分布位置，见附图6）。同时，安阳市环保部门提供了2000年5月11日～7月26日在全市范围内的第二次地下水水质统测资料,统测点数达 444 个(其中饮用水井 391 眼,包括城镇饮用水源井 13 眼、农村饮用水自备井 378 眼),极大地提高了本次评价的精度和可靠程度(统测点分布位置见图 7-1)。

图 7-1　安阳市所辖区域第二次水质统测点位置分布

根据水质监测系列资料,对安阳市所辖区域的水资源质量进行系统评价。具体评价内容包括:河流水质评价、水库水质评价、地下水质量评价。本次的水资源质量评价采用国家《地面水环境质量标准》(GHZB1－1999),按最差因子进行评价;污染因子以化学需氧量(COD)为主要代表性因子。

(二)水污染现状分析

从目前的野外实地调查和两次水质统测资料分析结果看,安阳市水资源质量下降的主要原因:一是污染物质的大量排放,超出了水资源系统的自净能力;二是社会用水导致河道外耗水量增加,平原区河道内径流量减少甚至枯竭。因此,针对安阳市水污染问题的主要根源,重点分析和诊断的主要问题包括:地下水污染问题与地表水水质的关系;地下水污染与灌溉水质的关系;污染排放与水质的关系;区域背景水文地质条件与水质的关系等。

(三)对策措施

水资源质量评价和保护是一项复杂的系统工程,牵涉的部门比较多,而仅靠水利部门是不能彻底解决水质问题的。根据国务院对水行政主管部门的职能界定("三定"方案),水利部门要在水功能区管理、入河排污口控制和水体纳污能力审定等方面起主要管理及监督作用。因此,在水质分析和评价的基础上,针对全市水资源质量状况和污染态势,提出水功能区划、入河排污口控制和管理、供水水源保护立法、水质动态监测、产业结构调整和污染削减等一系列有针对性的对策措施。其中有些对策属需要政府和全社会共同采取行动的。例如,由于全市水质恶化的主要原因是污染物质的大量排放,而在主要因子COD的排放量中造纸行业的总排放量占69%。因此,只要控制好造纸行业的COD排放量,并逐步予以削减,水质改善的目标是有可能实现的。

第二节 水资源质量现状评价

本次地表水水质评价依据国家《地表水环境质量标准》(GHZB1-1999),地下水评价依据国标《地下水质量标准》(GB/T14848-93)进行。

水质评价按照单因子评价和综合评价以及空间水质分区等方式进行。单因子评价按照各个重要监测因子的实际浓度除以标准值,得到污染指数(PI),其中的标准值按Ⅲ类水质标准浓度取值;综合评价按照最差因子的污染指数来评判,但要区分人为污染类和天然水质本底两种情况。例如,滑县的地下水有两个最明显的因子:大肠杆菌和铁离子(或总硬度)。前者是人为因素造成的,后者主要是由背景水文地球化学规律决定的。而水质的空间分区规律分析主要是为地下水取水许可制度的实施和保护管理服务的。按照监测点的分布和水质类型进行水质类型分区。初步划分为Ⅲ类水质区(含Ⅰ、Ⅱ类)、Ⅳ类水质区和Ⅴ类水质区。针对不同用途的水质要求,这种水质分区有很大的参考和应用价值。

地表水环境质量标准主要是针对用水功能来划分的。Ⅰ类水主要适用于源头水和自然保护区;Ⅱ类水适用于集中式生活饮用水供水水源地一级保护区、珍贵鱼类保护区、鱼虾产卵场等;Ⅲ类水适用于集中式生活饮用水水源地的二级保护区、一般鱼类保护区和旅游区;Ⅳ类水适用于一般工业用水和人体非直接接触的娱乐用水;Ⅴ类水适用于农业用水和一般景观用水。

地下水质量标准同样按照适用功能划分。Ⅰ、Ⅱ、Ⅲ类水可以适用于各种用途;Ⅳ类水适用于工农业,经过适当处理可作为饮用水;Ⅴ类水不宜饮用,可用于其他目的。地下水水质保护一般要求较地表水要高一些,因为地下水一旦污染了,恢复将是极其困难的。地下水质量标准中的Ⅲ类水与国标生活饮用水卫生标准相当。因此,一般将生活饮用水标准或地下水水质标准中的Ⅲ类水作为目标水平来评价。本次水资源质量评价基本上是按照Ⅲ类标准进行评价的。尽管安阳市80%以上的用水量来自地下水,其中很大一部分水用来进行农业灌溉,但为了确保安阳市的可持续发展,本次评价不采用灌溉水质标准来衡量全市的地下水资源质量状况。

一、地表水水质

根据安阳市的水系发育特点,地表水水质评价按洹河、淇河、卫河、汤河、金堤河和漳河等水系分别进行评价。

(一)洹河

洹河属于卫河的一个支流,流经林州市、安阳县、安阳市区(郊)和内黄县等,是安阳市的重要河流。在该河上设立了8个监测点,从上游至下游编号分别为:4、21、22、23、24、25、10、11(见附图6)。监测项目包括普通水质指标(K^+、Na^+、Cl^-等)和一些污染指标,如挥发酚、氨氮、高锰酸盐指数、溶解氧、大肠杆菌等,总计22项。从监测分析结果看,洹河水质污染十分严重，主要污染因子为高锰酸盐指数、溶解氧(DO)、氨氮、亚硝酸盐氮、大肠杆菌等生化指标，挥发酚等个别样品超标。这里的超标主要是指超过地表水质量标准中的Ⅲ类水质标准浓度。

1. 氨氮

根据2000年3月份的水质统测资料，绘制出洹河从上游到下游沿程8个监测点的氨氮浓度变化过程(如图7-2)。

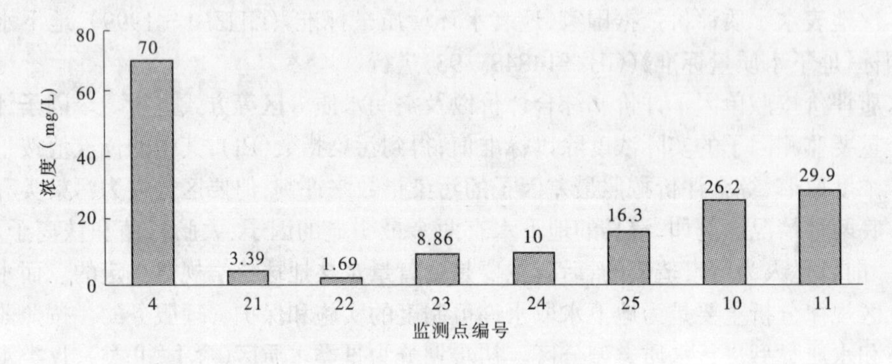

图7-2　洹河氨氮浓度沿程变化

从图7-2中可以看出，从上游到下游洹河的氨氮浓度由最大转为最小，再由此开始沿程逐渐增大。其中位于林州市横水镇4号监测点(断面)的氨氮超标最严重，其浓度高达70mg/L，为地面水Ⅲ类水质标准(0.5mg/L)的140倍；从21号监测点开始向下游氨氮浓度不断升高，至安阳县辛村乡辛村时，洹河的氨氮浓度上升到约30mg/L，为Ⅲ类水质标准浓度的60倍。从洹河氨氮浓度的沿程变化规律可以发现：由4号监测点到21号监测点，氨氮浓度得到了稀释和自净，在位于小南海泉的21号监测点氨氮浓度下降到3.39mg/L，但依然超标6倍多；从21号监测点开始，洹河的水质不但没有转好反而不断恶化，直至最下游的11号监测点，其氨氮浓度达到第二大值。这说明，洹河从小南海泉向下游直至入卫河口，沿岸不断有污染物排放进入河中，使得河水水质逐渐变坏。分析结果表明，洹河8个监测点的氨氮浓度全部超过Ⅴ类水质标准，即洹河几乎全部属于超Ⅴ类水质。

2. 高锰酸盐指数

高锰酸盐指数是反映水样COD浓度的指标。根据2000年3月份的水质统测资料，绘制出洹河从上游到下游沿程监测点的高锰酸盐指数变化过程(如图7-3)。

从图7-3中可以看出，洹河沿程高锰酸盐指数的变化规律与氨氮大致相同。从横水镇4号监测点高锰酸盐指数为6.8mg/L(超过Ⅲ类水质标准，为Ⅳ类水)到小南海泉21号监测点降为0.6mg/L。但从小南海泉向下游开始沿程不断恶化，高锰酸盐指数不断升高，到入卫河口处变为超Ⅴ类水质。对于洹河高锰酸盐指数的变化，污染物质的排放量已经占据主导和支配地位，河流自净能力的影响已显得微不足道了。洹河水质除了氨氮浓度和高锰酸盐指数外，其亚硝酸盐氮、大肠杆菌也是主要的超标污染物。具体分析结果，列于表7-1中。

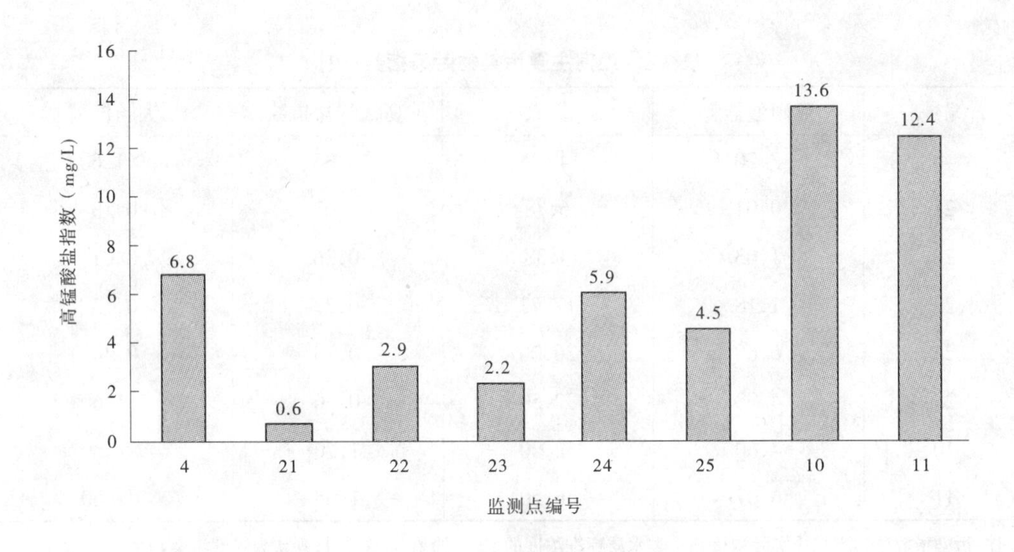

图 7-3　洹河高锰酸盐指数沿程变化

表 7-1　洹河主要污染物浓度分析结果

编号	氨氮 (mg/L)	高锰酸盐指数 (mg/L)	亚硝酸盐氮 (mg/L)	大肠杆菌 (个/L)
4	70	6.8	0.48	>16 000
21	3.39	0.6	0.001	1 300
22	1.69	2.9	0.245	50
23	8.86	2.2	0.177	1 300
24	10	5.9	0.99	5 400
25	16.3	4.5	0.74	>16 000
10	26.2	13.6	0.69	>16 000
11	29.9	12.4	0.91	>16 000

从表 7-1 中可以看出，洹河 8 个监测点的氨氮浓度均超过Ⅴ类水质标准，属于超Ⅴ类水质；大肠杆菌普遍超标和生活污染有直接关系。按照Ⅲ类水质标准浓度来评价，洹河 8 个监测点(断面)主要污染物的超标倍数列于表 7-2 中。

由表 7-2 中可以看出，洹河已遭到严重的污染，其中氨氮污染最为严重，超标最高达到 140 倍；硬度、高锰酸盐指数、挥发酚污染相对较轻。但总体上看，由于林州市横水镇的污染较为严重，导致了洹河上游河段水质的恶化；中下游河段由于受安阳市区和安阳县的排污影响，其水质为超Ⅴ类，属于严重污染。总之，洹河大部分河段污染严重，几乎丧失了使用功能。

为了进一步分析洹河氟化物浓度和大肠杆菌的沿程变化情况，利用水质统测资料对洹河的氟化物浓度和大肠杆菌沿河的变化进行了分析，如图 7-4 和图 7-5 所示。

表 7-2 洹河主要污染物污染指数(PI)

编号	亚硝酸盐氮	氨氮	高锰酸盐指数	大肠杆菌
4	3.20	140.00	0.85	>1.60
21	0.01	6.78	0.07	0.13
22	1.63	3.38	0.36	0.01
23	1.18	17.72	0.27	0.13
24	6.60	20.00	0.73	0.54
25	4.93	32.50	0.56	>1.60
10	4.60	52.00	1.70	>1.60
11	6.07	60.50	1.55	>1.60

注:污染指数(PI)为水样实际浓度与Ⅲ类水质标准浓度的比值,如果 PI 大于 1,则认为受到污染。

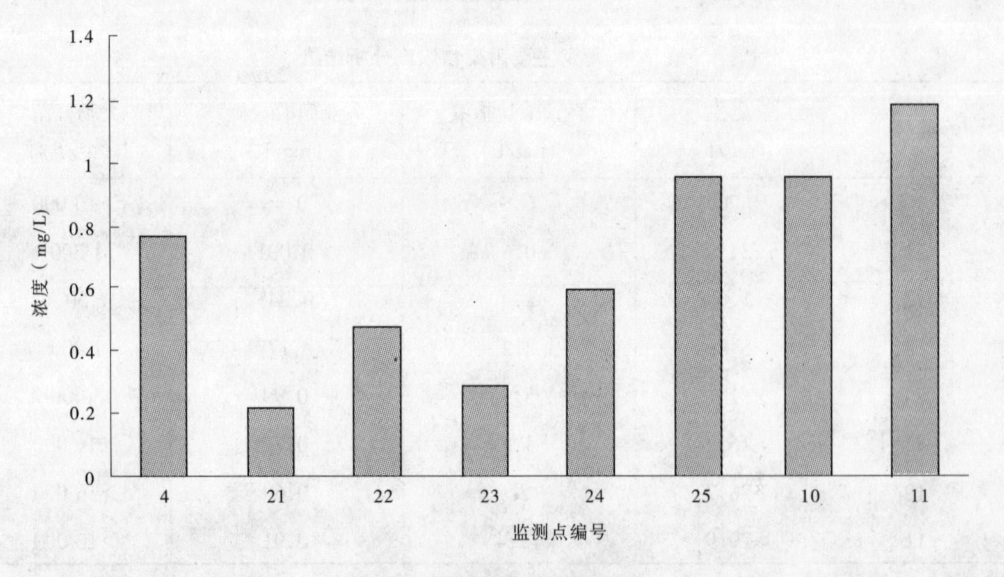

图 7-4 洹河氟化物沿程变化

从图 7-4 和图 7-5 中可以看出,洹河氟化物浓度和大肠杆菌沿河也同样呈现出明显的不断增加态势,但并未构成主要的污染因子。

综合上述分析结果可以看出,洹河的氨氮超标最为严重,其次是亚硝酸盐氮和溶解氧,常规离子基本不超标。这种情况反映了洹河地表水体主要是受人为影响的特点,尤其是下游的三个监测点 25、10 和 11,其地表水体质量最差,不仅化学指标超标极为严重,连大肠杆菌这样的生物指标也严重超标;而上游的 4 号监测点由于位于横水镇排污口附近,其水质也较差,但从已有的水质评价成果看,上游林州市所辖区域的水质相对要好一些。

(二)汤河

汤河属于卫河的一个支流,位于洹河以南,包括洪水河等支流。在汤河上布设了三个

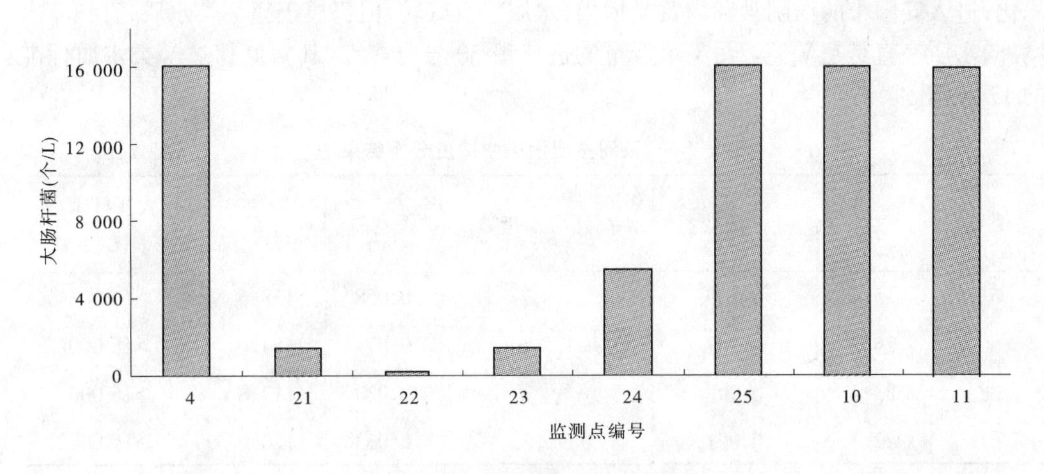

图 7-5　洹河大肠杆菌沿程变化

水质监测点,分别位于洪水河(26 号)、汤河水库(31 号)和下游位置(32 号)。主要污染物浓度列于表 7-3 中。

表 7-3　汤河主要污染物浓度分析结果　　(单位:mg /L)

编号	溶解氧	氨氮	亚硝酸盐氮	硝酸盐氮	高锰酸盐指数	BOD	大肠杆菌(个/L)
26	5.0	13.90	0.255	2.67	22.4	21.1	>16 000
31	11.0	2.71	0.114	3.54	3.5	3.9	9 200
32	3.7	2.51	0.112	0.84	7.7	6.0	170

从表 7-3 中可以看出,汤河水质也不容乐观。三个监测站点的氨氮浓度均超出Ⅴ类水质标准(1.5mg/L),其中洪水河污染最为严重,超过Ⅴ类水质标准浓度的 9 倍。洪水河监测点的高锰酸盐指数也超过Ⅴ类水质标准 3 倍。洪水河污染严重的原因主要是安阳市区(郊)的生活和工业污染废水大量排入河中,从而造成了洪水河严重污染。汤河水库的水质也属于超Ⅴ类,多项指标严重超标。

(三)卫河

卫河是一条跨地市的河流,同时也是海河流域的一条主要污染河流。该河从河南焦作、新乡市流入安阳市的滑县、汤阴县,最后从内黄县出境进入濮阳市。在安阳市境内总长度为 64km。从本次水质统测的分析结果可以看出,卫河的水质极差,多项化学和生物指标严重超标。具体分析结果,列于表 7-4 中。

从表 7-4 可以看出,卫河的水质已经超过Ⅴ类水质标准,完全丧失水资源的使用功能;水体中的溶解氧含量已经为零,完全丧失生物功能。可以说,卫河已经成为一条毫无生机的死河或排污河。从现场实地考察发现,卫河的物理指标也极差,颜色灰黑、臭气熏天,沿河居民的正常生活和生产受到严重的危害或潜在的威胁。从卫河沿程的水质变化可以看出,在安阳市境外(51 号)水质已经很差,但到了安阳市的滑县境内之后,水质更加恶化；进入安阳市的汤阴县和内黄县境内，水质略有好转，但仍属于超Ⅴ类水质，直到流出境外，水质一直是超Ⅴ类。污染最严重的道口镇50号监测点，其氨氮超过Ⅴ类水质标准的17.5倍。

表7-4　卫河主要污染物浓度分析结果　　（单位：mg/L）

编号	氨氮	亚硝酸盐氮	高锰酸盐指数	挥发酚	BOD	大肠杆菌（个/L）
51	15.7	0.120		0.058	133.6	>16 000
50	26.3	0.137	123.6	0.079	164.0	>16 000
33	23.2	0.108		0.030	117.8	>16 000
41	22.7	0.091	92.5	0.033	120.0	>16 000

为了更详细地分析卫河的污染状况，利用水质统测资料对卫河污染物的超标情况和沿程的变化趋势进行了分析。其中主要分析结果见表7-5和图7-6、图7-7。

表7-5　卫河主要污染物污染指数(PI)

监测点编号	亚硝酸盐氮	氨氮	溶解氧	COD	挥发酚	大肠杆菌
51	0.80	31	0.00		11.60	>1.60
50	0.91	52	0.00	15.45	15.80	>1.60
33	0.72	46	0.00		6.00	>1.60
41	0.61	45	0.00	11.56	6.60	>1.60

从表7-5中可以明显地看出，卫河的氨氮污染最为严重，超标31～52倍；其次COD和挥发酚，超标7～20倍之多；而污染最轻的是亚硝酸盐氮，几乎均未超标。位于滑县道口镇的50号监测点，其污染最为严重，说明滑县对安阳市所辖区的卫河河段污染贡献率较高，应引起有关方面的高度重视，滑县应是卫河污染治理的一个重点。

从图7-6和图7-7中可以看出，卫河进入滑县道口镇后(50号监测点)污染加重，从五陵镇进入安阳市境内以后，亚硝酸盐氮和氨氮等污染物浓度有不同程度的下降，说明卫河仍有一定的自净能力或外来水的稀释作用，但其水质状况未得到较大的改善，仍属于超Ⅴ类水质。

（四）其他河流

安阳市所辖区域除了上述洹河、汤河、卫河外，还有淇河、金堤河和大功河等。由于淇河水质较好，基本未遭到人为污染，而金堤河与大功河的水量较少，且时常发生断流，故不作为本次分析和评价的重点。

从水质统测的分析结果看，淇河上游水质较好，基本达到Ⅲ类甚至Ⅱ类水质标准；金堤河水质是安阳境内所有河流中最差的，其氨氮浓度超标(Ⅲ类)210倍，挥发酚超标144倍，已丧失了任何使用功能。金堤河上游的54号监测点，其氨氮浓度和COD浓度分别超Ⅴ类水质标准70倍、6.8倍，下游的49号监测点(位于白道口镇)，水质尽管有所改善，但

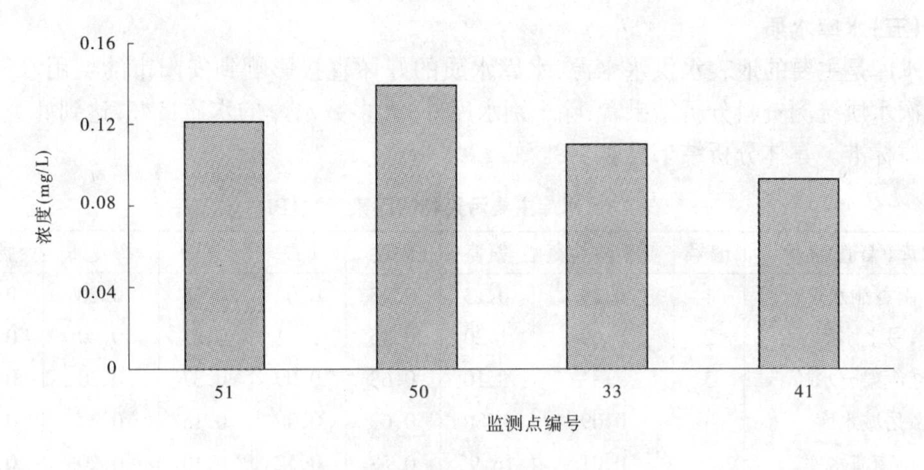

图 7-6 卫河亚硝酸盐氮浓度的沿程变化

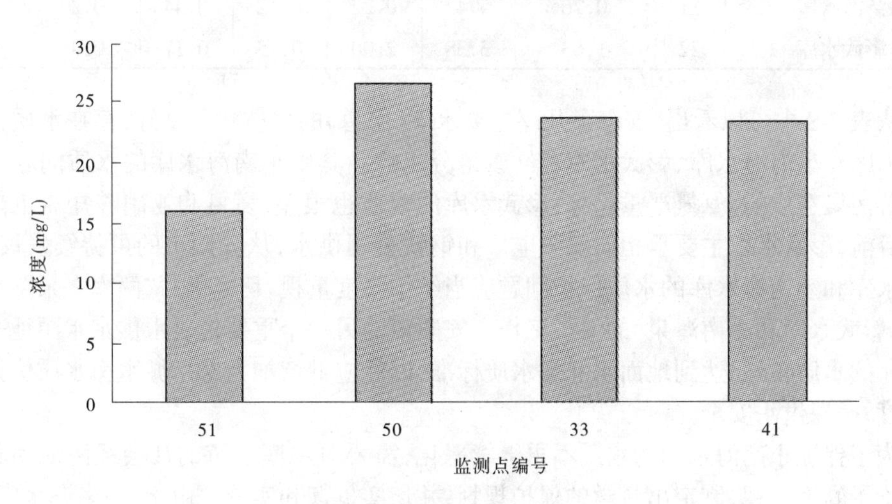

图 7-7 卫河氨氮浓度的沿程变化

氨氮浓度和 COD 浓度仍然分别超过Ⅴ类水质标准 31 倍、47.3 倍;54 号监测点和 49 号监测点的挥发酚也分别超过Ⅴ类标准浓度 7.2 倍、9.6 倍。具体分析结果见表 7-6 和表 7-7。

表 7-6 金堤河主要污染物浓度分析结果 (单位:mg /L)

编号	挥发酚	COD	氨氮	亚硝酸盐氮
54	0.72	252	105	0.454
49	0.96	710	47.9	0.219

表 7-7 金堤河主要污染物浓度超Ⅴ类标准浓度的倍数

编号	挥发酚	COD	氨氮	亚硝酸盐氮
54	7.2	16.8	70	0.45
49	9.6	47.3	31	0.22

(五)水库水质

水库是主要的地表水供水水源,水库水质的好坏直接影响到安阳市的供用水质量。从本次水质统测资料分析结果看,除个别水库外,大多数水库的水质良好,达到Ⅱ类或Ⅲ类水质标准。具体分析结果见表7-8。

表7-8　水库主要污染物的污染指数(PI)

水库(渠道)名称	编号	亚硝酸盐氮	氨氮	硬度	Cl^-	COD	挥发酚	大肠杆菌
南谷洞水库	1	0.19	0.13	0.43	0.02	0.28	0.20	0.00
弓上水库	2	0.09	1.20	0.45	0.01	0.23	0.20	0.00
红旗渠分水岭	3	2.37	8.10	0.68	0.09	0.37	0.20	0.02
岳城水库	20	0.09	0.80	0.62	0.08	0.15	0.20	0.00
小南海水库	21	0.01	16.95	0.58	0.52	0.10	0.20	0.13
汤河水库	31	0.76	5.42	0.22	0.12	0.44	0.20	4.60
彰武水库	22	1.63	3.38	2.00	0.75	0.11	0.48	0.20

从表7-8中可以看出,安阳市几座主要水库(渠道)的水质状况良好,存在水质污染问题的水库有小南海水库、彰武水库和红旗渠分水岭。其中小南海水库的水质问题主要是由上游污染造成的,氨氮严重超标;彰武水库的水质也很差,氨氮和亚硝酸盐氮也严重超标。目前,彰武水库主要承担向安阳电厂和钢铁公司供水,从安阳市的可持续发展考虑,彰武水库和小南海水库的水质保护问题应当给予高度重视,切实做好"两库一泉"(小南海水库、彰武水库和小南海泉)的保护工作。安阳市的另一个重要地表水供水水源地——岳城水库的水质良好,达到地面水Ⅱ类水质标准,以后应继续加大对岳城水库水质保护工作的力度,确保供水安全。

为了保证小南海水库的水质不再继续恶化,需要对水库上游的社会经济活动和排污问题给予高度重视,制定出科学的保护规划,并切实贯彻和实施。由于"小南海水库、彰武水库和小南海泉"供水水源地系统对安阳市的长远发展十分重要,因此应当对"两库一泉"的保护工作给予战略上的高度重视,并采取切实可行的措施,制止污染的进一步加剧,保障安阳市21世纪的供水安全。

二、地下水水质

通过实地调查和水质资料分析发现,内黄县和滑县局部区域目前仍然分布有351km^2和172km^2的微咸水,其矿化度大于1g/L和小于3g/L;微咸水的具体分布位置和范围见附图17安阳市水文地质图。但本次主要是利用2000年的两次水质统测资料,重点分析和评价地下水污染态势和污染源分布等。

(一)地下水质总体评价

1.第一次水质统测分析结果

地下水是安阳市的主要供水水源,1998年安阳市总供水量约为21亿m^3,其中地下水供水量占全市总供水量的80%以上。这说明,安阳市的地下水资源对于全市社会经济的发展发挥着极其重要的作用。因此,地下水水质的好坏直接关系到安阳市的供水安全和21世纪社会经济的可持续发展。

为了进一步了解和评价安阳市地下水水质状况，在已有长期观测资料和成果的基础上，又在安阳市境内的重点区域新布设了19个地下水水质监测点，连同已有的地下水水质长期观测站点共计40个，于2000年3月份进行了水质统测。这里必须指出，由于地下水水质监测站点主要集中布设在河道两侧以及其他潜在的污染区域，包括污灌区，因此地下水水质监测点的水质分析结果可能有一些片面性，反映的地下水污染态势可能被一定程度地强化了，加上监测点密度不足，不能全面反映安阳市所辖区域地下水水质的整体状况。但水质统测分析的结果确实是客观存在的，应当引起有关部门的重视。

虽然本次水质统测分析结果只是从一个侧面反映地下水水质问题，但考虑到地下水水质主要受地表水水质和人为排污活动的影响，因此这些分布在重点或敏感区域(如河道两侧、污灌区等)的监测站点水质分析结果，可以集中反映地下水水质所受到的影响。根据前面地表水水质评价结果，安阳市所辖区域的地表水几乎呈现全部被污染的态势，一些河流几乎成为了死河和排污河。在这种地表水体被严重污染的形势下，地下水水质状况评价就显得更加重要。同时，污灌区的地下水水质更是人们所关注的问题之一。

根据2000年3月份的水质统测资料，较详细地分析了全市地下水的主要污染物、污染指标及其超标程度。具体分析结果见表7-9、表7-10。

表7-9　安阳市地下水主要污染物污染指数(PI)

行政分区	编号	亚硝酸盐氮	氨氮	硬度	Cl^-	COD	大肠杆菌
林州市	5	0.10	3.95	0.61	0.02	0.50	0.00
	6	0.05	0.70	0.60	0.03	0.23	0.00
	7	0.40	1.20	1.23	0.25	1.13	566.67
	8	0.05	0.13	0.60	0.05	0.20	0.00
	9	0.05	0.13	0.53	0.05	0.23	0.00
安阳县及安阳市区(郊)	12	0.15	3.95	1.06	0.36	0.23	0.00
	13	0.15	0.80	0.60	0.04	0.20	13.33
	14	0.20	2.90	0.84	0.14	0.30	13.33
	15	0.15	1.35	0.92	0.16	0.20	0.00
	16	0.25	2.20	1.85	0.16	0.37	0.00
	17	25.30	8.05	0.76	0.29	2.67	6.67
	18	0.10	1.15	0.93	0.33	0.27	6.67
	19	0.10	0.70	1.05	0.51	0.27	0.00
	27	0.10	1.45	0.86	0.12	0.23	6.67
	28	0.10	1.15	1.19	0.46	0.27	6.67
	29	0.05	1.40	1.31	0.48	0.30	0.00
汤阴县	34	0.03	0.13	0.58	0.06	0.23	0.00
	35	0.25	0.13	0.64	0.07	0.23	43.33
	36	1.20	0.13	2.85	1.68	0.40	43.33
	37	0.03	0.13	1.33	0.46	0.23	0.00
	38	0.03	1.55	1.44	0.61	0.30	16.67
	39	0.80	0.60	1.03	0.27	0.37	800.00
	40	0.30	0.13	1.06	0.46	0.20	0.00

续表 7-9

行政分区	编号	亚硝酸盐氮	氨氮	硬度	Cl^-	COD	大肠杆菌
内黄县	42	0.03	0.35	1.32	0.42	0.33	36.67
	43	0.15	18.15	0.95	0.21	1.00	0.00
	44	0.05	0.13	0.85	0.09	0.27	6.67
	45	0.03	0.13	0.96	0.24	0.33	0.00
	46	3.10	10.15	6.38	6.32	1.13	6.67
	47	0.30	0.13	1.88	1.24	0.33	23.33
	48	0.10	4.45	0.93	0.09	0.33	3 066.67
滑县	55	0.25	1.50	1.05	0.37	0.50	0.00
	56	0.10	0.13	0.74	0.14	0.23	26.67
	57	0.50	4.75	0.85	0.15	0.37	0.00
	58	0.05	11.00	1.19	0.23	0.47	0.00
	59	0.03	3.50	1.72	1.32	0.43	0.00
	60	0.03	2.25	0.75	0.28	0.37	76.67
	61	0.05	4.55	1.12	0.37	0.43	76.67
	62	0.10	5.30	1.21	0.29	0.43	1 800.00
	63	0.03	0.13	0.90	0.12	0.27	110.00
	64	0.20	6.25	1.61	1.61	0.43	0.00

表 7-10　安阳市各行政分区地下水水质超标率分析结果　(%)

行政分区	亚硝酸盐氮	氨氮	硬度	Cl^-	COD	大肠杆菌
林州市	0	40	20	0	20	20
安阳县及安阳市区(郊)	9	82	45	0	9	55
汤阴县	14	14	71	14	0	57
内黄县	14	43	43	29	29	71
滑　县	0	80	60	20	0	50

从表 7-9 中的分析结果可以看出,林州市境内有 5 个监测点,其中 7 号井点地下水污染最为严重,大肠杆菌超标竟达 566.67 倍;5 号井点地下水存在较严重的氨氮污染,超标近 4 倍,其他指标符合地下水Ⅲ类水质标准。由于 7 号井点地下水的大肠杆菌和氨氮、硬度、COD 都超标,这说明 7 号井点地下水主要来自生活污染,其污染源可能主要是林州市城区的生活污水或各种固体废弃物等。

安阳县及安阳市区(郊)共布设了 11 个地下水水质监测井点。从表 7-9 中的分析结果可以看出,安阳县及安阳市区(郊)所有监测井点的地下水均遭到程度不同的污染。主要污染因子包括氨氮、硬度、大肠杆菌,其超标井点数分别占总监测井点数的 92%、45% 和 54%。硬度超标主要是由于地下水超采造成的,而氨氮和大肠杆菌超标则反映出地下水污染主要是由工业和生活污染源造成的。由于安阳市区(郊)地下水监测井点主要位于洹河附近,地下水污染主要受洹河污水的影响。另外,地表排污活动也对地下水水质产生一定的直接影响。例如17号监测井点的地下水严重污染就与当地企业的排污有关。

滑县的地下水污染也十分严重，所有监测井点的地下水均遭受程度不同的污染，主要污染因子为氨氮、大肠杆菌、硬度等。其中56、60、61、62、63号井点的地下水大肠杆菌超标27～1 800倍；55、57、58、59、60、61、62号和64号井点的地下水氨氮超标1～11倍。

汤阴县和内黄县的地下水水质相对好一些，除河流两侧的监测井点的地下水外，其他井点的地下水水质污染指标基本符合Ⅲ类水质标准。但总硬度超标较明显，这反映了背景水文地球化学的特点。45号监测井点水质分析结果表明，污水灌区（豆公灌区）的地下水未发现被污染的迹象，从一个侧面说明包气带和含水层对污染物具有较强的降解、纳污能力。

安阳市东部平原区地下水硬度普遍偏高，而水化学类型也与山前倾斜平原的地下水水质类型不同。硬度和氟含量的普遍偏高主要是由原生的水文地球化学特征（条件）决定的，而不是人为污染所造成的。由于本次水质统测的井点仍显得偏少，难以详细描述和刻画地下水污染的空间态势（污染程度和范围等）。例如，洹河沿线的地下水到底有多宽的一条污染扩散带，根据现有的资料还难以回答。

从表7-10中可以看出，安阳市不同区域地下水的主要污染因子也不同。其中林州市地下水的主要污染因子是氨氮；安阳县和安阳市区（郊）地下水的主要污染因子是氨氮、大肠杆菌和硬度；汤阴县地下水的主要污染因子是硬度和大肠杆菌；内黄县地下水的主要污染因子是大肠杆菌、氨氮和硬度；滑县地下水的主要污染因子为氨氮、硬度和大肠杆菌。从这些超标情况看，尽管不同地区超标污染物种类不同、程度各异，但总体上可以得出如下一些基本特点：

（1）氨氮和大肠杆菌是最主要的污染物质，反映了人为污染的特点，而不是背景水文地球化学条件所决定的。其中超标率最高的污染物为氨氮，达82%。这从一个侧面说明，安阳市全社会对卫生用水和废污水、固体垃圾等的治理工作任重而道远，仍有待进一步加大治理和宣传力度。

（2）常规化学指标中硬度是主要污染因子。但其中不能否认一些地区是由背景水文地球化学条件所决定的，这可以从氯离子浓度的超标情况以及以前的有关分析成果中得到佐证。如位于安阳市东部平原的汤阴、内黄、滑县，其地下水的氯离子含量明显偏高，而西部山丘区（如林州市）和山前倾斜平原区地下水的氯离子含量基本没有超标的现象。这种地下水的水化学空间特点，是与山前冲洪积扇和冲积平原地下水的水文地球化学的演化规律相一致的。

从地区差异上来说，林州市的地下水水质相对最好，最高超标率仅为40%；安阳县、安阳市区（郊）和滑县的地下水水质最差，主要污染因子的超标率最高达80%；而汤阴县和内黄县的地下水水质属于中等水平，最高超标率为71%。

2.第二次水质统测分析结果

由于地下水流动十分缓慢，而且安阳市境内分布有7万多眼抽水井。因此可以推断，地下水中的污染物扩散范围不仅受到地下水污染物浓度场的影响，而且更重要的是明显受到水动力场的影响。为了更深入详细地了解和评价安阳市地下水水质状况，本研究利用安阳市环境保护局提供的2000年5～7月份全市地下水水质统测资料，全市所辖区域共设立了444个地下水水质监测井点(见图7-1),对地下水中的各项污染指标进行了分析研究。这是安阳市继2000年3月份开展的第一次水质统测后进行的第二次水质统测工作。这次地下水水质统测资料弥补了第一次水质统测工作中地下水监测井点不足的弱点,极大地提高了本次水资源质量评价的精度,加深了对安阳市地下水水质状况的系统了解和认识,使得本次评价结果更有参考和应用价值。

根据2000年5~7月份的地下水水质统测资料,对安阳市各行政分区地下水水质的主要生化指标的超标情况(超过Ⅲ类地下水水质标准)进行分析。具体分析结果见表7-11和图7-8。

表7-11　安阳市各行政分区地下水水质监测井点超标率　(%)

监测项目	林州市	安阳市区(郊)	安阳县	汤阴县	内黄县	滑县
总硬度	16.22	25.81	21.43	48.98	37.93	33.33
氨氮	2.70	0.00	0.00	2.04	39.66	67.86
硝酸盐氮	16.22	3.87	5.36	30.61	1.72	0.00
亚硝酸盐氮	29.73	6.45	25.00	18.37	17.24	7.14
硫酸盐	0.00	0.00	0.00	0.00	0.00	0.00
氯化物	2.70	0.65	0.00	12.24	8.62	8.33
氟	2.70	0.00	10.71	18.37	31.03	19.05
铬	0.00	0.65	0.00	0.00	0.00	0.00
铁	0.00	1.94	7.14	2.04	65.52	84.52
高锰酸盐指数	2.70	0.65	1.79	2.04	5.00	2.38
总溶解性固体	2.70	18.06	5.36	4.08	5.00	11.90
大肠杆菌	67.57	53.55	94.64	95.92	100.00	86.90
细菌总数	62.16	26.45	62.50	48.98	66.67	40.48
平均	15.80	10.62	17.99	21.82	29.11	27.84

从表7-11中可以看出,安阳市所辖区域按照从西部山丘区到东部平原区的顺序:林州市、安阳市区(郊)、安阳县、汤阴县、内黄县和滑县,地下水水质存在一定的地带性分布规律:

(1)地下水总硬度从山丘区向平原区有不断增高的趋势。总硬度超标率从林州市的16%增加到汤阴县的49%。地下水总硬度一般反映的是原生水文地球化学特征。

(2)氨氮指标一般反映的是人为污染。地下水氨氮污染由西向东逐渐趋于严重,超标率到内黄县和滑县竟高达40%和68%;林州市的超标率仅为2.7%(超标监测井点数与总监测井点数的比值,用百分数表示);而安阳市区(郊)和安阳县几乎未发现有地下水氨氮超标的监测井点。

(3)地下水中硝酸盐氮和亚硝酸盐氮超标问题在林州市和安阳县比较突出;其次是汤阴县、内黄县、安阳市区(郊)和滑县。

(4)地下水中氯化物和硫酸盐反映的主要是背景水文地球化学特征,呈现出从山前向平原增加的趋势;硫酸盐普遍没有超标,但氯化物在汤阴县、内黄县和滑县均有一定程度的超标。

(5)地下水中氟化物的来源既有人为污染的原因,也受背景水文地球化学变化规律的影响。从安阳市的情况看,背景水文地球化学特征的影响因素更大一些,其中东部内黄县地下水中氟超标率最高,滑县、汤阴县、安阳县次之。

(6)铬超标不严重,仅仅在安阳市区(郊)有个别监测井点超标。

(7)铁也受背景水文地球化学规律的影响,同时也受人为排放污染物的影响。内黄县和滑县地下水的铁离子含量超标严重。这是由背景水文地球化学特征决定的,还是由人为污染造成的,或者是双重影响因素共同作用的结果,还有待进一步分析和探讨。

(8)第二次水质统测分析结果中发现一个很大的问题是:所有监测井点地下水的细菌指标均出现严重超标现象,内黄县地下水的大肠杆菌超标率高达 100%。从安阳市所辖区域地下水的赋存条件和包气带对细菌过滤的能力来看,大范围地下水细菌超标的可能性不大。出现大范围井点地下水细菌超标的原因可能是两个:一是井边周围保护不好,人畜粪便和污水排入井中造成井水污染;还有一个原因是样品保存和监测检验程序不太规范或条件所限,从而造成了水样二次污染。同时,也不排除由地表水严重污染诱发地下水细菌超标的问题。这个问题有待进一步分析和研究解决。

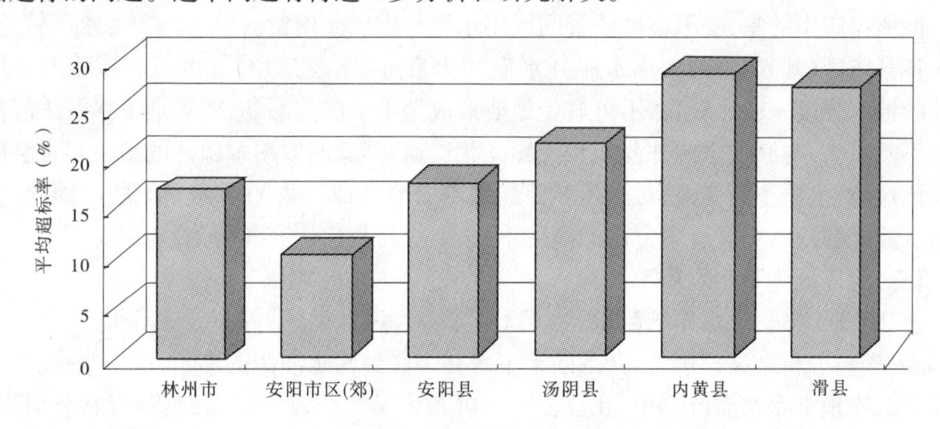

图 7-8 安阳市各行政分区地下水平均超标率分布

从图 7-8 中可以发现,安阳市地下水主要污染物的平均超标率从西部山丘区到东部平原区、从上游到下游总体上呈递增趋势,说明地下水的污染程度呈明显的加剧趋势。这和区域水资源运动方向是一致的,同时也反映了地下水水质明显受地表水水质的影响。

(二)饮用水源地的水质

饮用水是水资源质量评价和保护的重中之重,是水质保护的优先目标。综合分析两次水质统测资料发现,安阳市地下水的饮用水源地(饮用水井点)的水质状况总体上不容乐观。除安阳县、安阳市区(郊)和林州市地下水的饮用水水质较好外,滑县、内黄县和汤阴县的饮用水水质均比较差,尤其是细菌的超标情况最为严重。具体分析结果见表7-12和表 7-13。

表 7-12 安阳市各行政分区生物指标超标情况统计分析结果

分区名称	井数*	细菌总数超标率(%)	大肠杆菌超标率(%)
林州市	35	77	100
安阳县	56	70	95
安阳市区(郊)	114	33	54
汤阴县	49	49	96
内黄县	58	67	100
滑　县	79	49	87
全　市	391	53	83

注:* 本次地下水水质监测井点中饮用水井的数目。

从表 7-12 可以看出,安阳市所辖区域地下水饮用水源地(饮用水井)的细菌和大肠杆菌超标相当严重。其中全市饮用水源地(饮用水井)的地下水细菌总数超标率为 53%,大肠杆菌超标率为 83%。这说明,安阳市地下水的人为污染已达到了十分严重的地步,已对全市的供水安全构成威胁,对安阳市 21 世纪可持续发展构成严峻的挑战,迫切需要安阳市政府及有关职能部门迅速采取行动。

但值得庆幸的是,安阳市城镇管网饮用水源井水质除内黄县一水厂和二水厂较差外,其余各县市区(郊)的管网饮用水源井水质均为良好(见表 7-13)。由于城镇管网饮用水源井的抽水强度一般比较大,不可避免地要形成地下水降落漏斗,随着地下水开采降落漏斗的不断扩大,与其他水源井漏斗和反漏斗相连通,其管网饮用水源井的地下水也会随之被逐渐污染,水质不断变差,对全市城镇的供水安全造成巨大的压力和威胁。因此,安阳市的水质问题应当引起有关方面的高度重视,要进行超前研究和防范,未雨绸缪。

(三)污灌区地下水水质

在 2000 年第一次水质统测中,特在豆公灌区(污水灌区)内布设 1 个地下水监测井点,监测资料分析结果显示,该井点的地下水并未受到污水灌溉的影响,地下水水质良好。但在第二次地下水水质统测中,在豆公灌区内布设了 3 个监测井点,监测资料分析表明,该灌区地下水细菌总数超标的监测井点有 2 个(17 号和 19 号井点),而 3 个监测井点的大肠杆菌群均超标,总硬度有 1 个监测井点(18 号井点)超标,铁含量有 2 个监测井点(17 号和 19 号井点)超标,氟化物有 1 个监测井点(19 号井点)超标。

由 2000 年的两次水质统测资料分析可以发现:①污水灌溉对于浅层地下水的水质有一定影响,使得一些生化指标严重超标,但污染物的污染机理和包气带、含水层的自净能力等有待进一步研究;②松散岩类尤其是在地下水大埋深条件下有相当强的自净能力,对地下水具有较强的保护作用,使得一些污染物(氨氮、亚硝酸盐氮等)不能直接进入、污染地下水;③污水灌溉对地下水水质、土壤和农作物的影响程度以及污染因子在时空上的分布规律等,目前还很难确定,尚需要进行更深入的分析和研究。

在安阳市区(郊)东南部灌区地下水水质超标较严重,44 号井和 47 号井有多项指标严重超标,其中 44 号井的亚硝酸盐氮超标 23.65 倍(Ⅲ类标准)。

表 7-13　安阳市各行政分区自来水厂的地下水水质监测分析结果

（单位：mg /L）

自来水厂	总硬度	氨氮	硝酸盐氮	亚硝酸盐氮	硫酸盐	氯化物	氟	铬	铁	高锰酸盐指数	溶解性总固体	大肠菌群（个/L）	细菌总数（个/L）
安阳市二水厂	422.4	0.034	7.67	0.002	46.08	117.08	0.28	0.012	0.17	0.58	952	0	1
安阳市三水厂	344	0.064	2.84	0.002	27.06	58.54	0.33	0.008	0.02	0.89	588	0	1
安阳市一水厂	428	0.028	6.18	0.002	39.58	92.84	0.27	0.011	0.02	0.32	672	0	1
安阳市四水厂	346	0.034	5.39	0.002	31.24	27.79	0.26	0.005	0.02	0.39	766	0	1
滑县一水厂（♯1）	325	0.086	0.16	0.013	35.9	29.96	0.001	0.90	0.02	1.26	591	0	26
滑县一水厂（♯2）	315	0.077	0.21	0.012	37.74	31.34	0.001	0.88	0.02	0.97	478	0	1
滑县二水厂	360	0.01	0.16	0.012	60.84	87.91	0.001	0.90	0.08	1.34	526	0	1
汤阴县自来水公司	415	0.012	6.46	0.012	135.65	135.01	0.66	0.002	0.02	0.9	642	70	14
汤阴县新水厂	385	0.012	5.88	0.013	133.34	62.09	0.66	0.002	0.02	0.86	526	92	7

由于市区东南部灌区利用万金渠和洪水河的来水灌溉，而上述两条河渠的水质均为严重污染的污水，属于超Ⅴ类水质。由此可以看出，污水灌溉对灌区地下水水质确有不利影响，虽然污染程度不同，但仍应引起注意，尽量做到合理地进行污水灌溉，使污水灌溉可能造成的危害降低到最低限度。国外的经验表明，对于蔬菜类无论如何不能用污水进行灌溉。

由于在污灌区布设的地下水水质统测井点数量较少，更缺乏系列水质监测资料，所以仅凭在豆公灌区临时布设1～3个监测井点来分析和评价豆公灌区的地下水水质状况，有相当大的难度。一方面统测时间为3月份和7月份两个季节，且仅有一年的资料；另一方面监测井点的井深和层位、成井工艺等资料缺乏。因此，据此资料来判断和评价豆公灌区(污水灌区)地下水污染情况还不够全面。由于地下水污染具有长期隐伏性和难以恢复性的特点，在安阳市水资源管理和保护工作中要作为一个重点来解决。

值得认真对待的是，由于安阳市平原区的地表水水质普遍较差，所有引用地表水进行灌溉的灌区均应注意地下水的污染问题。同时，河流两侧的地下水水质也是监控的重点区域。总之，安阳市应加强对地下水水质的监测力度，尤其是对重点区域和敏感区域(水源地、污河两侧、污水灌区等)的监控。

(四)高氟及高硬度区分布特点

全市的水质资料分析显示，安阳市的高氟区主要分布在内黄县、滑县和汤阴县。由于地表水未见氟污染的迹象，所以地下水的高氟问题主要不是人为污染造成的，而应属于背景水文地球化学特征(条件)决定的。

高硬度区同样集中在平原的中东部区的内黄县和汤阴县，在汤阴县和内黄县存在两个硬度高值区。根据当地的水文地质条件和污染物调查，汤阴县和内黄县地下水的高硬度属于原生水文地球化学异常，而不是人为污染引起的。

尽管地下水中高氟、高硬度并非人为污染所致，但在水资源开发利用中要结合当地的水质条件，注意保护用水安全。对于饮用水和锅炉用水等要注意水质处理或改水工作，以避免诸如氟中毒和锅炉爆炸等灾难性事件的发生。

除高氟外，内黄县和滑县等东部县地下水的铁离子含量也很高，很多监测井点地下水水质属于Ⅴ类水质标准。这与背景水文地球化学特征有关，并非人为污染所致。

第三节　污染原因分析

一、地表水污染源分析

全市地表水污染的产生与污染物的排放有直接的关系。根据各主要河流沿岸的污染源分布特征，分析和对比现有各主要河流的纳污情况及其降解纳污能力，从中不难发现地表水污染问题的根源所在。

(一)洹河

1.排污口

根据洹河水质资料评价结果和相关分析图件显示，洹河水质从上游到下游沿途不断恶化。由洹河污染物的物理化学和生物化学反应机理分析可知,水中的污染物沿途应不断衰减,但洹河水体的各类主要污染物实际情况却几乎与此规律恰恰相反。这种情况说明,洹河沿途污染物不断排入河中,使得河水的自净能力远远小于污染物的排入量。从上游到下游洹河沿途排污口及污染负荷量的分布特点,见图 7-9。其中污染负荷量以 COD_{Cr} 负荷量计。

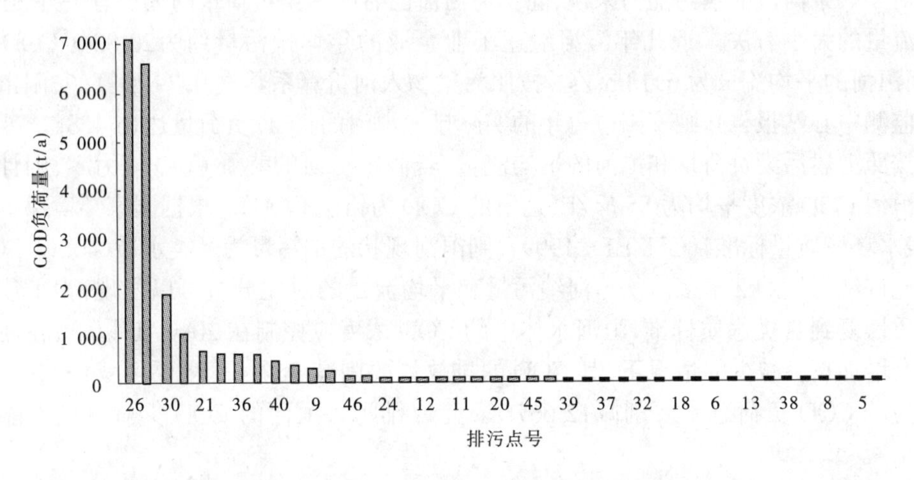

图 7-9 洹河沿途排污口分布及污染负荷量

由图 7-9 可见,洹河沿途的污染物不断排放进入洹河水体中,使得河水的污染负荷不断增大。其中安阳钢铁公司的排污量最大,污染物的不断排入是洹河水质不断恶化的根本原因。

2. 负荷分布

从洹河沿途分布的四十几个排污口的 COD 排放量来看,可以大致了解洹河沿线的污染源分布情况(见表 7-14)。

表 7-14 洹河沿途主要排污企业分布及污染物排放量统计结果

排污口号	企业名称	COD 负荷量(t/a)	COD 负荷量所占比例(%)
26	安钢公司	7 000	33.60
25	安钢焦化厂	6 560	31.49
30	安阳染料厂	1 800	8.64
41	啤酒印染等	1 000	4.80
21	安阳电厂	610	2.93
1	安阳木糖厂	547	2.63
36	市郊造纸厂	540	2.59
14	安阳化肥厂	539	2.59
40	安阳造纸厂	419	2.01
总计		19 015	91.27

注:数据来自《安阳市地面水环境污染现状调查与评价》,安阳市水环境规划管理处,1997 年。

从表 7-14 中可以清楚看出,洹河沿途的排污口主要是安钢(26 号排污口)及其所属的焦化厂(25 号排污口),这两个排污口的 COD 总负荷量占洹河纳污总量的 65%;前 9 位排污大户的总 COD 排放量占洹河纳污总量的 91% 以上。这个分析结果说明,洹河污染治理的关键在于沿河排污大户的排污治理。

3. 纳污能力

对于一条河流的纳污能力来说,除了与河流已有的污染负荷量的大小有关外,还与河川径流量的大小有关。近几年洹河沿途工业企业的年均排污量约为20 834t COD 负荷量,而洹河的平均流量为 6.18m^3/s。按照污染物入河折算系数选 0.79 计算(安阳市环境保护监测中心站报告),则安阳市每年的实际排入洹河的 COD 负荷量达16 458t。

按照上述污染负荷量和洹河的平均流量,若假定洹河的背景 COD 值为零,则计算得出的洹河 COD 浓度平均为 85mg/L(这里的 COD 为铬法 COD)。根据国家环境保护标准《地表水环境质量标准》(GHZB1 - 1999),则洹河现状的纳污量为Ⅴ类水质(40mg/LCOD)标准允许纳污量的 2 倍多。从洹河纳污量和平均流量的对比分析可以发现,为了使洹河的水质恢复到Ⅲ类水质标准,洹河水体中的 COD 浓度应控制在 20mg/L 以下,在河水流量不会增加只会减少的情况下,其 COD 的排放量要削减 76%,总量要削减15 833t/a,排入洹河的 COD 负荷总量要削减12 667t/a,允许排污入洹河的 COD 负荷总量不能超过 3 800t/a。

(二)汤河

汤河沿途分布有排污口和入河支流 7 个,汤河流域排污口分布比较复杂,尽管只有 7 个大的排污口,但涉及的企业有几十家。主要的排污企业包括玉米加工厂(排污量 2 528t/a)、汤阴造纸厂(排污量6 893t/a)、平原制药厂(排污量5 870t/a)、化纤公司(排污量1 197t/a)。这四个大企业的排污量总计16 488t/a,占汤河排污总量的 68%。因此,汤河和洹河的情况比较接近,沿河的主要排污大户很少,只有四五家。汤河沿途各个排污口分布及其年 COD 负荷量,见表 7-15 和图 7-10。

表 7-15　汤河排污口分布及其年 COD 负荷量统计结果

排污点号	企业名称	COD 负荷量(t/a)
7	电池厂等	13 000
6	水泥厂等	8 400
3	玉米综合加工厂	2 528
4	豫鑫公司	242
1	汤阴化工厂	128
2	汤阴磁性材料厂	46
5	永新助剂厂	1
总计		24 345

注:数据来自《安阳市地面水环境污染现状调查与评价》,安阳市水环境规划管理处,1997 年;折减系数为 0.48。

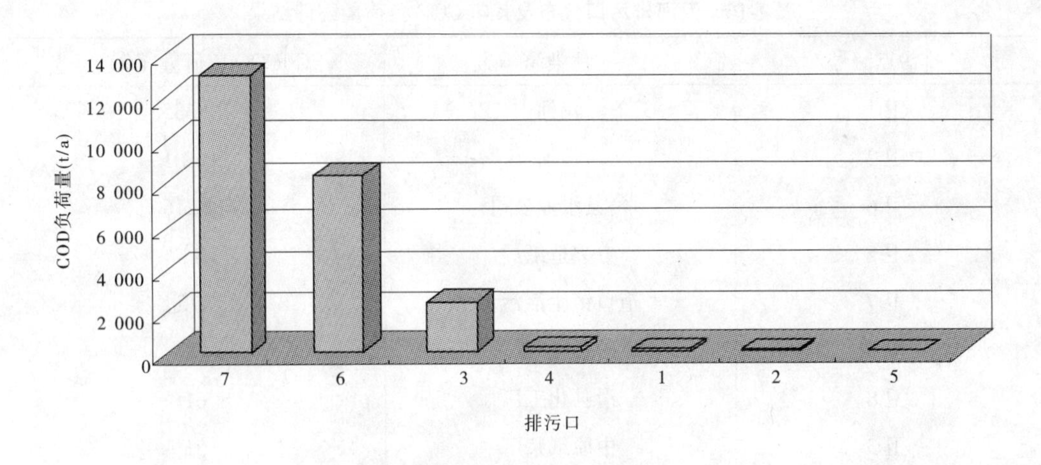

图 7-10　汤河排污口分布及年 COD 负荷量

从表 7-15 和图 7-10 中可以看出，汤河沿途排污量最大的排污口有 3 个，即 7 号、6 号和 3 号排污口。如果将这三个排污口的污染物排放量削减下来，则汤河的水质要改善很多。这就为下一步治污和削减各工业企业的排污量提供了可靠的依据。

根据近几年的调查统计，汤河沿线的主要工业企业每年排放的 COD 负荷量约为 24 345t，而排入到汤河的 COD 负荷量约为11 685t/a。按照汤河的平均径流量 2.19m^3/s（1987～1995 年）计算，则汤河的 COD 平均浓度达到 169mg/L，相当于Ⅴ类地表水质标准浓度的 4 倍多。

如果使汤河的水质恢复到Ⅲ类水质标准，则汤河沿线工业企业的 COD 排放量要削减 21 463t/a，排入汤河的 COD 负荷量要削减10 302t/a，而汤河允许纳污量仅为1 383t/a COD 负荷量。同样，汤河污染负荷量的削减任务也是十分艰巨而繁重的，要削减 88％的 COD 排放量。

（三）卫河

根据前面卫河水质的分析评价结果，可以说卫河的水质极差。一方面入境水质就很差，进入安阳市境内后，又有一些排污口分布其沿线。其中滑县纸业公司排放的 COD 负荷量竟高达11 216t/a，其次是方兴造纸厂。如果不考虑洹河和汤河两个支流带入卫河的 COD 负荷量，仅这两家企业排放的 COD 负荷量就占了滑县 COD 排放量的 90％。卫河沿途各个排污口分布及其年 COD 负荷量，见表 7-16 和图 7-11。

卫河是一条跨境河流，河流的允许纳污量是与入境水量和水质状况有直接关系的，因此是一个开放性的河流系统。如果假定入境水质能够达到Ⅲ类水质标准，那么安阳市境内卫河沿途排污口及支流入河口的水质必须达到Ⅲ类水质的标准，才能够实现卫河水质达到Ⅲ类水质标准的目标。

卫河七大排污口的污水量为1 500万 m^3/a，而地表水Ⅲ类水质的 COD 负荷量为 20mg/L。由此不难算出，卫河的允许入河 COD 负荷量仅3 000t/a，仅为现状各工业企业排放 COD 负荷量的 19％。也就是说，卫河沿线工业企业要削减 81％的 COD 排放量。

表 7-16　卫河排污口分布及其年 COD 负荷量统计结果

排污点编号	污染源	COD 负荷量(t/a)
卫 1	汤河	22 335
卫 2	洹河	20 801
卫 6	滑县纸业公司	11 216
卫 5	方兴造纸厂	3 117
卫 7	道口镇生活污水	876
卫 9	滑县化肥厂	420
卫 8	滑县化工厂	61
卫 3	中原纸浆厂	51
总计		58 878

注:数据来自《安阳市地面水环境污染现状调查与评价》,安阳市水环境规划管理处,1997 年;入河系数按 1 计。

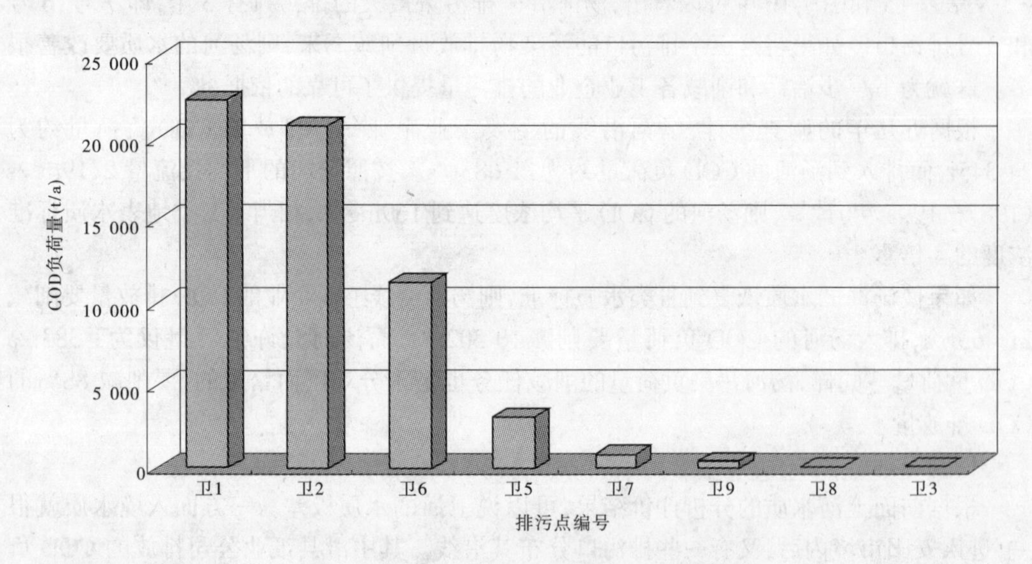

图 7-11　卫河排污口分布及年 COD 负荷量

(四)金堤河

安阳市境内的金堤河两岸分布 11 个排污口,总污水量 1 846 万 m^3/a,COD 排放量 65 335t/a。主要是一些造纸厂的污水,其中新华造纸厂和滑县新闻造纸厂等两大排污口的 COD 排放量占总 COD 排放量的 79%,污水量占总量的 60%。具体分析统计结果见表 7-17 和图 7-12。

金堤河位于黄河流域,在滑县境内的干流总长度为 39.55km。该河属于滑县排水总干渠,因此其流量完全受人为因素的影响。由于与卫河同属于跨境河流,因此其允许纳污量必须根据入境水质和排污情况来决定。

如果按照金堤河设计流量 80m^3/s 计算,同时假定其背景 COD 负荷量为零,则计算出的金堤河 COD 浓度为 26mg/L,接近Ⅳ类水质。但目前的实际情况是:①入境的水质已经很差；②来水流量也远远没有达到设计流量标准；③滑县各个造纸厂的排污量较大。由此可以看出，金堤河的水质状况不可避免地将会继续恶化。

按照金堤河下游49号监测点的水质分析结果，其氨氮浓度为48mg/L，是Ⅴ类水质标准的30多倍；而COD为710mg/L，为Ⅴ类水质标准的13倍。

表7-17　金堤河排污口分布及其年COD负荷量统计结果

排污点号	企业名称	污水量(万 m^3/a)	COD负荷量(t/a)
金2	新华造纸厂	695	38 620
金9	新闻造纸厂等	417	13 000
金7	五星造纸厂	170	5 855
金8	玻璃厂、光明造纸厂	126	2 373
金3	道口红旗纸厂	137	2 311
金11	贾固造纸厂	143	2 145
金10	胜利造纸厂	72	725
金6	热电厂等	74	240
金5	食品公司	4	33
金4	新华造纸二厂	4	18
金1	道南卫生纸厂	4	15
总计		1 846	65 335

注：数据来自《安阳市地面水环境污染现状调查与评价》，安阳市水环境规划管理处，1997年。

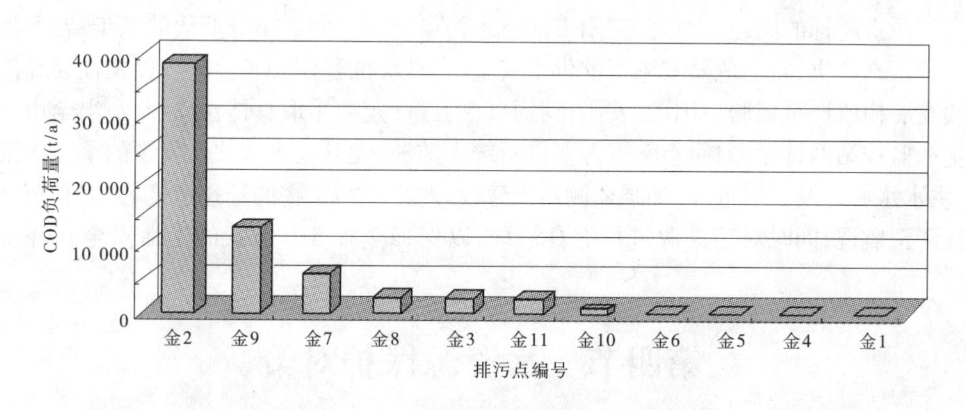

图7-12　金堤河排污口分布及年COD负荷量

同样，假定金堤河的入境水质满足Ⅲ类水质标准，如果滑县境内金堤河的水质恢复到Ⅲ类水质标准，则金堤河沿途排入河中的废污水水质不得低于Ⅲ类水质标准，按COD浓度为20mg/L(铬法)计算，金堤河滑县各排污口的总COD排放量不应大于369t/a。现状排污水量为1 846万 t/a，合COD负荷量65 335t/a，则需要削减COD排放量高达99%以上。可以说，滑县的污染总量控制任务是十分艰巨的，是安阳市辖区内削减排污量任务最艰巨的一个县。

二、地下水污染范围及原因分析

地下水水质主要受两大因素的影响:一是人为污染的影响;二是背景水文地球化学条件。常规离子中的总硬度、矿化度等指标在很大程度上受背景水文地球化学分布规律的影响。而氨氮、大肠杆菌等生化物质主要源于人为污染。从地下水水质的空间分布规律看,安阳市的地下水水质变化与地表水水质变化具有明显的相关性。地下水主要污染物在空间上的分布规律,见附图 7～附图 14。

从地下水氨氮浓度的空间分布看,安阳市地下水主要的污染区集中在卫河沿线附近、汤阴县和滑县金堤河两岸附近;洹河的沿岸也有氨氮污染浓度高值带分布;北部区域的氨氮高浓度值主要受 17 号监测井点的影响。该监测井点地下水受附近某工厂的排污影响,地下水呈现出严重污染的态势。

大肠杆菌的空间分布也与氨氮类似,主要浓度高值区集中在东部,包括金堤河和卫河下游区域。

总硬度超标比较严重,超过 450mg/L(Ⅲ类水质标准)的面积较大。这反映了随着地下水超采的日益严重和污染的不断加剧,地下水硬度则变得越来越大。而总硬度在全市范围内有两个高值区:一个分布在汤阴县境内;另一个出现在内黄县境内。这两个硬度高值区主要受水文地球化学条件的影响,而不是人为污染所致。

氟浓度总体上超标并不很严重,仅局部地区超过 1mg/L,分布范围较小,且主要是由原生的水文地球化学条件和人为污染造成的。

另外,局部地区的地下水还存在六价铬和挥发酚等污染。如在安阳市区(郊)自行车厂、火柴厂附近六价铬污染已有多年的历史;在安阳县安丰乡一带地下水中挥发酚和硝基苯类等严重超标的问题。总之,安阳市地下水污染问题已到了十分严峻的地步,若不加以重视和认真解决,将会危及安阳市的供水安全,对社会的稳定和长治久安以及社会经济可持续发展构成严重威胁。因此,安阳市各县(市)区一定要采取具体行动,制定出全市水资源统一监控站网计划,对全市水资源要进行统一监测,尤其是本次评价发现的重点污染区段、供水水源地及其附近,要加强监测站点建设,对主要污染物的迁移速度、方向和范围等进行严密监视,同时对污染源进行综合治理,以保障全市 510 万人的生活安全和环境安全。

第四节　水资源保护对策

一、水功能区划

水行政主管部门有责任加强水资源的保护和监督管理。在水资源保护方面,按照国务院“三定”方案的规定,从水功能区划着手,根据水体的现状和未来使用功能,结合社会经济发展和环境保护目标,制定分阶段的水功能区划水质管理目标和办法。

安阳市水功能区划是在河南省水功能区划的框架内,经过进一步细化确定的。按照使用功能，将地表水功能区分成饮用水功能区、工业用水功能区、农业用水功能区、渔业用水功能区、旅游娱乐用水功能区、景观用水功能区等。

二、允许纳污能力审定

水功能区划只是手段，目的是保护水资源质量，满足社会经济各个部门对水资源质量的需要。水功能区划的管理主要是纳污能力审定和允许纳污量的控制管理。根据本次研究的结果，安阳市各主要河流的污染负荷均已远远超过河流的自净能力或允许纳污量。因此，对于安阳市来说，核心问题是如何削减和控制排污量。

从本次分析结果可以看出，安阳市各主要河流的污染负荷量均已严重超过河流的自净能力。具体分析结果见表 7-18。

表 7-18　不同水质目标下安阳市各主要河流的污染负荷及其削减量分析结果

河流	现状负荷 COD(t/a)	入河 COD (t/a)	允许负荷 COD(t/a)	削减量 (%)
水质目标(高)(Ⅲ类)				
洹河	20 834	16 458	3 800	77
汤河	24 345	11 685	1 383	88
卫河	58 878	58 878	3 000	95
金堤河	65 335	65 335	369	99
水质目标(中)(Ⅲ类)				
洹河	20 834	16 458	5 700	65
汤河	24 345	11 685	2 074.5	82
卫河	58 878	58 878	4 500	92
金堤河	65 335	65 335	553.5	99
水质目标(低)(Ⅲ类)				
洹河	20 834	16 458	7 600	54
汤河	24 345	11 685	2 766	76
卫河	58 878	58 878	6 000	90
金堤河	65 335	65 335	738	99

从表 7-18 中可以看出，安阳市所辖区域地表水污染治理的任务是极其艰巨的，污染负荷削减量均在 50%以上，大部分在 70%～99%之间。要知道，表中各河流的允许纳污量是一种十分保守的估计值。按照实际的河流径流量，其允许纳污量可能还要更小。随着社会经济的发展，污染负荷还可能会有所增加。按照表中的水质恢复目标和削减量，安阳市的治污和削减污水排放量的工作难度是很大的，任重而道远。但随着产业结构的调整和环境保护工作力度的加强，分期分批逐步实现各主要河流水质目标、恢复往日生机盎然的河流生态景观是可能的。

三、产业结构调整

本次的水质分析和评价发现一个突出问题，即尽管安阳市所辖区域的水污染问题已十分严重，并且相当普遍，但主要的污染大户却很少，大多数流域的 COD 排放量主要集中在少数几家大型企业或用水大户上。只要切实加强污水达标排放的监督和管理，以及强化产业结构的战略性调整，大量削减污染负荷的目标是能够达到的，也是应该达到的。例如，滑县造纸业如要加强技术改造和兼并重组，提升生产工艺水平，增加水的重复利用率，其污染大户的形象会彻底改变。总之，通过逐步淘汰污染型企业，加大技术改造和污水处理/治理的资金投入，全市各主要河流水变清的目标一定会实现，"以水资源的可持续利用来保障经济社会可持续发展"的目标一定能够实现。

四、水资源保护立法与管理

安阳市的水资源质量已经恶化到了极其严重的程度。加强水资源保护的立法工作，强化水资源的统一监督、统一管理和统一保护工作显得极其迫切。按照行业分工和相互协作的原则，在水资源管理和保护的立法方面，安阳市水行政主管部门应积极推动制定或完善以下一些法律法规和规章制度：①水功能区划及管理办法；②排污口监督管理办法；③水资源保护管理办法；④水源保护管理条例；⑤水资源质量监测、信息发布和宣传教育等。

总之，加强水资源保护管理的立法工作是安阳市各级政府部门所面临的一项十分重要和迫切的任务。通过本次的水资源质量评价工作，对安阳市所辖区域的地表水和地下水水质状况有了比较全面的认识和了解。现在可以十分肯定地说，安阳市的水资源质量问题已经相当严峻，到了非下大力气进行综合治理和保护不可的时候了。全市水质的严重恶化已经威胁了安阳市 21 世纪的可持续发展，目前已经产生了一些较严重的社会和经济危害，已威胁着全市几百万人民的生命安全。其主要危害包括：①危害当地人民的身体健康；②加剧水资源短缺局势；③降低农作物产品质量和农业发展的后劲；④诱发水质纠纷，影响安定团结；⑤环境质量恶化，降低了人民的生活质量；⑥影响安阳市的景观环境和文明形象，对旅游和融资产生消极影响；⑦将会对供水安全构成严重的威胁，直接影响到子孙后代的生存和发展。因此，必须从保障安阳市可持续发展的战略高度来认识全市水资源保护的重要性和紧迫性。

第八章　供用水现状

由于近20年来安阳市没有组织过大规模、系统的供用水调查工作,因此无论是开展水资源评价、水资源开发利用现状评价,还是开展水资源开发利用规划等工作,均缺乏宝贵的第一手资料。为了真正弄清楚安阳市水资源开发利用的现状及存在问题,为水资源评价工作和开发利用规划奠定坚实的基础,系统地开展全市供用水现状调查工作是十分必要的。

安阳市供用水现状调查主要是从以下四个方面展开的:①社会经济调查;②水利工程及供水量调查;③用水量调查;④水质调查。社会经济调查的主要内容包括安阳市的人口、社会经济的基本情况;水利工程及供水量调查的主要内容包括蓄水工程、引水工程、地下水利用工程的供水能力、供水对象和供水量;用水量调查的主要内容包括农业、工业、城乡生活和生态环境的用水量;水质调查主要是调查安阳市地表水和地下水的水质和污染源等情况。

第一节　水利工程基本情况

安阳市自20世纪50年代以来,修建了大量水利工程,包括大型水库1座、中型水库7座、小型水库110座、橡胶坝2座、拦河闸多座以及多个大型供水渠系和大型灌区。特别是红旗渠,工程宏大,闻名中外。安阳市大型的供水渠系还有跃进渠、漳南干渠、幸福渠、万金渠、洹南渠等;还有许多塘、堰和水窖等小型水利工程;在平原地区先后打了7.5万多眼机电井。另外,在平原低洼地带设置了7处行滞洪区,总面积达986km^2。这些水利工程对促进安阳市的社会经济发展、保障城乡人民生命财产安全和改善人民生活条件都发挥了重要作用。

一、蓄水工程

(一)大中型水库

安阳市境内有大中型水库8座,总库容为3.87亿m^3(按防洪校核水位算),总兴利库容为1.64亿m^3,总集雨面积为2 251km^2,所控制的多年平均径流量为4.3亿m^3。除了小南海水库存在渗漏问题还没有彻底解决外,其他大中型水库目前都能够较好地发挥防洪和供水等综合利用功能。安阳市大中型水库的主要工程参数见表8-1。

现有的8座大中型水库,其总设计保护农田面积为6.8万hm^2,设计灌溉面积为6.52万hm^2,有效灌溉面积为4.27万hm^2。1995～1997年实际年均灌溉面积为2.13万hm^2,年均发电量为1 645万kW·h,年均总供水量为1.8亿m^3,其中城镇年均供水量为1.28亿m^3。其综合效益统计分析结果见表8-2。另外还有一座大型水库——岳城水库也向安阳市供一部分水量。

表 8-1　安阳市大中型水库的主要工程参数

水库名称	小南海	彰武	双全	汤河	琵琶寺	南谷洞	弓上	石门	合计
所在县市	安阳县	市郊区	安阳县	汤阴县	汤阴县	林州市	林州市	林州市	
所在河流	洹河	洹河	粉红江	汤河	永通河	露水河	淅河	石门河	
控制面积（km^2）	850	970	171	162	30	270	605	132	
年均径流量（万 m^3）	4 840	24 500							
校核洪水标准（年一遇）	2 000	1 000	1 000	5 000	1 000	5 000	1 000	500	
防洪校核水位（m）	187.80	137.25	224.29	121.22	124.70	531.30	509.95	386.10	
设计洪水标准（年一遇）	100	50	50	100	100	100	100	50	
防洪设计水位（m）	179.09	131.80	220.40	118.36	123.80	526.20	504.40	384.88	
兴利水位（m）	173.00	128.70	214.00	114.20	122.20	520.00	498.00	382.00	
兴利水位相应库容（万 m^3）	4 820	3 083	350	2 170	1 410	3 812	1 600	895	18 140
兴利库容（万 m^3）	4 363	2 733	300	2 133	1 365	3 052	1 580	844	16 370
死水位（m）	150.00	118.00	207.00	100.00	110.00	493.44	478.50	347.00	
死库容（万 m^3）	457	350	50	37	45	76	20	51	1 086
坝顶高程（m）	188.15	137.60	224.30	122.10	125.50	540.50	509.95	385.50	
最大设计总泄流量（m^3/s）	5 158	3 339	1 720	2 392	1 646	4 162	2 588	1 628	

注：最大设计总泄流量为水利枢纽的泄洪洞、输水洞、溢洪道等工程的设计最大泄流量之和。

表 8-2 安阳市大中型水库目前的综合效益发挥情况

水库名称	保护农田面积（万 hm^2）	设计灌溉面积（万 hm^2）	有效灌溉面积（万 hm^2）	城镇供水量（万 m^3）	装机容量（万 kW）	年发电量（万 kW·h）	年均供水量（万 m^3）
小南海	0.67	0	0	0	0	0	
彰武	2.67	3.33	1.20	12 600	0.16	300	
双全	0.16	0.20	0.02	0	0	0	
汤河	2.00	0.67	0.49	0	0	0	1 510.0
琵琶寺	0.67	0.35	0.27	0	0	0	377.7
南谷洞	0.10	0.67	0.67	0		200	2 183.5
弓上	0.25	0.80	1.33	200	0.05	50	1 934.5
石门	0.27	0.50	0.29	0	0	0	114.8
合计	6.79	6.52	4.27	12 800		550	

注:资料来自《安阳市防汛简明手册》,2000 年;年均供水量依据 1995～1999 年的供水调查资料。

大中型水库分布按行政分区划分:林州市有 3 座,安阳县有 3 座,汤阴县有 2 座;按流域分区划分:卫河水系有 7 座,漳河水系有 1 座,其中洹河有 3 座、淇河有 2 座、汤河有 2 座。

(1)小南海水库和彰武水库。小南海水库是安阳市境内惟一一座大型水库。它位于洹河上游安阳市以西 35km 处的后驼村,水库总库容为10 759 万 m^3,控制流域面积为 850km^2,控制多年平均年径流量为4 840 万 m^3。库区存在严重的渗漏问题,经多次工程处理后,虽有明显改善,但目前尚未彻底解决。该库与下游彰武水库联合运用,对减轻安阳市及京广铁路的洪水威胁起到十分重要的作用。该库不直接供水,而是通过彰武水库供水。彰武水库位于安阳市西 20km 处的北彰武村,水库总库容为7 829 万 m^3,控制流域面积为 970km^2,控制多年平均年径流量为24 500 万 m^3,由于受搬迁赔偿等问题的制约没有设防洪库容,两库之间的区间面积为 120km^2,区间有小南海泉及洹河区间径流。彰武水库与小南海水库联合运用以达到防洪、供水和发电等综合利用的目的。彰武水库的主要供水渠包括万金渠、五八渠和胜利渠,供水对象有安阳市区(郊)以及安阳县西南部的工农业用水和生活用水。

(2)双全水库。位于安阳县蒋村乡洹河支流粉红江上,距安阳市 23km。水库总库容 1 819万 m^3,控制流域面积 171km^2,控制多年平均年径流量1 080 万 m^3。该库主要起局部防洪作用和拦蓄洪水,然后逐渐排入洹河供下游利用,基本上不直接供水。

(3)汤河水库。位于汤阴县城以西、卫河支流汤河上游。水库总库容为6 181 万 m^3,控制流域面积为 162km^2,控制多年平均年径流量为 870 万 m^3。该库上游有小型一类水库一座。汤河水库集水区域在鹤壁市境内,由于受上游引用水量增加的影响,入库径流越来越小。20 世纪 80 年代,年入库水量为4 900万～8 860万 m^3,1995～1998 年的年入库水量仅为1 400万～1 600万 m^3。另外,曾经修建过从琵琶寺水库到汤河水库的引水渠道,也引过几次水,后来琵琶寺水库已无水可引,其供水能力越来越小。该库下游附近有汤鹤铁路和京广铁路，因此该库的防洪作用是比较重要的。汤河水库主要通过汤河干渠供水，供水区域主要是汤阴县城和西部区域。

(4)琵琶寺水库。位于汤阴县宜沟镇汤河支流永通河上。水库总库容为2 024万 m^3，控制流域面积为30km^2，控制多年平均年径流量为2 720万 m^3。该库上游有两座小型水库，下游附近有京广铁路，因此该库的防洪作用是比较重要的。琵琶寺水库主要通过总干渠、一干渠和二干渠供水，供水区域主要为汤阴县西部区域和宜沟镇，曾通过引琵入汤工程向汤河水库供水，后因琵琶寺水库本身也缺水便不再向汤河水库供水。

(5)南谷洞水库。位于林州市城区西北35km的太行山东麓，浊漳河南支露水河上。水库总库容为5 839万 m^3，控制流域面积为270km^2，控制多年平均年径流量为5 760万 m^3。该库集水区域深山区占80%，浅山区占20%，植被较差，水土流失严重。但上游几乎没有引用水，入库径流量基本能保持天然状态。该库的主要作用是供水，兼有发电、防洪和养鱼等综合效益。防洪主要是保护下游沟谷田地。南谷洞水库设计有两条高程不同的输水洞，高洞输水进入红旗渠，通过红旗渠供水；低洞先输水给水电站发电，然后流入高程比红旗渠低的抗日渠向林州市漳河山丘区供水，主要是灌溉山沟谷底田地。

(6)弓上水库。位于林州市合涧镇，在淇河支流淅河上。水库总库容为3 191万 m^3，兴利库容为1 580万 m^3，控制流域面积为605km^2，控制多年平均年径流量为6 380万 m^3(1976~1996年系列均值)。弓上水库上游植被较好，耕地多为山坡梯田，引用水量比较少。但上游山西省内有两座库容各为500万 m^3 的水库，其引用水量对弓上水库入库径流量有一定影响。弓上水库的主要目的是调节英雄渠和合涧镇的生产生活用水。由于英雄渠与红旗渠一干汇合，弓上水库实际上也在一定程度上调节了红旗渠的灌溉用水，目前主要是向林州市区供水，弓上水库也有发电效益。

(7)石门水库。位于林州市临淇镇淇河支流石门河上。水库总库容为1 095万 m^3，兴利库容为844万 m^3，控制流域面积为132km^2，控制多年平均年径流量为3 907万 m^3。石门水库上游河道干流长仅18km，洪水涨落迅猛。地表岩性比较坚硬完整，植被较好，河水泥沙较少。耕地多为山坡梯田，引用水量比较少。石门水库地处太行山区，地势高，年均降雨量为778mm，明显高于安阳市东中部地区。该库的主要作用是供水，兼有发电、防洪和养鱼等综合效益。

(8)岳城水库。是海河流域的一座大型水库，位于漳河出山口处。水库总库容为12.2亿 m^3，兴利库容为6.73亿 m^3，控制流域面积为18 100km^2，控制多年平均年径流量为13.1亿 m^3(1962~1999年系列均值，其中上游河南、河北共引走4.5亿 m^3，岳城水库实际入库水量只有8.6亿 m^3)。岳城水库是南运河水系漳河流域的惟一控制性工程，其任务是防洪、灌溉、城市供水和发电。岳城水库要保证河北、河南、山东三省广大平原区和京广铁路的安全，所以其防洪作用是非常重要的。通过民有渠向河北省邯郸市供水，通过漳南干渠向河南省安阳市供水，共灌溉农田约14.67万 hm^2，并部分解决两市的工农业生产及生活用水。岳城水库是河南河北两省共用水库。根据国务院批准的漳河水量分配方案，年水量的分配比例是河北省52%、河南省48%，枯水年两省分水比例各50%。该分水比例包括了岳城水库上游的四大引水渠(即河北的大跃峰渠、小跃峰渠，河南的红旗渠、跃进渠)和岳城水库下游的两大引水渠(即河北的民有渠，河南的漳南干渠)的引水量。自

1962年岳城水库开始蓄水以来，到1999年民有渠的累计引水量为103亿m^3，年均引水量为2.7亿m^3；漳南干渠从岳城水库累计引水量52亿m^3，年均引水量1.38亿m^3；水库累计弃水量为172亿m^3，年均弃水量为4.5亿m^3。

（二）小型水库

安阳市修建了小型水库110座，大多数兴建于20世纪50年代后期，其中1958年建的水库最多，而跃进渠的长藤结瓜水库则兴建于70年代中期。其中有2座小型水库由于泥沙淤积、缺乏来水以及其他问题目前已经报废，不能再发挥作用。目前尚在发挥作用的小型水库有108座，总集水面积达400多km^2，总库容为6 200万m^3，总兴利库容为3 327万m^3，总调洪库容为2 527万m^3，设计灌溉面积为1.37万hm^2，实际灌溉面积为0.67万hm^2。其中，小Ⅰ型水库16座，小Ⅱ型水库92座。小Ⅰ型水库的总库容为3 064万m^3，总兴利库容为1 274万m^3，设计灌溉面积为0.46万hm^2，实际灌溉面积0.148万hm^2；小Ⅱ型水库的总库容为3 136.45万m^3，总兴利库容为2 052.5万m^3，设计灌溉面积为0.91万hm^2，实际灌溉面积为0.52万hm^2。这些水库对解决农村灌溉供水，特别是解决山区农村灌溉供水起着重要作用，并且有许多水库处于重要位置，邻近京广铁路、京深高速公路和107国道，分布在安阳市北西南三个方向，因此这些小型水库的安危直接影响着国家交通大动脉和安阳市的安全，防洪作用也很重要。小型水库的具体情况见表8-3。

表8-3　安阳市各县市小型水库分布情况

分区名称	座数	总集水面积（km^2）	设计灌溉面积（hm^2）	实际灌溉面积（hm^2）	总库容（万m^3）	兴利库容（万m^3）	调洪库容（万m^3）
安阳市郊区	6	69.59	693.3	513.3	859	369	458
安阳县	38	176.66	2 959.3	2 193.3	2 381	1 325	942
林州市	56	151.9	9 878.0	3 878.9	2 408	1 467	659
汤阴县	8	59.1	160.0	126.7	552	166	468
合计	108	475.88	13 690.7	6 712.3	6 200	3 327	2 527

从表8-3中可以看出，安阳市108座小型水库，按行政区划分：林州市56座，安阳县38座，汤阴县8座，安阳市郊区6座；按水系划分：卫河水系93座，其中洹河65座、淇河11座、汤洪河17座；漳河水系15座。

（三）塘堰坝和水窖

安阳市山区修建了1.5万处塘、堰和水窖等小型水利工程，特别是在林州市，对于解决山区零星地块的灌溉和人畜吃水问题起到了很大作用。1998年安阳市塘、堰和水窖工程的总供水量约350万m^3。

安阳市的蓄水工程（包括大、中、小型水库和塘、堰、坝、水窖工程）1998年总供水量为2亿m^3，占地表水供水量的50%，占水利工程总供水量的9.4%。

二、引水工程

安阳市主要的地表水供水工程为水库和引水工程。其中大型的供水渠系有红旗渠、跃进渠、幸福渠、万金渠、胜利渠、洹南渠、洹东渠、汤河干渠、桑村干渠等,特别是红旗渠闻名国内外。此外,还有一些结合天然河道修建的引水渠,如大功河、金堤河等。安阳市主要引水工程基本情况见表 8-4。

表 8-4 安阳市的主要引水工程

引水工程名	所在地区	渠首或取水口位置
跃进渠	安阳县	林州市漳河跃进渠总闸
洹南总干渠	安阳县	安阳县洹河浮体闸
珍珠泉	安阳县	安阳县水冶镇
红旗渠	林州市	漳河红旗渠总闸(山西省石城村)
天桥渠	林州市	山西省平顺县马塔村
桃园	林州市	林州市
大功河	滑县	滑县薛庄
桑村干渠	滑县	滑县桑村
汤河总干渠	汤阴县	汤阴县汤河水库
琵库总干渠	汤阴县	汤阴县琵琶寺水库
引淇隧洞	汤阴县	鹤壁市淇河
漳南总干渠	安阳县	岳城水库
万金渠	安阳县、安阳市郊区	彰武水库
胜利渠	安阳市	安阳县南麻水
五八渠	安阳县、安阳市郊区	彰武水库
五水厂引水工程	安阳县、安阳市郊区	岳城水库

由于近年来地表水来水量减少,灌区实际引水量和灌溉面积明显下降。安阳市渠道多为土渠或用浆砌石衬砌,主要干渠的衬砌防渗情况较好,渠系水利用系数比较高,一般在 0.6~0.8 之间;有些渠道没有衬砌防渗,渠系水利用系数比较低,一般在 0.16~0.4 之间。主要引水灌区工程的基本情况见表 8-5。

红旗渠、跃进渠和漳南干渠历年引水量变化情况见图 4-13(安阳市历年境外引调水量变化过程图)。下面主要介绍各大型供水渠道的基本情况。

(一)红旗渠

红旗渠从漳河引水后,通过一干渠、二干渠和三干渠及其配套支渠、小型水库、提水站等水利工程向林州市的漳河流域、洹河流域和淇河流域供水,供水范围基本覆盖了整个林州市。红旗渠于 1966 年开始引水,从 1969 年到 1999 年红旗渠累计引水量达 90 亿 m^3。红旗渠的年引水量越来越小,1999 年引水量最小,为 0.8 亿 m^3,不到最大引水量 5.04 亿 m^3(1976 年)的 1/6。红旗渠引水量最大的时期是 20 世纪 70 年代。从红旗渠的五年滑动平均引水量看,最近五年均值小于最大五年均值的1/3。不同年份红旗渠的年内引水

表 8-5　安阳市现状年(1998 年)引水灌区工程基本情况

名称	渠首位置	引水渠长度(km)	设计流量(m^3/s)	设计灌溉面积(万 hm^2)	实际灌溉面积(万 hm^2)
跃进渠	林州古城村	133	18	2.03	0.4
洹南渠	安阳县白壁镇	20	15	2.07	0.51
珍珠泉	珍珠泉	15.66	1.5	0.23	0.053
红旗渠	山西省平顺县	304.1	20	3.6	1.87
天桥渠	山西省马塔村	15	2.8	0.04	0.029
淇河灌区	临淇河东村	45.6	3	0.67	0.33
八达	合涧双窖	18	0.5	0.037	0.015
桑村干渠	濮阳渠村闸	36	25	1.67	
大功引黄		250.5	70	9.34	
豆公灌区	内黄豆公乡	11	10	0.33	0.49
琵琶寺灌区	鹤壁安东洞	22.1	10	0.35	0.093
引淇隧洞	鹤壁市	4	10		
赵家河	姚村史家河	2.25	0.15	0.027	0.003
建民渠	姚村龙泉庄	1.37	0.3	0.009	0.007
漳南干渠	岳城水库	210.7	100	8	2.486
万金渠	彰武水库	21.3	14.5	1.32	0.245
五八渠	彰武水库	55.5	11.5	1.05	0.505

量分布规律不同,多引水年 6~9 月的引水比例最高,1~5 月的引水比例最低,10~12 月的居中;多引水年 10~12 月的引水比例明显比中引水年和少引水年高;中引水年和少引水年的引水比例过程很接近;中引水年和少引水年 1~5 月与 6~9 月的引水比例过程较接近,明显大于 10~12 月的引水比例,约高出一倍。

(二)跃进渠

跃进渠位于安阳县西部,从漳河引水,在李珍村西由总干渠分为东干渠和南干渠,分别向安阳县的西北部和西部供水,基本上是供农业灌溉,原规划设计面积为 2.03 万 hm^2,近年来主要由于可引水量的减少,实际灌溉面积明显减少,约为 0.4 万 hm^2。跃进渠 1974 年开始引水,至 1999 年跃进渠累计引水量 16.65 亿 m^3,其中 1985~1999 年跃进渠累计引水量 9.6 亿 m^3,20 世纪 90 年代以前各年引水量较多,一般为 0.5 亿~1.7 亿 m^3,1995 年以来各年引水量明显减少,一般为 0.18 亿~1.01 亿 m^3。

(三)漳南干渠

漳南干渠是岳城水库的两大供水干渠之一,除了直接通过幸福渠各支渠供水外,还沟通了万金渠,必要时可向万金灌区和安阳市区工业用水等供水。漳南干渠的供水对象为安阳市郊区灌溉供水、安阳县西部平原区灌溉供水。自岳城水库 1962 年开始蓄水供水以来,漳南干渠从岳城水库累计引水量 52 亿 m^3,年均引水量 1.38 亿 m^3。

(四)幸福渠

幸福渠位于安阳县北部,主要工程由幸福总干渠和 8 条支渠构成,引水水源是由漳南干渠供给,通过其各条支渠向安阳县北部地区(即幸福灌区)供水,灌溉面积约 0.13 万 hm^2。

(五)万金渠

万金渠始建于公元 672 年,历史悠久,水源来自于彰武水库(建库前来源于洹河)。目前其主要供水对象是安阳电厂和钢厂,年均供水量为 1.26 亿 m^3。电厂和钢厂退水在非灌溉季节排入洹河,在灌溉季节直接引入万金渠下游段用于灌溉。另外,万金渠还有部分灌溉供水,年供水量变化较大,一般为 0.07 亿~0.34 亿 m^3。

(六)胜利渠

胜利渠是安阳市工业供水的备用渠道,也为安阳县西部部分农田灌溉供水。其引水量年际变化较大,1985~1999 年平均年引水量为 42 万~888 万 m^3。

(七)五八渠

五八渠从彰武水库取水,为安阳市郊区和安阳县西南部丘陵区灌溉供水。其引水量年际变化较大,1985~1999 年平均年引水量为 25 万~7 300 万 m^3。

(八)引淇入琵渠

引淇入琵渠从淇河引水进入琵琶寺水库,以增加琵琶寺水库的供水量。

(九)五水厂引水工程

五水厂引水工程是专为安阳市生活供水修建的,其引水水源是岳城水库,引水渠道长度为 21.6km,设计引水流量为 1.16m^3/s。自 1995 年开始供水以来,到 1999 年底总供水量为6 200多万 m^3,年均向城市供水1 250万 m^3。

现状年安阳市的引水工程的总供水量为 1.6 亿 m^3,占水利工程总供水量的 7.6%。

三、提水工程

据不完全统计,现状年安阳市共有提水工程约 30 处,其设计灌溉面积为 2.33 万 hm^2,实际灌溉面积为 1.07 万 hm^2。它们主要分布在安阳市西部山丘区,具体情况见表 8-6。

现状年安阳市提水工程的总供水量为 0.35 亿 m^3,占地表水供水量的 8.7%,占水利工程总供水量的 1.6%。1998 年安阳市地表水的供水量为 3.96 亿 m^3,占水利工程总供水量的 18.7%。

四、机电井

据统计,现状年安阳市共有机电井 7.5 万多眼,其中浅井约 7 万眼,供水量为 13.6 亿

m^3,中深井4 800眼,供水量为3.4亿m^3。在平原地区,机电井起着最重要的农业供水作用,现状年机电井的实际灌溉面积为26万hm^2,约占安阳市耕地面积的71%,占有效灌溉面积的94%。

表8-6 安阳市提水工程基本情况(1998年)

分区名称	水源	总数	设计灌溉面积(万hm^2)	实际灌溉面积(万hm^2)	设计年供水能力(万m^3)	现状年供水能力(万m^3)	现状年供水量(万m^3)
安阳县	洹河	1	0.069	0.033	600	600	567
林州市	漳河和淇河	18	0.381	0.193	2 650	2 650	982
内黄县	卫河	5	0.680	0.560			
汤阴县	永通河和汤河、卫河	5	1.215	0.300	4 500	1 755	1 108
安阳市郊区							799
全　市		29	2.345	1.087	7 750	5 005	3 456

现状年安阳市地下水(主要是机电井提水工程)的总供水量为17.2亿m^3,占水利工程总供水量的81.3%。现状年各行政分区的机电井工程分布情况见表8-7。

表8-7 安阳市各行政分区机电井分布情况(1998年)

分区名称	总数		现状开采能力(m^3/h)		年开采量(万m^3)		实际灌溉面积(万hm^2)
	浅井	中深井	浅井	中深井	浅井	中深井	
安阳县	10 891	2 757	36	50	25 613	10 620	6.09
林州市	1 357	851	37	83	1 458	5 346	1.02
内黄县	17 886	0	40	0	44 013	0	6.56
滑县	32 156	212	40	60	45 718	4 639	9.27
汤阴县	6 888	750	65	40	13 883	1 512	2.44
安阳市(郊)区	1 688	261	75	208	5 595	11 767	0.57
全市	70 866	4 831	293	441	136 279	33 884	25.94

五、其他供水工程

安阳市主要河道拦河闸工程见表8-8。它们的作用主要是灌溉、泄洪等,一般配合引提水工程供水(其供水量不再单列)。

安阳市的橡胶坝工程见表8-9。它们的作用主要是为旅游和环保服务,其供用水量属于河道内用水,不再单列。

表 8-8　安阳市主要河道拦河闸工程

序号	闸名	所在河流	所在分区	主要用途	结构形式	设计过水能力 (m^3/s)	闸容 (万 m^3)
1	豆公闸	洹河	内黄县	灌溉	排架式	260	150
2	郭盆闸	洹河	安阳县	灌溉	浮体式	250	150
3	菜元闸	汤河	汤阴县	灌溉	多铰闸	130	1.2
4	公园闸	汤河	汤阴县	灌溉	叠梁式	200	1.0
5	古贤闸	汤河	汤阴县	灌溉	多铰闸	150	1.1
6	周流闸	汤河	汤阴县	灌溉	单铰闸	120	0.6
7	辛留闸	汤河	汤阴县	灌溉	单铰闸	140	1.0
8	神标闸	汤河	内黄县	灌溉	敞开式	150	68
9	八一闸	大功河	滑县	灌溉	敞开式	100	74.33
10	小马村闸	大功河	滑县	灌溉	敞开式	130	113.72
11	廊柳闸	大功河	滑县	灌溉	敞开式	120	66.18
12	岳营闸	黄庄河	滑县	灌溉	敞开式	104	42.66
13	冢上闸	黄庄河	滑县	灌溉	敞开式	123	88.52
14	刘庄闸	黄庄河	滑县	灌溉	敞开式	170	85.58

表 8-9　安阳市橡胶坝工程

坝名	所在河流	所在位置	主要用途	正常蓄水位 (m)	相应库容 (万 m^3)
东风橡胶坝	洹河	安阳市区	旅游、环保	68.02	66
殷都橡胶坝	洹河	安阳市区	旅游、环保	70.58	70

第二节　实际供水量调查与分析

一、现状年供水量

本研究对安阳市各县(市)区现状年(1998 年)及近几年(1995～1999 年)的供用水情况进行了比较深入的调查。调查内容包括各地区各种水利工程的供水量,以及每种水源向每个行业的供水量。根据这些统计调查数据,经过综合分析和汇总得出各行政分区的现状年供水量。具体统计分析结果见表 8-10 和表 8-11。

从表 8-10 和表 8-11 中可知,现状年安阳市的总供水量为 21.14 亿 m^3,其中蓄水工程的供水量占 9.5%,引水工程的供水量占 7.6%,提水工程的供水量占 1.6%,地下水工程(机电井)供水量占 81.3%。在全市各县市区(郊)中滑县的总供水量最大,为 5.04 亿 m^3,占全市总供水量的 23.8%;安阳县和内黄县的供水量次之,分别占总供水量的

21.8%和21.0%;安阳市区(郊)和林州市的供水量再次之,分别占总供水量的13.7%和11.5%;汤阴县的供水量最小,仅占总供水量的8.2%(见图8-1)。

表8-10 安阳市各行政分区现状年分工程分行业供水量 (单位:万 m³)

分区名称	水源工程	农业	工业	城乡生活	生态环境	合计
安阳县	蓄水工程	3 233	0	0	0	3 233
	引水工程	3 781	65	474	0	4 320
	提水工程	566		1	0	567
	机电井	32 093	4 030	1 808	2	37 933
	合计	39 673	4 095	2 284	2	46 053
林州市	蓄水工程	2 995	1 738	818	30	5 580
	引水工程	4 499	6 302	94	0	10 894
	提水工程	796	167	19	0	982
	机电井	4 660	954	1 190	0	6 804
	合计	12 949	9 160	2 121	30	24 260
内黄县	蓄水工程	0	0	0	0	0
	引水工程	339	0	0	0	339
	提水工程	0	0	0	0	0
	机电井	42 562	127	1 325	1	44 014
	合计	42 901	127	1 325	1	44 353
滑县	蓄水工程	0	0	0	0	0
	引水工程	0	0	0	0	0
	提水工程	0	0	0	0	0
	机电井	43 942	4 367	2 049	0	50 357
	合计	43 942	4 367	2 049	0	50 357
汤阴县	蓄水工程	350	0	0	0	350
	引水工程	575	0	0	0	575
	提水工程	1 108	0	0	0	1 108
	机电井	13 854	730	811	1	15 395
	合计	15 887	730	811	1	17 428
安阳市区(郊)	蓄水工程	374	8 830	1 200	401	10 805
	引水工程	0	0	0	0	0
	提水工程	799	0	0	0	799
	机电井	5 595	7 544	4 175	49	17 363
	合计	6 768	16 374	5 375	450	28 967
全市	蓄水工程	6 952	10 568	2 018	431	19 968
	引水工程	9 194	6 367	568	0	16 129
	提水工程	3 269	167	20	0	3 456
	机电井	142 705	17 751	11 358	52	171 866
	合计	162 119	34 852	13 964	483	211 418

表 8-11　安阳市各行政分区现状年各行业分工程的供水比例　（%）

分区名称	水源工程	农业	工业	城乡生活	生态环境	合计
安阳县	蓄水工程	8.1	0.0	0.0	0.0	7.0
	引水工程	9.5	1.6	20.8	0.0	9.4
	提水工程	1.4	0.0	0.0	0.0	1.2
	机电井	80.9	98.4	79.2	100.0	82.4
林州市	蓄水工程	23.1	19.0	38.6	100.0	23.0
	引水工程	34.7	68.8	4.4	0.0	44.9
	提水工程	6.1	1.8	0.9	0.0	4.0
	机电井	36.0	10.4	56.1	0.0	28.0
内黄县	蓄水工程	0.0	0.0	0.0	0.0	0.0
	引水工程	0.8	0.0	0.0	0.0	0.8
	提水工程	0.0	0.0	0.0	0.0	0.0
	机电井	99.2	100.0	100.0	100.0	99.2
滑县	蓄水工程	0.0	0.0	0.0	0.0	0.0
	引水工程	0.0	0.0	0.0	0.0	0.0
	提水工程	0.0	0.0	0.0	0.0	0.0
	机电井	100.0	100.0	100.0	0.0	100.0
汤阴县	蓄水工程	2.2	0.0	0.0	0.0	2.0
	引水工程	3.6	0.0	0.0	0.0	3.3
	提水工程	7.0	0.0	0.0	0.0	6.4
	机电井	87.2	100.0	100.0	100.0	88.3
安阳市区（郊）	蓄水工程	5.5	53.9	22.3	89.1	37.3
	引水工程	0.0	0.0	0.0	0.0	0.0
	提水工程	11.8	0.0	0.0	0.0	2.8
	机电井	82.7	46.1	77.7	10.9	59.9
全市	蓄水工程	4.3	30.3	14.5	89.2	9.4
	引水工程	5.7	18.3	4.1	0.0	7.6
	提水工程	2.0	0.5	0.1	0.0	1.6
	机电井	88.0	50.9	81.3	10.8	81.3

按用水行业划分，现状年安阳市的总供水量中农业灌溉 16.21 亿 m^3，占 76.7%；工业供水 3.49 亿 m^3，占 16.5%；城乡生活供水 1.4 亿 m^3（其中城镇生活供水 0.79 亿 m^3，

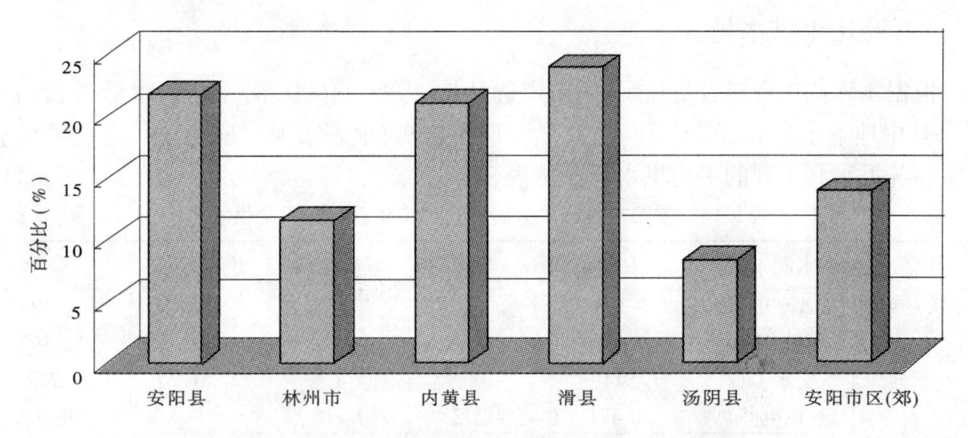

图 8-1 安阳市各行政分区供水量占总供水量的百分比

占城乡生活总供水量的 56.4%;农村生活供水占 43.6%),占 6.6%;生态环境用水 0.48 亿 m^3,占 0.2%。

现状年安阳市各种水源工程分供各行业的比例,见表 8-12;各行政分区供水量占全市总供水量的比例,见表 8-13。

表 8-12 安阳市现状年各水源工程分行业的供水比例 (%)

水源工程	农业	工业	城乡生活	生态环境	合计
蓄水工程	34.8	52.9	10.1	2.2	100
引水工程	57.0	39.5	3.5	0.0	100
提水工程	94.6	4.8	0.6	0.0	100
地表水工程合计	49.1	43.2	6.6	1.1	100
地下水工程	83.0	10.3	6.6	0.0	100

表 8-13 安阳市现状年各行政分区分行业供水量占全市总供水量的比例 (%)

分区	农业	工业	城乡生活	生态环境	合计
安阳县	24.5	11.7	16.4	0.4	21.8
林州市	8.0	26.3	15.2	6.1	11.5
内黄县	26.5	0.4	9.5	0.1	21.0
滑县	27.1	12.5	14.7	0.0	23.8
汤阴县	9.8	2.1	5.8	0.1	8.2
安阳市区(郊)	4.2	47.0	38.5	93.2	13.7
全市	100	100	100	100	100

二、近几年供水量

根据实际调查资料分析显示，安阳市近几年(1995～1999年)平均供水量为22.14亿m^3。其中地下水为18.07亿m^3，占总供水量的82%；地表水为4.66亿m^3，占总供水量的18%。各类水利工程的平均供水情况见表8-14。

表8-14　安阳市各行政分区近几年工程分行业平均供水量　（单位：万m^3）

分区	水源工程	农业	工业	城乡生活	生态环境	合计
安阳县	蓄水工程	3 484	0	0	0	3 484
	引水工程	3 891	90	412	0	4 393
	提水工程	544	0	1	0	545
	机电井	30 471	4 272	1 718	1	36 462
	合计	38 390	4 361	2 131	1	44 884
林州市	蓄水工程	3 490	1 892	808	29	6 220
	引水工程	5 038	6 153	90	0	11 281
	提水工程	778	160	20	0	958
	机电井	4 756	993	1 205	0	6 954
	合计	14 062	9 199	2 123	29	25 413
内黄县	蓄水工程	0	0	0	0	0
	引水工程	373	0	0	0	373
	提水工程	0	0	0	0	0
	机电井	40 205	125	1 309	1	41 640
	合计	40 577	125	1 309	1	42 012
滑县	蓄水工程	0	0	0	0	0
	引水工程	0	0	0	0	0
	提水工程	0	0	0	0	0
	机电井	53 655	6 582	2 238	0	62 475
	合计	53 655	6 582	2 238	0	62 475
汤阴县	蓄水工程	201	0	0	0	201
	引水工程	523	0	0	0	523
	提水工程	1 068	0	0	0	1 068
	机电井	12 587	710	745	0	14 043
	合计	14 379	710	745	0	15 835
安阳市区(郊)	蓄水工程	784	8 282	1 357	401	10 824
	引水工程	0	0	0	0	0
	提水工程	789	0	0	0	789
	机电井	5 495	9 162	4 431	48	19 136
	合计	7 068	17 444	5 788	449	30 749
全市	蓄水工程	7 959	10 174	2 165	430	20 728
	引水工程	9 825	6 243	502	0	16 569
	提水工程	3 180	160	20	0	3 360
	机电井	147 169	21 845	11 647	50	180 711
	合计	168 132	38 422	14 334	481	221 368

近几年各类水源分供各行业的比例见表 8-15；各行政分区分行业供水量占安阳市总供水量的比例见表 8-16；现状年供水量与近几年平均供水量的对比结果见表 8-17。

表 8-15　近几年安阳市各种水源工程供各行业的水量比例　（%）

水源工程	农业	工业	城乡生活	生态环境	合计
蓄水工程	38.4	49.1	10.4	2.1	100
引水工程	59.3	37.7	3.0	0.0	100
提水工程	94.6	4.8	0.6	0.0	100
地表水工程合计	51.6	40.8	6.6	1.0	100
机电井	81.4	12.1	6.5	0.0	100

表 8-16　近几年各行政分区供水量占安阳市总供水量的比例　（%）

分区名称	农业	工业	城乡生活	生态环境	合计
安阳县	22.8	11.4	14.9	0.3	20.3
林州市	8.4	23.9	14.8	6.1	11.5
内黄县	24.1	0.3	9.1	0.1	19.0
滑县	31.9	17.1	15.6	0.0	28.2
汤阴县	8.6	1.8	5.2	0.1	7.2
安阳市区(郊)	4.2	45.4	40.4	93.4	13.9
全市	100	100	100	100	100

表 8-17　安阳市现状年供水量与近几年平均供水量的比较

水源工程	增减供水量(万 m^3)	增减幅度(%)
蓄水工程	-760	-3.7
引水工程	-441	-2.7
提水工程	96	2.9
地表水工程合计	-1 105	-2.7
地下水工程	-8 845	-4.9
总供水量	-9 950	-4.5

注："-"号表示现状年供水量比近几年平均供水量偏少。

从表 8-15 至表 8-17 中可以看出，安阳市各种水源工程供各行业的水量比例是很不协调的，各类水源工程供给农业的水量占总供水量的 38%～94% 以上，供给工业的水量则占4%～49%，供给生活的水量占0.6%～10.4%，而供给生态环境的水量不足2.1%。这种供水结构与现状年的情况基本一致，说明安阳市对生态环境的重视程度是远远不够的，有待今后逐步调整和优化全市的供水结构，对全市的生态环境切实地予以重视和有效保护，将不太富裕的水资源留出一些来满足全市的生态环境需水量。近几年各县市(区)的供水量占全市总供水量的比例与现状年的完全一致；另外，现状年供水量比近几年供水量偏小4.5%。这说明，现状年供水量具有较好的代表性，基本上能代表安阳市最近几年的供水情况。

第三节　近二十年实际供水量变化趋势

利用本次水资源开发利用现状调查资料和以前的分析成果，对安阳市近20年的不同水源工程的供水量进行了统计和分析。具体分析结果见表8-18。

表8-18　安阳市不同水源工程供水量的对比结果　(单位：万 m^3)

水平年	总供水量	地表水源供水量						地下水源供水量	
		蓄水工程	引水工程	提水工程	合计	占总供水量(%)	其中境外引水量	机电井	占总供水量(%)
1980年	179 551				83 635	46.6	40 785	95 916	53.4
1995年	208 817	20 569	19 562	5 281	45 411	21.7	24 836	163 406	78.3
1998年	211 418	19 968	16 129	3 456	39 553	18.7	18 357	171 866	81.3
1980～1995年平均增长率(%)	1.02				−2.86		−2.44	4.40	
1995～1998年平均增长率(%)	0.31	−0.73	−4.39	−8.64	−3.22		−6.52	1.29	
1980～1998年平均增长率(%)	0.93				−2.77		−2.89	4.17	

由表8-18中可知，自20世纪80年代以来安阳市的总供水量呈上升趋势，由1980年的总供水量17.96亿 m^3 增加到1998年的21.14亿 m^3，年平均增长率约为0.93%。其中地表水工程的供水量呈明显的下降趋势，近20年(1980～1998年)来平均每年下降2.8%；特别是境外引水工程的供水量下降更为突出，近几年(1995～1998年)平均每年下降6.52%。随着全市供水量的持续增长，地表水工程的供水量持续减少，造成了地下水工程的供水量呈持续上升趋势，近20年来平均每年增加4.17%。而地下水供水量的不断增长，势必造成大量开采地下水，致使地下水位持续下降。总之，安阳市近20年来社会经济的快速发展是以大量超采地下水和牺牲生态环境为代价的。因此，这种发展模式是不可持续的。

第九章　用水现状

第一节　社会经济发展

一、社会发展

自20世纪50年代以来，安阳市人口经历了60年代的平缓增长期、70年代的快速增长期和80年代平缓增长期，以及90年代的缓慢增长期；由50年代的243万人增长到90年代的498万人；人口密度由50年代的328人/km^{2}增长到90年代的672人/km^2；城镇化水平由50年代的7%增长到90年代的16%。安阳市现状年（1998年）总人口为509万，人口密度为686人/km^2，城镇化水平为18%。具体统计结果见表9-1和表9-2。

表9-1　安阳市不同年代的人口变化统计分析结果

人口统计指标	50年代	60年代	70年代	80年代	90年代
总人口数（万人）	243.015	288.745	366.928	433.605	498.277
人口增长率（‰）		18.8	27.1	18.2	14.9
农业人口（万人）	225.62	259.82	331.33	381.06	420.18
非农业人口（万人）	17.4	28.93	35.60	52.55	78.10
人口密度（人/km^2）	328	390	495	585	672
城镇化水平（%）	7	10	10	12	16

表9-2　安阳市各行政分区现状年和近几年（1995～1998年）主要社会发展指标

分区名称	现状年（1998年）					1995～1998年平均				
	总人口数（万人）	农业人口（万人）	非农业人口（万人）	人口密度（人/km^2）	城镇化水平（%）	总人口数（万人）	农业人口（万人）	非农业人口（万人）	人口密度（人/km^2）	城镇化水平（%）
安阳县	111.51	103.24	8.27	744	7	110.91	103.12	7.79	740	7
林州市	96.47	85.42	11.05	472	11	97.71	87.11	10.60	478	11
内黄县	67.82	63.59	4.23	584	6	67.28	63.20	4.09	580	6
滑　县	117.32	109.51	7.81	647	7	116.14	108.70	7.44	640	6
汤阴县	43.79	38.58	5.22	678	12	43.46	38.42	5.05	673	12
安阳市区（郊）	71.82	19.02	52.80	2 908	74	69.81	19.55	50.26	2 826	72
全　市	508.73	419.36	89.38	686	18	505.32	420.09	85.23	682	17

二、经济发展

自中共十一届三中全会以来,安阳市国内生产总值(GDP)保持年均增长10.6%的发展速度,但发展不很平稳,有明显的波浪式发展的特点。如“六五”期间GDP增长速率为14.6%;“七五”期间GDP增长速率放缓,降低为5.5%;“八五”期间GDP增长速率又加快,上升为16.7%;1996~1998年GDP增长速率又降为5.2%。从不同产业结构来看,第一产业和第三产业发展相对平稳一些,第二产业起伏较大,特别是1998年在国内外不利经济环境下,第二产业的GDP出现了负增长。从现状年的产业结构分析看,第一产业占GDP的23%,第二产业占GDP的46%,第三产业占GDP的31%。与沿海经济发达地区比较,安阳市第一产业的比重过大,而第三产业的比重又过小。近20年来安阳市的社会经济得到了长足发展,人民生活水平有了较大提高,如农民人均纯收入由1978年的77元/人增长到1998年的1 943元/人。其主要统计分析结果见表9-3至表9-5。

表9-3 安阳市国内生产总值(GDP)发展情况统计

指标	年份	GDP	第一产业	第二产业	工业	建筑业	第三产业	运输邮电	商饮业	人均GDP
国内生产总值(万元)	1978	109 780	38 837	55 192	52 634	2 558	15 751	2 784	5 588	284
	1980	139 411	48 054	70 460	66 596	3 864	20 897	3 605	7 445	350
	1985	289 808	96 029	137 440	121 403	16 037	56 339	13 284	17 866	673
	1990	553 211	181 936	227 612	206 580	21 032	143 663	30 587	33 854	1 160
	1995	1 891 315	410 623	1 005 827	897 172	108 655	474 865	80 844	87 716	3 791
	1996	2 091 310	457 989	1 050 192	931 124	119 068	583 129	91 726	111 051	4 162
	1997	2 175 825	474 325	1 073 461	948 747	124 714	628 039	105 266	143 006	4 300
	1998	2 212 881	509 018	1 009 249	894 830	114 419	694 614	122 253	164 498	4 354
年均增长率(%)	“六五”	14.6	11.5	14.5	13.2	29.3	19.0	28.2	16.7	12.8
	“七五”	5.5	3.9	4.3	5.1	-3.4	10.1	11.4	2.9	3.3
	“八五”	16.7	6.9	22.5	22.4	23.7	16.6	12.6	11.0	16.0
	1996~1998	5.2	9.6	1.1	1.2	-0.3	9.9	12.0	21.1	4.6
	1978~1998	10.6	7.2	11.1	10.9	13.5	14.2	15.8	11.8	9.2

表9-4 安阳市不同年份国民经济主要指标

指标	1978年	1980年	1985年	1990年	1995年	1997年	1998年
1.人口(万人)							
年底总人口	389.74	401.14	433.75	481.56	500.6	507.66	508.73
年底从业人员	156	161	189	211	267	271	278
2.经济总量指标(万元)							
国内生产总值	109 780	139 411	289 808	553 211	1 891 315	2 175 825	2 212 881
第一产业	38 837	48 054	96 029	181 936	410 623	474 325	509 018
第二产业	55 192	70 460	137 440	227 612	1 005 827	1 073 461	1 009 249
第三产业	15 751	20 897	56 339	143 663	474 865	628 039	694 614
工业总产值	147 676	180 054	338 335	761 040	3 104 048	3 023 020	2 830 006
农业总产值	63 952	81 804	137 027	273 203	715 735	805 940	858 805

续表 9-4

指标	1978 年	1980 年	1985 年	1990 年	1995 年	1997 年	1998 年
3. 全社会固定资产投资(万元)				111 287	554 469	595 658	519 243
4. 财政和金融(万元)							
地方财政收入	16 466	17 545	31 447	53 453	72 027	107 592	110 194
地方财政支出	8 864	10 266	22 988	41 083	121 329	149 565	158 236
国家银行年底存款余额		23 547	41 134	123 026	349 405	1 043 706	1 557 663
国家银行年底贷款余额		67 915	86 185	180 146	380 403	917 665	1 347 333
5. 人民生活							
职工平均工资(元/年)	593	741	1 010	1 828	4 756	5 207	5 350
农民消费(万元)	44 140	52 217	92 332	203 551	513 798	572 834	559 165
非农业居民消费(万元)	12 877	17 702	32 715	87 236	267 800	296 376	336 661
城镇居民人均可支配收入(元/人)					3 337.28	3 480.38	3 443.99
农民人均纯收入(元/人)	77	89	344	584	1 299	1 879	1 943
6. 运输与邮电							
公路旅客周转量(万人·km)	16 833	34 580	63 738	96 078	160 201	194 685	194 006
公路货物周转量(万 t·km)	13 658	10 473	41 218	83 387	137 956	158 897	153 917
邮电业务总量(万元)	336	374	662	3 098	17 833	36 184	57 979

表 9-5　安阳市不同年份主要工农业产品产量

指标	1978 年	1980 年	1985 年	1990 年	1995 年	1997 年	1998 年
1. 主要农产品产量							
粮食(万 t)	121.29	117.76	142.36	182.37	210.89	234.13	243.82
棉花(万 t)	1.94	3.14	4.12	7.93	5.74	4.94	3.51
油料(t)	8 605	17 885	31 285	61 413	135 233	200 021	233 217
水果(t)	45 988	38 947	76 090	48 943	174 028	237 187	248 893
2. 主要工业产品产量							
原煤(万 t)	279.46	302.5	363.96	245.28	230.73	246.73	199.61
发电量(万 kW·h)	211 288	239 205	257 511	263 735	338 656	325 270	321 724
生铁(t)	727 802	723 903	692 476	948 563	1 918 210	2 592 157	2 846 326
成品钢材(t)	258 120	226 748	438 407	751 270	1 491 036	1 911 617	1 975 812
农用化肥折纯量(t)	39 807	45 474	48 815	65 800	117 969	136 833	163 024
水泥(t)	384 259	463 249	787 556	790 421	1 748 387	4 120 000	2 490 000
卷烟(箱)	185 576	255 500	356 717	221 250	210 000	240 000	270 000
玻壳(屏)					596	572	895
玻壳(锥)					702	681	1 072

为了更详细地了解安阳市主要的社会经济特点，对全市现状年和近几年的工业总产值、实灌面积、粮食总产量等具体的社会经济指标进行了分析和统计，见表 9-6 和表 9-7。

由表 9-6 和表 9-7 中可以看出，安阳市现状年的实际灌溉面积与近几年的相差 1.87 万 hm^2，比近几年平均值偏小 7.4%；但粮食总产量却增加了 6.7%。这从一个侧面说明，全市实际灌溉面积和粮食总产量最近几年比较稳定，其大小变化主要受降雨量和水源丰

表 9-6　安阳市各行政分区现状年主要经济指标

分区名称	工业总产值(亿元)	农田实灌面积(万 hm^2)	林渔面积		牲畜			国内生产总值(GDP)(亿元)	耕地面积(万 hm^2)	有效灌溉面积(万 hm^2)	粮食播种面积(万 hm^2)	粮食产量(万 t)
			林果灌溉面积(万 hm^2)	鱼塘面积(万 hm^2)	大牲畜(万头)	小牲畜(万头)	合计(万头)					
安阳县	42.025 3	5.77	0.058	0.010 2	5.04	514.56	519.60	32.746 7	8.422	5.760	11.613	79.24
林州市	58.359 1	2.70	0.276	0.023 3	5.46	602.59	608.05	38.104 7	5.127	3.248	7.623	44.06
内黄县	17.018 3	5.14	0.477	0.010 1	6.34	406.88	413.22	22.150 0	6.390	5.362	6.495	49.86
滑　县	28.043 8	6.45	0.611	0.011 3	9.67	653.11	662.78	30.593 2	11.423	9.211	16.305	137.70
汤阴县	16.582 3	2.72	0.065	0.053 6	2.91	219.36	222.27	16.797 5	4.135	3.275	5.565	45.75
安阳市区(郊)	120.972 0	0.73	0.136	0.004 3	0.54	150.89	151.43	81.111 1	0.837	0.770	1.134	9.13
全　市	283.000 8	23.50	1.623	0.112 8	29.96	2 547.39	2 577.35	221.288	36.334	27.626	48.735	365.73

表 9-7　安阳市各行政分区近几年(1995～1999 年)主要经济指标(平均值)

分区名称	工业总产值(亿元)	农田实灌面积(万 hm^2)	林渔面积		牲畜			国内生产总值(GDP)(亿元)	耕地面积(万 hm^2)	有效灌溉面积(万 hm^2)	粮食播种面积(万 hm^2)	粮食产量(万 t)
			林果灌溉面积(万 hm^2)	鱼塘面积(万 hm^2)	大牲畜(万头)	小牲畜(万头)	合计(万头)					
安阳县	42.583 7	5.685	0.053	0.012	5.52	532.13	537.65	31.336 4	8.417	5.685	11.306	73.16
林州市	64.853 3	2.631	0.263	0.023	6.817 5	634.84	641.652 5	40.735 6	5.181	3.257	7.661	39.68
内黄县	18.419 1	5.035	0.415	0.010	7.042 5	428.18	435.217 5	20.305 0	6.307	5.257	6.386	46.97
滑　县	29.596 6	8.374	0.555	0.011	19.417 5	685.32	704.737 5	28.657 3	11.358	9.117	15.966	131.60
汤阴县	17.243 4	2.844	0.072	0.054	3.145	247.29	250.435	15.603 3	4.139	3.250	5.453	42.25
安阳市区(郊)	123.391 0	0.801	0.341	0.019	0.5	121.11	121.61	76.082 2	0.910	0.892	1.207	9.23
全　市	296.087 0	25.370	1.632	0.129	42.442 5	2 648.86	2 691.303	212.720 0	36.313	27.451	47.978	342.90

枯等因素的影响。总之,现状年的社会经济发展指标与近几年的相差不大,具有较好的代表性,基本上能代表安阳市社会经济最近几年的发展态势。

第二节　农业用水量调查与分析

一、灌溉用水量

安阳市现状年和近几年的农业灌溉面积调查统计结果分别见表9-8和表9-9。

表9-8　安阳市各行政分区现状年农业灌溉面积　(单位:万 hm^2)

分区名称	总灌溉面积					农田		总节水灌溉面积
	农田有效灌溉面积	林地灌溉面积	果园灌溉面积	其他灌溉面积	总灌溉面积	实灌面积	旱涝保收面积	
安阳县	5.760	0	0.080	0	5.840	5.760	4.541	4.706
林州市	3.248	0.010	0.137	0.006	3.401	2.699	1.359	3.341
内黄县	5.362	0	0.400	0	5.762	5.140	3.671	3.226
滑　县	9.211	0.030	0.193	0.027	9.461	6.453	6.453	2.594
汤阴县	3.275	0.004	0.057	0	3.336	2.722	2.765	2.365
安阳市区(郊)	0.770	0.007	0.013	0	0.790	0.726	0.022	0.590
全　市	27.626	0.051	0.800	0.033	28.510	23.500	18.811	16.820

表9-9　安阳市各行政分区近几年农业灌溉面积　(单位:万 hm^2)

分区名称	总灌溉面积					农田		总节水灌溉面积
	农田有效灌溉面积	林地灌溉面积	果园灌溉面积	其他灌溉面积	总灌溉面积	实灌面积	旱涝保收面积	
安阳县	5.685	0	0.080	0	5.765	5.685	4.499	4.483
林州市	3.257	0.010	0.133	0.005	3.405	2.631	1.332	3.023
内黄县	5.257	0	0.400	0	5.657	5.035	3.545	2.736
滑　县	9.111	0.025	0.128	0.025	9.276	8.374	6.296	2.261
汤阴县	3.250	0.004	0.051	0	3.305	2.844	2.715	1.667
安阳市区(郊)	0.892	0.007	0.013	0	0.912	0.807	0.363	0.590
全　市	27.451	0.046	0.725	0.030	28.240	25.370	18.751	14.758

从现状年各种作物的种植面积和用水量分析可知,全市小麦和玉米的种植面积占总种植面积的78.75%,其灌溉用水量占农业总灌溉用水量的77.74%。由此可见,粮食作物的用水量在农业总灌溉用水量中占主要部分;其次是蔬菜,其灌溉用水量占农业总灌溉用水量的11%。

从现状年和近几年的农业灌溉用水量对比分析可知,安阳市最近几年无论是种植面积还是用水量,总的来说均没有较大的变化。现状年农业灌溉总用水量比近几年减少了约0.6亿 m^3,减少率约为3.6%。特别是小麦、玉米和蔬菜的种植面积和用水量变化均比较小;但现状年棉花的种植面积和用水量却比近几年几乎减少了一半。安阳市现状年和近几年主要农作物灌溉用水量的统计结果及其对比分析结果分别见表9-10至表9-12。为了对比和分析安阳市各县(市)区的灌溉用水情况,根据本次的调查统计资料,分别给出了安阳市各行政分区的各种灌溉面积、用水量以及毛灌溉用水定额等。其中具体统计分析结果,见表9-10。安阳市各行政分区近几年主要农作物的灌溉用水情况,见表9-11。

表9-10 安阳市各行政分区现状年主要农作物的灌溉用水情况

分项目		小麦	玉米	棉花	油料作物	蔬菜	其他	合计
安阳市								
实灌面积	水库灌(万 hm^2)	0.858	0.563	0.005	0.008	0.029	0.113	1.576
	引、提水灌(万 hm^2)	1.139	0.911	0.025	0.024	0.036	0.139	2.274
	机井灌(万 hm^2)	14.364	8.817	1.205	4.325	1.323	0.961	30.996
	井渠双灌(万 hm^2)	2.667	2.343	0.120	0.052	0.099	0.079	5.360
	合计(万 hm^2)	19.029	12.633	1.355	4.409	1.486	1.293	40.205
毛灌溉定额(m^3/hm^2)		4 065	3 615	3 000	2 505	11 640	2 205	
总用水量(万 m^3)		77 394.6	45 705.3	4 059.7	11 039.45	17 290.78	2 849.25	158 339.1
安阳县								
实灌面积	水库灌(万 hm^2)	0.029	0.026	0	0	0	0	0.055
	引、提水灌(万 hm^2)	0.577	0.511	0	0	0	0.08	1.168
	机井灌(万 hm^2)	2.3	2.367	0.1	0.049	0.028	0.068	4.911
	井渠双灌(万 hm^2)	1.413	1.441	0.087	0.033	0.027	0.067	3.068
	合计(万 hm^2)	4.319	4.345	0.187	0.082	0.054	0.214	9.201
毛灌溉定额(m^3/hm^2)		4 500	4 065	3 450	3 150	13 500	2 550	
总用水量(万 m^3)		19 437	17 629.9	644	258.3	733.5	546.55	39 249.25
林州市								
实灌面积	水库灌(万 hm^2)	0.424	0.211	0.005	0.008	0.015	0.047	0.710
	引、提水灌(万 hm^2)	0.189	0.151	0.005	0.007	0.012	0.019	0.381
	机井灌(万 hm^2)	0.998	0.703	0.015	0.008	0.058	0.033	1.816
	井渠双灌(万 hm^2)	0.927	0.638	0.033	0.019	0.072	0.013	1.702
	合计(万 hm^2)	2.538	1.703	0.059	0.041	0.157	0.111	4.609
毛灌溉定额(m^3/hm^2)		2 550	2 250	2 250	1 950	9 000	1 800	
总用水量(万 m^3)		6 471.9	3 831	132	80.6	1 416	200.4	12 131.9
内黄县								
实灌面积	水库灌(万 hm^2)	0	0	0	0	0	0	0
	引、提水灌(万 hm^2)	0.107	0.057	0.020	0.017	0.024	0.040	0.265
	机井灌(万 hm^2)	4.227	1.639	0.667	2.323	0.250	0.035	9.140
	井渠双灌(万 hm^2)	0	0	0	0	0	0	0
	合计(万 hm^2)	4.334	1.694	0.687	2.340	0.274	0.075	9.403
毛灌溉定额(m^3/hm^2)		4 950	4 500	3 300	2 700	15 000	2 250	
总用水量(万 m^3)		21 453.3	7 623	2 266	6 318	4 110	168	41 938.3

续表 9-10

分项目		小麦	玉米	棉花	油料作物	蔬菜	其他	合计
滑县								
实灌面积	水库灌(万 hm^2)	0	0	0	0	0	0	0
	引、提水灌(万 hm^2)	0	0	0	0	0	0	0
	机井灌(万 hm^2)	4.633	2.695	0.402	1.807	0.662	0.617	10.816
	井渠双灌(万 hm^2)	0	0	0	0	0	0	0
	合计(万 hm^2)	4.633	2.695	0.402	1.807	0.662	0.617	10.816
毛灌溉定额(m^3/hm^2)		4 200	3 600	2 400	2 250	10 800	2 400	
总用水量(万 m^3)		19 457.2	9 703.2	964.8	4 065.0	7 149.6	1 480.0	42 822.9
汤阴县								
实灌面积	水库灌(万 hm^2)	4.67	3.3	0	0	0	1	8.97
	引、提水灌(万 hm^2)	3.02	2	0	0	0	0	5.02
	机井灌(万 hm^2)	30.2	17.3	0.31	1.2	0.5	3.13	52.64
	井渠双灌(万 hm^2)	4	3	0	0	0	0	7
	合计(万 hm^2)	41.89	25.6	0.31	1.2	0.5	4.13	73.63
毛灌溉定额(m^3/hm^2)		220	210	170	120	800	110	
总用水量(万 m^3)		9 215.8	5 376	52.7	144	400	454.3	15 642.8
安阳市区(郊)								
实灌面积	水库灌(万 hm^2)	0.311	0.106	0	0	0.013	0	0.213
	引、提水灌(万 hm^2)	0.065	0.060	0	0	0	0	0.125
	机井灌(万 hm^2)	0.193	0.260	0	0.059	0.292	0	0.804
	井渠双灌(万 hm^2)	0.060	0.063	0	0	0	0	0.123
	合计(万 hm^2)	0.412	0.489	0	0.059	0.305	0	1.266
毛灌溉定额(m^3/hm^2)		3 300	3 150	0	2 925	11 400	0	
总用水量(万 m^3)		1 359.6	1 541.4	0	173.55	3 479.28	0	6 553.83

表 9-11　安阳市各行政分区近几年主要农作物的灌溉用水情况

分项目		小麦	玉米	棉花	油料作物	蔬菜	其他	合计
实灌面积	水库灌(万 hm^2)	0.933	0.615	0.217	0.024	0.094	0.080	1.963
	引、提水灌(万 hm^2)	0.847	0.566	0.033	0.025	0.036	0.105	1.610
	机井灌(万 hm^2)	14.841	8.945	2.661	4.145	1.276	1.369	33.244
	井渠双灌(万 hm^2)	2.971	2.846	0.221	0.060	0.058	0.085	6.242
	合计(万 hm^2)	19.592	12.971	3.133	4.253	1.464	1.639	43.033
毛灌溉定额(m^3/hm^2)		4 020	3 555	2 655	2 340	11 910	2 250	
总用水量(万 m^3)		78 713.03	46 035.14	8 315.07	9 961.2	17 448.35	3 684.68	164 157.5
安阳县								
实灌面积	水库灌(万 hm^2)	0.045	0.039	0	0	0	0	0.084
	引、提水灌(万 hm^2)	0.140	0.083	0	0	0	0.053	0.276
	机井灌(万 hm^2)	2.351	2.217	0.100	0.049	0.027	0.067	4.811
	井渠双灌(万 hm^2)	1.640	1.967	0.087	0.033	0.027	0.067	3.820
	合计(万 hm^2)	4.175	4.305	0.187	0.083	0.054	0.187	8.991
毛灌溉定额(m^3/hm^2)		4 500	3 900	3 750	3 375	15 000	3 000	
总用水量(万 m^3)		18 789	16 790.8	700	279	810	562	37 930.8

续表 9-11

分项目		小麦	玉米	棉花	油料作物	蔬菜	其他	合计
林州市								
实灌面积	水库灌(万 hm^2)	0.360	0.244	0.006	0.007	0.021	0.021	0.659
	引、提水灌(万 hm^2)	0.187	0.129	0.006	0.006	0.011	0.009	0.348
	机井灌(万 hm^2)	0.989	0.695	0.029	0.017	0.030	0.053	1.813
	井渠双灌(万 hm^2)	0.952	0.650	0.068	0.027	0.021	0.019	1.737
	合计(万 hm^2)	2.488	1.718	0.109	0.057	0.083	0.102	4.557
毛灌溉定额(m^3/hm^2)		3 000	2 550	2 250	2 100	10 500	1 950	
总用水量(万 m^3)		7 464	4 380.9	244.5	119	875	198.9	13 282.3
内黄县								
实灌面积	水库灌(万 hm^2)	0	0	0	0	0	0	0
	引、提水灌(万 hm^2)	0.125	0.057	0.027	0.019	0.025	0.042	0.294
	机井灌(万 hm^2)	3.567	1.520	1.199	1.934	0.493	0.105	8.819
	井渠双灌(万 hm^2)	0	0	0	0	0	0	0
	合计(万 hm^2)	3.691	1.577	1.226	1.953	0.518	0.147	9.113
毛灌溉定额(m^3/hm^2)		4 650	4 350	3 000	2 400	13 500	1 755	
总用水量(万 m^3)		17 164.7	6 861.4	3 678	4 686.4	6 993	258.57	39 642.07
滑县								
实灌面积	水库灌(万 hm^2)	0	0	0	0	0	0	0
	引、提水灌(万 hm^2)	0	0	0	0	0	0	0
	机井灌(万 hm^2)	6.193	3.387	1.053	1.927	0.487	0.900	13.953
	井渠双灌(万 hm^2)	0	0	0	0	0	0	0
	合计(万 hm^2)	6.193	3.387	1.053	1.927	0.487	0.900	13.953
毛灌溉定额(m^3/hm^2)		4 200	3 600	2 400	2 250	10 800	2 400	
总用水量(万 m^3)		26 019.17	12 192	2 520.77	4 341.12	5 258.59	2 166.91	52 498.56
汤阴县								
实灌面积	水库灌(万 hm^2)	0.398	0.183	0.211	0.017	0	0.059	0.868
	引、提水灌(万 hm^2)	0.269	0.155	0	0	0	0	0.424
	机井灌(万 hm^2)	1.579	0.963	0.280	0.129	0.027	0.243	3.220
	井渠双灌(万 hm^2)	0.317	0.167	0.067	0	0	0	0.550
	合计(万 hm^2)	2.562	1.468	0.558	0.145	0.027	0.302	5.035
毛灌溉定额(m^3/hm^2)		3 000	2 850	2 100	2 100	12 000	1 650	
总用水量(万 m^3)		7 686	4 183.8	1 171.8	305.2	320	498.3	14 165.1
安阳市区(郊)								
实灌面积	水库灌(万 hm^2)	0.130	0.149	0	0	0.073	0	0.352
	引、提水灌(万 hm^2)	0.126	0.142	0	0	0	0	0.268
	机井灌(万 hm^2)	0.163	0.163	0	0.089	0.212	0	0.628
	井渠双灌(万 hm^2)	0.063	0.063	0	0	0.010	0	0.135
	合计(万 hm^2)	0.482	0.516	0	0.089	0.295	0	1.383
毛灌溉定额(m^3/hm^2)		3 300	3 150	0	2 580	10 800	0	
总用水量(万 m^3)		1 590.16	1 626.24	0	230.48	3 191.76	0	6 638.64

表 9-12　安阳市现状年与近几年的灌溉面积和用水量的对比分析　（%）

分项目		小麦	玉米	棉花	油料作物	蔬菜	其他	合计
实灌面积	水库灌	−8.0	−8.6	−97.5	−66.7	−69.5	41.7	−19.7
	引、提水灌	34.6	61.0	−24.5	−2.7	0.0	32.5	41.2
	机井灌	−3.2	−1.4	−54.7	4.4	3.7	−29.8	−6.8
	井渠双灌	−10.2	−17.7	−45.8	−13.3	70.1	−7.0	−14.1
	合计	−2.9	−2.6	−56.8	3.7	1.5	−21.1	−6.6
用水量		−1.7	−0.8	−51.2	10.8	−0.9	−22.7	−3.6

从表 9-12 中可以看出，安阳市现状年的灌溉用水量与近几年的相差不大，偏少 3.6%。其中现状年的棉花灌溉用水量比近几年的偏少 51.2%，油料作物灌溉用水量偏大 10.8%。

安阳市各行政分区现状年和近几年的林果业用水量调查统计分析结果见表 9-13 和表 9-14。

表 9-13　安阳市现状年林果业用水量调查

分区名称	果园面积（万 hm^2）							实灌面积（万 hm^2）	毛灌溉定额（m^3/hm^2）	灌溉用水量（万 m^3）
	苹果园	梨园	葡萄园	枣园	柿园	桃园	合计			
安阳县	0.236	0.018	0.001	0.054	0.029	0.010	0.348	0.058	1 125	65.18
林州市	0.222	0.018	0.013	0.010	0.120	0.023	0.406	0.276	1 200	331.46
内黄县	0.712	0.024	0.009	1.484	0	0.045	2.274	0.477	1 050	501.52
滑　县	0.657	0.015	0.003	0.014	0.001	0.016	0.706	0.611	1 050	640.87
汤阴县	0.381	0.010	0.001	0.003	0	0.022	0.417	0.065	1 050	68.01
安阳市区（郊）	0.209	0.001	0.001	0	0	0.002	0.213	0.136	1 125	153.30
全　市	2.017	0.086	0.028	1.565	0.150	0.118	3.964	1.623	1 080	1 760.33

表 9-14　安阳市近几年林果业用水量调查

分区名称	果园面积（万 hm^2）							实灌面积（万 hm^2）	毛灌溉定额（m^3/hm^2）	灌溉用水量（万 m^3）
	苹果园	梨园	葡萄园	枣园	柿园	桃园	合计			
安阳县	0.288	0.018	0.002	0.077	0.018	0.008	0.411	0.053	1 125	59.25
林州市	0.226	0.027	0.006	0.005	0.115	0.028	0.407	0.263	1 200	315.68
内黄县	0.728	0.025	0.007	1.264	0	0.048	2.072	0.415	1 050	436.1
滑　县	0.648	0.031	0.006	0.074	0.001	0.020	0.780	0.555	1 050	582.61
汤阴县	0.411	0.013	0.001	0.003	0	0.021	0.449	0.072	1 050	75.57
安阳市区（郊）	0.226	0.001	0.001	0.300	0	0.002	0.530	0.341	1 125	383.25
全　市	2.527	0.115	0.023	1.723	0.134	0.127	4.649	1.632	1 140	1 852.46

从表 9-13 和表 9-14 中可以看出，安阳市林果业的灌溉面积最近几年变化不大，稳定在 1.63 万 hm^2 左右；现状年的灌溉定额为 1 080m^3/hm^2，比近几年灌溉定额偏少 60 m^3/hm^2；灌溉用水量最近几年变化不大；各县市区（郊）林果业的灌溉定额差别不大。

二、牧渔业用水量

通过安阳市现状年和近几年牧渔业用水量调查统计分析表明，最近几年全市的牧渔业用水量基本都保持在 0.2 亿 m^3 左右。具体统计分析结果见表 9-15 和表 9-16。

表 9-15　现状年牧渔业用水量调查统计分析结果

分区名称	畜牧业						渔业		年总用水量（万 m^3）
	大牲畜		猪		羊				
	数量（万头）	日均用水量（m^3/d）	数量（万头）	日均用水量（m^3/d）	数量（万只）	日均用水量（m^3/d）	水产养殖面积（万 hm^2）	年用水量（万 m^3）	
安阳县	5.02	0.05	20.64	0.03	7.39	0.015	0.010 2	0.020	358.10
林州市	7.20	0.045	37.74	0.025	6.06	0.01	0.023 3	0.045	484.80
内黄县	6.34	0.04	31.86	0.025	25.87	0.008	0.010 1	0.019	458.85
滑　县	9.67	0.04	28.73	0.025	25.23	0.008	0.011 3	0.022	477.04
汤阴县	2.9	0.04	11.4	0.03	4.8	0.005	0.053 6	0.103	176.03
安阳市区（郊）	0.55	0.04	4.37	0.03	0.95	0.01	0.004 3	0.008	59.36
全　市	31.68	0.043	134.74	0.026	70.3	0.009	0.112 8	0.217	2 014.18

表 9-16　近几年牧渔业用水量调查统计分析结果

分区名称	畜牧业						渔业		年总用水量（万 m^3）
	大牲畜		猪		羊				
	数量（万头）	日均用水量（m^3/d）	数量（万头）	日均用水量（m^3/d）	数量（万只）	日均用水量（m^3/d）	水产养殖面积（万 hm^2）	年用水量（万 m^3）	
安阳县	5.45	0.05	22.93	0.03	8.61	0.15	0.012 0	0.023	397.71
林州市	7.19	0.045	35.34	0.025	6.39	0.01	0.023 1	0.044	463.94
内黄县	7.08	0.04	32.80	0.025	32.51	0.008	0.010 3	0.020	497.62
滑　县	16.15	0.04	24.98	0.025	37.54	0.008	0.011 3	0.022	573.37
汤阴县	2.93	0.04	7.65	0.03	3.00	0.005	0.053 5	0.103	132.12
安阳市区（郊）	0.47	0.04	3.41	0.03	0.63	0.01	0.019 3	0.037	46.54
全　市	39.27	0.042	127.11	0.026	88.68	0.009	0.129 5	0.249	2 111.30

三、农业总用水量

在前面农业各项用水量调查统计分析的基础上（见表 9-17 和表 9-18），确定出安阳市现状年的农业总用水量为 16.2 亿 m^3，其中种植业灌溉用水量占农业总用水量的 97.7%，林果业灌溉用水量占农业总用水量的 1.1%，畜牧渔业灌溉用水量占农业总用水量的 1.2%。近几年的农业总用水量为 16.8 亿 m^3，现状年农业总用水量比近几年的农业总用水量偏少近 4%。近几年的农业用水结构与现状年的基本相同。

根据调查和统计分析（见表 9-19），安阳市小麦灌溉面积占农业总灌溉面积的 47%，玉米灌溉面积占 31%，而油料作物灌溉面积占 11%。其中汤阴县的小麦灌溉面积占总灌

表 9-17　安阳市各行政分区现状年农业用水量

分区名称	种植业			林果业			畜牧渔业				总用水量（万 m^3）
							牲畜		水产养殖		
	实灌面积（万 hm^2）	灌溉用水量（万 m^3）	毛灌溉定额（m^3/hm^2）	实灌面积（万 hm^2）	灌溉用水量（万 m^3）	毛灌溉定额（m^3/hm^2）	数量（万头）	用水量（万 m^3）	面积（万 hm^2）	用水量（万 m^3）	
安阳县	5.76	39 249.3	6 810	0.058	65.18	1 125	33.05	358.08	0.010 23	0.020	39 672.58
林州市	2.70	12 131.9	4 500	0.276	331.46	1 200	51	484.76	0.023 33	0.045	12 948.17
内黄县	5.14	41 938.3	8 160	0.477	501.52	1 050	64.07	458.83	0.010 05	0.019	42 898.67
滑　县	6.45	42 822.9	6 630	0.611	640.87	1 050	63.63	477.01	0.011 30	0.022	43 940.75
汤阴县	2.72	15 642.8	5 745	0.065	68.01	1 050	19.1	175.93	0.053 60	0.103	15 886.84
安阳市区(郊)	0.73	6 553.8	9 030	0.136	153.30	1 125	5.87	59.35	0.004 32	0.008	6 766.49
全　市	23.50	158 339.1	6 735	1.623	1 760.34	1 080	236.72	2 013.96	0.112 83	0.217	162 113.62

表 9-18　安阳市各行政分区近几年农业用水量

分区名称	种植业			林果业			畜牧渔业				总用水量（万 m^3）
							牲畜		水产养殖		
	实灌面积（万 hm^2）	灌溉用水量（万 m^3）	毛灌溉定额（m^3/hm^2）	实灌面积（万 hm^2）	灌溉用水量（万 m^3）	毛灌溉定额（m^3/hm^2）	数量（万头）	用水量（万 m^3）	面积（万 hm^2）	用水量（万 m^3）	
安阳县	5.69	37 930.8	6 585	0.053	59.25	1 125	36.99	397.69	0.011 96	0.023	38 387.76
林州市	2.63	13 282.3	5 055	0.263	315.68	1 200	48.92	463.90	0.023 13	0.044	14 061.92
内黄县	5.04	39 642.07	7 875	0.415	436.1	1 050	72.39	497.60	0.010 31	0.020	40 575.79
滑　县	8.37	52 498.56	6 270	0.555	582.61	1 050	78.67	573.35	0.011 30	0.022	53 654.54
汤阴县	2.84	14 165.1	4 980	0.072	75.57	1 050	13.58	132.02	0.053 52	0.103	14 372.79
安阳市区(郊)	0.80	6 638.64	8 295	0.341	383.25	1 125	4.51	46.50	0.019 27	0.037	7 068.43
全　市	25.37	164 157.5	6 450	1.699	1 852.46	1 095	255.06	2 111.05	0.129 48	0.249	168 121.26

溉面积的比例最大，为57%；安阳县的玉米灌溉面积所占比例最大，为47%；内黄县的棉花和油料作物灌溉面积所占比例最大，分别为7%和25%；安阳市区(郊)的蔬菜灌溉面积所占比例最大，为24%。

表9-19　安阳市各行政分区现状年主要农作物灌溉面积占总灌溉面积的比例　(%)

行政分区	小麦	玉米	棉花	油料作物	蔬菜	其他	合计
安阳县	46.9	47.2	2.0	0.9	0.6	2.3	100
林州市	55.1	36.9	1.3	0.9	3.4	2.4	100
内黄县	46.1	18.0	7.3	24.9	2.9	0.8	100
滑　县	42.8	24.9	3.7	16.7	6.1	5.7	100
汤阴县	56.9	34.8	0.4	1.6	0.7	5.6	100
安阳市区(郊)	32.5	38.7	0.0	4.7	24.1	0.0	100
全市	47.3	31.4	3.4	11.0	3.7	3.2	100

通过分析可知(见表9-20)，安阳市现状年小麦、玉米、棉花、油料作物、蔬菜的毛灌溉定额分别为4 065m³/hm²、3 615m³/hm²、3 000 m³/hm² 和2 505m³/hm²、11 640m³/hm²。其中内黄县小麦、玉米、棉花、蔬菜的毛灌溉定额普遍偏高，分别比滑县偏高18%、25%、38%、39%，分别比汤阴县偏高50%、23%、49%、25%；林州市小麦、玉米、棉花、油料作物、蔬菜的毛灌溉定额普遍偏低，分别为2 550m³/hm²、2 250m³/hm²、2 250m³/hm²、1 950 m³/hm² 和9 000 m³/hm²。总之，内黄县的农业节水潜力相对比其他各县(市)区更大一些；而林州市的农业节水潜力相对较小一些。

表9-20　安阳市各行政分区现状年主要农作物的毛灌溉定额比较　(单位：m³/hm²)

行政分区	小麦	玉米	棉花	油料作物	蔬菜	其他
安阳县	4 500	4 065	3 450	3 150	13 500	2 550
林州市	2 550	2 250	2 250	1 950	9 000	1 800
内黄县	4 950	4 500	3 300	2 700	15 000	2 250
滑　县	4 200	3 600	2 400	2 250	10 800	2 400
汤阴县	3 300	3 150	2 550	1 800	12 000	1 650
安阳市区(郊)	3 300	3 150	0	2 925	11 400	0
全市	4 065	3 615	3 000	2 505	11 640	2 205

第三节　工业用水量调查及分析

一、主要典型工业企业用水量调查分析

本次对安阳市所辖区域300多家工业企业近几年的用水情况进行了比较全面、系统的调查，得到了非常珍贵的第一手资料。在分行业用水调查统计分析时，将所有的工业企业又划分为40个行业。安阳市13个主要典型工业企业的现状年和近几年的用水量调查统计分析结果列于表9-21至表9-23中。

表 9-21　安阳市现状年主要典型工业企业用水量调查统计

企业名称	工业总产值(万元)	总用水量(万 m^3)	取水量(万 m^3)			重复用水量(万 m^3)	重复利用率(%)	排水率(%)	耗水率(%)	万元产值取水量(m^3/万元)	万元产值耗水量(m^3/万元)
			耗水量	排水量	合计						
安阳钢铁集团	437 598	33 127.7	923.23	4 718.13	5 641.36	27 486.4	83	84	16	129	21
安阳彩玻公司	169 456	2 929.29	84.48	337.9	422.38	2 506.91	86	80	20	25	5
安阳卷烟厂	70 114.5	207.31	45.17	76.79	121.96	85.35	41	63	37	17	6
安阳电厂	48 520	51 024.7	8 358.72	867.36	9 226.08	41 798.62	82	9	91	1 902	1 723
安阳化学工业集团	25 540.3	11 330	315.2	514.8	830	10 500	93	62	38	325	123
安阳市化纤纺织厂	23 126.7	126.78	25.35	101.43	126.78	0	0	80	20	55	11
河南省豫北棉纺织厂	19 331.6	1 605.24	33.41	133.66	167.07	1 438.17	90	80	20	86	17
安阳电池厂	12 601	23.7	7.11	16.59	23.7	0	0	70	30	19	6
安阳市黄河轮胎公司	8 274.3	97.13	19.75	29.63	49.38	47.75	49	60	40	60	24
河南省安阳火柴厂	7 147	93.33	18.3	42.7	61	32.33	35	70	30	85	26
河南省平原制药厂	7 021	279.8	55.65	129.85	185.5	94.3	34	70	30	264	79
安阳市热电厂	6 807.6	5 146.88	210.95	55.3	266.25	4 880.63	95	21	79	391	310
安阳天牌电器公司	6 728.7	61.83	18.64	36.9	55.54	6.29	10	66	34	83	28
合　计	842 267	106 054	10 116	7 061	17 177	88 877	84	41	59	204	120

表 9-22 安阳市近几年主要典型工业企业用水量调查统计

企业名称	工业总产值(万元)	总用水量（万 m^3）	取水量(万 m^3)			重复用水量（万 m^3）	重复利用率(%)	排水率（%）	耗水率（%）	万元产值取水量（m^3/万元）	万元产值耗水量(m^3/万元)
			耗水量	排水量	合计						
安阳钢铁集团	424 028.3	30 568	1 436.56	4 803.14	6 239.7	24 328.31	80	77	23	147	34
安阳彩玻公司	151 635.3	2 472	92	407	499	1 973	80	82	18	33	6
安阳卷烟厂	65 776	271	38	98	136	135	50	72	28	21	6
安阳电厂	40 932.13	55 121	8 881	955	9 836	45 285	82	10	90	2 403	2 170
安阳化学工业集团	26 367.2	11 697.3	285	481	766	10 931.2	93	63	37	291	108
安阳化纤纺织厂	20 280.2	147	29	118	147		0	80	20	72	14
河南省豫北棉纺织厂	24 749.3	2 152	43	195	238	1 914	89	82	18	96	17
安阳电池厂	12 227.33	29.96	8.99	20.97	29.96		0	70	30	25	7
安阳市黄河轮胎公司	8 442.6	101	20	31	51	50	50	61	39	60	24
安阳火柴厂	7 444	118	24	44	68	50	42	65	35	91	32
河南省平原制药厂	9 444.6	1 034	169	394	563	471	46	70	30	596	179
安阳市热电厂	6 796.2	5 718	259	86	345	5 373	94	25	75	508	381
安阳天牌电器公司	6 796.5	62	19	37	56	6	10	66	34	82	28
合　计	804 920	109 491	11 304.6	7 670.11	18 974.7	90 516.5	83	40	60	236	140

表 9-23　安阳市典型工业企业现状年产值、耗用水情况与近几年的对比结果

对比项目	产值(万元)	总用水量(万 m^3)	耗水量(万 m^3)	排水量(万 m^3)	取水量(万 m^3)	重复量(万 m^3)
变化幅度	37 347	-3 437	-1 189	-609	-1 798	-1 640
变化率(%)	4.64	-3.14	-10.51	-7.94	-9.47	-1.81

对比项目	重复率(%)	排水率(%)	耗水率(%)	万元产值取水量(m^3/万元)
变化幅度	1	-19	19	-32
变化率(%)	0.97	-31.49	47.23	-13.59

注:"-"号表示现状年比近几年偏少。

从表 9-21 至表 9-23 中可以看出,这 13 个典型企业现状年的工业总产值为 84.2 亿元,总用水量为 10.6 亿 m^3,总取水量 1.72 亿 m^3,总耗水量 1 亿 m^3;与近几年平均值比较,总产值增加 3.7 亿元,总用水量减少 0.3 亿 m^3,总取水量减少了 0.18 亿 m^3,总耗水量减少了 0.12 亿 m^3。另外,全市现状年与近几年相比,总取水量减少了 9%,重复利用率提高了 1%,万元产值取水量减少了 13.6%,万元产值耗水量减少了 14.2%。由此可见,安阳市的典型工业企业的用水技术是在不断改进的,用水效率在不断提高。

二、主要工业行业用水量调查分析

利用本次安阳市各主要工业企业实际用耗水调查资料,分析安阳市及其各行政分区现状年各主要工业行业用耗水情况,见表 9-24。

为了便于进行各主要工业行业用耗水趋势分析和对比,对安阳市及各行政分区近几年的主要工业行业用水量等调查资料进行统计分析,见表 9-25。

从表 9-24 中可见,现状年安阳市主要工业行业的总用水量为 9.3 亿 m^3,其中取水量为 2.3 亿 m^3(即补充的新鲜水量),重复利用率为 75%,耗水率为 56%,排水率为 44%,万元产值取水量为 181m^3/万元,万元产值耗水量为 104 m^3/万元。

从各主要工业行业的实际调查资料分析可以看出,安阳市现状年工业产值超过 10 亿元的有黑色金属冶炼及压延加工业、电子及通信设备制造业、化学工业三个行业。其中黑色金属冶炼及压延加工业产值最大,其工业总产值高达 31.6 亿元;而总用水量(包括厂内重复利用)、总取水量(不包括厂内重复利用)和总耗水量、重复利用量最大的工业行业是电力、蒸汽、热水及供应业,其总用水量为 5.32 亿 m^3,总取水量为 0.95 亿 m^3,重复利用量为 4.37 亿 m^3,,重复利用率高达 82%;万元产值取水量最小、重复利用率最高的工业行业是电子及通讯设备制造业,分别为 10 m^3/万元和 90%;万元产值取水量与万元产值耗水量最大的工业行业分别是医药工业和电力、蒸汽、热水及供应业。

从表 9-25 中可见,安阳市近几年主要工业行业的年均总用水量为 9.78 亿 m^3,其中取水量为 2.76 亿 m^3,重复利用率为 72%,耗水率为 54%,排水率为 46%。企业的万元产值取水量为 216m^3/万元,万元产值耗水量为 116m^3/万元。

通过对现状年与近几年全市主要工业行业用水情况的比较和分析可以看出,现状年安阳市的总取水量比近几年平均值减少 0.43 亿 m^3,重复利用率提高了 3%,耗水率增加

表 9-24　安阳市及各行政分区现状年主要工业行业用水量调查统计

行政分区	行业名称	工业总产值(万元)	总用水量(万 m^3)	取水量(万 m^3)			重复用水量(万 m^3)	重复利用率(%)	排水率(%)	耗水率(%)	万元产值取水量(m^3/万元)	万元产值耗水量(m^3/万元)
				耗水量	排水量	合计						
安阳市	食品制造业	32 884	801	201	537	738	64	8	73	27	225	61
	烟草加工业	65 602	266	53	53	104	162	61	50	50	16	8
	纺织业	97 430	3 149	537	867	1 394	1 756	56	62	38	143	55
	电力、蒸汽、热水及供应业	60 620	53 218	8 017	1 631	9 678	43 743	82	17	83	1 563	1 323
	化学工业	102 792	4 258	589	1 041	1 631	2 627	62	64	36	159	57
	医药工业	2 398	561	219	297	516	48	8	58	42	2 142	913
	化学纤维工业	3 919	244	76	76	151	93	38	50	50	386	193
	黑色金属冶炼及压延加工业	316 103	21 264	1 490	2 815	4 305	17 040	80	65	35	134	47
	机械工业	50 981	735	272	282	554	181	25	51	49	109	53
	电气机械及器材制品业	16 591	190	123	44	167	23	12	26	74	101	74
	电子及通信设备制造业	239 430	2 431	146	103	249	2 181	90	41	59	10	6
	煤炭采选业	36 017	1 036	56	945	1 002	34	3	94	6	278	16
	金属冶炼及加工业	94 796	926	184	398	582	344	37	68	32	61	19
	建材及制造	58 993	1 297	1 063	135	1 197	100	8	11	89	203	180
	造纸业	21 904	2 508	322	853	1 176	1 332	53	73	27	537	147
	交通设备制造	82 200	167	19	122	141	26	16	87	13	17	2
	石油和天然气开采业	5 070	7	2	4	6	1	9	65	35	13	4
	合　计	1 287 729	93 059	13 369	10 221	23 305	69 754	75	44	56	181	104

续表 9-24

行政分区	行业名称	工业总产值(万元)	总用水量(万 m^3)	取水量(万 m^3)			重复用水量(万 m^3)	重复利用率(%)	排水率(%)	耗水率(%)	万元产值取水量(m^3/万元)	万元产值耗水量(m^3/万元)
				耗水量	排水量	合计						
安阳县	食品饮料烟草工业	5 644	382	70	280	350	32	8	80	20	619	124
	纺织缝纫皮革工业	21 298	149	34	86	120	29	19	72	28	56	16
	金属冶炼及加工业	88 956	882	166	387	553	329	37	70	30	62	19
	电力、蒸汽、热水生产供应业	5 718	306	225	42	267	38	13	16	84	467	394
	化学工业	49 209	1 056	305	439	745	311	29	59	41	151	62
	煤炭采选业	20 082	900	32	868	900	0	0	96	4	448	16
	黑色金属矿采业	494	800	2	799	800	0	0	100	0	16 194	30
	合　计	191 401	4 474	834	2 901	3 735	739	17	78	22	195	44
林州市	煤炭采选业	15 595	135	24	77	101	34	25	76	24	65	16
	电力、蒸汽、热水供应业	18 444	255	85	50	135	120	47	37	63	73	46
	黑色金属冶炼及压延加工业	19 270	620	298	32	330	290	47	10	90	171	155
	食品制造业	3 471	114	39	75	114	0	0	66	34	328	112
	纺织业	4 630	128	29	96	125	3	2	77	23	270	63
	造纸业	7 839	1 200	133	113	246	954	80	46	54	314	170
	建材及制造	38 454	885	853	32	885	0	0	4	96	230	222
	机械工业	26 002	360	174	53	227	133	37	23	77	87	67
	交通设备制造	82 200	167	19	122	141	26	16	87	13	17	2
	建材及采选	19 213	385	195	90	285	100	26	32	68	148	101
	化学工业	1 119	155	36	83	119	36	23	70	30	1 063	322
	合　计	236 237	4 404	1 885	823	2 708	1 696	39	30	70	115	80

续表 9-24

行政分区	企业名称	工业总产值(万元)	总用水量(万 m^3)	取水量(万 m^3)			重复用水量(万 m^3)	重复利用率(%)	排水率(%)	耗水率(%)	万元产值取水量(m^3/万元)	万元产值耗水量(m^3/万元)
				耗水量	排水量	合计						
内黄县	纺织业	8 010	20	10	0.2	10.2	9.8	49	2	98	13	25
	饮料制造业	3 281	19.8	5.05	10.23	15.28	4.52	23	67	33	47	60
	食品制造业	9 200	25.75	13.95	4.8	18.75	7	27	26	74	20	28
	化学原料制业	2 166	32.18	6.16	24.17	30.3	1.85	6	80	20	140	149
	合　计	22 657	97.73	35.16	39.4	74.53	23.17	24	53	47	33	43
滑县	造纸及纸制品业	12 980	1 240	185	705	890	350	28	79	21	685	142
	化学工业	17 940	1 848	33	55	88	1 760	95	63	37	49	18
	石油和天然气开采业	5 070	7	2	4	6	1	9	65	35	13	4
	食品制造业	2 000	22	1	17	18	4	17	95	5	90	5
	纺织业	12 355	88	7	43	50	38	44	86	14	40	6
	电力、蒸汽、热水生产和供应业	2 100	1 613	50	8	58	1 555	96	14	86	276	238
	煤炭采选业	340	1	0	0	1	1	61	90	10	15	1
	合　计	52 785	4 819	278	832	1 110	3 709	77	75	25	210	53
汤阴县	食品制造	4 612	79	23	50	73	6	8	69	31	158	49
	纺织	7 530	202	73	129	202		0	64	36	268	97
	造纸及纸制品	1 085	68	4	36	40	28	41	89	11	367	39
	化学工业	4 700	597	106	206	312	285	48	66	34	664	226
	建筑材料	1 326	27	15	13	27		0	47	53	206	109
	有色金属冶炼	5 840	44	18	11	29	15	34	38	62	49	31
	合　计	25 093	1 016	238	445	683	334	33	65	35	272	95

续表 9-24

行政分区	行业名称	工业总产值(万元)	总用水量(万 m^3)	取水量(万 m^3)			重复用水量(万 m^3)	重复利用率(%)	排水率(%)	耗水率(%)	万元产值取水量(m^3/万元)	万元产值耗水量(m^3/万元)
				耗水量	排水量	合计						
安阳市区(郊)	食品制造业	4 676	160	50	99	149	11	7	66	34	320	106
	烟草加工业	65 602	266	53	53	106	162	61	50	50	16	8
	纺织业	43 607	2 563	384	513	897	1 676	65	40	60	203	88
	电力、蒸汽、热水供应业	34 358	51 045	7 657	1 531	9 188	42 029	82	17	83	2 624	2 228
	化学工业	27 658	569	102	233	335	233	41	70	30	122	37
	医药工业	2 398	561	219	297	516	48	8	58	42	2 142	913
	化学纤维工业	3 919	244	76	76	151	93	38	50	50	386	193
	黑色金属冶炼及压延加工业	296 339	19 844	1 191	1 984	3 175	16 750	84	62	38	104	40
	机械工业	24 979	375	98	229	327	48	13	70	30	131	39
	电气机械及器材制品业	16 591	190	123	44	167	23	12	26	74	101	74
	电子及通信设备制造业	239 430	2 431	146	122	268	2 181	90	46	54	10	6
	合　计	759 556	78 248	10 098	5 181	15 279	63 253	81	34	66	197	133

了2%，排水率减少了2%。按工业产值计算，万元产值取水量减少了35m³/万元，万元产值耗水量减少13m³/万元。总的来说，工业行业的用水效率有了比较明显的提高。这与典型工业企业用水量调查分析结果是一致的。

但是应该看到，安阳市主要工业行业最近几年总取水量减少和用水效率的提高，不仅是由于改进生产工艺、推广应用节水技术和提高管理水平、挖掘企业内部节水潜力的缘故，在很大程度上也受到1998年亚洲金融风波、国内外经济形势以及市场环境等诸多因素的影响。1998年安阳市主要工业行业总的经济发展情况并不理想，有不少行业的工业产值不仅没有增加反而下降，有些行业产值的下降幅度甚至超过了50%。与近几年平均水平相比，1998年工业产值和取水量都增加的有金属冶炼及加工业，黑色金属冶炼及延加工业，电力、蒸汽、热水及供应业，石油和天然气开采业等4个工业行业。因此，随着国际和国内经济形势的逐步好转，市场不断繁荣，安阳市工业总取水量还会逐渐增加。但面临水资源日趋短缺的问题，安阳市各主要工业企业要加大节水力度，提高水的重复利用率，降低万元产值取水量。总之，安阳市工业企业的节水潜力是很大的，但任务是艰巨的。

三、工业总用水量分析

根据安阳市各主要工业行业用耗水量调查和统计分析结果，给出全市及各县(市)区现状年与近几年工业用耗水量等分析结果，见表9-26和表9-27。

从表9-26中可知，安阳市现状年的工业总用水量为13.9亿m³，取水量为3.5亿m³，万元产值取水量为123m³/万元，万元产值耗水量为70m³/万元，万元产值排水量为53m³/万元。其中安阳市区(郊)的工业总用水量、取水量和重复利用率最大，分别为8.62亿m³、1.64亿m³和81%；滑县的万元产值取水量和万元产值排水量最大，分别为156m³/万元和117m³/万元；林州市万元产值耗水量最大，为110m³/万元。

由表9-26和表9-27中分析结果可知：①现状年的工业总产值比近几年的均值下降了4%，总取水量和耗水量也分别下降了9%、11%；②现状年的重复利用率提高了3%；③万元产值取水量、万元产值耗水量和万元产值排水量分别下降了5%、1%与9%。其中林州市工业总产值下降最大，为10%；滑县工业用水量、取水量和排水量下降最大，分别为14%、34%和39%；安阳县重复利用率提高得最快，为42%。安阳市及各县(市)区的工业用水情况与典型企业和主要工业行业用水调查的分析结论大致相同。

为了掌握安阳市各县(市)区工业对全市工业的贡献率，分析了各县(市)区各项工业指标占全市的比例。具体分析结果见表9-28。

从表9-28中的分析结果可以看出，现状年安阳市区(郊)工业总产值的贡献率最高，占全市工业总产值的42.7%；其用水量也最大，占全市工业总用水量的61.8%；取水量、耗水量和排水量也最大，分别占全市的47%、53%和39.3%。而工业总产值占第二位的是林州市，占全市工业总产值的20.6%；用水量占第二位的是滑县，占全市的13.6%；取水量、耗水量占第二位的是林州市，分别占全市的26.3%和32.6%；排水量占第二位的是滑县，占全市的21%。滑县的工业产值排名第四位，而污水排放量却排名第二位。由此说明，滑县的工业节水、治污工作任务比较大，应引起有关方面重视。安阳市各县市区(郊)近几年的工业情况与现状年大致相同。

表 9-25　安阳市及各行政分区近几年主要工业行业用水量调查统计

行政分区	行业名称	工业总产值(万元)	总用水量(万 m^3)	取水量(万 m^3)			重复用水量(万 m^3)	重复利用率(%)	排水率(%)	耗水率(%)	万元产值取水量(m^3/万元)	万元产值耗水量(m^3/万元)
				耗水量	排水量	合计						
安阳市	食品制造业	70 616	2 067	509	1 180	1 689	378	18	70	30	239	72
	烟草加工业	53 107	312	81	53	134	178	57	40	60	25	15
	纺织业	127 771	4 404	561	1 268	1 831	2 574	58	69	31	143	44
	电力、蒸汽、热水生产供应业	48 178	54 110	8 166	1 142	9 456	44 654	83	12	86	1 963	1 695
	化学工业	135 745	4 986	930	1 881	2 811	2 175	44	67	33	207	69
	医药工业	33 520	2 329	512	931	1 432	896	38	64	36	427	153
	化学纤维工业	7 807	1 144	92	332	425	719	63	78	22	544	117
	黑色金属冶炼及压延加工业	268 128	18 688	1 561	2 543	4 116	14 572	78	62	38	154	58
	机械工业	77 385	1 153	330	575	905	248	22	64	36	117	43
	电气机械及器材制品业	29 048	275	179	55	233	42	15	24	76	80	62
	电子及通信设备制造业	180 658	2 461	246	246	504	1 957	80	50	50	28	14
	煤炭采选业	22 841	1 040	207	805	1 012	29	3	80	20	443	91
	金属冶炼及加工业	40 701	502	97	216	313	189	38	69	31	77	24
	建材及制造	58 629	1 296	1 080	129	1 209	87	7	11	89	206	184
	造纸业	25 686	2 844	302	1 058	1 360	1 483	52	78	22	530	118
	交通设备制造	93 130	181	23	129	152	29	16	85	15	16	2
	石油和天然气开采业	4 818	5	2	3	4	1	13	63	37	9	3
	合　计	1 277 766	97 797	14 876	12 546	27 585	70 212	72	46	54	216	116
安阳县	食品饮料烟草工业	5 150	385	64	257	321	64	17	80	20	623	125
	纺织缝纫皮革工业	16 752	124	28	72	101	24	19	72	28	60	17
	金属冶炼及加工业	34 925	458	79	204	283	174	38	72	28	81	23
	电力、蒸汽、热水生产供应业	5 370	288	208	42	250	39	13	17	83	465	387
	化学工业	48 432	1 072	310	445	755	317	30	59	41	156	64
	煤炭采选业	8 310	922	186	736	922	0	0	80	20	1 110	224
	黑色金属矿采业	1 324	1 249	252	997	1 249	0	0	80	20	9 434	1 901
	合　计	120 264	4 499	1 127	2 754	3 882	617	14	71	29	323	94

续表 9-25

行政分区	行业名称	工业总产值(万元)	总用水量(万 m³)	取水量(万 m³)			重复用水量(万 m³)	重复利用率(%)	排水率(%)	耗水率(%)	万元产值取水量(m³/万元)	万元产值耗水量(m³/万元)
				耗水量	排水量	合计						
林州市	煤炭采选业	14 120	117	21	68	89	28	24	76	24	63	15
	电力、蒸汽、热水生产供应业	12 834	253	84	50	134	119	47	37	63	104	65
	黑色金属冶炼及压延加工业	19 715	622	300	32	332	290	47	10	90	168	152
	食品制造业	3 352	113	39	74	113	0	0	65	35	337	116
	纺织业	4 480	126	28	95	123	3	2	77	23	275	63
	造纸业	7 814	1 197	132	113	245	952	80	46	54	314	169
	建材及制造	39 828	898	861	37	898	0	0	4	96	225	216
	机械工业	23 753	339	167	46	213	126	37	22	78	90	70
	交通设备制造	93 130	181	23	129	152	29	16	85	15	16	2
	建材及采选	17 086	348	183	78	261	87	25	30	70	153	107
	化学工业	1 258	147	33	82	115	32	22	71	29	914	262
	合　计	237 370	4 341	1 871	804	2 675	1 666	38	30	70	113	79
内黄县	纺织业	27 322	648	210	235	445	203	31	53	47	163	77
	饮料制造业	40 385	575	170	299	469	106	18	64	36	116	42
	食品制造业	6 728	524	134	352	486	38	7	72	28	722	200
	化学原料制业	35 688	1 224	304	751	1 055	169	14	71	29	296	85
	合　计	110 123	2 971	819	1 636	2 455	516	17	67	33	223	74

续表 9-25

行政分区	行业名称	工业总产值(万元)	总用水量(万 m³)	取水量(万 m³)			重复用水量(万 m³)	重复利用率(%)	排水率(%)	耗水率(%)	万元产值取水量(m^3/万元)	万元产值耗水量(m^3/万元)
				耗水量	排水量	合计						
滑县	造纸及纸制品业	16 878	1 562	162	903	1 065	497	32	85	15	631	96
	化学工业	16 731	1 407	53	148	201	1 205	86	74	26	120	32
	石油和天然气开采业	4 818	5	2	3	4	1	13	63	37	9	3
	食品加工	1 777	10	2	6	9	2	18	76	24	48	11
	纺织业	12 772	88	6	36	41	46	53	86	14	32	5
	电力、蒸汽、热水生产和供应业	2 038	1 535	69	9	78	1 457	95	12	88	382	337
	煤炭采选业	411	1	0	1	1	1	47	77	23	19	4
	合　计	55 424	4 608	293	1 106	1 399	3 209	70	79	21	252	53
汤阴县	食品制造	4 454	73	22	46	68	6	8	68	32	153	49
	纺织	7 275	179	62	117	179		0	66	34	246	85
	造纸及纸制品	995	85	8	42	50	35	41	84	16	506	82
	化学工业	4 055	498	134	167	301	197	40	55	45	743	331
	建筑材料	1 715	50	36	14	50		0	28	72	289	207
	有色金属冶炼	5 776	45	18	11	30	15	33	39	61	51	31
	合　计	24 269	930	280	398	678	252	27	59	41	279	115

续表 9-25

行政分区	行业名称	工业总产值(万元)	总用水量(万 m^3)	取水量(万 m^3)			重复用水量(万 m^3)	重复利用率(%)	排水率(%)	耗水率(%)	万元产值取水量(m^3/万元)	万元产值耗水量(m^3/万元)
				耗水量	排水量	合计						
安阳市区(郊)	食品制造业	8 771	386	77	147	223	162	42	66	35	255	88
	烟草加工业	53 107	312	81	53	134	178	57	40	60	25	15
	纺织业	59 170	3 239	227	712	941	2 297	71	76	24	159	38
	电力、蒸汽、热水及供应业	27 937	52 034	7 805	1 041	8 995	43 039	83	13	87	3 220	2 794
	化学工业	29 581	639	96	287	383	256	40	75	25	129	32
	医药工业	33 520	2 329	512	931	1 432	896	38	64	36	427	153
	化学纤维工业	7 807	1 144	92	332	425	719	63	78	22	544	117
	黑色金属冶炼及压延加工业	247 089	16 817	1 009	1 514	2 535	14 282	85	60	40	103	41
	机械工业	53 632	814	163	529	692	122	15	76	24	129	30
	电气机械及器材制品业	29 048	275	179	55	233	42	15	23	77	80	62
	电子及通信设备制造业	180 658	2 461	246	246	504	1 957	80	50	50	28	14
	合　计	730 317	80 449	10 486	5 847	16 497	63 952	79	35	65	226	144

表 9-26　安阳市各行政分区现状年工业用水量调查统计结果

分区名称	总产值(万元)	用水量(万 m^3)	取水量(万 m^3)	耗水量(万 m^3)	排水量(万 m^3)	重复利用率(%)	万元产值用水量(m^3/万元)	万元产值取水量(m^3/万元)	万元产值耗水量(m^3/万元)	万元产值排水量(m^3/万元)
安阳县	420 253	4 934	4 095	937	3 158	17	116	97	21	76
林州市	583 591	14 774	9 160	6 353	2 807	38	357	157	110	47
内黄县	170 183	167	127	60	67	24	10	7	3	4
滑　县	280 438	18 985	4 367	1 139	3 227	77	677	156	39	117
汤阴县	165 823	1 090	730	251	479	33	66	44	15	29
安阳市区(郊)	1 209 720	86 177	16 374	10 341	6 032	81	712	135	89	46
全　市	2 830 008	126 127	34 852	19 081	15 770	75	446	123	67	56

表 9-27　安阳市各行政分区近几年工业用水量调查统计结果

分区名称	总产值（万元）	用水量（万 m^3）	取水量（万 m^3）	耗水量（万 m^3）	排水量（万 m^3）	重复利用率（%）	万元产值用水量（m^3/万元）	万元产值取水量（m^3/万元）	万元产值耗水量（m^3/万元）	万元产值排水量（m^3/万元）
安阳县	425 837	4 956	4 361	1 586	2 775	12	116	102	30	73
林州市	648 533	14 837	9 199	6 380	2 819	38	229	142	99	43
内黄县	184 191	184	125	59	66	32	10	7	3	4
滑　县	295 966	21 942	6 582	1 316	5 266	70	741	222	47	176
汤阴县	172 434	973	710	292	418	27	56	41	17	24
安阳市区(郊)	1 233 910	83 067	17 444	11 629	5 815	79	673	141	92	49
全　市	2 960 870	125 959	38 422	21 262	17 159	72	425	130	71	58

表 9-28　安阳市现状年与近几年各县市区(郊)各项工业用水指标占全市的比例　（%）

行政分区	现状年					近几年				
	总产值	用水量	取水量	耗水量	排水量	总产值	用水量	取水量	耗水量	排水量
安阳县	14.8	3.5	11.7	4.8	20.6	14.4	3.6	11.4	7.2	16.9
林州市	20.6	10.6	26.3	32.6	18.3	21.9	10.8	23.9	29.1	17.1
内黄县	6.0	0.1	0.4	0.3	0.4	6.2	0.1	0.3	0.3	0.4
滑　县	9.9	13.6	12.5	5.8	21.0	10.0	16.0	17.1	6.0	32.0
汤阴县	5.9	0.8	2.1	1.3	3.1	5.8	0.7	1.8	1.3	2.5
安阳市区(郊)	42.7	61.8	47.0	53.0	39.3	41.7	60.5	45.4	53.0	35.3
全　市	100	100	100	100	100	100	100	100	100	100

第四节　生活用水量调查及分析

一、城镇生活用水量

(一)城镇家庭用水量

根据安阳市所辖区域的城乡典型用水户用水量调查资料,分析安阳市城镇生活用水情况,具体统计分析结果见表9-29。

表9-29　安阳市各行政分区城镇家庭用水量典型调查统计结果

分区名称	典型调查的乡镇(分区)	统计人口(人)	现状年		近几年	
			用水量(m^3/d)	人均日用水量(L/(人·日))	用水量(m^3/d)	人均日用水量(L/(人·日))
安阳县	水冶镇	55	3.3	60	3.3	60
	汤卫河山丘区	44	2.2	50	2.2	50
	洹卫河平原区	41	1.23	30	1.23	30
	漳山区	44	1.69	38	1.45	33
	汤卫河平原区	53	2.39	45	2.39	45
	洹河山丘区	41	2.46	60	2.46	60
	小计	278	13.27	48	13.03	47
林州市	陵阳镇	34	1.45	33	1.45	33
	东岗镇	42	1.49	34	1.49	34
	城关镇	43	2.15	50	2.15	50
	小计	119	5.09	43	5.09	43
内黄县	卫河北	45	3.336	76	3.404	76
	卫河南	40	1.10	28	1.10	28
	硝河	28	1.05	37	0.96	34
	小计	113	5.49	49	5.46	48
滑　县	道口	42	1.428	34	1.428	34
	八里营	30	0.415	14	0.432	14
	焦虎	37	1.425	39	1.235	33
	赵营乡	41	2.31	56	2.083	51
	小计	150	5.578	37	5.178	35
汤阴县	县城	50	4.55	91	4.132	83
	宜沟镇	36	2.423	67	1.945	54
	瓦岗乡	29	2.054	53	1.733	44
	小计	115	11.7	78	7.81	68
安阳市区(郊)	市水利局	60	5.56	93	5.12	85
	六二六区	1 300	121.68	94	111.95	86
	文明小区	98	9.98	102	9.18	94
	晨曦小区	113	6.72	59	6.18	55
	洹北小区	217	10.14	47	9.33	43
	小计	1 788	154.07	86	141.75	79
合　计		2 563	195.20	76	178.32	70

从表 9-29 中可以看出，无论是现状年还是近几年，城镇家庭人均日用水量最高的均是安阳市区(郊)，现状年为 86L/(人·日)，近几年为 79L/(人·日)。其中安阳市区(郊)的文明小区现状年最高，为 102L/(人·日)。人均日用水量最低是滑县，现状年为 37L/(人·日)，近几年为 35L/(人·日)。

与工业用水量指标不同的是，安阳市所辖区域现状年的城镇家庭人均日生活用水量均高于近几年的均值。这表明，安阳市城镇居民的生活水平在逐渐提高，供水条件在日趋改善。

根据安阳市所辖区域城镇家庭用水量典型调查统计分析结果，分析和确定出全市各行政分区的城镇家庭用水量，见表 9-30。

表 9-30　安阳市各行政分区城镇家庭用水量统计分析结果

分区名称	现状年			近几年		
	人口(万人)	人均日用水量(L/(人·日))	用水量(万 m^3)	人口(万人)	人均日用水量(L/(人·日))	用水量(万 m^3)
安阳县	8.265 4	48	144.809 8	7.788 1	47	133.604 9
林州市	11.052 6	43	173.470 6	10.603 2	43	166.417 2
内黄县	4.231 4	49	75.678 6	4.085 13	48	71.571 39
滑　县	7.813 3	37	105.518 6	7.441 65	35	95.067 08
汤阴县	5.216 8	78	148.522 3	5.045 3	68	125.224 3
安阳市区(郊)	52.798 2	86	1 657.335	50.264 4	79	1 449.374
全　市	89.377 7	71	2 305.335	85.227 78	66	2 041.259

从表 9-30 中可以看出，现状年安阳市城镇家庭用水量中安阳市区(郊)的最大，为 1 657.3万 m^3，占安阳市城镇家庭总用水量的 72%；其次是林州市，其用水量为 173.5 万 m^3；最小的内黄县，城镇家庭用水量仅为 75.7 万 m^3。

(二)公共设施用水量

安阳市各行政分区现状年公共设施用水量统计结果见表 9-31。

表 9-31　安阳市各行政分区现状年公共设施用水量统计结果

分区名称	运输、邮电业(万 m^3)	商业、饮食服务业(万 m^3)	金融、保险业(万 m^3)	教育、文艺、广播、电视业(万 m^3)	卫生、社会福利业(万 m^3)	行政机关、社会团体(万 m^3)	合计(万 m^3)	人均日用水量(L/(人·日))
安阳县	48.535	405.705	7.225	25.627 5	17.51	14.705	519.308	172
林州市	126.743	211.238	42.248	125.760	127.725	253.485	887.198	220
内黄县	15.367	120.849	12.824	109.085	59.212	72.062	389.398	252
滑　县	9.868	74.691	8.269	72.93	60.111	34.086	259.955	91
汤阴县	19.55	24.49	11.6	10.3	6.72	68.31	140.97	74
安阳市区(郊)	319.128	2 667.615	47.505	168.509	115.133	96.689	3 414.580	177
全　市	539.191	3 504.587	129.67	512.211	386.411	539.337	5 611.41	172

从表 9-31 中可以看出，现状年公共设施人均日用水量最高的是内黄县，其次是林州市，安阳市区(郊)居第三。现状年安阳市平均公共设施用水量为 172L/(人·日)，是城镇

家庭生活人均日用水量的2.4倍。安阳市区(郊)的公共设施用水总量最大,占全市公共设施用水总量的60%。

安阳市各行政分区近几年公共设施用水量统计结果,见表9-32。

表9-32 安阳市各行政分区近几年公共设施用水量统计结果

分区名称	运输、邮电业(万 m^3)	商业、饮食服务业(万 m^3)	金融、保险业(万 m^3)	教育、文艺、广播、电视业(万 m^3)	卫生、社会福利业(万 m^3)	行政机关、社会团体(万 m^3)	合计(万 m^3)	人均日用水量(L/(人·日))
安阳县	37.315	360.400	5.461	20.931	14.004	12.091	450.203	158
林州市	124.230	207.732	41.663	123.725	127.513	249.218	874.079	226
内黄县	15.326	113.932	12.667	144.894	62.079	57.844	406.741	273
滑　县	20.402 2	151.668	16.862 5	192.884 2	82.640 5	77.001 3	541.458 2	199
汤阴县	18.83	22.86	9.40	8.87	6.42	62.45	128.83	70
安阳市区(郊)	335.083	3 236.354	49.039	187.965	125.747	108.581	4 042.768	220
全　市	488.714	4 092.945	135.093	679.269	418.402	567.184	6 444.079	205

由表9-32中可知,近几年公共设施人均日用水量最高的是内黄县,为273 L/(人·日);其次是林州市,为226 L/(人·日);安阳市区(郊)排名第三,为220 L/(人·日)。但安阳市区(郊)公共设施用水总量最大。现状年与近几年相比,现状年公共设施用水量有所下降。

(三)城镇生活总用水量

根据安阳市所辖区域城镇家庭和公共设施用水量的统计分析结果,分析和确定安阳市各行政分区城镇生活总用水量,以及各县(市)区城镇生活用水量所占的比例。具体分析结果见表9-33。

表9-33 安阳市各行政分区城镇生活总用水量统计结果

分区名称	现状年					近几年				
	总人口(万人)	总用水量(万 m^3)			综合用水定额(L/(人·日))	总人口(万人)	总用水量(万 m^3)			综合用水定额(L/(人·日))
		居民生活	公共设施	合计			居民生活	公共设施	合计	
安阳县	8.265 4	145	519	664	220	7.788	134	450	584	205
林州市	11.052 6	173	887	1 061	263	10.603	166	874	1 041	269
内黄县	4.231 4	76	389	465	301	4.085	72	407	478	321
滑　县	7.813 3	106	260	365	128	7.442	95	541	637	234
汤阴县	5.216 8	149	141	289	152	5.045	125	129	254	138
安阳市区(郊)	52.798 2	1 657	3 415	5072	263	50.264	1 449	4 043	5 492	299
全　市	89.377 7	2 305	5 611	7 917	243	85.228	2 041	6 444	8 485	271

从表9-33中可以看出,现状年安阳市城镇生活总用水量为0.79亿 m^3,综合用水定额为243L/(人·日);现状年的城镇居民生活用水量比近几年的平均值有所增加,城镇公

共设施用水量比近几年有所减少;安阳市城镇生活总用水量的地区分布情况与城镇人口的分布情况基本相同,安阳市区(郊)人口占59%,城镇生活用水量占64%。近几年城镇生活的用水情况与现状年大致相同。

二、农村生活用水量

安阳市各行政分区现状年和近几年农村生活用水量典型农户调查统计分析结果见表9-34;各县(市)区农村生活用水量调查统计分析结果见表9-35。全市现状年农村生活用水量0.6亿m^3,近几年年均农村生活用水量0.58亿m^3;从现状年和近几年的人均农村生活用水量指标看,农村生活用水条件也在趋于改善。农村人均日生活用水量指标最高的是安阳县和安阳市区(郊),最低的是林州市。

表9-34 安阳市各行政分区农村生活用水量典型调查统计结果

分区名称	典型调查的乡镇(分区)	现状年			近几年	
		统计人口(人)	用水量(m^3/d)	综合用水定额(L/(人·日))	用水量(m^3/d)	综合用水定额(L/(人·日))
安阳县	洹卫河平原区	42	1.68	40	1.386	33
	漳山区	38	1.52	40	1.254	33
	汤卫河平原区	37	1.915	52	1.8	49
	水冶镇	45	1.8	40	1.8	40
	汤卫河山丘区	41	1.985	48	2.008	49
	洹河山丘区	47	1.88	40	1.88	40
	合计	250	10.78	43	10.128	41
林州市	姚村镇	47	1.41	30	1.41	30
	临淇镇	49	2.205	45	2.205	45
	任村镇	42	1.05	25	1.05	25
	合计	138	4.665	34	4.665	34
内黄县	卫北	41	1.819	44	1.83	45
	卫南	37	1.011	27	1.011	27
	硝河	33	1.325	40	1.203	36
	合计	111	4.155	37	4.004	36
滑　县	道口	41	1.764	43	1.731	42
	八里营	42	0.848	20	0.855	20
	焦虎	45	2.955	66	2.786	62
	赵营乡	42	1.56	37	1.405	33
	合计	170	7.127	42	6.777	40
汤阴县	宜沟镇	42	1.629	39	1.542	37
	瓦岗乡	39	1.376	35	1.265	32
	合计	81	3	37	2.807	35
安阳市区(郊)	合计			43		41
全　市	合计	1 500	59.459	40	56.802	38

注:用水量中包含以自用为目的的禽畜和菜园用水量。

表 9-35 安阳市各行政分区农村生活用水量调查统计结果

分区名称	现状年			近几年		
	人口（万人）	综合用水量定额（L/(人·日)）	总用水量（万 m^3）	人口（万人）	综合用水量定额（L/(人·日)）	总用水量（万 m^3）
安阳县	103.24	43	1 620	103.12	41	1 543
林州市	85.42	34	1 060	87.11	34	1 081
内黄县	63.59	37	859	63.20	36	830
滑　县	109.51	42	1 679	108.70	40	1 587
汤阴县	38.58	37	521	38.42	35	491
安阳市区(郊)	19.02	43	299	19.55	41	293
全　市	419.36	39	6 037	420.09	38	5 825

三、生活总用水量

安阳市各行政分区生活用水量汇总情况见表 9-36；各县(市)区生活用水量的组成结构见表 9-37。

表 9-36 安阳市各行政分区生活用水量汇总

分区名称	现状年			近几年		
	总人口（万人）	综合用水量定额(L/(人·日))	总用水量（万 m^3）	总人口（万人）	综合用水量定额（L/(人·日)）	总用水量（万 m^3）
安阳县	111.51	56	2 285	110.91	53	2 127
林州市	96.47	60	2 121	97.71	59	2 121
内黄县	67.82	53	1 324	67.28	53	1 309
滑　县	117.32	48	2 044	116.14	52	2 224
汤阴县	43.79	51	810	43.46	47	745
安阳市区(郊)	71.82	205	5 370	69.81	227	5 785
全　市	508.73	75	13 954	505.32	78	14 310

表 9-37 安阳市各行政分区生活用水量的组成结构 (%)

分区名称	现状年					近几年				
	城镇用水			农村生活用水	生活用水总量	城镇用水			农村生活用水	生活用水总量
	家庭用水	公共用水	合计			家庭用水	公共用水	合计		
安阳县	6.3	22.7	29.1	70.9	100	6.3	21.2	27.4	72.6	100
林州市	8.2	41.8	50.0	50.0	100	7.8	41.2	49.0	51.0	100
内黄县	5.7	29.4	35.1	64.9	100	5.5	31.1	36.5	63.5	100
滑　县	5.2	12.7	17.9	82.1	100	4.3	24.4	28.6	71.4	100
汤阴县	18.3	17.4	35.7	64.3	100	16.8	17.3	34.1	65.9	100
安阳市区(郊)	30.9	63.6	94.4	5.6	100	25.1	69.9	94.9	5.1	100
全　市	16.5	40.2	56.7	43.3	100	14.3	45.0	59.3	40.7	100

从表9-36和表9-37中可以看出:①现状年安阳市的生活总用水量为1.4亿m^3,其中城镇生活用水量0.8亿m^3、农村生活用水量0.6亿m^3;②现状年生活总用水量比近几年的平均值略有减少,主要是由于城镇水费的提高和市政公共用水量的减少所致,而城镇家庭用水量和农村生活用水量略有增加;③现状年安阳市生活总用水量中,城镇生活用水量占57%、农村生活用水量占43%,与近几年的比例接近;④安阳县和滑县农村人口比例较大,农村生活用水量占70%~80%;安阳市区(郊)城镇人口比例较大,城镇生活用水量占94%以上;⑤人均生活用水量指标最高的县(市)区是安阳市区(郊),接近全市平均值的3倍,约为滑县(最低)的4倍,这主要是由于城镇人口与农村人口的比例不同所致;⑥安阳市城镇人口人均生活用水量约是农村人均生活用水量的6倍多,说明安阳市城乡之间的差别比较大,迫切需要改善农村人口的饮用水条件,特别是要提高饮用水的水质和增加生活供水保障程度。

第五节　生态环境用水量

通过实际调查和统计分析有关生态环境方面的用水资料,最后得出安阳市现状年和近几年的生态环境用水量分别为483万m^3、481万m^3,其中安阳市区(郊)的生态环境用水量分别为450万m^3和449万m^3。具体统计分析结果见表9-38。

表9-38　安阳市各行政分区生态环境用水量统计结果　　(单位:万m^3)

分区名称	现状年				近几年			
	河、湖	绿地	其他	合计	河、湖	绿地	其他	合计
安阳县			2	2			1.25	1
林州市				30				29
内黄县		0.42	0.24	1		0.38	0.21	1
滑　县								
汤阴县		0.13	0.42	1		0.125	0.35	0
安阳市区(郊)	31	249.6	169.4	450	62	242.46	144.54	449
全　市	31	250.2	172.1	483	62	242.97	146.35	481

第六节　总用水量分析

安阳市现状年和近几年的各种用水量汇总情况见表9-39至表9-42。

由表9-39至表9-42中可知,安阳市现状年的总用水量为21.14亿m^3。其中农业用水量为16.21亿m^3,占总用水量的76.7%;工业用水量为3.49亿m^3,占总用水量的16.5%;城乡生活用水量为1.40亿m^3,占总用水量的6.6%;生态环境用水量为0.05亿m^3,占总用水量的0.2%。与我国经济发达地区相比,安阳市的工业和城乡生活用水量占总用水量的比例较低,今后随着经济结构的调整和人民生活水平的提高还会进一步增大,特别是农村生活用水量。安阳市现状年的总用水量比近几年的平均值约减少1亿m^3,主要是由于水源不足、农业用水量减少的缘故。

表 9-39 安阳市各行政分区现状年用水量汇总

分区	用水量(万 m^3)					各行业用水比例(%)			
	农业	工业	城乡生活	生态环境	合计	农业	工业	城乡生活	生态环境
安阳县	39 672	4 095	2 284	2	46 053	86.1	8.9	5.0	0.0
林州市	12 948	9 160	2 121	30	24 259	53.4	37.8	8.7	0.1
内黄县	42 899	127	1 324	1	44 351	96.7	0.3	3.0	0.0
滑　县	43 942	4 367	2 049	0	50 358	87.3	8.7	4.1	0.0
汤阴县	15 887	730	811	1	17 429	91.2	4.2	4.7	0.0
安阳市区(郊)	6 766	16 374	5 375	450	28 965	23.4	56.5	18.6	1.6
全　市	162 114	34 852	13 964	483	211 415	76.7	16.5	6.6	0.2

表 9-40 安阳市各行政分区近几年用水量汇总

分区	用水量(万 m^3)					各行业用水比例(%)			
	农业	工业	城乡生活	生态环境	合计	农业	工业	城乡生活	生态环境
安阳县	38 388	4 361	2 127	1	44 877	85.5	9.7	4.7	0.0
林州市	14 062	9 199	2 121	29	25 411	55.3	36.2	8.4	0.1
内黄县	40 576	125	1 309	1	42 011	96.6	0.3	3.1	0.0
滑　县	53 655	6 582	2 224	0	62 461	85.9	10.5	3.6	0.0
汤阴县	14 373	710	745	0	15 828	90.8	4.5	4.7	0.0
安阳市区(郊)	7 068	17 444	5 785	449	30 746	23.0	56.7	18.8	1.5
全　市	168 121	38 422	14 310	481	221 334	76.0	17.4	6.5	0.2

表 9-41 安阳市各行政分区现状年用水量占全市总用水量的比例 (%)

分区	农业	工业	城乡生活	生态环境	总用水量
安阳县	24	12	16	0	22
林州市	8	26	15	6	11
内黄县	26	0	9	0	21
滑　县	27	13	15	0	24
汤阴县	10	2	6	0	8
安阳市区(郊)	4	47	38	93	14
全　市	100	100	100	100	100

从现状年用水量的地区分布看，滑县总用水量最大，为 5.04 亿 m^3，占全市总用水量的 24%；其次是安阳县和内黄县，分别为 4.61 亿 m^3 和 4.44 亿 m^3，分别占全市总用水量的 22% 和 21%；最小的是汤阴县，为 1.74 亿 m^3，占全市总用水量的 8%。其中工业和生

表 9-42　安阳市各行政分区近几年用水量占全市总用水量的比例　　(%)

分区	农业	工业	城乡生活	生态环境	总用水量
安阳县	23	11	15	0	20
林州市	8	24	15	6	11
内黄县	24	0	9	0	19
滑　县	32	17	16	0	28
汤阴县	9	2	5	0	7
安阳市(郊)区	4	45	40	93	14
全　市	100	100	100	100	100

活用水量主要集中在安阳市区(郊),农业用水量分布在各县市区(郊),特别是滑县、内黄县和安阳县农业用水量都占其总用水量的85%以上,三县的农业用水量之和占安阳市农业用水总量的78%。

安阳市各行政分区现状年的各种用水定额汇总情况,见表9-43。

表 9-43　安阳市各行政分区现状年各种用水定额的汇总

分区	小麦灌溉定额(m^3/hm^2)	玉米灌溉定额(m^3/hm^2)	棉花灌溉定额(m^3/hm^2)	油料作物灌溉定额(m^3/hm^2)	蔬菜灌溉定额(m^3/hm^2)	其他灌溉定额(m^3/hm^2)	综合灌溉定额(m^3/hm^2)	林果综合灌溉定额(m^3/hm^2)	大牲畜用水定额(m^3/(日·头))
安阳县	4 500	4 065	3 450	3 150	13 500	2 550	6 810	1 125	0.050
林州市	2 550	2 250	2 250	1 950	9 000	1 800	4 500	1 200	0.045
内黄县	4 950	4 500	3 300	2 700	15 000	2 250	8 160	1 050	0.040
滑　县	4 200	3 600	2 400	2 250	10 800	2 400	6 630	1 050	0.040
汤阴县	3 300	3 150	2 550	1 800	12 000	1 650	5 745	1 050	0.040
安阳市区(郊)	3 300	3 150		2 925	11 400		9 030	1 125	0.040
全　市	4 065	3 615	3 000	2 505	11 640	2 205	6 735	1 080	0.043

分区	猪(m^3/(日·头))	羊(m^3/(日·只))	工业取水定额(m^3/万元)	工业耗水定额(m^3/万元)	工业重复利用率(%)	城镇家庭用水定额(L/(人·日))	城镇公共用水定额(L/(人·日))	城镇生活用水定额(L/(人·日))	农村生活用水定额(L/(人·日))	人均综合用水定额(m^3/(人·年))
安阳县	0.030	0.015	97	21	17	48	172	220	43	413
林州市	0.025	0.010	157	110	38	43	220	263	34	251
内黄县	0.025	0.008	7	3	24	49	252	301	37	654
滑　县	0.025	0.008	156	39	77	37	91	128	42	429
汤阴县	0.030	0.005	44	15	33	78	74	152	37	398
安阳市区(郊)	0.030	0.010	135	89	81	86	177	263	43	403
全　市	0.026	0.009	123	70	75	71	172	243	39	415

从表9-43中可以看出，安阳市现状年人均用水量为415m^3/人，比全国同期人均用水量435m^3/人偏低4.6%，比河南省人均用水量250m^3/人偏高66%。其中农田灌溉平均用水量为6 735m^3/hm^2，比全国农田灌溉平均用水量7 320m^3/hm^2偏低8%，比河南省(3 810m^3/hm^2)偏高76%；万元工业产值取(用)水量为123m^3/万元，分别比全国平均水平(94m^3/万元)和河南省(63m^3/万元)偏高31%和95%；城镇和农村生活人均用水量分别为243L/日、39L/日，分别比全国平均水平(城镇生活人均用水量222L/日、农村生活人均用水量87L/日)偏高1%和偏低55%，分别比河南省(城镇生活人均用水量161L/日、农村生活人均用水量66L/日)偏高51%和偏低41%。这说明安阳市主要用水指标偏高，尚有进一步节水的潜力。

从全市主要用水指标的地区分布特点看，内黄县的人均用水量最大，为654m^3/人；其次是滑县，为429m^3/人；最小的是林州市，为251m^3/人。人均用水量最高(内黄县)与最低(林州市)相差2.6倍。这种巨大的差异主要是由于两县市人均耕地面积和人均有效灌溉面积的显著差异所致。内黄县的人均耕地面积和人均有效灌溉面积分别是林州市的1.8倍和2.3倍。由此说明，内黄县和滑县的人均用水量是比较大的，用水效率还有进一步提高的空间或潜力。

第十章　水资源开发利用程度及节水潜力

第一节　水资源利用效率分析

根据对安阳市供用水情况的系统调查资料分析，1998 年全市农业毛灌溉定额 6 735m^3/hm^2，农业综合耗水率 78%；工业万元产值取水量 123m^3/万元，工业万元产值耗水量 70m^3/万元，工业用水重复利用率 75%，工业综合耗水率 56%；城镇生活综合日用水量 243L/(人·日)，城镇生活耗水率为 23%，农村生活综合日用水量 39L/(人·日)，人均综合年用水量 415m^3/(人·年)。安阳市单位 GDP 综合用水量为 953m^3/万元，总用水量的综合耗水率为 70.6%。上述指标比较全面地反映了安阳市的水资源利用效率。

根据不同年份用水调查统计资料分析，安阳市的农业灌溉定额和工业万元产值取水量都呈下降趋势。这说明安阳市是比较重视节水工作的，节水效果是比较明显的，用水效率在不断提高。

为了更详细地了解安阳市的水资源利用效率到底处于什么水平，下面分别就安阳市水资源利用效率与海河流域、国内外一些典型地区进行对比分析。

一、与海河流域的比较

海河流域在地理位置、水文气候、经济结构和用水方式等方面与安阳市比较接近或相似。因此，为了横向比较和判定安阳市的用水效率水平，首先应该与海河流域进行对比。

近几年海河流域的各种用水指标见表 10-1；1998 年安阳市各种用水指标与海河流域的典型地区对比情况，见表 10-2。

通过对表 10-1 和表 10-2 进行对比和分析可以看出：

(1)安阳市的农业毛灌溉定额比海河流域明显偏高，这说明安阳市农业节水潜力是比较大的。只要措施得力，再加上政策的引导和支持，安阳市农业的节水前景比较乐观。

(2)安阳市的工业万元产值取水量比海河流域明显要高一些，也比海河流域河南省片的要高。虽然海河流域内北京、天津、石家庄、保定等大中型城市，其工业结构、企业规

表 10-1　近几年海河流域用水指标统计结果

指　标	1995 年	1996 年	1997 年	1998 年
农业毛灌溉定额(m^3/hm^2)	4 275	4 200	4 500	4 440
工业万元产值取水量(m^3/万元)	85	75	64	60
城镇生活综合日用水量(L/(人·日))	208	205	205	211

注：资料来自《海河流域水资源规划》(讨论稿)，水利部海河水利委员会，2000 年。

表 10-2 1998 年安阳市用水指标与海河流域典型地区对照

地区	农业毛灌溉定额(m^3/hm^2)	工业万元产值取水量(m^3/万元)	城镇生活综合日用水量(L/(人·d))
安阳市	6 735	123	243
北京市	4 965	49	342
天津市	5 130	30	232
河北省	4 140	49	187
河南省	4 710(3 810)	89(63)	158(161)

注:资料来自《海河流域水资源规划》,水利部海河水利委员会,2000 年;括号内数字取自《中国水资源公报》,1998 年。

模及技术装备水平比较高一些,其工业取水定额与安阳市的工业取水定额存在一定程度的不可比性,另外还存在资料来源和统计口径等方面的差异,但即使扣除这些不可比性和资料等方面的因素,安阳市的工业用水效率在整个海河流域还是偏低的。

(3)安阳市的城镇生活综合日用水量指标比北京市偏低,与天津市相当,比海河流域片中河北省、河南省的要偏高一些,比整个海河流域略偏高一些。北京市的经济发展水平、城市居民的生活水平都要比安阳市高一些,城市供水条件也比安阳市要好一些,其城镇生活人均用水指标比安阳市偏高是正常的。

综合分析可以看出,安阳市的用水效率与海河流域比还是有一定差距的,尤其是农业和工业需要加大节水力度,进一步提高用水效率。

二、与国内其他地区的比较

根据《21 世纪水供求》中的分析结果,我国 1993 年的工业用水重复利用率为 50%。其中北方地区一般为 60%左右;京津唐、太原、大同、胶东半岛等地区在 75%左右;南方地区一般低于 40%。根据建设部最近对 1997 年我国北方地区 209 座城市用水的研究结果(分流域成果见表 10-3),一般工业(不含电力)用水重复利用率为 70.4%,火电工业用水重复利用率为 95%。

表 10-3 1997 年我国北方地区各流域的城市用水指标

用水指标	安阳市	海河流域	淮河流域	黄河流域	内陆河流域
人均生活用水量(L/d)	243	182	167	174	155
人均家庭生活用水量(L/d)	71	104	113	106	98
人均综合用水量(m^3/年)	415	159	157	157	195
工业用水重复利用率(%)	75	80	68	76	29
漏损率(%)		13.4	8.8	7.4	8.2

注:资料来自《北方地区水资源总体规划》,建设部城市水资源中心,2000 年;其中安阳市为 1998 年的调查统计分析结果。

从工业用水重复利用率方面看,就全国平均情况来说,安阳市是比较高的。但就京津唐、太原、大同、胶东半岛等地区来说,并不高。以火电为例,安阳市的火电重复利用率还比较低,有进一步提高的空间和可能。

1997 年我国北方城市的人均生活用水量平均为 174.4L/日,人均家庭生活用水量为

107.6L/日。特大城市、大城市、中等城市、小城市的人均生活用水量是逐渐减小的，特大城市的人均生活用水量平均为196L/日，小城市的人均生活用水量平均为132 L/日。安阳市的人均生活用水量明显偏高，今后应从改造和更换浪费水较大的卫生洁具及公共用水设施等方面入手，切实搞好生活节水工作。

根据北京、天津、河北、山西、内蒙古、辽宁、山东、河南、陕西等北方省区水利厅最近提供的1997年灌区水浇地用水毛定额资料，井灌区为2 700～6 900m^3/hm^2，大型地表水灌区2 850～6 750 m^3/hm^2，中型地表水灌区2 100～8 400m^3/hm^2。比较而言，安阳市的农业灌溉定额也是偏高的。

按总用水量计算，全国1998年单位GDP用水量为683m^3/万元，安阳市为953 m^3/万元，约比全国偏高40%，比河南省单位GDP用水量（538m^3/万元）偏高77%。

综上所述，安阳市的单位用水量是偏高的，其节水潜力是比较大的。

三、与国外比较

安阳市现状年单位GDP用水量与部分发达国家的GDP用水量比较情况见图10-1；与经济中低等发展水平国家的比较情况见图10-2。

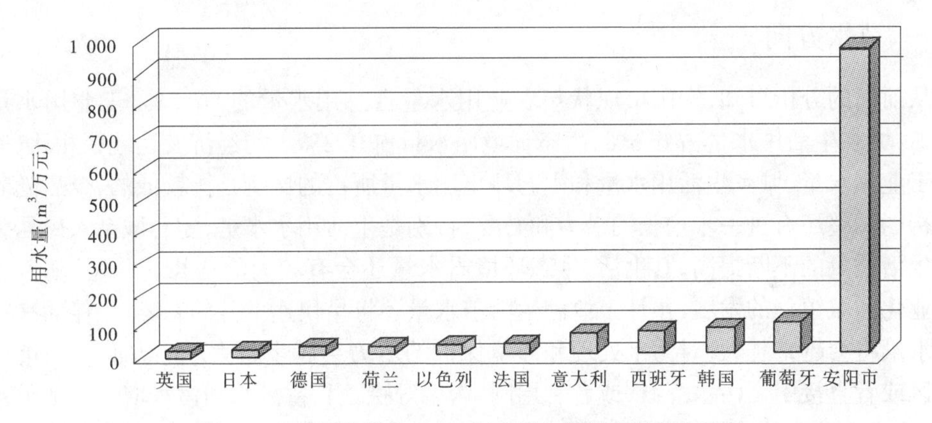

图10-1 安阳市单位GDP用水量与部分发达国家比较

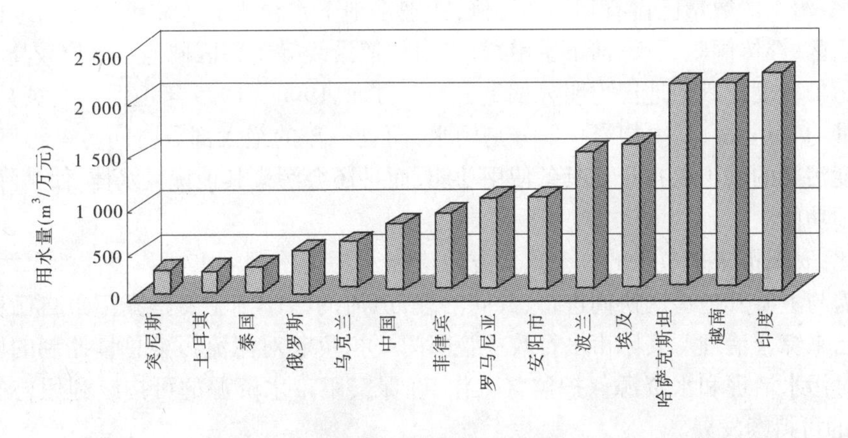

图10-2 安阳市单位GDP用水量与部分中低等发展水平国家比较

从图10-1和图10-2中可以看出,安阳市单位GDP用水量与发达国家相比差距是十分明显的;与经济中低等发展水平国家比较,安阳市单位GDP用水量也是偏高的。总之,安阳市的综合用水量的经济效率是比较低的。

第二节　节水措施与节水潜力分析

节水是一项需要长期坚持和不懈努力的工作。节水潜力的分析和估计涉及的因素很多,不仅与当地的经济结构、用水方式、生产工艺和水文、气象等因素有关,更与当地对节水方向的把握、所采取的节水措施、节水的投资力度和有关的节水机制、节水政策等有关。节水机制、节水政策和节水投资力度直接与有关方面对节水的重视程度以及当地的经济实力等有关。前面已对安阳市的水文水资源特点、用水结构、用水定额、用水效率进行了分析,分析结果表明,虽然安阳市的用水效率还比较低,但是各行业的用水效率在不断提高,这与当地有关部门对节水工作的重视是息息相关的。

下面将对安阳市的节水方向、节水措施进行比较粗略的分析,并依此来分析安阳市未来的节水潜力。

一、节水方向

从前面的分析可知,安阳市现状年农业用水量占总用水量的76.7%,工业用水量占16.5%,城乡生活用水量占6.6%,生态环境用水量占0.2%。与经济发达地区相比,安阳市的工业用水量、城乡生活用水量和生态环境用水量所占的比例是比较低的,今后随着经济结构的调整还有进一步增长的潜力和必要,特别是生活用水水平,随着城乡人民居住条件和生活质量的不断提高,其生活、生态环境需水量还会有较大的增长。总之,随着安阳市工业化和城镇化的发展,预计工业和生活需水量还将呈快速上升的态势,相伴而来的就是污水量将会越来越大,对污水处理和环境保护的压力会越来越大。一方面安阳市有一些县区或者直接引用污水灌溉,或者利用闸、沟渠等拦、引、蓄洪水和污水增大对地下水的补给,农业灌溉或其他用水需要时再大量开采地下水,目前这些县(市)区以此种方式间接利用洪水、污水的数量已占有相当的比例,特别是地下水位没有大幅度下降的地区,例如豆公闸灌区、浮体闸附近、汤河下游沿线、淇河故道沿线等局部区域地下水位较高,同时地下水的污染程度比其他地区也明显偏重。另一方面,1990～1999年卫河由内黄县出境的年均水量约8亿m^3,其中相当一部分是污水,而且一年的绝大部分时间污染程度还很严重。高度污染的水不仅自身不具备使用功能,而且还会污染其他优良水体,使其降低甚至丧失使用功能。

因此,安阳市未来节水的一个重要方向应是水污染治理。淇河和卫河的水污染治理工作还需与上游其他地区协同进行、共同治理,洹河的污染则主要是安阳市自己造成的,需要自己来综合治理。安阳市水行政主管部门要担负起对河流污染总量控制的职责,切实加强对污水治理和水资源保护监督工作,确保安阳市水资源的可持续利用,支持全市21世纪的可持续发展。

从1997年各行业总用水比例看,全国、黄淮海流域、海河流域的农业用水量分别占其总用水量的70.4%、75.9%、73.7%。安阳市的农业用水比例是77%,是比较高的,并且农业毛灌溉定额比海河流域的平均毛灌溉定额偏高很多。我国是农业用水大国,而且国家很大,人口很多,粮食安全很重要,粮食保障必须靠自己(如果我国有百分之几或百分之十几的粮食靠进口,会对世界粮食市场造成巨大的冲击,还可能导致贸易和政治冲突)。因此,今后我国农业的地位依然很重要。对于安阳市来说农业的地位同样也很重要,在今后相当长的时期内农业用水量依然是国民经济用水的主体,也是节水的重点,其节水潜力较大。因此,安阳市节水的第二个主要方向应该是农业节水。

安阳市节水的另一个主要方向是工业和城镇生活节水。尽管安阳市这两项用水量的比例还比较小,但用水定额明显偏高,用水效率显著偏低,用水浪费比较大,还有相当大的节水潜力。

二、治污节水措施

众所周知,过去我国一般把污水治理看做是环境保护的需要。从更全面的观点、更高的层次看,污水治理不仅仅是保护环境的需要,更是节约水资源、增加水资源可利用量的需要,尤其是严重缺水地区。安阳市应该成为这方面的一个典型。洹河中下游以及安阳市境内卫河河段平均每年有几亿立方米的出境水量,但是河里绝大部分时间流淌的是污染很严重(有些成分超过Ⅴ类水标准数倍)的污水。滑县、内黄县、安阳县的一些地区直接或间接利用污水灌溉,目前已经产生了比较严重的地下水污染问题。严重的水污染导致了安阳市大量原本可利用的水体无法利用、丧失了使用功能,这种变相浪费水资源的情况应该得到重视。尽管污水治理并不直接节约用水户的用水量,但是可以减少对可利用水体的污染,从而有效地增加可利用量。因此,本研究首次把污水治理作为安阳市今后的主要节水方向。通过综合分析可以看出,安阳市污水治理和节水措施主要有4种:

(1)工业企业内部的污水处理和内部循环重复利用,不能再利用的废水要严格按照排污标准排放。特别是某些有毒物质或有害化学成分,既无法自然降解,也很难用综合污水处理方法处理,必须在工业企业内部采用特殊工艺加以分解和处理,再达标排放。

(2)关停一部分规模小、技术工艺落后、经济效益差、污染严重并且没有污水处理能力的企业。这样,虽然牺牲了局部和短期的利益,但保护的却是全局和长远的利益。

(3)大力建设城市综合污水处理厂,并要做好处理水的再利用规划。

(4)加强污水的治理和监管,要制定并逐步完善有关政策、法规和监督管理办法,加强水环境治理和水资源保护方面的执法力度,逐步建立比较完善的水资源(水量和水质)实时监控管理系统。不仅要加强安阳市境内的污水治理,安阳市政府有关部门还要积极与上游其他地区有关部门协商,联合治理卫河等过境河流的污染问题,以确保安阳市的供水安全,支持经济社会的可持续发展。

三、农业节水措施

未来农业节水措施主要是提高渠系利用系数、扩大节灌面积和加强非工程措施三个方面。安阳市多年平均降水量574mm,干旱指数1.87,水资源较紧张,并由于时空分布不均匀,偏旱年份冬小麦需要补充灌溉1 320~2 640m^3/hm^2 才能确保丰收。安阳市水资源开发利用程度已达到118%，主要靠超采地下水和引用客水、污水来维持基本需要；农业管理水平不高，灌溉水利用系数较低，因此要进行供水渠系的改造和维护，增加防渗衬砌，提高渠系水利用系数；大力推广先进的节水灌溉技术。

发展节水灌溉的重点是：井灌区积极推广喷微灌、管道输水灌溉，地下水超采区应采取调整农业种植结构等综合措施减少地下水开采，加强地表水与地下水联合调度，高效利用水资源（包括利用微咸水）；渠灌区以发展渠道防渗为主，改大水漫灌为小畦灌溉，对有条件的县（市）区可采取渗沟灌等节水灌溉技术。对于山丘贫水区除要搞好水土保持工作外，还要适当发展小型水库、塘和窑窖集雨微灌工程等，在解决和保障人畜饮水的同时发展节水灌溉；对于利用超标污水进行直接灌溉或补给地下水的区域，要加以限制并逐步减少，直至取消。

四、工业节水措施

工业节水措施主要包括产业结构调整、用水设施的更新换代、生产工艺的改进、节水器具的推广、管理水平的提高等方面。工业节水要抓住4个方面：① 全面调整工业结构，限制高耗水工业项目的建设，并有计划、有重点地将区内高耗水工业转移到区外水资源比较丰富的地区；② 通过各种经济的、行政的手段加强需水管理，确保实现安阳市计划用水和节约用水，并严格控制和逐步减少废污水排放量，努力实现达标排放；③结合工业产品升级换代，生产工艺设备改进，抓好工业内部循环用水，提高水的重复利用率，可以收到投资少、见效快、效益高的节水效果。根据国内外已有的研究成果和实践经验，主要工业品的节水措施见表10-4。

五、生活节水措施

我国目前现有的城市供水管网和用水器具普遍存在漏水严重的问题，一般漏水损失率高达15%～20%。根据安阳市城镇居民生活水平、供水条件和人均生活用水指标分析，安阳市城镇供用水系统的漏水损失和浪费程度也相当高。因此，要采取有效措施，减少城镇供水管网跑、冒、滴、漏现象，提高用水效率。要进一步普及节水型器具，对于家庭卫生洁具要逐步从传统的13L冲水量洁具更换成9L或更低冲水量的新型节水洁具。仅此一项措施，就可节水30%以上。根据不完全统计资料显示，淋浴用水量约占家庭总用水量的30%。若采用脚踏式或混合式阀门替代老式阀门，可节约淋浴用水量15%～30%。总之，要采取一切先进、实用的节水措施，挖掘节水潜力，提高水的利用效率，使有限的水资源最大程度地满足人民生活水平日益提高的需要。

六、节水潜力分析

（一）治污节水潜力

1990～1999年卫河由内黄县出境的年均水量约8亿m^3，其中安阳市每年产生的工业或城镇污水量约3.5亿m^3。安阳市目前基本上没有城市综合污水处理厂，工业企业内部的污水处理标准和处理程度都普遍较低。这3亿多m^3污水远远超过了河流的自净能力，污水不仅自身没有使用价值，还破坏了河道天然径流和灌溉退水的使用价值，并且污

表 10-4　主要工业品节水的整改措施

工业品	整改措施	工业品	整改措施
棉纺织	利用压锭设备更新换代	皮革加工	改漂水洗为闷水洗，脱毛水处理回用
毛纺织	采用先进洗毛工艺	硫酸	改“一转一吸”为“两转两吸”工艺，改粗料投放为精料投放
丝织	强化用水综合管理	氯碱	逐步推广离子膜电解工艺，扩大生产装置规模
麻织	提高工艺水回用率	涂料	提高水的重复利用率
粘胶	更新20世纪50年代与60年代设备并扩大规模	洗涤剂	改进原料路线与生产工艺
涤纶	增加废水处理回用设备	炼铁	在清水循环基础上增加污水循环系统
印染	推广逆流漂洗工艺和海水印染技术	炼钢	改善杂用水系统，增加集尘水系统及污泥处理系统
味精	推广丹麦发酵工艺以及锅炉冷凝水回收技术	轧钢	提高轧钢含油废水的处理回用率
酒精	逐步采用先进发酵技术和冷却技术	医药	回收冷却水，实行生产废水的清浊分流并加大回用率
啤酒	推广高浓度糖化发酵及洗槽水回用	彩色显像管	工艺废水处理后循环利用
罐头	间接冷却杜绝直排，工艺用水改为逆流漂洗	机械	改生产系统直流用水为循环用水，提高废水处理回用率
制浆造纸	扩大生产装置规模，扩大废纸制浆比例，推广国产白水回收装置	平板玻璃	在对工艺流程进行技术改造时改进用水流程
干浆造纸	推广国产白水回收设备	水泥	通过技改普及窑外预分解干法生产工艺
猪屠宰加工	采用喷淋洗涤技术及厂内三级水处理技术	载重汽车	提高清洗水利用率
牛屠宰加工	厂内三级水处理并回用	轿车	提高清洗水利用率
羊屠宰加工	厂内三级水处理并回用	火力发电	提高单机容量，实施干式除灰
家禽屠宰加工	厂内三级水处理并回用		

染了优质的地下水。目前滑县、内黄县、安阳县、汤阴县一些地区已经直接或间接利用污水灌溉，其利用量很难准确估算，为0.6亿～1.3亿 m^3。这些水基本上都是超Ⅴ类水，严格地讲，这些水根本不能用于灌溉，目前是在缺水条件下不得已而为之。长期如此，后患无穷。通过综合分析和测算，安阳市如果把污水治理搞好了，可望增加3亿～5亿 m^3 的可利用水量，即治污节水潜力为3亿～5亿 m^3。应该指出的是，污水治理投入是相当大的，并且不是在短期内就能根本解决的。但是必须从现在开始抓紧污水治理工作，加大投入，才能确保安阳市水资源的可持续利用。

（二）农业节水潜力

通过参考黄河、淮河、海河流域的现状农业灌溉情况，以及近期采取各种节水措施后的农业灌溉定额，根据安阳市各行政分区的降水特点、土壤特点、灌溉方式和现状年的农业灌溉定额（降雨量多的地区灌溉定额要低一些，蔬菜种植比例大的地区灌溉定额要高一些，沙土成分大、渗水性强的地区灌溉定额也要高一些等)，并考虑到安阳市近期的经济实力还远远比不上北京、天津等经济较发达地区，农业节水的整体投入力度要低一些的现实情况，安阳市今后的节水灌溉定额比这些发达地区的灌溉定额还是要偏高一些。通过综合分析，近期安阳市农业的节水潜力为3亿 m^3 左右，比现状年节约用水量约18%，其中内黄县、滑县、安阳县是农业节水的重点。

(三)工业节水潜力

参考国内外以及黄河、淮河、海河流域的工业万元产值用水综合定额，考虑到安阳市目前工业结构和将来调整的可能性，以及比较现实的节水投入力度等，经综合估算确定，安阳市近期的工业节水潜力为0.7亿 m^3，比现状年节约19%，其中安阳市区和林州市是工业节水的重点。

(四)生活节水潜力

参考国内外以及黄河、淮河、海河流域的城镇生活人均用水综合定额，并考虑到安阳市城镇居民目前的生活水平、供水条件等，城镇供水系统现状的渗漏损失情况，以及今后可能的节水投入力度，经综合估算，安阳市近期城镇生活节水潜力为0.058亿 m^3，比现状年节约7.3%，其中安阳市区(郊)是城镇生活节水的重点。安阳市农村生活用水条件普遍比较差，人均用水定额不到城镇生活用水定额的1/6，而且目前农村生活用水量也不大，节水潜力很小，可忽略不计。

(五)安阳市总节水潜力

综合各行业的节水潜力，得出安阳市的总节水潜力约为3.7亿 m^3，比现状年节约17%，其中节水潜力最大的三个县是内黄县、滑县和安阳县，它们的节水潜力之和约占安阳市总节水潜力的72%，而市(郊)区的城镇生活节水潜力约占安阳市城镇生活节水潜力的一半(见表10-5)。这是按常规概念只计算用户的节水量，没有包括治污节水量。若包括治污节水量则节水潜力会大大增加。

表10-5　安阳市节水潜力分析结果　(单位：万 m^3)

分　区	农业	工业	城镇生活	合计
安阳县	6 744	410	40	7 194
林州市	1 295	2 015	85	3 395
内黄县	10 725	1	70	10 796
滑　县	7 470	961	15	8 445
汤阴县	2 065	22	12	2 099
安阳市(郊)区	1 015	3 275	355	4 645
全　市	29 314	6 683	576	36 573

总的来说，安阳市今后的节水潜力还是比较大的。如果对照国内外一些缺水严重、经济比较发达、节水水平先进的用水定额，安阳市的节水潜力比前面的数值还要大一些。考虑到节水是一个渐进的过程，一方面节水投入和节水技术的提高是渐进的，另一方面节水

力度和水平一般都是随着需水量的增加和水资源紧张程度的加剧而提高的。近期安阳市的节水投入强度肯定不能与国内外一些先进的地区相比,因此本次分析和测算是根据安阳市的具体情况对节水潜力的估计,尚留有一定余地。

第三节　水资源开发利用程度

根据安阳市水资源总量和总供用水量分析结果,计算出全市水资源的开发利用程度。具体分析结果见表 10-6。

表 10-6　安阳市水资源开发利用程度分析结果　　(单位:亿 m^3)

行政分区	地表水资源量	地下水资源量	重复量	水资源总量	总供用水量	其中		水资源开发利用程度(%)	地下水开发利用程度(%)
						地下水	境外引水量		
安阳县	1.88	3.93	1.83	3.98	4.61	3.79			96.6
林州市	5.04	3.56	2.94	5.65	2.43	0.68			19.1
内黄县	0.35	1.84	0.33	1.86	4.44	4.40			239.1
滑　县	0.56	3.01	0.85	2.72	5.04	5.04			167.2
汤阴县	0.52	1.39	0.62	1.29	1.74	1.54			110.7
安阳市区(郊)	0.22	0.96	0.27	0.91	2.90	1.74			181.4
合　计	8.57	14.68	6.85	16.40	21.14	17.19	1.84	118	117.1

注:水资源开发利用程度系指当地水资源供水量与当地水资源总量的比值;地下水开发利用程度系指当地地下水开采量与当地地下水资源量的比值。

从表 10-6 中可以看出,安阳市的水资源开发利用程度高达 118%,其中地下水的开发利用程度为 117%。从各行政分区地下水开发利用程度看,内黄县最高,为 239%;安阳市区(郊)和滑县次之,分别为 181% 和 167%;而林州市最低,为 19%。安阳市区(郊)主要是因为工业用水和城镇生活供用水比较集中,并且郊区蔬菜种植比例较大,以及灌溉定额偏高的缘故;内黄县和滑县为平原区单位国土面积上的产水量最小区域之一,而耕地面积所占的比例又比较大,灌溉用水量较多。因此,内黄县和滑县的地下水开发利用程度比其他县市明显偏高一些。林州市一方面降雨量较大,产水量较多;另一方面单位国土面积上的耕地面积较小,有些耕地还无法灌溉,并且人口密度较小,用水量相对较少。因此,其地下水开发利用程度相对最低。林州市为山丘区,其水资源开发利用条件比较差,特别是有相当部分地下水以侧向径流的方式排泄到境外(如鹤壁市等),很难拦截利用;淇河目前尚有较大部分的出境水量,淇河山丘区再扩大开发利用规模也比较困难。总的来说,安阳市的水资源开发利用程度已经非常高了,并已大大超过了世界公认的极限值(40%)。根据缺水类型的划分标准,安阳市属于资源型缺水地区。因此,解决安阳市的缺水问题,除了大力发展节水型农业、节水型工业和节水型社会外,尚需要从外流域调水来解决。

第四节 水资源开发利用中存在的主要问题

本次分析研究表明,目前安阳市水资源开发利用中主要存在以下几方面的问题:①现有水利工程的供水能力下降;②水资源短缺和水资源浪费的现象同时存在,水的利用效率较低;③对过境水资源利用不充分;④水污染问题严重;⑤地下水超采比较严重;⑥水资源的统一管理、调配和监控的力度不够。

一、现有水利工程的供水能力不断下降

安阳市现有水利工程的供水能力不断下降的现象比较普遍,也比较明显。其原因主要是由于来水量和当地产水量减少,从而造成了很多地表水工程(包括蓄水工程、引水工程和提水工程)闲置、老化速度加快和严重失修等,使得地表水工程的总供水能力呈现出不断下降的趋势。当然,也存在因工程使用率较低引发的管理松懈和维修费用不足等原因。

安阳市已建小型水库110座,目前已完全报废的小型水库有2座,能发挥一定作用的小型水库有108座。这108座小型水库的总设计灌溉面积为1.37万 hm^2,而现状年的实际灌溉面积只有0.67万 hm^2,仅为设计能力的50%。

安阳市平原地区地下水持续超采,地下水位逐年下降。随着地下水位的不断下降,原有机电井的抽水能力逐渐衰减,甚至报废,必须另打更深的机井,井越打越多、越打越深,报废的机井也越来越多。1998年安阳市机电井总数达到了7.5万多眼,其中深井为4 800多眼。

二、水资源利用效率普遍偏低

近年来安阳市水资源越来越紧张,但水资源浪费的现象也普遍存在。随着上游来水量的不断减少、工业和生活用水量的持续增加,在一定程度上挤占了农业用水量,从而导致原来规划设计的渠灌区灌溉面积锐减,或者原有灌区的水源保障程度降低了;而与之相反的是,井渠双灌或纯井灌区的灌溉面积不断增加。据统计,现状年安阳市的实际灌溉面积只占耕地面积的65%,占有效灌溉面积的85%;旱涝保收面积只占耕地面积的51%,占有效灌溉面积的68%。

在遇到特别干旱年或连续干旱年份不仅农业缺水严重,而且工业用水、甚至人畜生活饮用水也十分短缺。2000年安阳市出现了特大干旱,一些大企业以减产、停产来保证生活用水,林州市一些山丘区人畜生存需水严重短缺,不得不用汽车从安阳市东部区域运水维持最基本的生活需要。

安阳市在水资源紧张的同时,还存在不同程度的水资源浪费现象。例如农业灌溉有大水漫灌的现象。渠道防渗衬砌较差,有相当一部分还是土渠,其渠系水利用系数只有0.16～0.4。而在我国其他地区防渗衬砌较好的渠系,其渠系水利用系数可以达到0.6～0.8,我国北方一些渠系防渗衬砌较好地区的渠系水利用系数也在0.4～0.6之间。有些渠道原设计过水断面大,由于近10多年来水源没有保障,输水流量太小,其输水损失很大,有时只好废弃不用。这些渠系防渗衬砌方面的差异在农业毛灌溉定额上有明显的体

现,安阳市除了林州市农业毛灌溉定额比较低外,其他各县(市)区均比同期海河流域的平均毛灌溉定额偏高20%~60%。

与北方水资源紧张地区相比,安阳市的城镇用水指标(包括工业用水和城镇生活用水)也是比较高的;与经济和水资源条件相近似的地区比较,安阳市的工业万元产值取水量偏高20%~30%;若与经济发达的北京、天津等大城市比较,则差距更大。另外,安阳市大部分城镇居民的收入水平与大城市相比要低一些,城镇供水设施也要差一些,但安阳市城镇居民人均生活用水量的指标并不低。这从一个侧面说明,安阳市城镇供水系统的跑、冒、滴、漏问题普遍存在,民众的节水意识还有待进一步提高,节水措施和力度还需要进一步加强。

三、客水资源利用不充分

在国务院批准的漳河水量分配方案中,年水量分配比例为:按浊漳河渠首段、清漳河匡门口来水量及观台区间来水扣去岳城水库弃水进行分配。河南、河北两省分水比例定为48:52;各灌区的水量由两省在配额内自行安排。枯水年两省分水比例定为各50%。

安阳市的漳河总引水量包括红旗渠、跃进渠和漳南干渠引水量,不同时期的总引水量呈下降趋势,既有漳河来水量减少的因素,也有安阳市没有充分利用漳河来水量的因素。自1962年到1999年安阳市所引漳河水量与漳河总来水量的比例关系,见图10-3(图中安阳市引水比例是指安阳市引水量占漳河总来水量的百分比,考虑到岳城水库是多年调节水库,安阳市所引水量和漳河总来水量都采用三年滑动加权平均值计算,以减小岳城水库调节作用对引水比例的影响)所示。20世纪90年代以来,安阳市的引水比例均没有达到48%的分水指标。如果按48%分水比例计算,安阳市10年累计剩余引水额度为13.5亿m^3。可见如果采取适当的措施,在目前的来水情况下则平均每年还可增加引水量1.35亿m^3,这对于进一步缓解安阳市的水资源紧张局面或减少地下水超采具有重要意义。

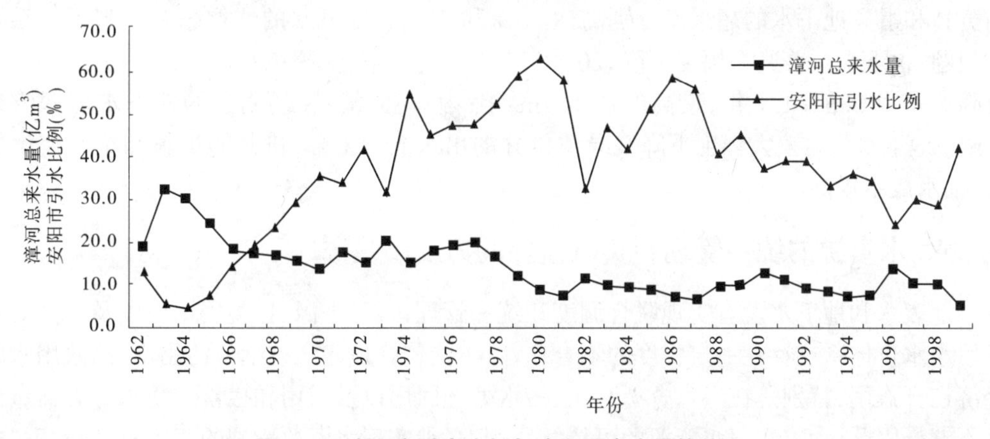

图10-3 安阳市引水比例与漳河总来水量的关系

四、水污染问题严重

(1)安阳市所辖区域除山丘区河流的水质较好(为Ⅱ、Ⅲ类水)外,其他区域特别是平原区的各河流或河段水质普遍严重污染。最突出的污染物主要有氨氮、亚硝酸盐氮、大肠杆菌等，不少地方的水质劣于Ⅴ类水质标准，有的污染指数甚至超过几倍、几十倍。例如洹河自小南海泉向下游沿程水质不断恶化，河水又黑又臭；汤河污染也很严重，氨氮浓度均超过Ⅴ类水质标准，其支流洪水河的污染最为严重，超过Ⅴ类水质标准9倍；卫河已经成为一条排污河，水质一直是超Ⅴ类，最高氨氮浓度超过Ⅴ类水质标准90倍；金堤河最高氨氮浓度超Ⅴ类水质标准70倍，最高COD浓度超过Ⅴ类水质标准18倍，最高挥发酚浓度超过Ⅴ类水质标准10倍。

(2)大多数水库水质较差，一般达到Ⅳ类或Ⅴ类水质标准。尤其是彰武水库，其氨氮浓度严重超标，严重威胁着工业和城市生活供水，需要引起有关方面的高度重视。

(3)城市附近与沿河两岸的地下水水质严重超标，从林州市到滑县、内黄县地下水污染越来越严重。尤其是在污水灌区，地下水水质超标更为严重，最高亚硝酸盐氮超标24倍(Ⅲ类水质标准)。饮用水井的细菌和大肠杆菌超标比较普遍，也比较严重，已严重地威胁着安阳市人民群众的身体健康，必须及时地采取有力措施予以解决。

(4)污水灌溉及河闸蓄水对地下水污染日趋严重。污水灌区及河闸蓄水水质监测资料分析结果表明，污水灌溉与河闸蓄水虽然可以增大对地下水的补给量，但同时也对地下水造成不同程度的污染。尤其是目前安阳市东部平原区地下水降落漏斗已经连接成为一个区域性的大漏斗，地下水开采形成的漏斗与污灌、河闸蓄水所形成的反漏斗的连通，会造成地下水流动方向的改变，使得遭到污染的地下水因侧向径流而污染其他地下水，尤其是污染或威胁地下水水源地，使供水安全面临巨大的威胁和前所未有的挑战。

五、地下水超采严重

通过分析可知，安阳市水资源开发利用程度高达118%。其中地下水的开发利用程度为117%，超采率为39%。除林州市山丘区外，安阳市所辖区域地下水普遍超采。其中内黄县和滑县地下水的超采率分别高达80%和43%。地下水的严重超采引起了一系列的问题：地下水位普遍大幅度下降，20世纪90年代以来，安阳市平原区地下水位年平均下降速率为0.5～1m/年，最高的达1.4m/年；内黄县、滑县、汤阴县的地下水埋深将近20m。地下水位普遍大幅度下降又导致机井的出水能力下降，机井的更新和报废速率加快，抽水成本提高。

六、水资源的统一管理和实时监控的力度不足

地表水和地下水没有实现联合调度和统一管理，各种水源、各类用水户以及不同时期的用水水价体系也存在一定程度的不合理性，不能较好地起到鼓励节约用水、高效用水的经济杠杆作用，特别是在洪水资源利用、污水处理回用以及引用和拦蓄过境水等方面做得还不够。因此，为了实现水资源的可持续利用，必须实现水资源管理的三个重大转变："由过去静态管理向动态管理转变、由经验性管理向科学管理转变、由条块分割式管理向统一管理转变"；利用先进的科学技术和水文水资源学理论，积极研制和开发水资源实时监控管理系统，为全市水资源统一管理提供技术支持及管理工作平台；切实加强全市水资源的五个统一"统一评价、统一规划、统一管理、统一监测和统一保护"工作。只有这样，才有希望实现"以水资源的可持续利用来支撑社会经济的可持续发展"的重大战略目标。

第十一章　基于 GIS 的水资源综合评价信息管理系统

目前,GIS 技术在我国水资源评价、规划和管理中的应用处于起步阶段,其应用的深度和广度还有待于进一步拓展。参照国内外 GIS 技术在其他行业或领域应用的成功经验,根据安阳市水资源及其开发利用现状调查评价整个工作的特点,开发出基于 GIS 的安阳市水资源综合评价信息管理系统。该系统能更好地使水资源综合评价成果为全市的水资源管理服务,并进一步推动和完善 GIS 技术在水资源评价、规划和管理等方面的应用。

GIS 因其技术上的特点,在区域水资源评价、规划和管理的各个环节中,分别有着各自的工作方法和特点。例如在数据的收集阶段,由于 GIS 支持遥感、站点、社会调研等调查手段,并可以利用所提供的技术能力,完成数据格式的相互转换,从而使各种水资源及其开发利用的原始数据得以完善使用。因此,GIS 技术应用的重点在于拓展数据调查的广度和深度,为开展水资源评价、规划和管理等工作提供条件和强大的技术支撑。

第一节　GIS 概况

一、GIS 的概念及特点

地理信息系统(Geographic Information System,简称 GIS),产生于 20 世纪 60 年代,最初的定义是“用来存储、提取、分析地理信息的软件系统”。在几十年的发展中,地理信息系统的能力不断提高,应用不断扩大,定义也随之不断拓展。1996 年美国国家地理信息与分析中心(NCGIA)的 Michael G 在“地理信息系统与环境模拟”会议上给出的 GIS 定义为:“在世纪化地理信息这个大题目下的广泛的行为活动”。地理信息系统(GIS)是综合处理和分析空间数据的技术,它的发展为科研和管理决策人员提供了有关区域综合、方案优选和战略决策等方面可靠的地理和空间信息。主要内容和特点是:

(1)空间模型:它可以将现实世界抽象为相互联结不同特征的层面(layer)组合,进行空间的查询和分析。

(2)地理参考系:空间数据包括绝对位置信息(经纬度坐标)以及相对位置信息(统计调查值等),GIS 的地理坐标系可有效帮助用户在地球表面任意空间定位。

(3)矢量和栅格数据结构:GIS 数据包括矢量和栅格两种基本模式。矢量数据以点、线、面方式储存管理,是表现离散空间、特征的最佳方式;栅格数据是通过一系列网格单元表达连续地理特征。

二、GIS的应用前景

近年来随着GIS技术从外围到内核上的进展，使得GIS的能力不断增强，应用范围也不断扩大。GIS自身同时具备了解决水资源问题的能力，在水资源领域的应用条件逐渐成熟起来，其技术上的拓展使得在区域水资源评价、规划和管理中的应用成为可能，具体表现在以下三个方面：

(1)计算机技术和互联网的飞速发展。GIS受益于计算机硬件近年来令人惊叹的长足进步，大量数据的高速处理能力使GIS的实际应用范围急剧扩大，并且硬件的性能提高和GIS软件价格的下降为GIS的推广、普及提供了基础。另外，网络系统是GIS软件采用分布式结构的基础，高性能数据处理机服务器和人机交互与客户机配合使用(client/sever)，有效地处理了效率和成本之间的矛盾。GIS同时跟进采用了这些技术。

(2)大规模数字化地理信息的出版。随着GIS的普及，对数字化信息的需求越来越迫切。一个明显的趋势是大型的数字化地理信息产品不断推向市场，另外开始把数据库和常用必需的GIS功能整合成产品，客户可以直接使用，发布的信息种类也由初期的基本地形图扩大到专业数据上。1998年ESRI发行的“First Street——With Tiger 94 files”就是一个完整的覆盖了全美国的GIS数据库。在万维网上也已经有大量的免费数据提供使用。这些数据有的是样品，有的是各类公司和组织的服务。例如美国联邦政府紧急灾害处理中心FEMA的河流数据库在万维网上免费提供各地区水灾风险的水文信息供民众参考。中国测绘局与ESRI合作发行的“中国数字地图”是中国政府出版的第一个全国1:100万的数字地图，包括了道路、河流、居民、行政边界等基本要素，是中国出版大型GIS数据库的开端。

(3)地理学的发展。地理学是GIS的科学基础，为信息科学提供了空间定位检索分析的规律和技术，也提供了整合地理信息特征的空间数据和属性数据的构架和依据。地理学的迅速发展极快地改变着GIS的面貌。在GIS成功地描述大量的地理现象后，已经开始进一步用于模拟地理的变化过程。例如图论网络功能在GIS的成功实现，为模拟水文、交通、管网等地理过程创造了条件；又如ARC/INFOR Grid对扩散现象的描述，为模拟运动过程提供了条件。三维模型表达的实现，也同时增强了真实地理现象的能力。ARC/INGO Tin和ARCVIEW 3D Analyst的广泛应用是很好的实例。ARCVIEW和Map Object与GPS的结合也提供了条件。

水资源综合评价的目的在于了解水资源的数量、质量及其时空分布、水资源开发利用现状等，以达到调控人类自身活动，合理开发和高效利用水资源，防止水资源的污染和再生环境的破坏，从而保护人类生存和经济社会的稳定发展。水资源管理是一种克服人类经济社会活动的盲目性和主观随意性的科学管理与决策活动。近年来随着计算机的发展和GIS技术的进步，带来了这种科学决策和管理信息的新方法，改进了以往水资源管理的工作方法，因而基于GIS的信息管理技术是当前最先进的科学管理方法。在水资源评价、规划和管理方面，很强的图形显示功能和带有时间维的三维GIS，有利于水文水资源工作者研究流域或区域的水文空间分布，并有助于了解降雨、地表水和地下水等在时间和空间上的变化情况。地理信息系统以管理大量的空间属性见长，可以作为空间属性数据的有效管理工具。应用地理信息系统,可以管理、分析、处理大容量的空间属性数据,特别是水文水资源各要素中的应用,解决了水文、气象和水文地质等分析工作中长期以来存在的数据量不足和信息量不丰富的问题。同时,当前地理信息系统的低成本趋势、具有实时预报的特点和数据的可持续利用,在水资源评价、规划和管理领域中具有广泛的应用前景。

第二节　基于GIS的水资源综合评价信息管理系统的功能

一、直观、理性的可视化功能

常用的CAD软件如AUTOCAD等,往往图形能力强而相对属性数据的管理能力弱,所以一般只能作绘图使用。而地理信息系统由于其对空间数据和属性数据的综合分析能力,弥补了其他工具纯图形、纯数字的缺陷,而使空间数据的图形表现和属性数据的空间分析有了很大程度的提高,因而可以提供一个直观、理性的可视化工具。可视化可促进建立概念及提高对事物的观察力。

二、大量空间数据的储存和管理功能

与人们早期对数据的掌握不同,今天是数据爆炸的时代。正如Naibitt所说:“我们第一次拥有如此众多的数据,这些数据不仅仅是自新的,而且是再生的。问题的关键不在于他们是否够用,而在于我们将会被他们所淹没”。这些空间的、非空间的数据,静态的、动态的表示在GIS中可以实现。以数据库管理系统为支持之一的GIS,开发了对大型数据库储存、管理的能力,并提供了对数据快速查询的功能。ARC/INFOR开发的SDE(Special Database Engine),作为一个高性能的空间数据库管理系统,提供了用户对超大型地理数据库的访问能力。通过SDE对以百万个数据查询的响应时间小于0.03s,从1 500万个点中选择8 000个点中的响应时间小于0.04s。使用者可以获得快速和适时的结果。在管理容量越来越复杂的情况下,建立超大型的数据库是必要的。必须有一个综合统一的系统来管理数据,数据的已知性和完整性才能得到保证。GIS为大量的区域水环境的空间数据提供了储存和管理的能力。

在水资源综合评价管理系统中,可以完成各种地图信息的输入编辑,建立地图数据文件,主要有矢量和栅格两种数据类型。在系统的支持下,还可以对与水资源相关的所有图形按图幅范围、图幅表示内容、图幅比例尺以文件方式逐级管理。

GIS支持多种形式的空间数据方式,并可通过数据的转换使之为区域水资源管理服务。传统的现场测量数据一般是将地图数据输入数据库,而随着GIS和相关的GPS的发展,使GPS获得的数据可以直接提供给GIS使用,遥感的结果经过人工解译或计算机解译也可直接纳入GIS的数据库中。GIS对空间数据多种表现形式的支持使空间信息可以直接为区域水资源管理服务,并使水资源管理工作得到全面、多层次的体现。

三、提供良好的数据维护和更新功能

GIS提供了图幅变形矫正、接边、核对等空间数据维护技术，空间数据的增加、删除和更改在数据库中可以很快得到实现。另外，通过网络分布式管理，可以使更新的数据迅速地体现在相应的模块并传递给相应的应用客户。GIS这种良好、快速的数据维护和更新能力，从长远来看，提高了水资源管理的时间效益。

四、基于空间的数据分析功能

基于GIS的水资源综合评价信息管理系统提供了查询、叠加、分类、网络、邻近、数字高程模型等空间数据的分析功能。

（一）查询和量算

GIS提供的查询和量算功能可以进行空间数据和属性数据的相互量算。通过地理信息系统查询和量算的功能，可以实现图文互查，即可以按属性信息的要求来查询空间信息的位置（即“文查图”）和按空间位置来查询属性信息（即“图查文”）。其次，可以实现系统中点、线、面元素的相互查询。例如从线到点的查询可以实现对某一线性元素如河流上点元素（排污口）的信息查询（位置、特征等）。

（二）叠加

叠加的基本思路是：在利用地图进行资源评价和土地利用规划过程中，人们认为地球表面的各个要素不是彼此独立地进行作用，而是相互影响、综合地进行作用的。因此，有必要进行综合的、多学科的评价。进行这类综合评价工作的一个简单方法是在一个透明的正面上复合（叠加）各种资源地图的透明拷贝，然后在叠加的地图上寻找各种属性恰好适宜的地点。这种方法与计算机技术结合，在网格纸上打印出需要值来制作单因素地图，叠加这些网络值，用行式打印机字符叠加的方式产生适宜的灰度来表示综合评价的值，这就是基于网格的GIS。最终独立信息系统中的叠加是把分散到不同层上的空间和属性信息按相同的空间位置叠加在一起，成为新的一层。叠加的过程主要是对空间信息及其相应属性信息进行集合的交、并、补的运算，也可以进一步对属性做其他运算。

（三）分类

分类的目的是为了把复杂的事物进行简化，从而便于进一步地思考和分析。人类正是借助分类的方法来揭示自然界的内在规律。实质上，对空间数据的分类，就是对空间信息的分析过程，通过对上午的分类揭示上午的内在规律。GIS对区域水环境管理提供了从单元素到多元素的分类方法，并提供了自动分类的有效功能。

（四）网络分析

网络分析功能的涵义是借助线性要素的组合来描述某种资源或物质在空间上的运动，借助网络分析，通过线性阻抗等方法的计算，可以实现路径选择、负荷估算、职员分配、时间和距离的统计等。在基础设施的布点分析等方面，网络分析都有很好的应用价值。

（五）邻近

邻近是一种非常广泛的空间分析方法。它包括以下一些类型：

(1)缓冲区(Buffer)。所谓缓冲区，是在空间物体周围作等距离的线框，该线框成的区域即缓冲区的范围。例如某一地下水水源受到污染,根据一定的原理认为某一时段内,周围 L 米内区域的地下水将受影响,作该污染点半径为 L 的缓冲区,并与区域地下水取水情况图层叠加,将很清楚地了解该污染的影响状况。

(2)等值线(Contour)。等值线法将研究的地理范围,即邻近对象看做是一个可以取某种特殊值的三维表面。在主体的作用和一定的独立条件下,该三维表面就会起变化,而等值线则是三维表面的表达方式。区域水环境管理中常用到等值线,如降雨等值线、地下水位等值线等。

(3)扩散(Spread)。在许多条件下,直接产生等值线比较麻烦,而且等值线是对三维表面的简化表达方式,在做叠加分析时不一定方便。如果利用栅格空间数据模型将条件成为一层栅格数据,主体也作为一层栅格数据。当主体作用于邻近对象时,条件就成为一个抗阻表面,物体在这个抗阻表面上运动,离主体越近时,其作用就越弱,这就是所谓的扩散或推移。

(4)泰森多边形(Thinesson Polygon)。泰森多边形是荷兰气候学家 Thinesson A. H. 提出的一种计算区域降雨量的方法。借助 GIS 的栅格空间数据模型,建立泰森多边形,很容易计算各站点所代表或控制的面积。将栅格多边形转化成矢量格式,可以与水文单元划分图层叠加,得到单元面积上的年降雨量。

(六)数字高程模型

与一般的点、线、面不同,自然地形是一个连续起伏变化的表面,往往没有明确的边界。传统的地图制图,常常用等高线来表示地形、地貌。从二维的角度,等高线便于视觉观察和分析,也可做手工的量算。但把等高线作为数据存储起来,不便于计算机进行分析,而且手工方式产生等高线费时费力,为此,产生了以计算机为基础的数字高程模型(DEM)或数字地形模型(DTM)。通过对数字高程模型的点、线、面赋予特殊的属性、高程,可以使其变成三维的表面模型。数字高程模型提供了对空间属性数据的直观分析,可以用于代表分析、汇流路径分析。

第三节　基于 GIS 的安阳市水资源综合评价信息管理系统

一、基于 GIS 的空间显示

基于 GIS 的安阳市水资源综合评价信息管理系统的显示模块由自然状况、水资源评价、水资源开发利用现状调查评价等组成。系统的用户主界面见图 11-1 至图 11-4。

二、数据的集成应用

数据集成需要对输入数据、输出数据、中间结果数据进行定义和说明。对数据定义的主要内容为:

(1)数据层名称;

(2)存储路径与文件名称;

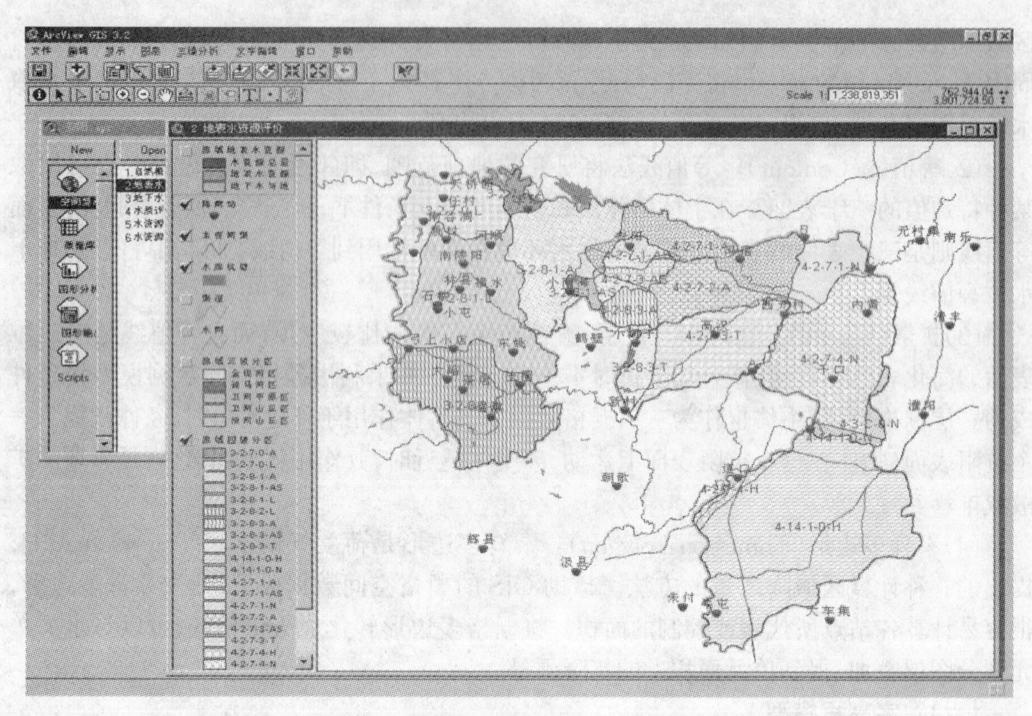

图 11-1　安阳市水资源流域分区及降雨量站分布位置主界面

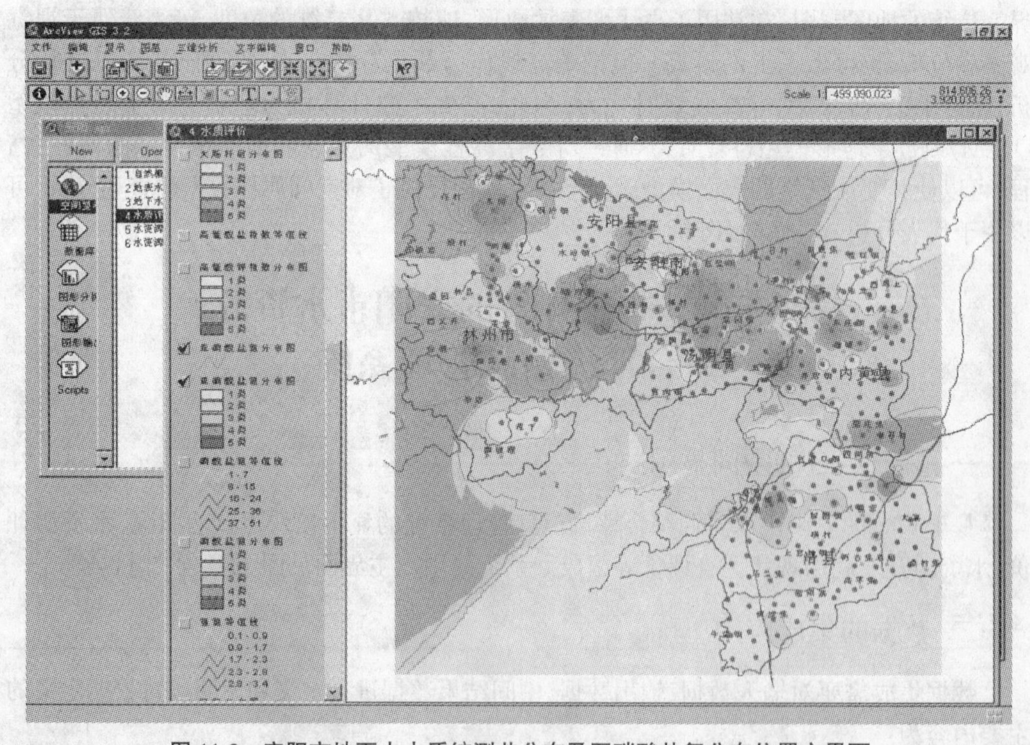

图 11-2　安阳市地下水水质统测井分布及亚硝酸盐氮分布位置主界面

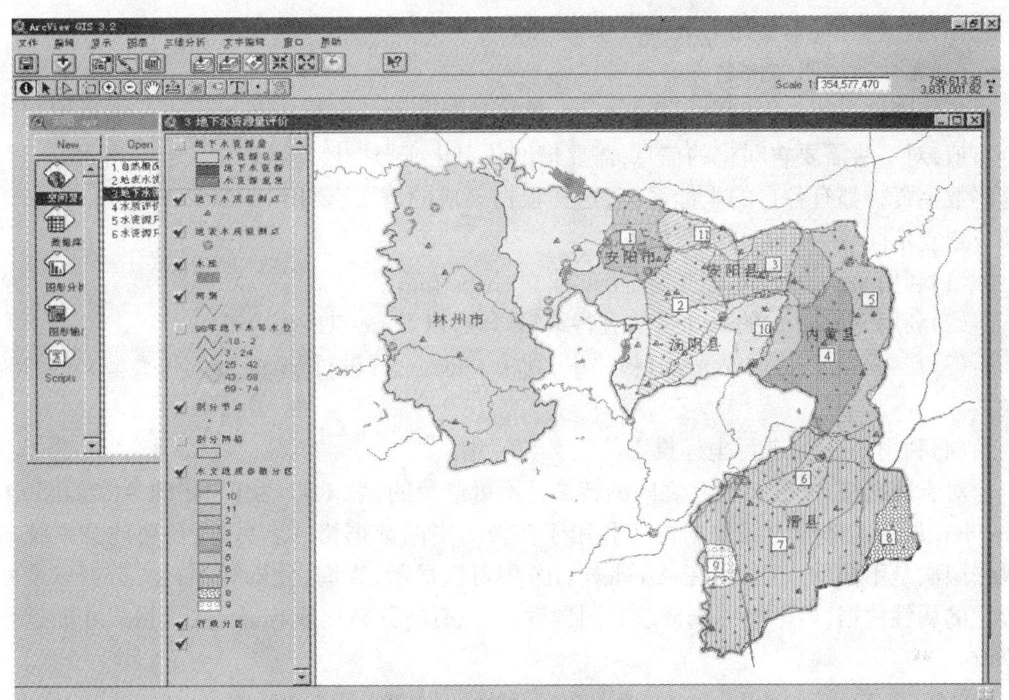

图 11-3　安阳市东部平原水文地质参数分区主界面

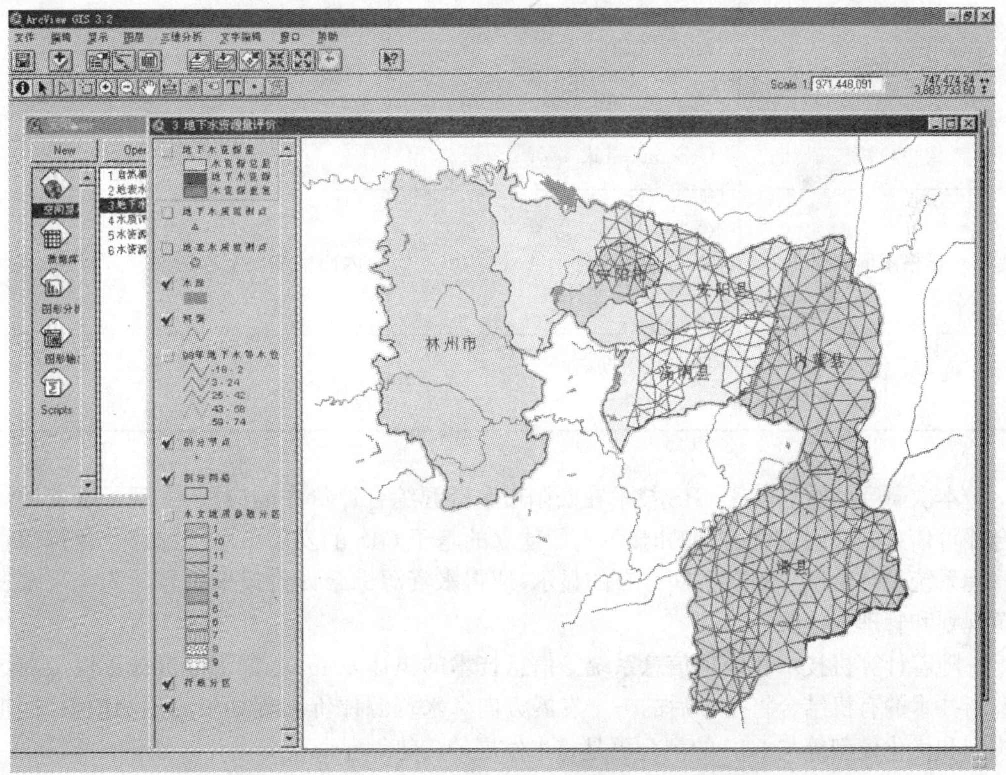

图 11-4　安阳市东部平原地下水计算剖分网格主界面

(3)数据类型(本文用 coverage shape dbf);

(4)属性项说明文件名称。

水资源综合评价中的数据量比较大,尤其是地下水的网格剖分节点以及水位埋深的分布值,对一些需要空间化的信息,需要借助数字化或扫描仪将其转化成数字格式。同时这些数字资料都有各自的坐标系统,这样根据集成的需要,要用 ARC/INFO 进行投影转换。建立不同 coverage 的步骤如下:

(1)利用 arc/view 的 table 与 view 建立 shape file;

(2)利用 arc/infor 的 edit 模块进行编辑修改,以及 tic 点匹配;

(3)在 arc/infor 的 command 模块中,利用 conversion 进行 shape 或其他类型文件的转换;

(4)利用 project 进行坐标投影的定义与转化。

对于数据格式,进行相互之间的转换是不可避免的,表 11-1 为 ESRI 的 ARC/INFO、Arcview 所用的部分内部数据格式和用于转换的中间数据格式。另外,还要注意系统的操作层次是不同的。比如,在 Arcview GIS 中可以显示、查询、分析 Coverage 数据以及修改它的属性数据,但不能编辑修改其图形数据,只有将其转化成 Shape 文件格式才能进行修改。

表 11-1 数据格式的转换

矢量图形数据	Coverage 文件 Shape 文件	内部格式
	E00 文件 Generate 格式	交换格式
栅格图形数据	Grid IMG 图像文件 TIFF 图像文件	内部格式
属性数据	INFO 文件 DBF 文件	内部格式

本次研究的重点在于 GIS 技术在安阳市水资源综合评价中的应用,实现了水资源综合评价信息的空间定位、查询和显示。所建立的基于 GIS 的安阳市水资源综合评价信息管理系统平台给出了绝对空间分布的显示,使得水资源综合评价成果更好地为全市水资源规划和管理工作服务。

随着计算机技术和地理信息系统等信息技术的飞速发展,水资源评价计算模型与这些新技术的有机结合将是今后的一个发展方向。水资源评价和规划中的预测模型、模拟模型和优化模型等与 GIS 的耦合更是将来发展的趋势。

第十二章　水资源开发利用模式与工程规划

第一节　水资源规划的任务及原则

根据我国新时期的治水方针，以水资源可持续利用保障经济社会可持续发展作为制定安阳市水资源综合规划的主线，坚持兴利除害结合、开源节流治污并重，通过水资源的全面节约、有效保护、优化配置、合理开发、高效利用、综合治理和科学管理，促进安阳市人口、资源、环境和经济的健康与协调发展。

一、规划目标与任务

（一）规划目标

从满足安阳市经济社会可持续发展、生态环境治理与保护的实际需求角度，分析和研究制定安阳市水资源可持续利用综合规划。规划目标要体现21世纪初期我国治水的新思路，体现“现代水利、可持续发展水利”的规划理念，通过制定安阳市水资源可持续利用综合规划，在查清安阳市水资源现状及其开发利用程度和利用效率的基础上，提出安阳市水资源可持续利用综合规划方案，作为今后相当长时期内安阳市水资源供给体系建设分期实施的重要依据，促进和保障安阳市人口、资源、环境和经济之间的协调、健康发展，以水资源的可持续利用支撑经济社会的可持续发展。

（二）规划任务

本次规划的基本任务是：从安阳市水资源优化配置入手，遵循“三先三后”原则，根据安阳市水资源条件、开发利用现状及面临的问题，在充分考虑生态环境用水需求和水资源供需平衡分析的基础上，统筹考虑工程的合理性、水价政策，以及工程规模和管理体制等诸多问题，为安阳市水资源优化配置和统一管理提供一整套科学决策的依据，以支持安阳市水资源的可持续利用，保障安阳市经济社会的可持续发展。

二、规划依据与原则

（一）规划依据

本次规划的依据包括：《中华人民共和国水法》、《中华人民共和国防洪法》、《中华人民共和国水土保持法》、《中华人民共和国水污染防治法》、《水利产业政策》等国家法律法规；《国民经济和社会发展第十个五年计划纲要》、《水利发展“十五”计划和2010年规划》、《国务院批转水利部关于漳河水量分配方案请示的通知》（国发[1989]42号）以及相关行业“十五”计划和规划；有关规程规范和技术标准。

（二）规划原则

1. 坚持水资源开发利用与经济社会协调发展的原则

水资源开发利用要与经济社会发展的目标、规模、水平和速度相适应，并适当超前。

经济社会的发展要与水资源的承载能力相适应，城市发展、生产力布局、产业结构调整以及生态环境建设都要充分考虑水资源条件。

2.坚持全面规划和统筹兼顾的原则

坚持全面规划、统筹兼顾、标本兼治、综合治理，除害兴利结合，开源节流治污并重，防洪抗旱并举；妥善处理上下游、左右岸、干支流、城市与农村、流域与区域、开发与保护、建设与管理、近期与远期等各方面的关系。

3.坚持水资源可持续利用的原则

统筹协调生活、生产和生态用水，合理配置地表水与地下水、当地水与外调水、传统水源与非传统水源等多种水源，对用水需求与供水可能进行合理安排；在重视水资源开发利用的同时，强化水资源的节约与保护，以提高用水效率为核心，把节约用水放在首位，积极防治水污染，实现水资源可持续利用。

4.坚持按市场经济规律治水的原则

要适应社会主义市场经济的要求，认真研究水价、水管理体制等问题，利用经济手段，调节水事活动，发挥政府宏观调控和市场机制的作用。

5.坚持科学治水的原则

要广泛应用先进的科学技术，努力提高规划的科技含量；要运用现代化的技术手段、技术方法和规划思想，科学配置水资源，缓解安阳市所面临的水资源问题，并用先进的信息技术和手段管理水资源，制定具有高科技水平的安阳市水资源规划。

6.坚持因地制宜、突出重点的原则

根据安阳市各分区水资源状况和经济社会发展情况，确定适合当地实际的水资源开发利用模式；同时，要充分考虑需水的增长及地方财力状况，界定各类用水的优先次序，确定水资源开发、利用、配置、节约、保护、治理的重点。

三、规划分区与水平年

（一）规划分区的原则

水资源规划分区是指水资源综合规划的最小计算单元，如小型水利工程的合并、水资源量及其各种转换量分析和计算，以及水资源供需平衡模拟计算等都是以此为基本单元。安阳市水资源规划分区（计算单元）划分的原则主要有三点：一是要充分体现安阳市水资源系统的实际特点；二是要服从水资源综合规划的目的和需要；三是要满足水资源统一管理的实际需要。也就是说，要使划分出的每一个计算单元的自然特性比较均匀、开发利用特点比较类同，并且有关基础资料比较容易收集、整理和汇总，以及便于为水资源的统一、科学管理提供决策参考。在单元数量控制方面，要能够把各县（市）区需要研究和解决的主要问题突出出来，又要考虑到资料基础和计算精度等。

安阳市水资源系统组成比较复杂，由多水源、多门类水利工程和多用户等组成。其中水源多不仅体现在既有当地地表水、地下水、污水回用水，还有穿境而过的入境水，如淇河是两次从安阳市境内穿过，露水河、大功河等是一次穿境而过；还有擦边而过的界河——漳河，并通过引水渠影响多个单元的供用水；更重要的是还有远距离跨流域调水，包括成本相对较低的引黄水和成本高昂的南水北调中线调水。水利工程门类包括水库、引水渠、扬(提)水站、拦河闸、橡胶坝、机电井等,门类比较齐全,并且有一些水利工程同时向多个单元供水或交叉供水等。地形、地貌和水文地质条件复杂,特别是在山丘区与平原区的交界地带,地下水的运移规律、地表水与地下水之间的相互转化关系等比较复杂。另外,水资源系统还不同程度地存在水利用效率偏低、客水利用不够充分、水污染比较严重和地下水普遍超采等问题。

本次规划的主要目的是,在全面深入地分析安阳市水资源的时空分布特点及其与经济社会和生态环境之间协调关系的基础上,精细模拟安阳市水资源系统各计算单元的水资源供需关系及发展态势,诊断水资源系统的薄弱环节,为制定安阳市水资源开发利用规划方案提供科学依据。总之,根据安阳市水资源系统水源多、水利工程门类齐全、地形地质比较复杂及多种用水户等特点,全面贯彻和落实我国新的治水思路和规划理念,利用先进的数学模拟技术和计算手段,分析和制定安阳市不同水平年的水资源开发利用规划方案,并通过多方案分析和评价,最后提出水资源开发利用的推荐方案,为保障安阳市水资源可持续利用和经济社会可持续发展提供科学依据。

众所周知,对于一个实际的水资源系统而言,其所在地域内的自然地理条件、社会经济发展特点、水资源条件及其开发利用难易程度等都会有较大的差异,不同地区的需水要求也会不尽相同。如果不考虑系统内部的差异性,将整个系统作为一个计算单元来研究,则供需平衡计算成果所反映的面上总体情况,一般来说是偏于理想的,不够真实的,甚至会出现严重的失真。衡量系统的总体情况应当建立在分析其内部差异性的基础上,因此在分析和研究水资源开发利用规划方案时,不仅需要关心系统的总体情况,而且要着重分析系统内某些局部问题。这就要求将系统按地域划分若干计算单元,在对每个计算单元逐个进行供需平衡计算以后,再综合、归纳和概括得到所要分析的特定单元和整个系统的总体计算成果。只有这样,计算结果才能比较真实合理,便于指导水资源的开发和利用。当然,在划分计算单元以后,将不再探讨每个计算单元所在地域内部的差异,即认为各计算单元内部是均匀一致的。但实际情况是每个计算单元内部也是存在差异的,所以考虑系统内部的差异性要有一定的限度,它应服从所研究问题的要求与深度。当水资源规划的范围比较小时,其分区的范围应减小一些;当范围大时,分区范围也可适当加大。因此,从这个角度讲,在进行水资源开发利用规划时将规划区域要划分出有限计算单元来反映水资源系统的内部差异,只具有相对的意义。

(二)规划分区的划分

安阳市水资源规划分区的具体划分方法是:

(1)首先考虑充分利用已完成的安阳市水资源综合评价分区的成果。综合评价分区主要是按三级流域分区和三级行政分区的边界线所划分出的区域作为单元,对个别太小的单元予以合并。其好处主要是,水资源综合评价对这些单元的地表水、地下水的资源量和开发利用情况等都进行了系统的评价,资料比较可靠。例如,林州市和安阳县以及安阳市区(郊)的规划分区与评价分区相同。

(2)对于评价分区不能完全符合水资源综合规划的需要时,我们重新对分区进行了调整。例如,将汤阴县的平原区部分细划分了三个单元,主要是因为平原区中部有一片岗区;从供用水角度将内黄县和滑县分别调整为三个单元。具体分区见表 12-1。

表 12-1 安阳市水资源规划分区

最高层次	中间层次 县(市)	最低层次 规划单元		国土面积 (km²)	人口 (万人)
安阳市	安阳县	Ⅰ	漳山	72.93	1.75
		Ⅱ	洹山	565.57	38.91
		Ⅲ	汤山	113.88	6.24
		Ⅳ	洹平	481.11	42.81
		Ⅴ	汤平	265.51	21.79
		合计		1 499.00	111.51
	林州市	Ⅵ	漳山	430.00	10.45
		Ⅶ	洹河	921.00	60.09
		Ⅷ	淇河	695.00	25.93
		合计		2 046.00	96.47
	内黄县	Ⅸ	卫北	229.00	15.56
		Ⅹ	卫南	249.00	27.21
		Ⅺ	硝河	683.00	25.05
		合计		1 161.00	67.82
	滑县	Ⅻ	卫平	401.70	8.27
		XⅢ	大功	1 180.40	91.88
		XⅣ	桑平	231.90	17.16
		合计		1 814.00	117.32
	汤阴县	XⅤ	山区	124.30	10.25
		XⅥ	平西	221.16	14.52
		XⅦ	岗区	110.05	6.64
		XⅧ	平东	190.50	12.38
		合计		646.00	43.79
	安阳市区(郊)	XⅨ	山区	67.73	3.42
		XX	市郊	179.27	68.40
		合计		247.00	71.82
全市合计				7 413.00	508.73

总之,根据水资源规划分区的基本原则,将安阳市所辖区域共划分为 20 个规划分区。安阳市水资源开发利用规划及其供需平衡优化模拟以此为计算单元。综合规划结果的整理和汇总分三个层次:最低层是 20 个计算单元;中间层次是 6 个行政分区;最高层次是整

个安阳市所辖区域。

在划分出规划计算单元以后,分析和统计各计算单元的面积、现状年(1998 年)的人口等数据。如对于同一乡镇跨几个单元的情况,则按面积比例计算各单元的人口;其他各种水资源量、供用水量等指标也采用类似方法进行处理。安阳市水资源规划分区如图 12-1 所示。

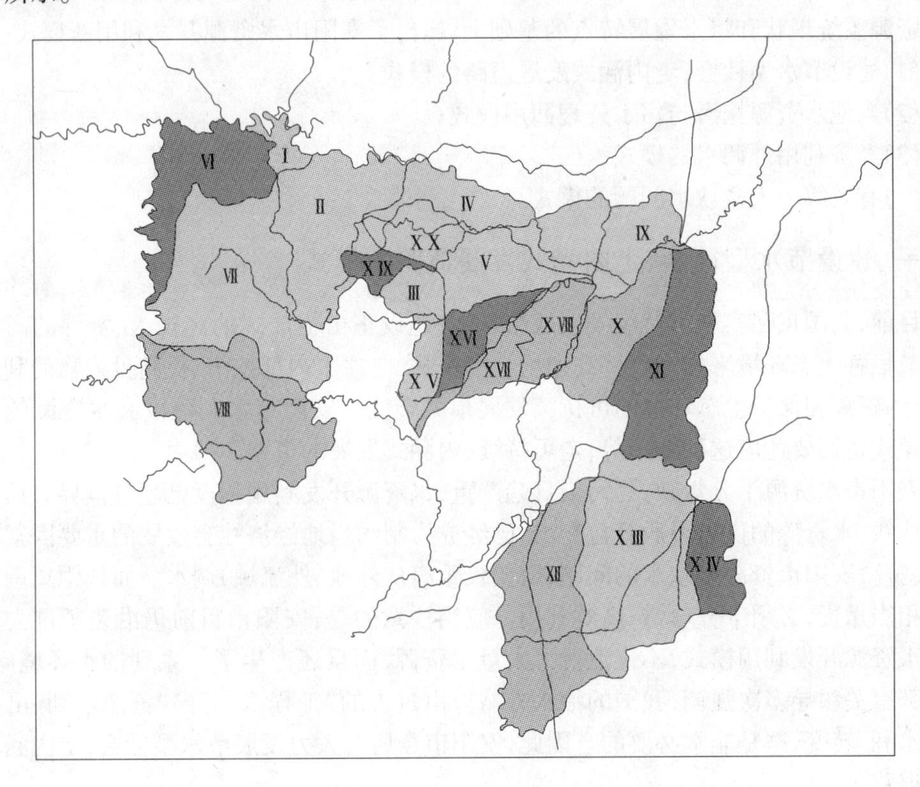

图 12-1　安阳市水资源规划分区图

(三)规划水平年

将 1998 年作为现状基准年,2010 年为近期水平年,2015 年为中期水平年,2030 年为远期水平年。水资源开发利用和经济社会发展现状以 1998 年为基准年。

第二节　水资源开发利用模式

要做好水资源规划,首先需要深入了解并深刻体会当地的社会经济和水资源特点,并在此基础上进一步调整和完善新时期的治水思路,提出符合当地实际情况和市场经济规律的水资源开发利用模式。安阳市水行政主管部门客观地分析和归纳了几十年来全市人民治水实践中创造和积累的丰富经验和历史教训,全面总结了水利建设现状及其存在的主要问题,提出了既符合安阳市实际情况又符合现阶段经济社会发展特点的治水新思路,即"用足境外配额水,设法蓄住天上水,尽量拦住过境水,充分利用地表水,合理开发地下水,提高标准抗洪水,水土保持涵养水,处理回用污染水,强化措施抓节水"。同时,还提出了安阳市“十五”期间水利建设发展规划的原则:①加强水资源的优化配置、节约和保护,注重生态和环境,实现水利的可持续发展;②水利建设要合理布局,远近结合,先急后缓,分步实施,突出重点,量力而行;③加强非工程措施,综合运用政策、法规、技术、经济等手段,全面推进水利事业的发展。

安阳市水资源开发利用规划,以安阳市新的治水思路和原则为指导,在深入分析安阳市水资源系统现状和将来发展特点的基础上,提出了安阳市水资源开发利用新模式:

(1)建设节水型社会,走内涵式发展道路的模式;

(2)当地水资源挖潜与污水处理回用模式;

(3)经济利用外调水的模式;

(4)有效解决人畜饮水问题的模式。

一、建设节水型社会,走内涵式发展道路的模式

目前,我国正在实施可持续发展战略,经济建设正由粗放式的高投入、资源的高消耗和大量牺牲生态环境来推动经济高速增长的模式,向注重内部挖潜、提高投入物的利用效率、节约资源和保护生态环境的可持续发展模式转变。安阳市水利建设和水资源的开发利用模式也需要适应这种新形势,走可持续、内涵式发展的道路。

安阳市水资源十分短缺,且污染日趋严重,水资源开发利用程度已超过世界公认的合理警戒线,水资源的供需矛盾日益突出,已经成为制约当地经济社会发展的重要因素。因此,要解决安阳市资源型缺水的问题,需要长距离从外地(外流域)调水。而长距离调水的代价相当昂贵,必须十分珍惜,高效利用。应当注意的是,安阳市目前仍沿袭了过去较粗放的水资源开发利用模式,不仅浪费了大量水资源,而且还产生了一系列的水环境问题。水利部有关领导多次强调,我国的治水方略应由过去的“工程水利”向“资源水利、可持续发展水利”转变,这是非常必要的。因此,安阳市今后要大力发展节水型社会,走内涵式发展的道路。

发展节水型社会是全方位的,不是单方面的,也不是孤立的,既包括第一、二、三产业及产业内部的结构调整和采用节水技术,也包括生活方面的节水,还包括政策、法规、经济等方面的节水管理措施。在工业节水方面(包括第二、三产业),安阳市要积极进行产业结构调整和优化重组,各县(市)要根据自身特点,发展有市场、经济效益好、资源消耗少、能耗小、污染小的清洁工业。另一方面,在技术设备更新改造时,应尽量选择节水型设备和技术,选择清洁型生产技术,以便节约水资源,减少环境污染,支持水资源的可持续利用。在农业节水方面,要合理调整种植结构,适当种植一些有市场的经济作物;粮食作物要注重抓精品,提高单位面积、单方水的经济效益。同时,要注意渠灌区的设施更新、改造和维护,搞好渠道防渗衬砌,提高渠系水利用率。在灌溉技术方面,要以提高农民的经济效益为中心,因地制宜地推广应用节水灌溉技术。在生活节水方面,要在努力保障人民生活水平提高,满足不断增加的生活用水需求的同时,大力提倡和推广普及节水型器具。同时,要减少供水系统管网的跑、冒、滴、漏现象,减少输水损失,有条件的地方可以发展分质供水系统;并大力宣传节水的重要意义和普及节水常识,不断减少公共用水中的浪费现象。在节水管理方面,要充分利用各种媒体和行政、经济的手段,经常性地进行节水教育,提高

每个人的节水意识。另外，要建立和完善节水方面的政策、法规、条例，并加大执法力度；各行各业要全面推行计量收费制度，逐步建立有利于节约用水的水价体系，包括累进制水价体系和季节性水价体系等。

二、当地水资源挖潜与污水处理回用模式

当地水资源的开发利用程度总体上已远超过了世界公认的合理极限值，已经没有多大的潜力可挖了，但通过仔细分析不难发现，在部分地区水资源尚有一定潜力可挖。例如：①彰武水库每年尚有大量弃水；②露水河西支的地表水资源尚没有修建水利工程加以利用；③淇河和洹河汛期还有一部分洪水资源可以开发利用；④漳河分水配额还没有充分利用，近10年平均每年有1亿多立方米配额没有利用，虽然漳河水资源量不属于当地水资源，但是该河紧邻安阳市，并且建有引水渠，利用成本比较低廉。前三项都需要建设相应的水利工程（部分已进行了工程规划），尽管难度较大，开发利用成本较高，但是比起远距离调水工程——南水北调中线工程来说成本还是较低的，值得认真研究、开发。最后一项，主要是要有一整套比较完备的水价体系和管理制度作保障。

在进一步挖掘当地水资源开发利用潜力的基础上，安阳市的污水处理回用前景也比较乐观。其内容主要包括以下几个方面：第一，首先要做好水土保持和水资源涵养工作，对于重要的水源地要特别保护好，努力保持其水量不衰竭，水质免受污染。如小南海泉和彰武水库、珍珠泉及其他各县（市）的集中供水水源地等，要设立专门的机构或安排专人负责管理。第二，工业废污水要先在企业内部进行处理，达标后再排放，实施排污许可制度，并对重要的河流水系严格实行污染物总量控制；对于水污染问题严重，产品市场不好，经济效益较差和没有能力进行污水处理的企业，要坚决关停并转。第三，对于城市生活污水和处理后排入城市排水系统的工业废水要进行集中处理，并根据国家有关规定和经济承受能力，逐步提高处理排放标准。对于达到二级污水处理标准的水量，可以用于农业和环境等，也可以在进一步提高处理标准的基础上，用于某些工业。第四，农业生产中的化肥、农药等面源污染治理难度一般比较大，因此要注意控制农药和化肥的使用量，大力提倡绿色生产。第五，在前述四方面的基础上，进一步保护好地下水及河、湖水体，以保证安阳市水资源的可持续开发利用。

三、经济利用外调水的模式

安阳市除了当地水资源和通过天然河道的入境客水资源外，还有多处可引调的外来水源，包括漳河水（红旗渠、跃进渠、漳南干渠等引水工程）、黄河水（大功引黄工程）、长江水（南水北调中线引水工程）。其中南水北调中线工程的引水量最大，单方水的成本也最高，与当地水源和其他外来水源相比差距较悬殊。这些调水工程除单方水的成本（或水价）有很大差别外，水价体系及供水范围也有很大差别。特别是南水北调中线工程几乎能向安阳市的整个东部平原区供水，目前规划给安阳市的供水量为4.5亿 m^3，占安阳市新增水量的绝大部分。

2001年审查通过的南水北调中线工程的水价构成为容量水价和计量水价两部分，没有考虑丰、枯水价或季节性水价，今后是否实行丰、枯水价尚且未知。安阳市要根据当地

来水情况确定需要多少外来水量，同时还要根据各个外来水源的不同价格，依照经济规律优先选用便宜的且水质较好的外来水源。如果外来水源实行了丰、枯水价或季节性水价，还要选择引用外来水源的经济时机。如果丰、枯水价特别悬殊的话，还可以考虑在用水地区配置必要的调蓄工程，譬如水量充沛、水价低廉的时候，多买水用于人工回灌地下水，枯水期再开采使用。

四、有效解决人畜饮水问题的模式

根据以往经验，解决山区人畜饮水困难的工程措施主要有三种形式：一是根据地形地貌条件，选择合适的地方修建集雨工程；二是修建管道或渠道从有水源保障的河流或水库引水；三是根据水文地质条件，选择合适的地方打井。根据缺水村镇具体情况，选择合适的工程措施（包括渠窖结合、井窖结合等），一般以小型、微型水利工程为主。

第三节　工程规划

《安阳市水利建设"十五"计划及2015年发展规划》为安阳市的水利发展绘制了宏伟蓝图。该规划较全面地制定了今后一定时期内安阳市水利建设和发展的目标和任务，并从水资源的开发利用和保护、防洪工程建设、农村水利、水土保持生态环境建设、水利工程移民安置和生产扶持、水产及水利经营、科研与前期工作、水利管理等八个方面做了具体规划。下面主要介绍与供水有关的水利工程规划情况。

一、新建大中型水源工程

（一）新建水源工程

当地新建的比较大的水源工程主要是马家岩水库，属于中型水库，位于河南省林州市城北40km的浊漳河支流露水河西支马家岩村西南，距红旗渠总干渠约3.6km。

该水库是一座直接向红旗渠补充水源，同时兼顾发电的综合利用枢纽工程，包括灌区内人畜饮水、农田灌溉用水，结合供水发电。据《马家岩水库可行性研究报告》（2000年）可知，该工程建设期4年，总投资18 690万元。水库建成后，平均每年可向红旗渠提供补源水量4 540万 m^3，以缓解红旗渠灌区用水紧张的状况，灌溉农田0.73万 hm^2，保证率50%，年灌溉效益达1 621万元；城镇供水量900万 m^3，保证率95%，年供水效益为721万元；水库总装机容量2 285kW，年设计发电量460万kW·h，年发电效益为138万元，水库年综合效益为2 480万元。在干旱年份或极端干旱时，能够对灌区内的人畜饮水及农田进行救急供水。另外，马家岩水库虽未设置专用防洪库容，但汛期可利用其空闲库容滞洪，具有一定的防洪作用。水库设计洪水标准为50年一遇，校核标准为500年一遇，总库容3 248万 m^3，其中兴利库容1 967万 m^3，死库容500万 m^3。马家岩水库的主要工程参数见表12-2。

（二）新建外流域调水工程

安阳市规划的跨流域调水水源主要有两个：一是黄河（大功引黄工程）；二是长江（南水北调中线工程）。

表 12-2 马家岩水库的主要工程参数

参数名称	单位	数量	参数名称	单位	数量
一、水文			2. 灌溉工程		
集水面积	km^2	332	灌区面积	万 hm^2	0.73
多年平均径流量	万 m^3	5 505	灌溉保证率	%	50
二、工程规模			年引水量	万 m^3	4 540
1. 水库			设计引水流量	m^3/s	10
校核洪水位	m	588.53	3. 城镇和工业供水		
设计洪水位	m	585.67	供水保证率	%	95
正常蓄水位	m	580.00	年引水量	万 m^3	900
死水位	m	547.30	设计引水流量	m^3/s	0.285
总库容	万 m^3	3 248	4. 水电站工程		
兴利库容	万 m^3	1 967	装机容量	kW	2 285
死库容	万 m^3	500	多年平均发电量	万 kW·h	460

1. 大功引黄工程

大功引黄总干渠从黄河引水的取水口工程是红旗闸，位于河南省封丘县大功乡。该闸处的黄河年径流量：75%保证率时为209.3亿 m^3，50%保证率时为281.7亿 m^3。

大功引黄灌区始建于1958年，原设计引水能力 $280m^3/s$，规划灌溉封丘、长垣、滑县、内黄、浚县、清丰、南乐等7个县的47.33万 hm^2 耕地。由于当时平原地区不适宜实行“以蓄为主”的治水方针，大引大灌，忽视排水，导致了大面积的涝碱灾害，于1962年被迫停止引黄灌溉。引水渠道也因此而废弃平除，改用地下水灌溉，目前拥有机电井3万多眼。由于连年持续大量超采地下水，造成地下水埋深越来越大，地下水降落漏斗面积逐年扩大，机井和抽水设备更新报废加快，浇地成本不断增加。另外，当地局部区域的地下水含氟等有害元素影响人民饮水安全。所以，河南省人民政府决定恢复大功引黄，1977年对大功引水闸进行改建，其设计引水能力为 $200m^3/s$。河南省政府还于1992年组织沿渠各县(市)开挖了从渠首至滑县“八一”闸段的大功引黄总干渠，总长度83.5km。大功引黄总干渠近期的设计流量为 $70m^3/s$，总干渠同时兼有向滑县和内黄县供水的目的。1995年大功引黄总干渠通过了有关方面的验收。

安阳市引黄工程有两部分，分两期建成：一是滑县大功引黄工程，为一期工程；二是内黄县引黄工程，为二期工程，统称为大功引黄工程。安阳市大功引黄工程总投资9 983万元，从黄河的总引水量为4.204亿 m^3(按滑县大功引黄工程入口处计算安阳市总引水量为2.102亿 m^3)，总干渠控制灌溉面积9.33万 hm^2，其中滑县投资5 093万元，水量2.804亿 m^3，灌溉面积5.33万 hm^2；内黄县投资4 890万元，水量1.4亿 m^3，灌溉面积4万 hm^2。

1)滑县大功引黄工程

大功引黄灌区东部以金堤河支流皇庄河为界，南沿滑县边界与新乡市相邻，西抵大功总干渠的回灌边缘，北边以金堤河为界。设计灌溉面积5.33万hm^2、灌溉保证率75%，渠系水利用系数0.5，设计灌溉引黄水量2.804亿m^3。该段大功引黄总干渠目前已具备通水条件，但还需建设配套工程，主要包括：干渠（沟）9条，总长210.45km；分干渠（沟）3条，总长23.83km；支渠（沟）100条，总长418.64km；干斗渠43条和支斗渠465条。计划在2000年至2010年期间修建完成所有的配套工程，新增补源灌溉面积2.66万hm^2（每年可增加粮食3 078万kg）。重点配套工程有：①干渠（沟）断面扩挖67.3km，支渠（沟）断面扩挖108km。②干渠建筑物84座，包括节制闸6座、进水闸15座、退水闸3座、防洪倒灌闸2座、斗门8座、桥梁50座；支渠建筑物172座，包括退水闸2座、斗门68座、桥梁102座。

2）内黄县引黄工程

内黄县引黄工程实际上是一期大功引黄工程向内黄县的延续，早在1958年大功引黄工程规划建设的初期灌区范围就包括内黄县。河南省决定恢复大功引黄工程后，内黄县引黄补源灌区被规划为大功引黄二期工程的灌溉范围。1998年由河南省水利勘测设计院完成了《内黄县引黄补源工程可行性研究报告》，后又完成了工程初步设计。内黄县引黄工程与滑县八一闸相连，利用金堤河引水，在滑县白道口镇西河京村附近建闸引水至北金堤河，再通过引水涵闸将水引入内黄县境内。引水总干渠上建4座节制闸，在各个节制闸上游两边开干渠，引水至各片灌区，再提水进行灌溉。该工程包括一条总干渠，长61.38km；7条干渠，总长79.63km；94座建筑物（其中拦河闸1座、引水涵1座、节制闸9座、进水闸7座、公路桥8座、生产桥68座）以及田间工程等。全部工程安排5年完成，前三年完成基建工程，后两年完成配套工程。2000年至2005年期间安阳市计划给该项工程安排投资4 890万元。该工程的设计灌溉面积为4万hm^2，引水流量$20m^3/s$。根据内黄县设计灌溉面积计算，近期可引水量0.64亿m^3，远期可引水量0.46亿m^3；本次规划采用内黄灌区引水量0.46亿m^3，相当于从白道口取水0.70亿m^3，从黄河取水1.4亿m^3；渠道输水有效利用系数从黄河到白道口为0.5，从白道口到灌区为0.65。

2.南水北调中线工程

南水北调工程是我国最大的跨流域调水工程，是缓解我国北方地区水资源严重短缺的一项具有重大战略意义的特大型基础设施。整个工程的总配水原则是国务院提出的“三先三后”原则，即“先节水后调水，先治污后通水，先生态后用水”。安阳市涉及的是南水北调中线工程。南水北调中线工程规划方案经历了多次修改和调整，安阳市境内的工程和用水规划也相应作了调整。最近的方案及资料依据是安阳市南水北调中线工程建设协调小组办公室2001年3月完成的《南水北调中线工程河南省供水区——安阳市城市水资源规划报告》。该《报告》的测算前提是，南水北调中线工程成本太高，水价高，农业灌溉承受不了，因此不给农业用水，只给工业和城市生活供水。根据该《报告》的水资源供需平衡分析，各地区不同水平年的缺水量见表12-3。

安阳市2005年缺水1.6亿m^3，2010年缺水3.6亿m^3，2030年缺水6.6亿m^3。为了保证安阳市经济、环境协调发展和水资源的可持续利用，结合水价调整方案及居民水价承受能力，确定安阳市需要的南水北调中线工程的调水量为4.5亿m^3。

南水北调中线工程在安阳市境内的供水线路布置的最新依据，是河南省豫北水利勘测设计院1996年完成的《南水北调中线工程安阳市供水区可行性研究报告》。南水北调

表 12-3　安阳市规划水平年城市缺水量　（单位：万 m^3）

平衡方案	水平年	受水地区	缺水量
考虑污水处理回用	2005	市区	9 355
		内黄县	999
		汤阴县	1 756
		滑县	3 869
		受水区合计	15 978
	2010	市区	24 827
		内黄县	1 895
		汤阴县	3 078
		滑县	5 971
		受水区合计	35 771
	2030	市区	45 777
		内黄县	4 112
		汤阴县	5 655
		滑县	10 628
		受水区合计	66 173

中线工程总干渠在安阳市境内总长度为 66.44km，共设有 5 个分水口门，另外位于鹤壁市浚县的 46 号分水口门给滑县县城供水。中线工程可控制安阳市的土地面积为1 594km^2，耕地面积 10.39 万 hm^2。本规划将该《可行性研究报告》的分水口、供水线路与本规划采用的计算单元和供水对象联系起来，供水线路见安阳市水资源系统网络图；分水口与供水对象的关系见表 12-4。

本规划将在两种前提下论证南水北调中线工程在安阳市的配水方案：一是与《南水北调中线工程河南省供水区——安阳市城市水资源规划报告》相同，中线工程只给工业和城镇生活供水，不给农业和生态环境供水。城市及工业需用多少水就引多少水，不需要就不引水。优点是高水价尚能被城市生活及工业用水户承受，缺点是当丰水年和平水年，安阳市当地水资源较丰富，势必会减少对中线工程调水量的需求，从而影响中线工程效益的发挥。二是中线工程既给工业和城镇生活供水，也给农业和生态环境供水。前提是：①必须对目前规划的南水北调中线工程两部制水价体系进行改革，关键是要建立丰枯水价体系，根据整个中线工程供水区域的水供求紧张程度，分别实行不同的水价，在有剩余供水能力时应该让农业和生态也用得起中线工程的供水，或者使当地愿意建设一些有年、季调蓄能力的地表地下工程并且能够盈利；②要有农业供水和生态供水的配套工程和调节工程。优点是能够增加供水量，提高中线工程的实际供水效益。上述问题是关系到整个南水北调工程的重大问题，牵涉到许多政策、体制等因素，这里不深入讨论。本规划只深入分析两种方案的供水效果，供有关部门参考。

表 12-4　南水北调中线工程分水口及供水对象

分水口编号	县(市)	位置	供水单元	供水对象
46 号	浚县	浚县西北部	滑县卫平	滑县城镇供水、灌溉
			滑县大功	城镇供水、灌溉
47 号	汤阴县	汤阴县李朱渠首	汤阴平西	城镇供水、灌溉
			汤阴岗区	城镇供水、灌溉
			汤阴平东	城镇供水、灌溉
48 号	汤阴县	汤阴县董庄	汤阴平西	汤阴县城供水、汤阴县界以南汤河以北范围的灌溉
			内黄卫南	灌溉
			内黄硝河	内黄县城供水
49 号	安阳市	安阳县南部二十里铺	安阳县汤平	安阳县界以北洪水河以南范围灌溉
			安阳市郊	安阳市(开发区)城镇供水
50 号	安阳市区	市区西郊南流寺	安阳市郊	安阳市城镇供水
			安阳县汤平	安阳县洪水河以北洹河以南范围灌溉
51 号	安阳市	安阳县安丰乡吉庄	安阳县洹平	安阳县洹河以北平原灌溉
			内黄卫北	内黄县卫河以北平原灌溉

2001 年版本的《南水北调中线工程河南省供水区——安阳市城市水资源规划报告》中没有给出为利用南水北调中线供水所需要的投资。该投资目前还比较难以确定，因为一是中线工程给安阳市的分水额度没有最终明确，中线工程水源及输水总干渠工程的投资分摊不好确定；二是安阳市相应的配套规划设计方案和配套投资也不好确定。这里根据最近完成的《南水北调工程水价分析研究》(南水北调工程总体规划附件 10)(送审稿，2001 年 12 月)中的分析成果，估算安阳市分摊的中线工程投资及配套投资。按照河南省黄河以北单位水量分摊中线水源工程投资和总输水干渠投资指标、河南省中线供水单位水量的平均配套投资指标，以及安阳市需要中线供水量 4.5 亿 m^3，估算的安阳市与南水北调中线供水相关的投资见表 12-5。

表 12-5　安阳市与南水北调中线供水相关的投资

项目	水源工程	总干渠	配套工程	合计
投资(万元)	123 310	177 687	54 342	355 339

二、水库扩容及除险加固改造工程

“九五”期间以及 2000 年和 2001 年安阳市完成了对一些水库的除险加固和改造工

程,包括对彰武水库进行扩容提高供水能力,对弓上水库、汤河水库、双全水库等进行除险加固。

(一)彰武水库扩容的背景及必要性

彰武水库兴建于1958年,运行以来,由于存在防洪标准低等诸多问题,于1984年被列入国家43座重点病险水库之一,1990年列入基建工程进行除险加固,1994年竣工。水库除险加固后百年一遇设计洪峰流量为2 347m^3/s,千年一遇校核洪峰流量为3 910m^3/s,多年平均径流量为2.45亿m^3,多年平均弃水为7 800万m^3,水库正常蓄水位130.61m,设计洪水位130.91m,校核洪水位136.61m。总库容0.78亿m^3,兴利调节库容4 155万m^3。

根据1974年《河南省水库资料汇编》,库区迁赔高程为128.7m。目前,该高程以下除少数遗留问题外,基本无迁安任务。128.7m以下遗留问题有:①由于建库时大部分良田被淹,加之人口自然增长,粮食不能自给;②水利设施不配套,抗灾能力差。

1987年8月,以安阳市水利局为主,从市、县、乡、村抽调160余人组成四级联合调查组,历时2个月对库区淹没范围的村庄分级逐户进行实物调查,当时需迁安经费为3 735.65万元。其中128.7m以下为1 027万元,128.7～132.0m为2 708.65万元。

1994年水库完成除险加固后,水库正常蓄水位可由原来的128.7m提高到131.0m,兴利库容由原来的2 710万m^3提高到4 155万m^3;防洪标准可由原来的200年一遇提高到千年一遇。但目前水库的正常蓄水位仅能蓄到128.7m高程,最根本的问题是当时财力限制,仅安排了128.7m以下迁安经费1 027万元。128.7～132.0m高程段仅在1996年落实了库区3.7km公路加高一项内容;库区淹没处理问题至今未能解决,使水库效益的发挥受到影响。存在的问题有:①人口发展快,相应房屋等迁安量大;②土地资源匮乏,基本生存条件受到限制;③经济基础薄弱,开发工副业投资大,困难多。

水库扩容的必要性:①彰武水库多年平均来水量为2.45亿m^3,多年平均弃水量为7 800万m^3,水库有水难蓄,造成了水资源的极大浪费。②随着工农业生产的不断发展,人民生活的不断提高,安阳市缺水日趋严重。③地下水过量开采,水位持续下降,漏斗面积逐年扩大,市区由1986年的20km^2扩大到1999年的102km^2,漏斗中心水位由1986年的60.0m下降到1999年的46.42m,累计下降13.58m。市内铁西区一带,由于地下水补给量减少,开采集中,致使含水层疏干面积逐年扩大,由1989年的5.3km^2扩大到1996年的40km^2。为了减少地下水开采量,必须充分利用地表水资源,根据初步测算,安阳市每年需从彰武水库调水1.26亿m^3。④水污染严重,1999年安阳市区污水排放量为8 974万m^3,污水集中处理量为728万m^3,仅占污水排放量的8.1%。安阳河上游的彰武水库拦蓄能力小,排入安阳河内的水流经市区后,即变成污水,使安阳河中下游有水难用,造成水资源浪费。综上所述,彰武水库扩容已势在必行。

(二)扩容的投资及资金筹措

根据河南省1995年的有关文件和建设土地征用迁移补偿定额和标准,计算出彰武水库扩容工程包括居民住房迁建、附着物迁赔、交通通讯设施迁移及工矿企业淹没处理等工程投资,共计9 816.57万元。根据有关规定,对所调查的实物工程量进行补偿,并分别计入其他补助费、管理费及预备费,得到淹没处理设计总投资为15 865.63万元,见表12-6。

筹资计划为市政府筹资50%,水利部门筹资40%,群众集资10%。

表 12-6 彰武水库扩容投资 (单位:万元)

序号	项目	彰武水库淹没处理费用(128.7~132.0m)		
		安阳县	郊区	合计
1	淹没补偿	2 930.37	3 001.43	5 931.80
2	搬家费	78.64	68.96	147.60
3	工矿迁移补助	782.17	1 156.92	1 939.09
4	水利工程	32.39	113.54	145.93
5	电力建设			19.43
6	交通道路改善			136.25
7	水上交通			40.00
8	水井建设			51.69
9	防护工程	169.12		169.12
10	管理费			171.62
11	设计费(2%)			171.62
12	预备费			892.42
	1~12 项投资合计			9 816.57
	其他费用			6 049.06
	总计			15 865.63

注:数据摘自《彰武水库扩容迁安设计项目建议书》,2001 年 10 月。

(三)扩容动迁实施计划

该计划分三年完成:第一年完成 128.7~130.0m 高程内迁赔任务,约需投资3 926.6万元;第二年完成 130.0~131.0m 高程内迁赔任务,约需投资2 944.17万元;第三年完成131.0~132.0m 高程内迁赔任务,约需投资2 945.8万元。因此,在 2010 年彰武水库完全能够按照新的正常高水位运行。

(四)扩容工程效益

水库扩容后,兴利水位可由 128.7m 提高到 131.0m,兴利库容可由2 710万 m^3 提高到4 155万 m^3,兴利库容可增加1 445万 m^3,可以大大提高安阳市工农业及生活用水保证率,同时可以减缓安阳市地下水下降的速度。

彰武水库扩容工程可增加库区水面面积,为发展渔业和养殖业创造有利条件;扩容后水面与南海泉域天然景点连接在一起,可投资兴建水上游乐项目,为安阳市人民提供一个休闲、娱乐、旅游胜地。同时,加大水环境方面的监测、控制和保护的力度:一是要针对水库上游重点污染源提出切实可行的污水处理措施;二是要加强对库区水上游乐业、风景旅游、渔业和养殖业的监控,并建立相应的法规和制度,防止其对环境的污染;三是要加强对库水水质的监测。

(五)其他水库及堤防工程的除险加固

"九五"期间安阳市完成了防洪基建工程三项,分别为弓上水库除险加固、河南省漳河三省桥至观台河段护岸一期工程、安阳河殷都桥段治理工程,总投资6 462万元。治理后,水库防洪标准可达 50 年一遇设计洪水、千年一遇校核洪水的部颁标准,解决了大坝和坝基的渗漏问题,保证了大坝的安全。漳河护岸一期工程达到了三年一遇防洪标准,缓解了河南河北两省的争水争地矛盾。安阳河东风桥以上市区段的治理基本达到了 50 年一遇洪水设计的河道和城市防洪标准。

汤河水库、双全水库进行了部分除险加固,对安阳河个别险工段进行了治理,结合农田水利基本建设疏浚了面上大的沟河。

对北金堤滞洪区建筑物进行了除险加固维修,提高了防洪能力。

"十五"期间还安排了石门水库续建工程和小南海水库治漏工程。

上述除险加固工程主要是提高了安阳市的防洪保障能力,同时也提高了供水工程的安全性,但是基本上不增加供水能力。

林州市淇河上游修建了拦水坝。该坝位于要街水库下游林州市境界,主要是便于当地提引淇河水进行灌溉。该坝在 2000 年建成,库容 3 万 m^3,集水面积为 $426km^2$。根据还原计算,该坝上游 1956~1998 年系列的多年平均河川径流量为4 492万 m^3。

内黄县规划在卫河上修建卫内闸。该闸主要是拦蓄洹河豆公闸的弃水和汤卫河的弃水,进行灌溉和补充内黄县的地下水。供水对象是内黄卫北和内黄卫南两个计算单元。该闸位于安阳市的下游地区,上游来水有洹河、汤河和卫河下来的余水,河道水源比较丰富,关键是现阶段河道来水水质差。今后上游的污水处理能否达到预期效果,此处来水是否符合灌溉水标准,是否会污染地下水,该闸是何时建成,尚未确定,有待根据不同水平年水资源供需平衡计算来确定。

规划的大功引黄工程的配套工程中有一些拦河闸工程,在此不一一列举。

三、水资源保护工程

水资源保护工程主要是小南海泉域综合治理工程,计划投资1 790万元。

小南海泉位于市区西南,是洹河的重要水源。南海泉水经彰武水库调蓄,供安钢、电厂、安化等大中型企业及万金灌区灌溉用水,同时也是市区生活用水的主要规划水源地。近年来,由于泉区得不到治理、保护,致使泉眼淤积,涌水量下降,水资源得不到合理开发与利用,造成供水紧张、水质恶化、水生态系统遭到破坏及水土流失严重,影响了安阳市经济的发展。工程实施后,可提高涌水量,合理利用水资源,使之得到有效的开发与保护,改善水质,美化环境,可收到明显的生态效果。

四、农村水利工程

安阳市"十五"期间到 2010 年农村水利建设的重点是:继续坚持不懈地搞好农田水利基本建设,为农业结构调整、农民增收和农村经济稳定发展打好水利基础;因地制宜地抓好大中型灌区续建配套和节水改造,大力发展节水灌溉和山区集雨节灌;解决好山区人畜饮水和灌溉问题。

(一)节水灌溉

随着人类社会的发展和科学技术的不断进步,以及水资源供需矛盾的日益加剧,节水灌溉已成为当今世界最具全球意义的焦点问题之一。联合国早在1972年召开的"人类环境"会议和1979年召开的"水"的大会上就向全世界发出警告:"水不久将成为一项严重的社会危机,石油危机之后的下一个危机便是水"。1989年国际灌溉排水委员会针对全球灌溉用水效率低的状况,发布了"葡萄牙宣言",把节约灌溉用水列为当前的首项任务。

世界各国都十分重视发展节水农业,发达国家的节水农业以提高水的有效利用率为重点,达到节水增产为目标,采用先进的节水灌溉技术和农业综合技术措施相结合,逐步代替传统的土渠输水和地面灌溉,并积极开展应用基础理论和高新技术的研究,在提高水的利用率的同时获得最大增产效益和经济效益。发达国家普遍采用诸如喷、微灌和滴灌等先进的节水灌溉技术,根据1987年联合国粮农组织的资料,全世界喷灌面积共0.2亿hm^2,其中美国喷灌面积1981年为0.084亿hm^2,1987年为0.096亿hm^2。

干旱缺水的以色列十分重视有限水资源的高效利用,在农业上大力推广节水灌溉新技术,全国实现了灌溉管道化,田间灌水全部采用滴灌和喷灌技术,使水的有效利用率达到70%~80%,单方水可生产粮食2.32kg。节省下来的水通过管道送到沙漠地区,使耕地面积从16.53万hm^2增加到44万hm^2,农田灌溉面积从20世纪50年代的3万hm^2增加到25.53万hm^2,增加了7倍多,农业产值增长了16倍,而同期人口增加了3倍多,农业发展速度为人口增加速度的4倍多,主要农产品年出口额已超过10亿美元,成为当今世界上灌溉技术和农业最先进的国家之一。

日本虽然气候湿润,多年平均年降水量1 600mm,约为我国降水量的2.3倍,可是日本依然重视节约用水。近年来,日本也开始用管道系统代替明渠输水,并由单一的干管发展成较完整的管道系统,目前有30%农田实现了管道化,并已普遍采用田间水位自动半自动给水栓进行田间灌溉,日本管灌系统的特点是自动化程度高。发展中国家如印度采用有限灌水技术,不仅节约灌溉水量,而且农作物产量大幅度提高。近年来一些国家很强调灌溉水资源的合理开发、综合利用和管理工作,把节水灌溉作为一个复杂的系统进行综合分析和研究,从水的开发、调度、蓄存、输送、灌溉到农作物的吸收利用,形成一个综合的完整体系,特别重视节水灌溉和农业综合技术措施的结合,重视节水农业的增产效益和环境效益。

我国政府十分重视水利建设,新中国成立以来农田灌溉有了突飞猛进的发展,全国建成8万多座水库,新打300万眼机井,兴建5 400处万亩(1亩=0.067hm^2)以上的灌区,灌溉面积由新中国成立初期的0.16亿hm^2发展到0.5亿hm^2,其中0.33多亿hm^2成为旱涝保收的高产稳产农田。20世纪80年代以来,随着水资源供需矛盾日益尖锐,节水灌溉引起党中央、国务院的高度重视。中央领导明确指出:"中国农业的根本问题是水利问题,中国非搞节水农业不可","中国作为一个水资源相对短缺的国家,二十一世纪困扰我国农业发展的将主要是水利问题。我们要加强水资源的管理和保护,要节约用水、计划用水、科学用水,这绝非权宜之策,将是长期任务"。

安阳市的主要灌溉作物有小麦、玉米、棉花、花生、蔬菜等。由于受地形、地貌、土质和社会经济发展水平等因素的影响,形成了比较适合当地条件的灌溉模式。在西部的山丘地区,由于地下水埋深较大,开发利用困难,主要以引漳河水和库塘蓄水自流灌溉为主,仅有一小部分的井灌区,其余大部分为旱作农业。在东部的平原地区,由于缺少蓄水工程,主要以井灌为主。只有东南部滑县有一部分引黄灌区,沿河区域污水灌溉发展很快,但由此造成的危害也日益突出。随着东部平原地下水开采量的不断增加,自20世纪七八十年代以来地下水一直处于严重超采状态,水位连年下降,抽水设备已经更换三四代,导致农业生产成本不断加大,农产品竞争力不断下降。因此,安阳市的农业节水工作,任重而道远。

1998年全市有效灌溉面积27.63万 hm^2,实际灌溉面积23.50万 hm^2。其中,井灌区灌溉面积22.15万 hm^2;引水灌区有效灌溉面积7.74万 hm^2,实灌面积3.79万 hm^2;提水灌区有效灌溉面积1.01万 hm^2,实灌面积0.83万 hm^2。由于节水灌溉不仅能省水、省地、省工,而且能增产增收,具有显著的经济效益、社会效益和生态环境效益,近几年群众积极性比较高,从节水灌溉中得到了一些实惠。

目前,全市共发展节水灌溉面积16.88万 hm^2。其中喷灌面积0.54万 hm^2,微灌面积0.10万 hm^2,低压管灌面积7.14万 hm^2,渠道防渗灌溉面积9.10万 hm^2。安阳市在水利部所确定的全国300个节水增产县中占有4个(林州市、汤阴县、内黄县和滑县)。另外,安阳县是国家计委确定的节水灌溉示范县。

虽然安阳市节水灌溉有了一定基础,但目前尚缺乏统一的规划,发展重点不突出,资金投入偏少,加上受农村经济体制和当地承受能力等因素影响,全市节水灌溉的技术含量明显偏低,并且不够规范,节水标准偏低,水平参差不齐,节水灌溉的整体效益不够显著。由于安阳市节水灌溉受到上述多种因素的制约,农业灌溉必须挖掘内部潜力,提高经济效益。首先,必须对现有灌区进行以节水节能增产为目标的技术改造,提高灌区供水保证程度,节约农业用水,扩大灌溉面积;要完善各种管理制度,理顺管理体制,推广先进的节水灌溉技术,使现有灌区达到设计标准。其次,要增加水利投入,最大限度合理开发和高效利用水资源,尤其是对大型灌区进行配套改造,增加旱涝保收节水增产灌溉面积。"巩固、提高、适度发展",逐步向节水型、效益型农业转变,满足国民经济对农业生产的要求,是安阳市今后节水高效农业发展的趋势。

根据国内外节水灌溉发展的最新动态,确立安阳市未来的节水灌溉发展方向为:山丘区发展经济作物的喷灌、滴灌和果树微灌,旱作物以旱作农业和非充分灌溉为主;平原机井灌区以推广低压管道输水灌溉技术为主;渠灌区以混凝土衬砌渠道为主,田间农、毛渠推广"U"形混凝土衬砌渠道;引黄灌区采用地表水与地下水联合调控技术,实行井渠双灌。同时,要合理调整水费标准,加强管理,实行灌水计量收费,加强节水宣传,对农民进行节水灌溉技术培训等。

节水灌溉工程规划主要包括两方面:一是骨干灌溉供水工程规划;二是田间节水工程规划。"十五"期间完成引黄补源工程的建设,安排漳南灌区进行节水技术改造,对大功灌区进行配套,扩大灌区的灌溉面积和补源面积;预计到2015年基本完成红旗渠、跃进渠等主要灌区的节水技术改造。

1.渠道防渗工程

根据调查统计资料,安阳市现有大中型灌区有跃进渠、万金渠、幸福渠、红旗渠、漳南灌区等,现有万亩以上灌区设计灌溉面积为14.82万 hm^2。由于水资源的不断减少,大多灌区老化失修，甚至报废，致使有效灌溉面积仅达 7.74 万 hm^2。据统计分析，渠道防渗节水达标面积为 9.10 万 hm^2，未达标的主要是跃进渠和幸福渠。本次规划，预计到 2015 年对跃进渠东干渠及漳南总干渠进行衬砌，新增节水灌溉面积 1.33 万 hm^2，总灌溉面积达 10.44 万 hm^2。

2. 低压管灌工程

低压管灌工程在安阳市已有多年的发展，特别是东部平原井灌区较多。目前全市已发展低压管灌面积 10.63 万 hm^2，节水达标面积 7.14 万 hm^2，主要分布在安阳县东部、汤阴县、滑县和内黄县。本次规划拟对东部四县未达标的低压管灌工程进行改造，共新发展 2.53 万 hm^2，总面积达 9.68 万 hm^2。

安阳县现已发展低压管灌工程 1.91 万 hm^2，达标面积 1.46 万 hm^2，规划发展 0.43 万 hm^2，分布于白壁、吕村、北郭及永和四个乡镇。

汤阴县现有低压管灌工程 1.05 万 hm^2，达标面积 0.95 万 hm^2，规划发展 0.23 万 hm^2，分布于伏道、瓦岗、宜沟、五陵四个乡镇。

滑县低压管灌工程发展得较早，目前已发展 3.43 万 hm^2，达标面积 1.86 万 hm^2，移动管道控制面积较大，达 1.29 万 hm^2。本次规划拟发展 1.13 万 hm^2，分布于王庄、留固、老店、枣村、白道口、万古、高平、老庙等乡镇。

内黄县已发展低压管灌工程 3.46 万 hm^2，达标面积 2.07 万 hm^2。本次规划到 2015 年拟发展 0.73 万 hm^2，分布于井店、二安、亳城、后河四个乡镇。

3. 喷滴灌工程

喷滴灌工程技术是先进的节水灌溉技术，目前安阳市各县(市)区只有零星发展，面积仅 0.58 万 hm^2。其主要原因是喷滴灌技术要求相应的规模种植与农村联产承包责任制发生矛盾，管理不善和投入减少，影响了该节水灌溉技术的发展。

目前，林州市、内黄县、汤阴县、滑县已被水利部定为节水增产县，安阳县又是国家计委确定的节水示范县之一，为安阳市大力发展节水灌溉奠定了坚实的基础。近几年，随着农村经济的发展、科技的进步，农民对节水灌溉技术也有了新的认识。因此，本次规划到 2015 年在安阳市东部井灌区的安阳县、内黄县、汤阴县和滑县大力发展大田喷灌工程。西部的林州市利用现有的微积水工程发展部分喷滴灌面积。本规划拟用 5 年时间，使安阳市喷滴灌面积达到 3.38 万 hm^2，新发展 2.80 万 hm^2，其中喷灌 2.73 万 hm^2，滴灌 0.07 万 hm^2。

安阳市郊区喷滴灌工程发展较少，目前仅发展 40hm^2，本次规划发展 0.13 万 hm^2 喷灌工程，分布于东郊、北郊、东风等乡。

林州市利用原有的微积水工程，在东岗乡新发展滴灌 0.07 万 hm^2，东姚乡及城郊乡新发展喷灌 0.2 万 hm^2。

安阳县以已发展喷灌的乡镇为基础，在韩陵、白壁、永和、瓦店及辛村等乡镇发展喷灌 0.93 万 hm^2。

汤阴县发展喷灌 0.2 万 hm^2，分布于古贤、菜园、瓦岗等乡镇。

滑县目前喷灌发展较少，全县仅 250hm^2，发展较慢，本次规划拟发展 0.8 万 hm^2，分布于瓦岗寨、慈周寨、上官及留固等乡镇。

内黄县现有喷滴灌面积 0.11 万 hm^2，本次规划拟发展 0.47 万 hm^2，分布于城关、张龙、东庄、井店、梁庄、中召、楚旺等乡镇。

本次规划预计 2015 年全市共新发展节水灌溉面积 6.67 万 hm^2，使全市的节水灌溉面积由目前的 16.82 万 hm^2 发展到 23.49 万 hm^2，占全市有效灌溉面积的 85%。其中半固定式喷灌发展 2.73 万 hm^2，达到 3.28 万 hm^2；滴灌发展 0.07 万 hm^2，达到 0.10 万 hm^2；低压管灌发展 2.53 万 hm^2，达到 9.68 万 hm^2；渠道防渗新发展节水面积 1.33 万 hm^2，达到 10.44 万 hm^2。

需要说明的是，上述所确定的新增节水灌溉面积指的是节水灌溉工程的规划规模，反映的是规划工程的节水灌溉规模或能力，并不代表 2015 规划水平年的实际节水灌溉面积。即使节水灌溉规划工程全部按预期实施，工程能否全部正常运行还与当时的水源情况和降水情况有关。因此，不同分区各水平年农业节水灌溉面积和农业需水量，尚需通过各规划水平年的供需平衡分析来确定。

根据实际测算，给出各项节水措施的投资指标。如山丘区：喷灌为7 500元/hm^2，滴灌为12 000元/hm^2，防渗渠道为2 908元/hm^2；平原区：喷灌为5 858元/hm^2，低压管灌为2 253元/hm^2，防渗渠道为2 505元/hm^2。

通过分析和计算，预计到 2015 年节水灌溉工程共需投资29 817.86万元。其中工程建设费26 446万元，包括喷灌16 320万元，滴灌 800 万元，低压管灌5 700万元，渠道防渗3 626万元；建设单位管理费 264.46 万元；勘测设计费 396.69 万元；预备费2 710.71万元。具体的测算结果见表 12-7。

表 12-7 节水灌溉工程投资总估算

序号	工程或费用名称	灌溉面积	单位面积投资（元/hm^2）	工程投资(万元)
一	工程建设费			26 446
1	喷灌	2.73		16 320
	山丘区	0.2	7 500	1 500
	平原区	2.53	5 858	14 820
2	滴灌	0.067	12 000	800
3	低压管灌	2.53	2 253	5 700
4	渠道防渗	1.33		3 626
	山丘区	0.73	2 908	2 123
	平原区	0.6	2 505	1 503
二	建设单位管理费	1%		264.46
三	勘测设计费	1.5%		396.69
1	勘测费	0.5%		132.23
2	设计费	1%		264.46
四	预备费	以上合计 10%		2 710.71
合计				29 817.86

（二）解决山区人畜饮水

据统计，目前安阳市吃水困难人口主要集中在林州市、安阳县、汤阴县和市郊区的山丘区，共37个乡镇343个村。饮水困难人口总计约25万人，其中林州市12.7万人、安阳县8.71万人、汤阴县2.05万人、市郊区1.54万人。

安阳市部分山丘贫困地区人畜饮水困难，其解决难度较大。安阳市政府提出“人均三十方，三年灭水荒”的目标，规划在3年内配合国家和省市扶贫、脱贫攻坚计划的实施，解决缺水地区人畜饮水困难问题，为这部分群众脱贫创造条件。然后在继续巩固以往成果的基础上，有计划地建设一批骨干工程，采取集中供水和辐射供水相结合的方式，形成高效供水体系；同时对分散居民，以集雨工程为主，多种形式解决，计划投资3 402万元，争取到2003年基本解决人畜饮水困难。

（三）乡镇供水

随着乡镇工业的发展，城镇化速度的加快，人民生活水平的提高，对乡镇供水提出了更高的要求。水利部门要适应形势发展的需求，多渠道筹措资金，加快乡镇供水事业的发展。到“十五”末，70%的乡镇要实现集中供水，并逐步实现分质供水。

（四）近期工程投资计划

安阳市近期安排的农田水利建设投资见表12-8。

表12-8　安阳市近期安排的农田水利投资计划　（单位：万元）

项目	小计	2001年	2002年	2003年	2004年	2005年
1.灌区面上配套	1 110	230	230	220	220	210
2.节水灌溉	2 900	700	700	600	500	400
3.旱涝保收田	710	160	150	140	140	120
4.水土保持	2 700	540	540	540	540	540
5.人畜饮水	3 402	1 706	1 696	0		
6.移民扶持	2 320	380	418	460	506	556
7.大、中型河道岁修	500	100	100	100	100	100
8.水库维修	1 250	250	250	250	250	250
合　计	14 892	4 066	4 084	2 310	2 256	2 176

注：数据来自《安阳市水利建设“十五”计划及2010年发展规划》，2000年12月。

第四节　水污染治理及回用工程

污水处理工程虽然不属于供水工程的范畴，但对水环境和水资源的持续利用影响重大，在水资源规划中需要重视。污水处理后的回用工程直接增加当地的可供水量，因此，客观上具有与普通供水工程类似的性质。以下三方面的特殊情况决定了安阳市必须特别重视污水处理与回用工程：其一，安阳市是水资源十分短缺的地区，水资源已经过度开发利用，特别是地下水严重超采；其二，为保障社会、经济和环境的可持续发展，安阳市不仅需要从漳河、黄河调入水量，而且还需要从南水北调中线工程调入水量，代价昂贵，并且中央对南水北调工程明确了“先治污后调水”的原则；其三，目前安阳市的水污染问题相当突出，除上游山区河段和小型水库的水质较好外，中下游河段水体受到严重污染，基本上是有水皆污，部分大中型水库的水质也受到不同程度的污染，平原区沿河两岸的地下水也受到了污染。

一、水污染治理及回用现状

为了落实国务院“一控双达标”的目标，近年来安阳市进一步加大了污染防治监督管理力度。截至2000年12月底，全市2 969家工业污染企业中，2 960家企业已完成治理任务，达标率为99.7%，其中达标验收2 347家，依法关停613家，正在调试9家，占0.3%。列入河南省“九五”期间污染源限期治理的36家企业中，已完成治理任务的35家，达标率为97.2%；列入河南省控122家工业企业中，已完成治理任务的120家，达标率为98.4%；列入市控的151家工业企业中，已完成治理任务的149家，达标率为98.7%；列入县控的179家工业企业中，已全部完成治理任务，达标率为100%。

1999年，安阳市市区企业共151家，其中69家有治理设施，治理设施数为145个。废水排放量6 313万 m^3，COD排放量8 972t，废水处理量14 022万 m^3，处理回用量12 209万 m^3，COD削减量7 579t，运行费用3 968.1万元。工业污水处理投入情况见表12-9。

表12-9　安阳市工业废水处理现状调查

年　份	废水处理量（万 m^3/年）	处理量回用量（万 m^3/年）	处理后排放量（万 m^3/年）	设备原价（万元）	运行费用（万元）	污水处理投入（万元）
1997	10 521	8 179	2 342	11 951	5 268	17 219
1998	11 165	9 532	1 633	13 441	4 541	6 031
1999	14 022	12 211	1 811	19 447	3 968	9 974

注：1997年污水处理投入含以前年份设备投资。

现状水平年安阳市的城市污水处理厂全部集中在安阳市郊区，目前已建聂村和豆腐营两座城市污水处理厂，共有二级污水处理能力为3万 m^3/日。聂村污水处理厂位于铁东曙光路与相四路交会口附近，占地4.75hm²，该污水处理厂投资1 370万元，二级生化处理规模为1.8万 m^3/日，采用曝气沉砂—沉淀—接触氧化—消毒工艺。收水范围为京广铁路以东、平原路以西、安漳路以南、相四路以北范围内的部分污水。该厂原配套建设污水管网76km，1998年新建1.51km，1999年新建0.324km，2000年新建3.51km。

豆腐营污水处理厂位于轻工路14号，占地1.89hm²，该污水厂投资982万元，处理能力1.2万 m^3/日，采用水解—接触氧化—氧化沟二级生化处理工艺。收水范围为安阳桥以东、南漳涧村以西、安漳路以北、安阳河以南的工业及生活废污水，1999年处理废污水210万 m^3，运行费用37万元。豆腐营污水处理厂原配套建设污水管网1.478km，1998年新建0.356km。另外，安阳市正在建设东区污水处理厂，总投资17 665万元，生化二级处理规模10万 m^3/日，计划于2002年底建成投产。东区污水处理厂1999年新建管网

7.65km。这三座处理厂的情况见表 12-10。近几年安阳市城市污水处理厂的运行情况见表 12-11。

表 12-10　1999 年安阳市城市已建和在建污水处理厂现状调查

处理厂名称	处理规模(万 m^3/日)	处理量(万 m^3/年)	其中处理量(万 m^3/年)		COD 削减量(t/年)	运行费用(万元)	工程总投资(万元)
			一级	二级			
豆腐营污水处理厂	1.2	210	0	210	505	37	982
聂村污水处理厂	1.8	518	0	518	850	262	1 370
东区污水处理厂	10		0		6 570		17 665

表 12-11　安阳市城市污水处理厂运行现状调查

年份	生活污水量(万 m^3/年)	生活污水处理率(%)	污水处理量(万 m^3)			处理污水回用量(万 m^3)			运行费用(万元)		工程投资(万元)	
			总量	一级	二级	城市	农业	环境	处理污水	回用污水	处理污水	回用污水
1997	3 255	71	2 319	1 359	960	0	400	0	442	0	2 372	0
1998	2 761	27	740	289	451	0	400	0	314	0	30	0
1999	2 392	30	728	0	728	0	400	0	299	0	8 300	0

注:①1997 年工程投资含以前年份投资;②10 万 t 新建污水厂 1997 年、1998 年、1999 年和 2001 年投资分别为 20 万元、30 万元、8 300万元和9 315万元。

安阳市两座污水处理厂 1999 年处理污水 728 万 m^3。目前安阳市豆腐营污水处理厂处理后的出水排入安阳河,与其余未经处理的城市污水混合,为沿岸和下游地区的农田灌溉所利用,另外有 1 万 m^3/年的处理水用于厂区内部的绿化。聂村污水处理厂处理后的出水排入万金渠,与其余未经处理的城市污水混合,向东经高庄乡进入广润坡与茶店坡沟汇流,为沿岸地区的农田灌溉所利用。这些回用水少部分用于城市规划区以内农业灌溉,大部分排到城市规划区以外。1999 年污水处理设施正常运行的工业企业 60 家,其中 19 家企业回用处理后的再生污水总回用量12 209万 m^3,主要是安钢、安玻及电力、卷烟行业的废水循环利用,以及厂区内部的杂用水等。另外,安钢使用电厂退水作为冷却水,以及一些单位把污水用于水质要求不高的用水途径,如安阳师院的洗漱用水二次用于冲厕等,则属于未处理污水的直接利用。

二、水污染治理及回用规划

(一)企业内部废水处理及回用规划

现状年安阳市(包括各市县)工业实际总取用水量为 3.49 亿 m^3,平均万元产值取水定额为 123m^3,平均工业用水重复利用率达到 75%。根据规划预测,在推荐经济发展方案下,2010 年和 2030 年的平均万元产值取水定额分别控制在 80m^3 和 22m^3 以下,平均工业用水重复利用率进一步提高到85%和90%以上,以减少工业新鲜水取水量和废污水的产生量。同时还要提高工业企业内部废水处理率,不仅要实现达标排放,还要实行污染物的总量控制,适当提高各企业污水处理对污染物的去除率。

根据有关分析成果(《南水北调中线工程河南省供水区安阳市城市水资源规划报告》,2001年),工业企业污水处理投资单价采用2.74元/t。2010年和2030年规划预测的工业企业污水处理规模和投资见表12-12。

表12-12　安阳市工业企业污水处理规划及投资

水平年	分区名称	工业需水量(万 m^3)	废水处理量(万 m^3/年)	增加处理量(万 m^3/年)	增加投资(万元)	累计增加投资(万元)
2010年	市区(郊)	28 227	20 606	18 973	51 985	51 985
	林州市	17 454	12 218	11 483	31 463	31 463
	安阳县	6 303	4 412	4 086	11 194	11 194
	汤阴县	1 624	1 137	502	1 375	1 375
	滑县	8 762	6 133	5 376	14 731	14 731
	内黄县	1 388	972	867	2 374	2 374
	全市	63 758	45 477	41 286	113 124	113 124
2030年	市区(郊)	26 968	22 923	2 317	6 349	58 334
	林州市	20 474	16 379	4 161	11 402	42 866
	安阳县	10 341	8 273	3 861	10 578	21 773
	汤阴县	5 234	4 187	3 050	8 358	9 733
	滑县	12 578	10 062	3 929	10 765	25 497
	内黄县	3 355	2 684	1 712	4 692	7 066
	全市	78 950	64 508	19 031	52 145	165 268

(二)城市污水处理及回用规划

城市污水处理系统需要处理的是工业企业和城市生活用水排放的废水。还有部分雨水,雨水数量大小因城市雨水和污水是否实行分系统排放及分开的程度有差别。城市污水处理规划需要从预测城市需水量、耗水量、排水量出发,并根据国家同期对城市水环境的有关要求或对污水处理率的要求,并结合当地的经济发展水平和承受能力拟定合理的污水处理率和处理级别。根据现状年对安阳市300多家工业企业的调查资料分析,平均耗水率为56%,排水率为44%。企业耗水中有一部分是管道渗漏,或多或少会进入城市排水系统中。因此,工业实际排水率大致为50%～60%,城市居民生活用水的排水率取80%,现状年安阳市城市用水的综合排水率约为60%。今后,一方面需要提高工业用水效率和重复利用率,另一方面需要降低工业用水比例,提高城市生活用水比例。因此,估计今后城市用水的综合排水率会有所下降但幅度不大,大致为55%。

目前从中央到地方都比较重视水污染问题，在规划中逐步加大了治污的投入力度和监管力度。而且，有关方面明确规定，清洁城市的污水处理率必须达到60%以上。安阳市“十五”期间投资1亿元，拟建铁西(宗村)污水处理厂，处理能力5万t/d，年削减COD 3 000t。林州市、滑县等地区也拟建污水处理厂。2010年和2030年安阳市的污水处理率分别取65%和85%，年污水处理能力分别达到2.9亿m^3和5.2亿m^3，其中二级处理规模分别达到61.8万t/d和124万t/d。随着经济实力的不断增强，二级处理规模在总处理规模中的比例应逐渐提高。根据《南水北调中线工程河南省供水区安阳市城市水资源规划报告》的规划数字测算，城市污水处理厂投资单价取2 000元/(t/日)。不同规划水平年，安阳市各县(市)区污水处理规模、投资见表12-13。

表12-13　安阳市规划的城市污水处理规模及投资

水平年	分区名称	总处理能力(万m^3/年)	其中二级处理(万m^3/年)	二级处理规模(万t/日)	增加投资(万元)	累积增加投资(万元)
2010年	市区(郊)	12 666	11 315	31.0	56 000	56 000
	林州市	7 571	5 110	14.0	28 000	28 000
	安阳县	3 589	2 482	6.8	13 600	13 600
	内黄县	829	730	2.0	4 000	4 000
	汤阴县	3 660	1 095	3.0	6 000	6 000
	滑县	966	1 825	5.0	10 000	10 000
	全市	29 280	22 557	61.8	104 000	104 000
2030年	市区(郊)	17 178	16 790	46.0	36 000	92 000
	林州市	12 618	10 950	30.0	32 000	60 000
	安阳县	8 718	8 395	23.0	46 000	59 600
	内黄县	3 293	1 825	5.0	6 000	10 000
	汤阴县	7 375	2 920	8.0	10 000	16 000
	滑县	2 813	4 380	12.0	14 000	24 000
	全市	51 996	45 260	124.0	98 000	202 000

工业用水的废水先经过企业内部处理达标后才能排放到公共排水系统(或湖泊、河道等水网)中，城市生活用水的废水进入城市排水系统，与工业废水一道被集中送往城市污水处理厂进行处理。处理后排出水体的质量因处理程度不同而不同。一般来说，经过二级污水处理后的水体水质是比较好的，达到了灌溉用水标准，可以用于农业灌溉，也可用于一般的生态环境用水。一般工业工艺用水对水质要求比较高，二级处理水难以符合要求。二级处理水基本上符合工业冷却水的要求，可以直接采用或稍加处理后采用。二级处理水也可以作为城市生活用水水源，条件是城市供水系统实现了分质供水，二级处理水可用于冲厕、冲洗路面、城市灌溉、河湖用水等。安阳市水资源短缺，一定要利用好处理水这一资源，特别是二级处理水处理代价较高，水质较好，更要充分利用。在制定污水处理回用规划时，有以下几个特点是必须考虑的：

(1)安阳市绝大部分城市用水集中在市区(郊)、林州市城区、安阳县和汤阴县县城区,特别是集中在京广铁路沿线一带。现状年安阳市区(郊)、林州市城区、安阳县和汤阴县县城区的工业用水和城市生活总用水量占全市工业和生活总用水量的88%,铁路沿线一带占全市的64%。2010年到2030年,市郊、林州市城区、安阳县和汤阴县县城区的工业用水和城市生活总用水量占全市工业和生活总用水量的80%~85%,铁路沿线一带占全市的55%~60%。农业用水的绝大部分集中在东部平原区。

(2)安阳市地势西高东低,河流走向由西向东。

(3)安阳市在京广铁路沿线以东一带,原来就是地表水灌区,后来由于地表水减少,才逐渐增加地下水开采量进行灌溉,有较好的渠系可以用来进行处理水回用。

(4)安阳市目前还没有建成分质供水系统。像安钢、电厂这样的用水大户有专门的供水水源,并且工厂在主要的污水处理厂上游,距离比较远。

根据上述特点,我们认为:安阳市城市处理水回用应立足于农业回用和生态环境回用;农业回用的条件是比较好的,借用现成的渠道或河网再辅助建设相应的配套工程,回用成本是比较低的。

处理水回用工程的规模,必须与城市污水处理规模相协调。回用规模一般不宜大于处理系统的排水规模。安阳市二级处理占总处理的比例较高,回用规模可以按略小于二级处理系统的排水规模考虑。农业回用投资单价采用3元/m^3,环境回用投资单价采用1元/m^3。2010和2030水平年规划的城市污水处理回用能力及投资见表12-14。其中,安阳市区(郊)可供回用的水量较多,而耕地面积比较小,因此考虑该区的回用水量中2010年有1 000万 m^3、2030年有3 000万 m^3 回用于安阳县农业灌溉。

表12-14 安阳市规划的城市污水处理回用能力及投资

水平年	分区名称	总回用量(万 m^3)	农业回用量(万 m^3)	环境回用量(万 m^3)	累计回用投资(万元)
2010年	市区(郊)	7 000	3 000	4 000	13 000
	林州市	1 500	500	1 000	2 500
	安阳县	1 700	1 000	700	3 700
	汤阴县	600	550	50	1 700
	滑县	1 000	600	400	2 200
	内黄县	500	300	200	1 100
	全市	12 300	5 950	6 350	24 200
2030年	市区(郊)	10 500	6 000	4 500	22 500
	林州市	4 000	1 200	2 800	6 400
	安阳县	3 500	2 500	1 000	8 500
	汤阴县	1 800	1 400	400	4 600
	滑县	2 600	1 800	800	6 200
	内黄县	1 000	700	300	2 400
	全市	23 400	13 600	9 800	50 600

上述分析确定的污水处理量和回用量都是指工程的规划规模,反映的是规划工程的处理能力和回用能力,不是实际处理水量和回用水量。即使规划工程全部按预期实现,工程能否全部正常运行还与运行费是否充足有关,与设备设施的正常运行率有关。农业回用水量还与降雨量及农业的需水量有关。因此,各分区不同水平年的农业回用水量,尚需通过各规划水平年的供需平衡分析来确定。

三、城镇河流综合整治工程

如果没有城镇河流综合整治工程规划,上述规划的工业污水处理工程、城市污水处理工程和处理水回用工程对环境的改善效果、处理水回用效果或效益都要受到影响。安阳市近期主要针对和城市直接联系、对疏水或环境有重要影响的主要河段进行治理。具体的工程规划见表12-15。

安阳河市区段第三期综合治理工程于2001年11月开工,西起东风桥,东至于曹沟,全长5.3km,50年一遇洪水标准2 300m^3/s,工程总投资11 793万元。其中河道治理工程投资3 018万元,主要治理项目包括河道工程、橡胶坝工程。橡胶坝工程设计蓄水深4.5m,坝长76m,蓄水面积近16hm^2,蓄水量为100万m^3,回水长度达4.46km。该坝与东风坝、殷都坝形成梯级坝,可形成总长10.13km的水面,蓄水量300多万m^3,面积93.3hm^2,既改善了环境,补充地下水源,提高地下水位,又可建设水上游乐场所。铺设总长2 850m的污水截流管道和450m的雨水管道,实现雨污分流,将污水引至东区污水处理厂进行处理,安阳河北岸将截流污水30 654m^3/d,若南岸也截流,则可减少市区段污水入河量45 694m^3/d。河道两岸形成绿地62.3hm^2,使市区居民人均绿地由3.43m^2增加到5.36m^2。

表12-15　安阳市河流综合整治工程重点项目

分区名称	项目名称	内　容	投资(万元)	环境效益
市区(郊)	安阳河市区段第三期综合整治工程	东风桥—于曹沟5 300m截流、护坡、清淤	3 018	COD削减量15 396t/年
	环城河综合整治工程	管网改造、清淤	3 500	COD削减量9 177t/年
	"两库两泉"生态保护工程	生态保护	1 500	保护饮用水源
汤阴县	汤河综合整治	河道清淤	500	
	永通河综合整治	河道清淤	300	
滑县	大功河一期工程	清淤、人行道绿化带	1 200	
	大功河二期工程	护坡、草坪、苗木	200	
内黄县	硝河整治一期工程	朝阳路—东关桥清淤等	280	
	硝河整治二期工程	东关桥—北环路清淤等	200	
合计			10 698	

第五节　重点水资源工程投资估算

安阳市各规划水平年的重点水资源工程投资汇总情况见表12-16。2010年的规划工程比较全,投资计划安排比较具体。到该水平年累计需要增加的投资约为70亿元,如果不包括工业企业的污水处理投资则为58.4亿元。2010水平年到2030水平年累计需要增加的投资约为18亿元,由于一些规划工程不很齐全,因此投资计划也不很全面。南水北调中线工程的水源工程和输水干渠工程投资,可能有相当一部分不是由安阳市在建设期直接投资,而是需要在今后用水过程中通过买水的形式偿还。需要安阳市直接投资的数额目前也尚未确定。另外,南水北调中线工程的开工时间尚未最终明确,有多大比例的投资需要在2010～2030年期间投入还无法确定,暂时一并按2010年以前投入考虑。

从投资趋势来看,农业灌溉工程投资比例和当地开源工程的投资比例在逐渐减少,而水污染治理和处理水回用工程的投资比例在加大。这种趋势是比较符合安阳市的实际需要的,是合理的。

表12-16　安阳市重点水资源工程投资汇总　（单位:万元）

工程项目	2000～2010年	2010～2030年
一、灌溉兴利工程	43 190	
1.滑县大功引黄工程	5 090	
2.大型灌区节水技改工程	33 210	
3.内黄大功引黄工程	4 890	
二、水资源工程	387 221	
1.小南海泉域综合治理工程	1 790	
2.彰武水库扩容工程	5 592	
3.马家岩水库工程	18 690	
4.小南海水库治漏工程	1 000	
5.五水厂引水二期工程	4 810	
6.南水北调中线工程(安阳市)	355 339	
三、农田水利工程与人畜饮水工程	14 892	
四、水污染治理及回用工程	252 022	176 545
1.工业企业污水处理	113 124	52 145
2.城市污水处理	104 000	98 000
3.处理水回用工程	24 200	26 400
4.重点河段综合整治工程	10 698	
合　计	697 325	176 545

第十三章　国民经济发展现状及发展模式分析

第一节　国民经济发展概况

一、发展成就及历程

自改革开放以来,安阳市社会经济发展十分迅速,各项主要社会经济指标增长非常显著。1979~1998年期间,全市国民经济保持了年均10.6%的增长速度,人民生活水平不断提高,综合经济实力明显增强,某些工农业产品在河南省乃至全国均具有一定竞争优势。自1978年以来,安阳市国民经济发展过程可划分为四个阶段:

第一阶段:从1978年至1985年,以中共十一届三中全会的召开及会议精神贯彻实施为标志,安阳市国民经济进入了一个高速发展时期。这一阶段全市国内生产总值保持了年均14%的高速增长势头,高于全国平均水平4个百分点,国民经济蓬勃发展,人民生活水平迅速提高,到1985年安阳市人均GDP达到673元,比改革开放初的1978年增长了一倍。

第二阶段:从1986年至1990年,为我国"七五"计划执行期间。这一阶段为全市国民经济调整时期,国民经济发展速度明显回落,某些行业呈现出明显的萎缩态势,并出现了负增长,但国民经济总体形势较为稳定,GDP增长速度保持在年均5.5%,低于全国平均水平2.4个百分点。

第三阶段:从1991年至1995年,为我国"八五"计划执行期间。以邓小平同志南巡讲话为标志,安阳市国民经济在全国良好的经济环境的带动下进入改革开放以来第二个高速发展时期。全市国内生产总值以年均16.7%的速度递增,明显地高于全国平均水平,到1995年底"八五"计划提出的主要任务已经完成或超额完成。

第四阶段:从1996年至1999年,由于亚洲金融危机的爆发,国际、国内市场需求严重不足,影响了安阳市国民经济的发展,国民经济发展速度回落,但安阳市人民在市委和市政府的领导下,紧密结合安阳市实际,认真贯彻中央关于扩大内需的一系列方针政策,克服各种困难,国民经济保持良性发展。1998年安阳市实现国内生产总值221.3亿元,比上一年增长5.1%。地方财政收入完成11.04亿元,比上一年增长2.6%。

二、机遇与挑战

自改革开放以来,安阳市无论在综合经济实力、社会进步,还是在人民生活水平提高方面,都上了一个新台阶,为今后的发展奠定了良好的基础。但是在经济发展过程中依然面临着不少矛盾与问题,突出表现在以下几个方面:一是教育、科技相对滞后,人才缺乏,劳动者素质偏低,不适应经济与社会进步的要求;二是农业基础薄弱,抵御自然灾害的能力较低,服务体系与农村经济发展不相适应;三是国有企业经营机制仍不适应发展社会主义市场经济的要求,部分企业包袱沉重,生产经营困难,管理粗放,经济效益偏低,发展优势不明显;四是对外开放的软硬件环境亟待改善,经济外向度低,利用外资偏少;五是建设任务重与资金短缺矛盾突出;六是部分地区环境污染严重,城乡环境亟待治理和改善,水资源严重短缺,目前已经制约了国民经济的发展。

以上存在的诸多问题,要在未来一段时间内花大力气解决。安阳市虽然面临着许多困难和不利条件,但仍有良好的外部发展环境和机遇。

首先,中国在经受了亚洲金融风暴的考验后,国民经济已走出低谷,日本、韩国、泰国、马来西亚等受金融危机冲击最严重的亚洲周边国家自1999年以后经济开始复苏,国内生产总值出现增长。随着中国加入世贸组织,巨大的市场潜力使中国必将成为投资热点。在诸多有利条件下,我国将面临可望良好的外部发展环境。

其次,安阳市处在晋冀鲁豫城市群的中心位置,具有明显的区位优势。未来20年是我国实现国民经济发展第三步战略目标的关键时期,也是我国实施"西部大开发"战略和加快中西部地区发展的关键时期,国家通过建立规范的财政转移支付制度,制定一系列优惠政策,逐步增加对中西部地区资金投入及扶持力度,必将有利于促进安阳市资源优势的发挥和产业的发展。

安阳市还拥有多家国家和省级大中型企业,在部分领域具有一定的物质技术优势。如安玻三期扩建、安钢总体改造、安化"813"扩建等一批高技术含量、高附加值项目的建成,必将为安阳市的经济发展再增实力。京珠高速公路建设、邮电通讯手段的完善、中南外环等一批基础设施项目的陆续建成,国民经济信息化程度的提高、社会环境的改善,将使安阳市发展的软硬件环境大为改观。但是随着地区之间、企业之间竞争的加剧,经济增长方式由粗放型向集约型的根本性转变,对安阳市经济发展能力、产业和产品结构的适应能力、竞争能力提出了更高的要求。

安阳市的发展,机遇与挑战并存,只要能够把握历史发展趋势,采取正确的发展战略,充分利用有利条件,努力化解不利因素,克服困难,迎接挑战,加快现代化建设步伐,就一定能够圆满完成新的发展阶段所赋予的历史任务。

第二节　产业经济发展现状及其特点

一、产业经济发展现状

由《安阳市1997年投入产出表》可知,安阳市1997年实现国内生产总值(GDP)218亿元,全社会总产出规模553亿元,利税总额71亿元(当年价)。主要行业经济指标情况见表13-1。

从表13-1中可以看出,15个主要经济部门的GDP占全市总GDP的78.7%,产出占全市总产出的79.3%,利税总额占全市的85.1%。说明安阳市国民经济主要集中在以上15个经济部门中,这15个经济部门在安阳市国民经济中占据重要地位。同时,反映了安阳市国民经济其他行业经济实力较弱的特点。其中,主导经济部门又集中于农业、原材料工业以及第三产业的某些传统行业。

表 13-1　1997 年安阳市国民经济主要行业排序

名　称	国内生产总值		名　称	总产出		名　称	利税总额	
	现值（万元）	百分比（%）		现值（万元）	百分比（%）		现值（万元）	百分比（%）
农业	474 325	21.8	农业	805 940	14.6	农业	109 066	15.4
金属冶炼	205 511	9.4	金属冶炼	698 400	12.6	金属冶炼	102 820	14.5
建筑	124 714	5.7	建筑	396 936	7.2	食品	61 242	8.6
商业	110 479	5.1	食品	394 676	7.1	金融保险	43 211	6.1
建材	98 241	4.5	化学	315 548	5.7	化学	38 523	5.4
房地产业	97 723	4.5	建材	293 632	5.3	电子通讯制造	37 426	5.3
食品	93 696	4.3	纺织	249 033	4.5	电力蒸汽	35 853	5.1
行政机关	78 594	3.6	电力蒸汽	178 656	3.2	建筑	34 956	4.9
化学	75 286	3.5	商业	176 014	3.2	建材	33 846	4.8
货运仓储	70 543	3.2	交通设备制造	168 373	3.0	造纸文教	26 174	3.7
金融保险	66 377	3.1	电子通讯制造	167 452	3.0	纺织	18 413	2.6
电力蒸汽	62 456	2.9	造纸文教	156 800	2.8	行政机关	17 523	2.5
电子通讯制造	61 617	2.8	机械工业	149 621	2.7	废品及废料	15 832	2.2
机械工业	48 821	2.2	行政机关	129 160	2.3	交通设备制造	15 499	2.2
教育文艺广播	46 367	2.1	货运仓储	117 451	2.1	机械工业	13 061	1.8
总　计	2 175 825	100	总　计	5 530 707	100	总　计	709 162	100

在 33 个部门投入产出表的 23 个工业部门中，以上三项指标排序进入前 15 名的有 9 个，其中位居前列的是以生产或加工初级产品的原材料行业为主，而加工链条长、技术含量高、反映国民经济装备水平的行业所占份额较低，轻工行业的各项指标也较低，对国民经济发展的贡献较小，反映了安阳市工业行业内部结构不合理，轻工业欠发达，重工业比例偏大，产品初级化特征明显的状况。

从国民经济六大行业指标分析可知，工业行业总产值 1997 年为 334 亿元，占安阳市全社会总产值的 60.3%，增加值率为 28.4%，利税总额为 45.6 亿元，占全市的 64.3%，充分体现了工业在安阳市国民经济中的重要地位。具体统计分析结果见表 13-2。

表 13-2 国民经济六大行业主要经济指标

行业	利税总额（万元）	增加值（万元）	总投入（万元）	利税总额占增加值比重（%）	增加值率（%）	利税构成（%）	增加值构成（%）	产值构成（%）
农业	109 066	474 325	805 940	23.0	58.9	15.4	21.8	14.6
工业	456 208	948 747	3 335 919	48.1	28.4	64.3	43.6	60.3
建筑业	34 956	124 714	396 936	28.0	31.4	4.9	5.7	7.2
交通邮电业	9 925	105 266	172 094	9.4	61.2	1.4	4.8	3.1
商饮业	23 029	143 006	246 698	16.1	58.0	3.2	6.6	4.5
服务业	75 978	379 767	573 120	20.0	66.3	10.7	17.5	10.4
总计	709 162	2 175 825	5 530 707	32.6	39.3	100.0	100.0	100.0

长期以来，农业在安阳市国民经济中占据重要地位。1997 年全市农业总产值达到 81 亿元，增加值 47 亿元，利税总额 11 亿元，在 33 个行业排序中均位列第一。利税总额占增加值的 23%，与河南省全省情况比较，整个行业的效益较好。但由于我国长期以来农产品价格背离其价值的现象未能得到根本扭转，以及劳动生产率低等因素的影响，严重地制约了农业经济效益的进一步提高。

近年来，以提供劳务、服务和消费为主要特征的第三产业发展迅速，1997 年服务业 GDP、总产值、利税总额三项指标在全市同类指标中所占比例均已超过 10%，交通邮电业、商饮业所占份额均较低，交通运输等基础行业发展滞后，已成为制约安阳市经济发展的瓶颈因素。总体而言，安阳市的第三产业基本停留在传统产业，新兴产业基本没有涉足，为第一、第二产业提供服务的社会体系尚未完全建立起来。

二、产业结构分析

（一）三次产业结构分析

经济增长是经济结构（其核心是产业结构）转变的结果，即经济增长的实质内容就是结构转变。这一理论得到了各国经济学家的广泛认同。产业结构变动的一般规律为随着收入水平的提高，国民生产总值（按照不变价计算）中工业所占份额的不断上升，农业份额逐步下降，而服务业则变动缓慢。因而，分析产业结构的变化过程，可以反映经济发展的轨迹。

自改革开放以来，我国经济进入了全面工业化阶段，产业结构出现明显变化，这一变化过程遵循了工业化的一般规律，又具有我国自身的特点。受价格变动的影响，我国产业结构的变动过程有其动态与静态的两种不同形式。从动态看，按可比价格计算，第一产业所占比重显著下降，第二产业比重则快速上升，基本符合产业结构变动的一般规律；从静态的某一时点按现价计算，第一产业比重在相当长的时间内比较稳定，而第二产业比重甚至有所下降。分析其原因，主要是由于我国农业人口数量庞大，第一产业就业比重过高。

由于工农业产品比价不合理,农民收入较低,为提高农民收入,一方面通过价格杠杆,通过再分配过程将其他产业主要是第二产业的附加值向第一产业转移,另一方面提高农产品价格,缩小农业人口与城镇居民收入的差距。1978～1992年,从总体上看农产品价格上涨幅度快于第二产业和第三产业。

我国幅员辽阔,各地区资源条件不同,产业结构变动过程与当地社会经济、自然资源状况密不可分,不同地区体现了不同的特点。安阳市国民经济产业结构在过去20年中变动显著,三次产业GDP结构由1978年的35:50:15变化为1998年23:46:31,以工业为主体的第二产业保持了年均11.1%的发展速度,比第一产业发展速度高出近4个百分点,正是这具有特征性的结构转变成为经济快速增长的主要源泉。

同时,产业结构的变动又呈现出阶段性特征。农业在GDP中的份额进入20世纪90年代后下降显著,由1990年的33%下降为1995年的22%。第二产业中建筑业比较稳定,工业则呈阶段性波动,1978～1985年呈下降趋势,1985年达到37%的最低点,此后逐年上升,1995年达到47%,第二产业在国民经济中所占份额相应提高到53%。进入"九五"之后,在诸多因素的影响下,安阳市部分大中型国有企业发展与经营面临巨大困难,工业生产规模与发展速度有所回落,到1998年工业GDP占全市GDP的比值下降到41%,第二产业所占份额下降到46%。第三产业发展迅速,1978～1998年保持年均14.2%的增长速度,高出全市国民经济增长速度3.6个百分点。第三产业的发展是城市化水平和人民收入提高的必然要求,在安阳市国民经济中的地位也日益突出。具体分析结果见表13-3。

表13-3　三次产业、六大经济部门国内生产总值构成　(%)

产业分类		1978年	1980年	1985年	1990年	1995年	1997年	1998年
三次产业	第一产业	35	34	33	33	22	22	23
	第二产业	50	51	48	41	53	49	46
	第三产业	15	15	19	26	25	29	31
	小计	100	100	100	100	100	100	100
六大行业	农业	35	34	33	33	22	22	23
	工业	48	48	42	37	47	44	41
	建筑业	2	3	6	4	6	6	5
	交通邮电业	3	3	5	6	4	5	6
	商饮业	5	5	6	6	5	6	7
	服务业	7	7	8	14	16	17	18
	小计	100	100	100	100	100	100	100

目前,安阳市GDP构成与河南省(26:46:28)同期水平比较,安阳市产业结构与全省水平持平,工业、第三产业在GDP中比重略高于全省平均水平,整体上略优。

从发达国家(3:36:61)、中等收入国家(14:38:48)和低收入国家(37:34:29)的三产比例看,安阳市处于由低收入的产业结构向中等收入产业结构的过渡阶段。

(二)工农业结构分析

安阳市工业结构存在的主要问题是轻重工业比例不合理。1978年轻重工业比例为46∶54,此后"六五"期间轻工业发展速度较快,1985年轻工业产值在工业中的比重达到51%,而重工业下降为49%。这一阶段内,轻重工业比例一直维持在一个比较合理的范围内。"七五"之后,重工业在工业总产值中的比例逐年上升,到1998年轻重工业比例变化为36∶64,工业行业的重工业化特征明显。具体分析结果见表13-4。

表13-4 工农业内部结构 (%)

指标		1978年	1980年	1985年	1990年	1995年	1997年	1998年
工业总产值	轻工业	46	52	51	47	39	38	36
	重工业	54	48	49	53	61	62	64
	合计	100	100	100	100	100	100	100
农业总产值	农业	90.3	89.2	78.5	79.1	66.1	73.1	73.2
	其中 种植业	82.2	87.6	70.5	74.3	63.8	73.0	70.9
	林业	2.2	2.6	5.9	3.2	3.2	2.7	3
	牧业	7.4	8.2	15.6	17.6	30.6	24.1	23.7
	渔业	0.1	0.0	0.0	0.1	0.1	0.1	0.1
	合计	100	100	100	100	100	100	100

注:本表数据均为现价计算结果。

1997年安阳市40个部门投入产出表中工业行业主要经济指标排序结果显示(表13-5),在25个部门中,轻工行业各项指标进入前10名的仅有食品、纺织业和造纸文教用品制造业。与重工业行业相比,轻工行业具有投资少、见效快、吸纳劳动力多、运转灵活的特点。轻工业欠发达,制约了安阳市工业的协调发展。同时,轻工业发展滞后,许多轻工产品需从区外调入,不仅造成资金大量外流,增加运输费用,给原本紧张的运力增加压力,而且影响了劳动就业和地方财政收入的增长。

重工业中,以初级产品为加工对象的能源、原材料工业所占比重较高,1997年其总产值占全部工业总产值的48%;重加工工业所占比重居其次,为17%;采掘业所占份额较低,仅为6%。与我国西部地区相比,安阳市工业产业结构层次较高,依赖于资源开发的行业生产规模较小,但与我国东部加工工业较发达的地区相比,产业结构还有待于进一步优化。

第一产业(大农业)在安阳市国民经济中一直占有重要地位,存在的结构性问题是种植业比重偏高,林牧业比例偏低,渔业受当地水资源条件限制几乎未有发展,大农业的综合优势未能充分发挥。尽管农业内部产业结构不断调整,以种植业为主的农业所占比重逐年下降,但1998年依然达到了73.2%,且种植业中又以小麦、玉米、棉花等传统农作物的种植为主,具有地方特色、效益高的经济作物种植面积偏小。1997年安阳市农业的自给率为94%,这说明1997年安阳市当地农产品需求总量的6%需从区外调入完成。

表 13-5　1997 年工业各行业主要经济指标排序　（单位：万元）

行业	产值	产值排序	增加值	增加值排序	利税总额	利税排序
金属冶炼	698 400	1	205 511	1	102 820	1
食品	394 676	2	93 696	3	61 242	2
化学	315 548	3	75 286	4	38 523	3
建材	293 632	4	98 241	2	33 846	6
纺织	249 033	5	41 710	9	18 413	8
电力蒸汽	178 656	6	62 456	5	35 853	5
交通设备制造	168 373	7	35 623	11	15 499	10
电子通讯制造	167 452	8	61 617	6	37 426	4
造纸文教	156 800	9	42 545	8	26 174	7
机械工业	149 621	10	48 821	7	13 061	11
金属矿采选	94 859	11	30 438	12	11 978	12
金属制品	86 581	12	22 976	13	10 947	13
煤炭开采	83 106	13	37 983	10	8 612	15
电气器材制造	79 320	14	19 440	15	10 598	14
缝纫皮革	76 601	15	20 280	14	5 290	16
木材家具	57 092	16	13 661	17	1 342	18
非金属矿采选	21 442	17	7 444	18	3 478	17
废品及废料	15 832	18	15 832	16	15 832	9
其他制造业	11 964	19	3 012	20	975	21
石油加工	10 157	20	2 623	22	795	23
煤气生产与供应	8 603	21	2 502	23	1 212	19
机械修理	7 316	22	2 646	21	850	22
自来水生产供应	7 017	23	3 346	19	1 196	20
仪表器具制造	3 839	24	1 058	24	246	24
石油开采	0	25	0	25	0	25
总计	3 335 920		948 747		456 208	

（三）第三产业结构分析

第三产业是以提供劳务、服务、消费为主要特征，对整个国民经济起着填充、润滑和催化的作用。全市第三产业占 GDP 比重由 1978 年的 15％提高到 1997 年的 31％。但各层次之间的发展不平衡（见表 13-6），主要集中于商饮、仓储运输等传统行业，新兴产业如咨询业、广告业等发展较慢。第一层次的流通部门和第二层次的生产、生活服务部门发展较快,而以提高科学文化水平和居民素质的第三层次发展较慢,所占比例较小,为社会公共需要服务的第四层次比重偏高,达到13%,1995年该项指标的全国平均水平为10%,这反映了安阳市政府的行政事业性支出过大、财政负担过重、机构冗员等问题。

表 13-6 第三产业内部结构 (%)

年份	GDP合计(万元)	第一层次	第二层次	第三层次	第四层次
1997年	628 039	39	33	15	13

三、产业关联分析

通过投入产出表可以考察一个地区内部各部门之间的关联关系,是确定本地区应予以发展的有潜力的产业群的基本依据。在产业关联分析时,主要计算分析下列几项指标。

(一)影响力系数(完全后向关联系数)

设$(T_{ij})_{n\times n}$为中间矩阵,Y为最终需求列向量,X为总产出列向量,V为增加值列向量。根据投入产出行模型,可得

$$T + Y = X \tag{13-1}$$

令$A = T\hat{X}^{-1}$($\hat{X}^{-1}$为以X中各元素为对角元素的对角矩阵),则

$$AX + Y = X \tag{13-2}$$

$$X = DY \quad (D = (I - A)^{-1}) \tag{13-3}$$

某一部门直接后向关联系数为:

$$DB'_j = \sum_{i=1}^{n} a_{ij} \quad (\text{其中 } a_{ij} \text{ 为矩阵} A \text{ 中} i \text{ 行} j \text{ 列元素}) \tag{13-4}$$

表示第j部门每增加一个单位的总产出,直接需要其他部门增加投入的总和,反映了第j部门对所有部门的直接依存关系。

完全后向关联系数为:

$$DIB'_j = \sum_{i=1}^{n} d_{ij} \quad (\text{其中 } d_{ij} \text{ 为矩阵} D \text{ 中第} i \text{ 行第} j \text{ 列元素}) \tag{13-5}$$

为了便于不同部门之间进行比较,通常用各部门平均的关联系数相除,得到完全后向关联系数的标准形式,即第j部门的影响力系数:

$$DIB_j = \sum_{i=1}^{n} d_{ij} / \left(\frac{1}{n}\sum_{i=1}^{n}\sum_{j=1}^{n} d_{ij}\right) \tag{13-6}$$

这一指标反映了当第j部门增加一个单位最终产品时,对国民经济各部门所产生的生产需求波及程度。影响力系数大于1,则表示该部门生产所产生的波及影响程度超过社会平均水平(各部门所产生的波及影响的平均值)。影响力系数越大,该经济部门对其他经济部门的拉动作用越大,其发展将有效带动其他部门相应发展。

从1997年安阳市各部门关联系数看,影响力系数大于1的包括轻纺工业、原材料工业、重加工工业等部门(见表13-7),说明安阳市经济对工业的依存度较大。与河南省同类指标比较,影响力系数、比值均大于1的部门主要集中在轻纺工业、化学工业等。而在

安阳市工业中占据重要地位的金属冶炼业、金属制品业、电子通讯设备制造业等产业其影响力系数均小于河南省的平均水平,说明这些产业尽管总产出较大,由于后向关联小,对安阳市国民经济的拉动作用比较小,也反映了安阳市工业产品加工链条不连贯,以支柱产业为中心的、互补性强的生产体系尚未建立起来。

(二)感应度系数

根据投入产出列模型,可得

$$T + V' = X' \tag{13-7}$$

设 $B = \hat{X}^{-1}T$ （$\hat{X}$ 为以 X 中各元素为对角元素的对角矩阵),则

$$X' = X'B + V' \tag{13-8}$$

$$X' = V'E \qquad (E = (I - B)^{-1}) \tag{13-9}$$

这里,X'列向量为实际总产出加进口调入后的总产出值,即总供给值。

则直接前向关联系数为:

$$DF_i = \sum_{j=1}^{n} b_{ij} \qquad (\text{其中 } b_{ij} \text{ 为矩阵} B \text{ 中第} i \text{ 行第} j \text{ 列元素}) \tag{13-10}$$

它表示第 i 部门每增加一个单位的总产出,直接推动社会各部门增加产出的总和,反映了一部门生产对社会各部门生产的直接感应程度。

完全前向关联系数为:

$$DIF'_i = \sum_{j=1}^{n} e_{ij} \qquad (\text{其中 } e_{ij} \text{ 为矩阵} E \text{ 中第} i \text{ 行第} j \text{ 列元素}) \tag{13-11}$$

同样,为便于在不同部门间进行比较,用各部门平均的完全前向关联系数相除,得到完全前向关联系数的标准形式,即感应度系数为:

$$DIF'_i = \sum_{j=1}^{n} e_{ij} \Big/ \left(\frac{1}{n}\sum_{i=1}^{n}\sum_{j=1}^{n} e_{ij}\right) \tag{13-12}$$

在投入产出分析时,为方便起见通常使用的完全前向关联系数指标为:

$$DIF'_i = \sum_{j=1}^{n} d_{ij} \Big/ \left(\frac{1}{n}\sum_{i=1}^{n}\sum_{j=1}^{n} d_{ij}\right)$$

(d_{ij} 为计算影响力系数所用 D 矩阵的第 i 行第 j 列元素) (13-13)

这一指标反映了各部门均增加一个单位最终产品,促使本部门总产出的增量。感应度系数越大,对经济发展起的制约作用越大。

在 40 个经济部门中感应度系数大于 1 的共计 9 个部门,其中系数较大的有农业(1.464)、煤炭开采(1.974)、电力工业(1.679)、石油加工业(1.577)、化学工业(2.450)、金属冶炼业(1.629)等。具体分析结果见表 13-7。

与河南省的平均水平相比,感应度系数大于 1 且高于全省的有煤炭开采、电力工业、石油加工业、金属冶炼业、交通设备制造、货运仓储业等部门。感应度系数大的部门对经济发展的推动作用具有被动性,但是国民经济发展对这类产业将形成较大的需求压力,当经济发展速度过快时,这类产业往往容易成为国民经济的“瓶颈”。在经济发展与结构调整中,保持感应度系数较大部门持续稳定的增长,对国民经济的协调发展具有十分重要的意义。在选择优先发展产业时,对这些产业应予以充分关注。

表 13-7　产业关联系数

产业	影响力系数				感应度系数			
	安阳市	河南	全国	安阳市与河南的比值	安阳市	河南	全国	安阳市与河南的比值
农业	0.679	0.663	0.759	1.02	1.464	1.884	1.906	0.78
煤炭开采	0.797	0.735	0.895	1.08	1.974	1.244	1.062	1.59
石油开采	0.340	0.642	0.664	0.53	0.669	0.776	1.095	0.86
金属矿采选	0.934	0.803	1.060	1.16	0.791	0.656	0.867	1.21
非金属矿采选	0.942	0.917	0.937	1.03	0.786	0.890	0.696	0.88
食品	0.919	0.891	1.008	1.03	0.696	1.365	1.017	0.51
纺织	1.091	0.981	1.134	1.11	0.960	0.902	1.647	1.06
缝纫皮革	1.096	1.024	1.128	1.07	0.408	0.575	0.626	0.71
木材家具	1.040	0.964	1.153	1.08	0.468	0.592	0.696	0.79
造纸文教	1.013	0.958	1.097	1.06	0.949	1.060	1.141	0.90
石油加工	0.919	0.864	0.993	1.06	1.577	0.903	1.177	1.75
化学	1.048	0.998	1.161	1.05	2.450	2.470	3.326	0.99
建材	0.911	0.947	1.090	0.96	0.879	1.650	1.171	0.53
金属冶炼	0.959	1.041	1.231	0.92	1.629	1.481	2.341	1.10
金属制品	1.003	1.056	1.254	0.95	0.690	0.742	1.137	0.93
机械工业	0.952	1.061	1.139	0.90	0.912	1.106	1.667	0.82
交通设备制造	1.110	0.995	1.252	1.12	1.120	0.830	1.145	1.35
电气器材制造	1.053	1.103	1.290	0.95	0.683	0.735	1.174	0.93
电子通讯制造	0.901	0.914	1.289	0.99	0.472	0.654	1.366	0.72
仪表器具制造	0.983	0.931	1.182	1.06	0.429	0.410	0.570	1.05
机械修理	0.985	1.007	1.052	0.98	0.664	0.422	0.591	1.57
其他制造业	1.103	1.019	1.102	1.08	0.823	0.704	0.736	1.17
废品及废料	0.340	0.317	0.387	1.07	0.396	0.381	0.523	1.04
电力蒸汽	0.877	0.754	0.939	1.16	1.679	1.560	1.372	1.08
煤气生产与供应	0.634	0.786	1.087	0.81	0.352	0.350	0.419	1.01
自来水生产供应	0.788	0.762	0.888	1.03	0.386	0.342	0.473	1.13
建筑	0.960	0.931	1.162	1.03	0.498	0.426	0.608	1.17
货运仓储	0.697	0.701	0.832	0.99	1.134	0.739	1.092	1.53
邮电业	0.681	0.611	0.861	1.11	0.516	0.468	0.683	1.10

续表 13-7

产业	影响力系数				感应度系数			
	安阳市	河南	全国	安阳市与河南的比值	安阳市	河南	全国	安阳市与河南的比值
商业	0.618	0.692	0.884	0.89	1.328	1.601	1.780	0.83
饮食业	0.787	0.818	0.975	0.96	0.530	0.631	0.630	0.84
旅客运输	0.659	0.697	0.890	0.95	0.513	0.904	0.540	0.57
金融保险	0.589	0.448	0.754	1.31	0.954	0.820	0.980	1.16
房地产业	0.371	0.336	0.629	1.10	0.418	0.340	0.504	1.23
社会服务业	0.659	0.724	1.028	0.91	0.697	0.582	1.077	1.20
卫体福利事业	0.813	0.964	1.114	0.84	0.498	0.435	0.406	1.14
教育文艺广播	0.670	0.658	0.871	1.02	0.460	0.366	0.469	1.26
科学研究	0.774	0.945	1.079	0.82	0.416	0.319	0.405	1.30
综合技术服务	0.634	0.729	0.810	0.87	0.392	0.347	0.500	1.13
行政机关	0.674	0.612	0.941	1.10	0.340	0.337	0.387	1.01

（三）初始投入系数

初始投入系数包括直接劳动消耗系数、增加值系数和固定资产折旧系数。其中直接劳动消耗系数指生产单位产值产品对活劳动的直接消耗，是反映该部门劳动力生产率的指标。它的计算公式为：

$$AL_j = L_j / X_j \tag{13-14}$$

式中：AL_j 为第 j 部门的直接劳动消耗系数；L_j 为第 j 部门某年劳动者工资及福利基金总额；X_j 为第 j 部门总产出。

产业部门的增加值系数指该部门在特定年份的总产出中增加值所占的比例，反映了该部门的发展对国内生产总值增长的直接影响。计算公式为：

$$AD_j = D_j / X_j \tag{13-15}$$

式中：AD_j 为第 j 部门的增加值系数；D_j 为第 j 部门某年的增加值。

固定资产折旧系数反映任一部门对固定资产的消耗程度，计算公式为：

$$AF_j = F_j / X_j \tag{13-16}$$

式中：AF_j 为第 j 部门的固定资产折旧系数；F_j 为第 j 部门某年固定资产折旧额。

分析和计算表明，安阳市直接劳动消耗系数较大的产业有：商业（0.480）、旅客运输业（0.458）、文教卫生科研（0.437）、农业（0.431）、行政机关（0.406）、煤炭开采业（0.318）；增加值系数较大的有：农业（0.589）、采掘业、电力工业（0.350）、建材业（0.335）、机械工业（0.326）、电子通讯设备制造业（0.368）、机械修理业（0.362）建筑业（0.314）以及第三产业中的各行业；固定资产折旧系数较大的有：货运邮电业（0.170）、旅客运输业（0.140）、房地产业（0.933）等。具体分析结果见表 13-8。

表 13-8　1997 年各项生产诱发系数及初始投入系数

产业	最终需求生产诱发系数					初始投入系数		
	农业	非农业	社会	固定	调出	直接劳动	增加值	固定资产
农业	0.457	0.343	0.033	0.060	0.183	0.431	0.589	0.023
煤炭开采	0.119	0.090	0.082	0.108	0.128	0.318	0.457	0.035
石油开采	0.008	0.011	0.005	0.013	0.017	0.000	0.000	0.000
金属矿采选	0.017	0.013	0.008	0.055	0.069	0.160	0.321	0.035
非金属矿采选	0.029	0.022	0.017	0.067	0.030	0.168	0.347	0.017
食品	0.365	0.318	0.021	0.011	0.090	0.062	0.237	0.021
纺织	0.098	0.094	0.015	0.009	0.151	0.079	0.167	0.014
缝纫皮革	0.048	0.049	0.010	0.004	0.034	0.136	0.265	0.059
木材家具	0.030	0.022	0.014	0.022	0.013	0.136	0.239	0.079
造纸文教	0.058	0.067	0.039	0.035	0.100	0.075	0.271	0.030
石油加工	0.071	0.060	0.065	0.101	0.121	0.116	0.258	0.064
化学	0.226	0.189	0.102	0.129	0.247	0.085	0.239	0.032
建材	0.084	0.038	0.025	0.165	0.101	0.176	0.335	0.043
金属冶炼	0.074	0.059	0.036	0.298	0.400	0.097	0.294	0.050
金属制品	0.028	0.022	0.012	0.038	0.044	0.120	0.265	0.019
机械工业	0.032	0.027	0.019	0.146	0.103	0.195	0.326	0.044
交通设备制造	0.053	0.047	0.032	0.095	0.101	0.106	0.212	0.013
电气器材制造	0.026	0.038	0.010	0.064	0.048	0.083	0.245	0.028
电子通讯制造	0.022	0.017	0.005	0.054	0.098	0.048	0.368	0.097
仪表器具制造	0.006	0.008	0.005	0.013	0.008	0.167	0.276	0.044
机械修理	0.021	0.021	0.041	0.031	0.023	0.213	0.362	0.033
其他制造业	0.048	0.034	0.013	0.021	0.016	0.149	0.252	0.021
废品及废料	0.005	0.004	0.002	0.005	0.008	0.000	1.000	0.000
电力蒸汽	0.129	0.096	0.078	0.098	0.116	0.072	0.350	0.077
煤气生产供应	0.003	0.011	0.000	0.002	0.002	0.065	0.291	0.085
自来水生产供应	0.003	0.009	0.003	0.002	0.002	0.130	0.477	0.177
建筑	0.009	0.009	0.048	0.575	0.009	0.209	0.314	0.017
货运仓储	0.054	0.043	0.025	0.086	0.107	0.425	0.601	0.112
邮电业	0.015	0.038	0.033	0.010	0.011	0.217	0.627	0.366
商业	0.127	0.111	0.046	0.113	0.194	0.480	0.628	0.086

续表 13-8

产业	最终需求生产诱发系数					初始投入系数		
	农业	非农业	社会	固定	调出	直接劳动	增加值	固定资产
饮食业	0.060	0.089	0.031	0.012	0.014	0.277	0.460	0.012
旅客运输	0.017	0.022	0.020	0.014	0.011	0.458	0.651	0.140
金融保险	0.055	0.110	0.034	0.040	0.049	0.188	0.673	0.047
房地产业	0.014	0.102	0.007	0.094	0.005	0.016	0.948	0.933
社会服务业	0.034	0.058	0.092	0.026	0.027	0.459	0.583	0.043
卫体福利事业	0.047	0.022	0.113	0.010	0.015	0.367	0.503	0.045
教育文艺广播	0.024	0.027	0.258	0.006	0.006	0.514	0.601	0.081
科学研究	0.001	0.001	0.009	0.001	0.001	0.355	0.446	0.091
综合技术服务	0.006	0.004	0.094	0.003	0.004	0.403	0.614	0.078
行政机关	0.000	0.000	0.512	0.000	0.000	0.406	0.609	0.067

(四)生产诱发系数

对于一个产业部门的最终需求来说,一般包括消费、固定资产形成、库存增加、出口等项。计算生产诱发系数的公式为:

$$DEE_i = \sum_{j=1}^{n} Y_{Ej} d_{ij} / Y_E \qquad (13\text{-}17)$$

式中:DEE_i 为第 i 部门的某项最终需求生产诱发系数;Y_{Ej} 为各部门某项最终需求;Y_E 为某项最终需求总额。

生产诱发系数表示某项最终需求增加一个单位时,将诱发出某一部门多少单位的生产。从生产诱发系数中可以看出各项最终需求对各部门生产诱发作用的大小,分析生产诱发系数,对于了解需求与各经济部门的关系、分析需求与供给之间的关系是十分有用的。

对安阳市 1997 年的各项生产诱发系数计算表明,农业居民消费最终需求增加一个单位时,将诱发农业 0.457 单位的生产,食品业 0.365 单位的生产、电力工业 0.129 单位的生产、化学工业 0.226 单位的生产,商业 0.127 单位的生产;非农业居民最终需求增加一个单位时,将诱发农业 0.343 单位的生产、食品业 0.318 单位的生产、化学工业 0.189 单位的生产、商业 0.111 单位的生产、金融保险业 0.110 单位的生产;社会消费最终需求增加一个单位时,将诱发化学工业 0.102 单位的生产、教育文艺广播 0.258 单位的生产、行政机关 0.512 单位的生产。具体分析结果见表 13-8。

在固定资产形成的生产诱发系数方面,固定资产形成增加一个单位时,将诱发煤炭开采 0.108 单位的生产、电力工业 0.098 单位的生产、化学工业 0.129 单位的生产、建材 0.165 单位的生产、金属冶炼 0.298 单位的生产、机械工业 0.146 单位的生产、建筑业 0.575 单位的生产和商业 0.113 单位的生产。

在调出量的生产诱发系数方面,调出出口量增加一个单位时,将诱发农业 0.183 单位的生产、煤炭开采业 0.128 单位的生产、纺织业 0.151 单位的生产、化学工业 0.247 单位的生产、金属冶炼业 0.400 单位的生产。由此可以看出,安阳市调出出口产品量的增长,对以上部门具有较大的带动作用。

上述分析结果表明,各项最终需求对各部门的生产诱发作用是不同的。通过分析此项技术指标,在某项最终需求增加时,可以考虑对诱发系数较大的部门适当扩大其生产规模,以维持社会供需的基本平衡。

第三节　区位优势分析

一、区位商计算

区位商可用于确定一个特定的产业按其产值(或其他指标)在本地区乃至在全国所处地位,是测度地区比较优势的一个十分有效的指标。以安阳市与河南省进行比较的产值区位商为例,列出计算公式如下:

$$S_i = \frac{X_{i0}/X_0}{X_{i1}/X_1} \tag{13-18}$$

式中:S_i 为某年安阳市第 i 行业区位商;X_{i0}为安阳市第 i 行业产值;X_0 为安阳市同期全社会总产值;X_{i1}为河南省第 i 行业产值;X_1 为河南省同期全社会总产值。

区位商大于等于 1,表示该行业在进行比较的地区具有比较优势;若小于 1,则表明没有比较优势;区位商越大,表明比较优势越明显。但由于我国在产业结构形成过程中存在着非市场因素的影响,因此在确定部门比较优势时还要考虑到该部门的竞争能力和经济效益。

将 1997 年安阳市 33 个行业产值与河南省各行业进行比较,计算安阳市国民经济各部门产值区位商。具体分析结果见表 13-9。

二、比较优势分析

通过分析表明,安阳市产值区位商大于 1 的有 20 个部门。其中区位商较大的行业有:电子通讯制造业(7.83)、炼焦煤气业(5.75)、金属冶炼业(4.30)、交通设备制造业(2.43)、货运仓储业(1.75)。如前所述,由于我国产业结构中的非市场因素,产值区位商大并不能确定该行业具有比较优势,还要衡量该部门的经济效益和市场竞争力。例如,安阳市农业的产值区位商为 0.89,而其利税额在各部门利税总额中所占比重是全省同类指标的 2.75 倍,显示了良好的经济效益。为此,引入一个指标,利税区位商(即各部门利税总额在全区利税总额的比重与全国的平均水平进行比较)作为衡量该部门在比较区域内经济效益和竞争力的指标。同时,引入产业比较优势指数(产值区位商与利税区位商的乘积),只有在产业比较优势指数大于 1 时,才认定该部门在进行比较的地区具有比较优势。按以上要求计算出的产业比较优势指数见表 13-9。

安阳市产业比较优势指数大于 1 的部门有炼焦煤气(63.42)、电子通讯制造业

(57.94)、金属冶炼业(23.56)、行政机关(11.65)、自来水生产与供应业(3.63)、交通设备制造业(3.23)、卫生体育福利事业(3.14)、电气器材制造业(2.65)、金属制品业(2.46)、农业(2.45)等17个部门。安阳市在全省具有比较优势的行业主要集中在原材料工业及重加工工业,说明安阳市国有大中型骨干企业在安阳市产业经济中占有重要地位;行政机关比较优势指数偏大,表明行政事业性开支较大,是一个值得引起重视的问题。

表13-9 安阳市与全省行业区位比较优势

序号	行业	产业比较优势指数	产值区位商	序号	行业	产业比较优势指数	产值区位商
1	煤气生产供应	63.42	5.75	21	货运仓储	0.61	1.75
2	电子通讯制造	57.94	7.83	22	综合技术服务	0.55	0.69
3	金属冶炼	23.56	4.30	23	食品	0.53	0.75
4	行政机关	11.65	1.31	24	邮电业	0.49	1.23
5	自来水生产供应	3.63	1.25	25	商业	0.47	0.74
6	交通设备制造	3.23	2.43	26	社会服务业	0.44	0.94
7	卫体福利事业	3.14	0.79	27	缝纫皮革	0.44	0.71
8	电气器材制造	2.65	1.03	28	机械工业	0.38	0.57
9	金属制品	2.46	1.17	29	建材	0.33	0.58
10	农业	2.45	0.89	30	煤炭开采	0.18	0.53
11	机械修理	1.76	0.52	31	仪表器具制造	0.17	0.37
12	饮食业	1.49	0.89	32	教育文艺广播	0.14	1.23
13	造纸文教	1.45	1.32	33	非金属矿采选	0.14	0.41
14	废品及废料	1.31	1.30	34	木材家具	0.07	0.55
15	纺织	1.21	1.30	35	石油加工	0.03	0.22
16	建筑	1.15	1.11	36	其他制造业	0.02	0.15
17	化学	1.03	1.03	37	科学研究	0.00	0.68
18	电力蒸汽	0.94	1.06	38	旅客运输	0.00	0.13
19	金属矿采选	0.91	1.47	39	石油开采	0.00	0.00
20	金融保险	0.70	1.17	40	房地产业	−0.15	1.62

注:产业比较优势指数=产值区位商×利税区位商。

第四节　主导产业群与区域经济发展模式分析

一、主导产业群分析

(一)主导产业群的选择标准

地区经济的快速发展,需要有比平均增长速度高得多的主导部门的带动。作为带动地区经济起飞的主导部门的特征是:①在国民经济中占有较重要地位,在需求方面,其产出具有相对较高的收入弹性,因而能够保证有持续较高的部门增长率;②具有较高的经济效益;③在部门发展和供给变化方面,技术力量较强,具有能够较快地吸收新的技术成果的能力,使得技术进步快、生产率上升快,从而大大降低成本;④能够在全国和国际竞争中,具有一定的比较优势和竞争能力;⑤具有较大的关联度,从而能带动地区经济和就业增长;⑥能够符合可持续发展的要求。

(二)主导产业群的选择与分析

首先将安阳市国民经济各部门分为基础产业、支柱产业和先导产业三大类,根据主导产业群的选择标准,结合安阳市的产业结构现状,确定出安阳市的主导产业。

基础产业的薄弱与落后,将严重阻碍其他产业的发展,“瓶颈”产业也主要集中在基础产业之中。疏扩经济“瓶颈”,发展基础产业,既是实现“小康”目标的需要,也是“添后劲”的要求。安阳市的基础产业包括:

(1)建立以内涵式发展为基本方向的高效农业。农业是安阳市的传统优势产业,其经济效益高于全省平均水平,但随着人口规模的日益膨胀和有限水土资源的日显紧张,要求农业发展必须改变粗放经营的传统模式,发展高效、优质、特色农业。主要措施包括:加大中低产田改造,提高单位土地产出能力;在粮食基本自给的前提下,扩大经济作物种植比例;调整农业内部产业结构,发展林牧业,促进多元化经营,增加收入,提高广大农民的生活水平。

(2)以综合运输和通信建设为重点的交通邮电业。交通邮电业是根本不可能通过市场交换替代的产业,是任何时候都不可忽视的重要基础产业。自改革开放以来,安阳市交通邮电业发展较快,但在国民经济中所占份额依然偏小,1997 年其 GDP 仅占全市的 5%,而河南省同期为 7%,全国同期为 5.3%。

支柱产业在现有经济中占有较大比重,而且具有市场前景好、技术进步快、波及效果广和就业容量大等显著特点。结合安阳市实际,这些支柱产业包括:

(1)轻纺工业。安阳市工业结构中存在的主要问题是轻重工业比例失调。发展轻纺工业不仅可以扭转这一局面,同时轻纺工业是农畜产品深加工的主体产业,它的发展既可带动农村商品经济的发展,扩大就业面,为改善人民生活提供物质保证,也为出口创汇,推动农业、促进重工业发展服务。

(2)以石化、钢铁为中心的原材料加工业。安阳市有安钢、安化等一批大型骨干企业,在产品、资金、技术、人才等方面均具有一定比较优势,在安阳市国民经济中占有重要地位。今后发展方向为依靠科技进步,提高产品的加工深度、加工质量,建立系列化的产品加工体系。

先导产业是为国民经济技术进步和高效化领航的产业,对国民经济今后长远的发展有着决定性的影响。从安阳市的资源条件和已经形成的基础以及今后产业发展高效化的发展方向来看,应确定以下产业为先导产业:

(1)以电子工业为主的制造业。发展加工业,是任何一个国家或地区工业化发展中必不可少的进程。没有一个地区能够在大量输出初级产品、出卖自然资源的情况下能实现经济的振兴。安阳市电子通讯设备制造、交通运输设备制造等“高加工度”产业在全省均具有比较优势,某些产品如玻壳在全国具有一定的地位,从政策上应大力发展和扶持这些部门,逐步形成产业链条,提高其关联程度(影响力系数),使其发展能够有效地带动其他部门的发展。

(2)以文教卫生科研事业为主的新兴第三产业。面对知识经济挑战,劳动者作为生产力要素中最活跃的因子将发挥越来越重要的作用。依靠科技进步,提高劳动者素质和劳动生产率将成为生产方式由粗放型向集约型转变的根本途径。目前安阳市劳动力素质较低,文教卫生科研事业发展相对落后,不利于安阳市的可持续发展。

二、区域经济发展模式分析

所谓区域经济发展模式,就是由区域经济结构、经济布局构成的经济发展总体格局。发展模式的实质是确定国力、区力分配的最优方案,从而用有限的国力、区力以最经济的方式实现既定的发展目标。

一般来讲,可供选择的发展模式有:①倾斜式。其特征是选择主导产业及重点发展地区,从投资上、政策上给予重点扶持,并通过加速这些产业及地区的发展带动国民经济的发展。②平推式。其特征是各产业、各地区以相同或较为接近的速度平行推进,“平衡发展”。③协调—倾斜式。其特征是国民经济总体协调,重点产业倾斜发展。

安阳市辖五区(北关、文峰、铁西、开发区、郊区)、四县(安阳县、汤阴县、滑县、内黄县)和一市(林州市)。按地形分为山丘区及平原区。京广铁路和京珠高速公路横贯全境。生产力布局基本以安阳市区为中心向外扩展。国有大中型骨干企业主要分布在安阳市区、郊区和安阳县。其他县区基本以农业为主,并发展了一些中小型乡镇企业。由于业已形成的生产力布局以及安阳市的财力所限,强调集中的“倾斜式”与强调均衡的“平衡式”发展模式均不可取,宜采取总体协调—适度倾斜的发展模式。

其总体思路是以市区为中心、以主导产业群为突破点,发挥辐射效应,带动全市经济,努力实现三大产业的协调发展。各县区的具体发展方向是:安阳市区、郊区、安阳县以发展工业、高新技术产业及第三产业为主,发挥综合技术优势。其他三县(汤阴县、滑县、内黄县)一市(林州市)以发展高效农业为重点,重视农田水利基本建设,提高农业抵御自然灾害的能力,同时适度发展轻纺工业,以利于农副产品的就地加工转化,为提高农民收入、吸纳农村剩余劳动力拓宽渠道。在有条件的地区,如林州市大力发展旅游业、建筑业,扩大劳务输出,增加地方财政收入。

第十四章　社会经济发展及需水预测

第一节　人口与城镇化进程

一、人口发展现状

自20世纪50年代以来,安阳市人口经历了60年代的平缓增长期,70年代的快速增长期和80年代的平缓增长期。以及90年代的缓慢增长期。全市总人口由50年代的243万增长到90年代的498万,增长了一倍多。其中农业人口增长了近一倍,而非农业人口却增长了4倍多。人口密度由50年代的328人/km² 增长到90年代的672人/km²;城镇化水平由50年代的7%增长到90年代的16%。具体的统计分析结果见表14-1。

表14-1　安阳市不同年代的人口统计分析结果

项目	50年代	60年代	70年代	80年代	90年代
总人口数(万人)	243.02	288.75	366.93	433.61	498.28
增长率(‰)		18.8	27.1	18.2	14.9
农业人口(万人)	225.62	259.82	331.33	381.06	420.18
非农业人口(万人)	17.4	28.93	35.60	52.55	78.10
人口密度(人/km²)	328	390	495	585	672
城镇化水平(%)	7	10	10	12	16

1995~1998年期间,安阳市人口增长率呈明显减小的趋势,全市人口从每年增长3.68万人降到每年增长1.07万人,人口增长率由7.35‰下降到2.11‰。同时,近几年安阳市各县市区(郊)人口增长率的波动情况各不相同,其中安阳市区(郊)人口增长率的波动幅度最大,由最小的-2.09‰变为最大的59.27‰;林州市人口增长率由最小的-22.49‰变为最大的26.18‰;滑县人口增长率由最小的-0.22‰变为最大的11.58‰;而安阳县、汤阴县和内黄县人口增长率波动幅度最小,一般在4‰~5‰。

近几年,全市各县市区(郊)人口发展也很不平衡,安阳市区(郊)人口增长最快,年平均增长率为22.78‰;而林州市则最小,人口出现了负增长,年平均增长率为-5.29‰;其余各县人口增长比较平缓,年平均增长率一般为3‰~6‰。具体分析结果见表14-2和表14-3。

表 14-2　安阳市人口统计结果　（单位：人）

年份	全市	安阳市区(郊)	林州市	安阳县	汤阴县	滑县	内黄县
1995	5 005 995	671 246	980 174	1 103 988	431 142	1 151 545	667 900
1996	5 042 772	711 031	958 127	1 104 367	433 678	1 164 880	670 689
1997	5 076 649	709 542	983 212	1 109 490	435 558	1 164 627	674 220
1998	5 087 349	718 173	964 713	1 115 078	437 921	1 173 230	678 234

表 14-3　安阳市人口增长率统计分析结果　（‰）

时间	全市	安阳市区(郊)	林州市	安阳县	汤阴县	滑县	内黄县
1995～1996	7.35	59.27	－22.49	0.34	5.88	11.58	4.18
1996～1997	6.72	－2.09	26.18	4.64	4.33	－0.22	5.27
1997～1998	2.11	12.16	－18.81	5.04	5.43	7.39	5.95
1995～1998	5.39	22.78	－5.29	3.34	5.21	6.24	5.13

二、人口发展预测

人口增长的原因主要来源于两方面：一是自然增长，即人类繁衍的需要，人口数量必然会在原有基础上有一定的自然增长；二是社会增长，即人口由于社会和经济等因素而产生迁徙，从而导致迁徙目的地的人口增长。因此，在人口预测时，必然要考虑上述两种因素。

众所周知，河南省是一个人口大省，目前人口总数位居全国首位，人口发展的惯性较大。安阳市经过近二十多年的不懈努力，计划生育工作成绩显著。全市的人口自然增长率呈现出明显的下降趋势，已由“七五”时期的21‰下降到“八五”时期的7‰，下降幅度为14个千分点；而到了“九五”期间人口的年均增长率又下降了2个千分点，降为5‰。

由于安阳市区(郊)为全市的行政、经济和文化中心，对外来人口具有较大的吸引力，是很多迁徙者首选的目的地之一，因此其人口自然增长率的下降幅度不会太大；安阳县由于其自然资源条件和经济基础比较好，距离市区又比较近，对外来人口的吸引力也比较大，所以人口增长率的下降幅度也不会太大；而汤阴县人口增长率下降幅度相比可能要大一些；内黄县、滑县和林州市因为自然条件比其他县稍差一些，所以人口下降幅度要更大一些。在人口预测时，我们以1998年作为人口预测的基准年，分别按高、中、低方案预测2010年、2015年和2030年各县市的人口发展规模。

高方案：根据安阳市“七五”、“八五”和“九五”期间尤其是近几年的人口自然增长特点等，首先分析确定安阳市1998～2010年的人口平均增长率为1996～1997年的平均增长率(6.72‰)，2010～2015年的人口平均增长率比1998～2010年降低1个千分点，2015～2030年的人口平均增长率比2010～2015年的增长率又降低2个千分点；然后在此基础上根据各县市人口的结构和增长趋势等确定其不同时期的增长率;最后根据现状年(1998年)的人口基数和所确定的平均增长率,计算全市及各县市(郊)不同水平年的人口数。具体预测结果见表14-4。

表14-4　高方案人口预测结果　(单位:人)

行政分区	现状年	不同水平年			年均增长率(‰)		
		2010年	2015年	2030年	1998～2010年	2010～2015年	2015～2030年
全市	5 087 349	5 512 964	5 672 392	5 997 182	6.72	5.72	3.72
安阳市区(郊)	718 173	813 593	852 141	948 196	10.45	9.30	7.15
林州市	964 713	1 025 560	1 046 810	1 080 435	5.11	4.11	2.11
安阳县	1 115 078	1 208 109	1 242 935	1 313 733	6.70	5.70	3.70
汤阴县	437 921	473 045	486 076	511 848	6.45	5.45	3.45
滑县	1 173 230	1 262 804	1 295 658	1 358 246	6.15	5.15	3.15
内黄县	678 234	729 853	748 772	784 724	6.13	5.13	3.13

中方案:纵向分析安阳市“七五”、“八五”和“九五”期间的人口增长率,结合各县市的发展状况和人口增长惯性,确定安阳市1998～2010年人口平均增长率等于1995～1998年的平均年增长率(5.39‰),2010～2015年人口平均增长率比1998～2010年降低1个千分点,2015～2030年人口平均增长率比2010～2015年降低2个千分点;各县市区(郊)的人口平均增长率,根据各自的人口增长特点和实际情况等来确定。根据现状年(1998年)全市及各县市区(郊)的人口基数,利用所确定的人口平均增长率,计算出全市及各县市区(郊)不同水平年的人口数。具体预测结果见表14-5。

表14-5　中方案人口预测结果　(单位:人)

行政分区	现状年	不同水平年			年均增长率(‰)		
		2010年	2015年	2030年	1998～2010年	2010～2015年	2015～2030年
全市	5 087 349	5 426 203	5 546 293	5 748 322	5.39	4.39	2.39
安阳市区(郊)	718 173	773 724	795 948	841 035	7.24	5.68	3.68
林州市	964 713	1 012 536	1 028 020	1 044 174	4.04	3.04	1.04
安阳县	1 115 078	1 184 370	1 208 468	1 245 915	5.04	4.04	2.04
汤阴县	437 921	466 120	476 024	492 079	5.21	4.21	2.21
滑县	1 173 230	1 264 131	1 295 639	1 353 339	6.24	4.94	2.91
内黄县	678 234	725 322	742 193	771 779	5.61	4.61	2.61

低方案:综合考虑安阳市的人口变化情况,以及安阳市及各县市区(郊)的水土资源和自然条件等制约因素,首先确定全市不同水平年的人口增长率,然后分析和确定各县市区(郊)各水平年的人口增长率,即全市1998～2010年、2010～2015年、2015～2030年人口

的平均增长率分别比1995～1998年的平均增长率(5.39‰)降低2个千分点、3个千分点和5个千分点;县市区(郊)人口增长率根据各自的特点做一些微调,确定出不同时期的增长率,最后依此来分析和预测各水平年的人口发展规模。具体预测结果见表14-6。

表14-6 低方案人口预测结果

(单位:人)

行政分区	现状年	不同水平年			年均增长率(‰)		
		2010年	2015年	2030年	1998～2010年	2010～2015年	2015～2030年
全市	5 087 349	5 298 080	5 361 674	5 392 932	3.39	2.39	0.39
安阳市区(郊)	718 173	762 833	778 328	801 598	5.04	4.03	1.97
林州市	964 713	988 596	993 747	979 533	2.04	1.04	-0.96
安阳县	1 115 078	1 156 395	1 168 219	1 168 859	3.04	2.04	0.04
汤阴县	437 921	455 112	460 172	461 651	3.21	2.21	0.21
滑县	1 173 230	1 227 128	1 244 094	1 258 164	3.75	2.75	0.75
内黄县	678 234	708 016	717 114	723 127	3.59	2.56	0.56

三、预测结果分析

近年来,安阳市社会经济快速发展,国家的计划生育政策不断深入人心,社会观念发生了较大的变化,安阳市人口增长势头自1995年开始明显减缓,1995～1998年人口平均增长率降低为5.39‰,比全省同期平均水平(8.07‰)偏低2.68个千分点,比全国同期平均水平(10.05‰)偏低4.66个千分点。因此,安阳市人口在一个相当长的时期内仍将保持平缓的增长趋势。根据《安阳市国民经济和社会发展十五计划》的要求,安阳市人口总数到2005年控制在540万人以内,平均每年人口自然增长率控制在8.2‰以内,并对人口高、中、低方案预测结果进行综合分析和对比,认为安阳市人口发展预测的中方案比较符合安阳市人口发展的客观实际,即人口预测的中方案为推荐方案,高方案为应严格控制的极限方案,低方案是人口增长的理想方案。

四、城镇化水平现状

城镇化进程是我国现代化进程中面临的一个重要的结构转换过程。城镇化水平的高低取决于农业的现代化发展水平、工业化程度和第三产业的发展状况;另一方面又是衡量经济发展水平的标志。由于我国的具体国情和特定的发展阶段,在人口增加的同时提高城镇化水平,将有助于控制人口、提高人口素质、扩大就业、节约土地和保护生态环境。在经济发展的基础上,积极推进城镇化建设,是我国实现社会经济可持续发展的一项重要内容。

安阳市城镇化水平总体上看是比较低的,城镇化进程相对比较缓慢,全市城镇化水平由20世纪六七十年代的10%发展到80年代的12%和90年代的16%,低层次的城镇化水平与快速发展的区域经济已经不相协调,对土地资源和生态环境造成了很大的压力,甚至阻碍了社会进步和区域经济的进一步发展。据统计,1998 年安阳市总人口为 508.7 万人,城镇化水平为 17.6%,比全省同期平均水平(17.2%)偏高 4 个千分点,比全国同期平均水平(24.7%)偏低 7 个百分点。其中城镇化水平最大的是安阳市区(郊),为 73.5%;最小的是内黄县,为 6.2%。近几年,全市及各县市区(郊)的城镇化水平在不断提高,其中安阳市区(郊)的增长速度最快,年均增长幅度为 1.17%,而内黄县城镇化水平增长最慢,年均增长幅度仅为 0.13%。具体统计分析结果见表 14-7。

表 14-7 安阳市城镇化水平统计分析结果 (%)

年份	全市	安阳市区(郊)	林州市	安阳县	汤阴县	滑县	内黄县
1995	15.9	70.0	10.2	6.3	11.3	6.0	5.8
1996	16.7	71.5	10.7	7.1	11.5	6.4	6.0
1997	17.3	72.9	11.0	7.3	11.7	6.6	6.2
1998	17.6	73.5	11.5	7.4	11.9	6.7	6.2
年均增长幅度	0.55	1.17	0.41	0.37	0.19	0.22	0.13

从城镇化进程与产业结构变化的相互关系看,决定城镇化进程的两个前提条件是:第一产业要具备一定的现代化程度,以解放从事农业的劳动力;第二、三产业要相对发达,以吸纳剩余农业劳动力。安阳市第三产业的总体发展程度较低,在经济结构中所占的份额很小,城镇化进程主要是依靠第二、三产业来吸纳农业劳动力。今后,随着加快第三产业的发展和大力推进城镇化建设等,预计安阳市城镇化进程在规划期内将以平均每年 1% 的增长速率发展。

五、城镇化水平预测

我国城镇化速度不仅与当地的经济发展速度密切相关,而且与城市人口、总人口的增长有关。目前,安阳市总体城镇化水平比较低,随着社会经济的快速发展,尤其是我国加入 WTO 后,安阳市将迎来一个很好的发展机遇,通过产业结构进一步调整,其主导产业群和优势产业链条将逐步建立起来,整个社会经济将得到更大发展,估计到 2010 年全市的城镇化水平将有较大的提高,但仍将低于全国的平均水平,到 2030 年将会比全国水平略高一些。安阳市区(郊)因城镇化水平一直比较高,加之经济发展潜力大,所以城镇化水平仍将继续上升,只是增加幅度不会很大,呈现出一种缓慢增长的态势。林州市因为目前城镇化水平相对也比较高,加之建制为县级市,耕地资源相对贫乏,而其矿产资源和旅游资源比较丰富等,其经济发展潜力很大,城市化水平将会有较大幅度的提高。安阳县由于经济基础和实力比较强,并受安阳市区社会经济发展的辐射、带动作用比较大,因此目前其城镇化水平虽然不高,但其发展潜力很大。滑县和内黄县是安阳市的农业大县,目前城镇化水平比较低,由于农业人口比例过高,矿产资源、旅游资源和水资源较为匮乏,所以将来两县通过农业种植结构优化调整,大力发展优势农业等,其社会经济发展会呈现持续增长的趋势,但增长幅度不会很大,其城镇化水平虽将不断提高,但提高的幅度将比较平缓。总之,内黄县和滑县经济发展相对较落后是制约其城镇化水平提高的重要因素。汤阴县由于所辖区域的面积、人口均比较少，经济也相对要好一点，而且目前的城镇化水平相对较高，所以其城镇化水平将来可望保持仍高于内黄县和滑县的态势。具体预测结果见表 14-8。

表 14-8 安阳市城镇化水平预测结果 (%)

年份	全国	海河流域	安阳市	安阳市区(郊)	林州市	安阳县	汤阴县	滑县	内黄县
现状年	24.7**	—	17.6	73.5	11.5	7.4	11.9	6.7	6.2
2010	40*	41*	35	85	36	32	24	20	16
2015	44	45	40	90	40	36	30	25	22
2030	53*	56*	55	98	60	58	48	35	30

注：* 数据取自：中国水资源态势分析与预测，《中国农业水危机对策研究》，中国农业科技出版社，1998。

** 原始数据取自：《新中国五十年统计资料汇编》，中国统计出版社，1999。

六、农业及非农业人口预测

根据安阳市人口及城镇化水平的预测结果，分析和预测不同方案的农业和非农业人口，见表 14-9、表 14-10 和表 14-11。

表 14-9 高方案的农业与非农业人口预测结果 (单位：人)

行政分区	现状年总人口	农业人口			非农业人口		
		2010 年	2015 年	2030 年	2010 年	2015 年	2030 年
全市	5 087 349	3 582 746	3 404 817	2 701 233	1 930 218	2 267 574	3 295 948
安阳市区(郊)	718 173	122 039	85 214	18 964	691 554	766 927	929 232
林州市	964 713	656 359	628 086	432 174	369 202	418 724	648 261
安阳县	1 115 078	821 514	795 478	551 768	386 595	447 457	761 965
汤阴县	437 921	359 514	340 254	266 161	113 531	145 823	245 687
滑县	1 173 230	1 010 243	971 743	882 860	252 561	323 914	475 386
内黄县	678 234	613 077	584 042	549 307	116 777	164 730	235 417

表 14-10 中方案的农业与非农业人口预测结果 (单位：人)

行政分区	现状年总人口	农业人口			非农业人口		
		2010 年	2015 年	2030 年	2010 年	2015 年	2030 年
全市	5 087 349	3 544 280	3 353 683	2 633 572	1 881 923	2 192 610	3 114 750
安阳市区(郊)	718 173	116 059	79 595	16 821	657 665	716 354	824 214
林州市	964 713	648 023	616 812	417 670	364 513	411 208	626 505
安阳县	1 115 078	805 372	773 419	523 284	378 998	435 048	722 631
汤阴县	437 921	354 251	333 217	255 881	111 869	142 807	236 198
滑县	1 173 230	1 011 305	971 730	879 670	252 826	323 910	473 668
内黄县	678 234	609 271	578 911	540 246	116 052	163 283	231 534

表 14-11　低方案的农业与非农业人口预测结果　（单位:人）

行政分区	现状年总人口	农业人口			非农业人口		
		2010 年	2015 年	2030 年	2010 年	2015 年	2030 年
全市	5 087 349	3 455 796	3 236 281	2 462 820	1 842 284	2 125 393	2 930 112
安阳市区(郊)	718 173	114 425	77 833	16 032	648 408	700 495	785 566
林州市	964 713	632 701	596 248	391 813	355 895	397 499	587 720
安阳县	1 115 078	786 349	747 660	490 921	370 047	420 559	677 938
汤阴县	437 921	345 885	322 120	240 058	109 227	138 052	221 592
滑县	1 173 230	981 702	933 071	817 806	245 426	311 024	440 357
内黄县	678 234	594 734	559 349	506 189	113 283	157 765	216 938

第二节　宏观经济发展预测

安阳市未来的国民经济发展规模与速度、产业结构的优化与调整、区内与区外的经济贸易等,将对安阳市水资源的需求和配置、保护和管理等产生直接影响。为此,安阳市宏观经济发展趋势预测在水资源开发利用规划中占据重要位置。

安阳市宏观经济发展预测,是通过建立宏观经济发展预测模型来实现的。在产业结构优化调整和生态环境保护等基础上,通过建立宏观经济发展预测模型,可以分析和预测安阳市不同水平年宏观经济发展趋势,为水资源需求预测和开发利用规划提供可靠的依据。

一、发展预测模型

(一)建模的理论基础

宏观经济发展预测模型为动态投入产出模型,模型采用的主要理论为投入产出分析技术、扩大再生产理论及优化计算方法等。

1. 投入产出表

研究经济部门之间相互联系的主要方法之一为投入产出分析方法。投入产出分析方法的基础为投入产出表(也称投入产出模型),如表 14-12 所示。

表 14-12 以紧凑格式提供了系统化和一体化的统计数据。投入产出分析方法中的投入,是指各部门或各企业为生产一定产品或提供一定服务所必需的各种费用,包括中间投入和最初投入;至于产出,则为按市场价格计算的各经济部门生产总价值,即按工厂法计算的总产值;总投入应等于其总产出。

中间投入即以本部门或其他部门的最终产品或服务形式提供的生产过程中的消耗;最初投入则包括了本部门的固定资产折旧、工资及利润三大项,与部门之间的联系无关。同理,在产出方面也可分为中间使用(也称中间产出或中间产品或中间需求等)和最终使用(也可称为最终需求或最终产品或最终产出等)两大类。从宏观意义上讲,中间产品是指全社会在一定时期内生产并已被用于其他产品的生产、并构成其他产品的生产费用的产品。在一定时期截止时,中间产品在实物上已不复存在,只是其中某些部分构成最终产出的物质实物;中间产品生产过程中所创造的价值则依次成为下一环节其他产品的生产费用并最后体现在最终产品上。最终产出是指全社会在一定时期内生产出来并在同期内不再进一步加工的产品。最终产出由消费、积累和净调出构成。

表 14-12　投入产出表

投入＼产出		中间使用					最终使用							总产出
		1	2	…	n	合计	消费		积累		合计	调入	调出	
							家庭	社会	固定	流动				
中间投入	1	x_{11}	x_{12}	…	x_{1n}	μ_1	C_{h1}	C_{s1}	F_{f1}	F_{s1}	Y_1	M_1	E_1	X_1
	2	x_{21}	x_{22}	…	x_{2n}	μ_2	C_{h2}	C_{s2}	F_{f2}	F_{s2}	Y_2	M_2	E_2	X_2
	·	·		·	·	·	·	·	·	·	·	·	·	·
	·	·	Ⅰ	·	·	·	·	·	·	Ⅱ	·	·	·	·
	·	·		·	·	·	·	·	·	·	·	·	·	·
	n	x_{n1}	x_{n2}	…	x_{nn}	μ_n	C_{hn}	C_{sn}	F_{fn}	F_{sn}	Y_n	M_n	E_n	X_n
	合计	τ_1	τ_2	…	τ_n	τ	C_h	C_s	F_f	F_s	Y	M	E	X
最初投入	折旧	D_1	D_2	…	D_n	D								
	劳动者投入	V_1	V_2	Ⅲ	V_n	V				Ⅳ				
	利润和税金	Z_1	Z_2	…	Z_n	Z								
	合计	N_1	N_2	…	N_n	N								
总投入		X_1	X_2	…	X_n	X								

投入产出表结构上可以分为四个象限。左上方第一象限由部门间相互消耗与使用的流量组成,反映部门之间的生产技术联系。右上方第二象限由最终产品流量组成,反映最终产品的使用去向。左下方第三象限由各部门增加值构成流量所组成,反映国内生产总值的来源。第一和第三象限组成了投入产出表的竖表,表明各部门产品的投入来源和费用结构;第一和第二象限组成了投入产出表的横表,表明各部门产品的分配去向和使用结构。右下方的第四象限则是在最初投入和最终产出进一步细分的情况下,在一定意义上表现了国民收入(增加值)从生产经过分配、再分配而达到最终使用的过程。

2.投入产出模型

根据投入产出表的横表可建立投入产出模型。由于存在着中间产出加上最终产出等于总产出的平衡关系,所以有:

$$\sum_{j=1}^{N} x_{i,j} + Y_i = X_i \tag{14-1}$$

式中:$\sum_{j=1}^{N} x_{i,j}$ 为第 i 部门提供的供各部门使用的中间产出, Y_i 为第 i 部门提供的最终产出, X_i 为第 i 部门的总产出。

为了描述各经济部门间的单位消耗关系,通常引入直接消耗系数指标。直接消耗系数又称中间投入系数或技术系数,其计算公式为:

$$a_{i,j} = \frac{x_{i,j}}{X_j} \tag{14-2}$$

式中：$a_{i,j}$为直接消耗系数，下标 i 表示产出部门所在行的位置，j 表示投入部门所在列的位置；$x_{i,j}$表示第j 投入部门生产中消耗的第 i 产出部门的产品价值；X_j 表示第j 投入部门的总投入，也即为第 j 部门的总产出。

从直接消耗系数的经济涵义可以看出，该系数所表现的是两个一一对应的产业部门之间的联系。为了从整体上把握部门之间的普遍联系，还需要在直接消耗系数的基础上进一步计算完全消耗系数，即生产某种单位最终产品对另一种产品的直接消耗与间接消耗之和。

记直接消耗系数矩阵为 A，完全消耗系数矩阵为 $\overline{B}$，则有：

$$\overline{B} = (I - A)^{-1} \tag{14-3}$$

式中：$\overline{B} = [\overline{b}_{ij}]_{n\times n}$，$\overline{b}_{ij}$为第$i$ 部门对第j 部门的完全消耗系数；$B = [b_{ij}]_{n\times n}$，b_{ij}为第i 经济部门对第j 经济部门的间接消耗系数；$(I - A)^{-1}$为列昂惕夫逆矩阵。

完全消耗系数与直接消耗系数的不同在于，完全消耗系数不仅包括了某部门生产单位产品的直接消耗，而且包括了与其生产有关的所有间接消耗；此外，直接消耗系数的逻辑出发点是第 j 部门的单位总产出，而完全消耗系数的逻辑出发点是第 j 部门的单位最终产出，在数值上则揭示了某部门生产最终单位产品对其他有关部门中间产品的完全消耗或完全需求的价值总和。

引进直接消耗系数后，式(14-1)的矩阵形式为：

$$AX + Y = X \quad 或\ X = (I - A)^{-1}Y \tag{14-4}$$

式中：A、X、Y 分别为中间投入系数矩阵 $A = [a_{i,j}]_{n\times n}$、总产出行向量 $X = [X_j]_{1\times n}$、最终产品列向量 $Y = [Y_i]_{n\times 1}$。

根据表 15-12 的投入产出表可知，最终产出 Y 分为消费、积累和净调出（含进出口）三大项，其中消费又分为家庭消费（也可称为居民消费）与社会集团消费（也可称为社会消费或政府消费）；积累又分为固定资产投资和库存投资（即流动资产投资）；净出口又分为调出（含出口）与调入（含进口）两类。对于第 i 行业，则有：

$$Y_i = \sum_{k=1}^{4} Y_{i,k} + EX_i - IM_i \tag{14-5}$$

式中：$Y_{i,k}$分别为家庭消费($k=1$)、社会集团消费($k=2$)、固定资产积累($k=3$)和库存积累($k=4$)；EX_i 为调出量；IM_i 为调入量。

衡量经济的总体发展水平和相应的结构特征，一般采用国内生产总值指标。尽管总产出或总产值指标更为直观，但由于任一部门的总产出（总产值）中都包含了其他部门的生产成果，因而包含着重复计算。从投入产出表第三象限看，各经济部门增加值包括折旧、工资和利税三项。各部门的增加值之和，在数值上与最终产品按市场价格计算所得的国内生产总值(GDP)是相等的。即：

$$\text{GDP} = \sum_{j=1}^{n} N_j = \sum_{j=1}^{n} (r_j \times x_j) \tag{14-6}$$

式中：N_j、r_j、x_j 分别为第j 经济部门增加值、增加值率和总产出。

从投入产出表第二象限看，GDP 也等于各行业最终使用产品量之和。即：

$$\text{GDP} = \sum_{i=1}^{n} Y_i \tag{14-7}$$

式中：Y_i 为第 i 经济部门最终产品使用价值量。

式(14-1)~式(14-7)为投入产出分析常采用的一些主要描述方程，根据不同的研究分析目的，可选用不同的方程式。

(二)预测模型

宏观经济发展预测模型为动态投入产出规划模型，其数学形式为优化模型，采用GAMS软件包编程和计算。

宏观经济发展预测模型，采用模块化设计思想构建计算模块。计算模块主要有：优化目标选取模块、投入产出分析模块、扩大再生产模块、宏观调控模块等。

(1)优化目标选取模块：选取规划期内GDP总和最大为模型的优化目标。其表达式为：

$$Obj = \max \sum_t \mathrm{GDP}^t \tag{14-8}$$

式中：GDP为国内生产总值；t 为规划期内规划水平年。

(2)投入产出分析模块：投入产出分析模块主要描述国民经济各行业年内的技术经济联系，其主要表现为国民经济各行业之间的投入产出关系。这些关系是动态的(即对规划期内每年都进行描述)、是建立在国民经济行业描述基础上的。主要约束方程有投入产出平衡基本式、消费和投资的结构、地区间的调入调出关系等。主要方程的数学描述为：

$$\sum_{j=1}^{N} a_{i,j}^t X_j^t + Y_i^t = X_i^t \tag{14-9}$$

式中：i、j 为经济行业号；$a_{i,j}^t$ 为第 t 年中间投入系数；$X_i^t(X_j^t)$ 为第 t 年的第 $i(j)$ 行业总产值；Y_i^t 为第 t 年最终总需求。

$$\sum_{k=1}^{K} S_{i,k}^t Y_k^t + EX_i^t - IM_i^t = Y_i^t \tag{14-10}$$

式中：k 为最终需求序号，k=1、2、3、4分别表示居民消费、社会消费、固定资产投资和库存投资；$S_{i,k}^t$ 为第 t 年第 k 需求项结构系数；Y_k^t 为第 t 年第 k 需求总值；EX_i^t 为第 t 年第 i 行业调出量；IM_i^t 为第 t 年第 i 行业调入量。

$$\sum_{k=1}^{K} R_k^t \mathrm{GDP}^t = Y_k^t \tag{14-11}$$

式中：R_k^t 为第 k 项最终需求项占GDP的比率。

$$Eu_i^t X_i^t \geqslant EX_i^t \geqslant El_i^t X_i^t \tag{14-12}$$

式中：Eu_i^t、El_i^t 分别为调出系数上、下限。

$$Mu_i^t X_i^t \geqslant IM_i^t \geqslant Ml_i^t X_i^t \tag{14-13}$$

式中：Mu_i^t、Ml_i^t 分别为调入系数上、下限。

(3)扩大再生产模块：扩大再生产分析模块主要描述经济活动年际间的关系，即描述扩大再生产过程。其主要约束方程包括固定资产投资来源方程、固定资产形成方程、生产函数方程等。主要方程的数学描述为：

$$FI^t = \sum_{l=1}^{L} FI_l^t \tag{14-14}$$

式中：l 为固定资产投资来源项，包括自身投资和区外投资等；FI^t 为第 t 年固定资产总投资；FI_l^t 为第 l 来源的固定资产投资。

$$FI^t = \sum_{i=1}^{N} SI_i^t + OI^t \tag{14-15}$$

式中：SI_i^t 为第 i 行业的固定资产投资；OI^t 为第 t 年其他部门非生产性投资。

$$FA_i^t = \sum_{t_0=1}^{T} \beta_i^{t_0} SI_i^t + \delta_i^t FA_i^{t-1} \tag{14-16}$$

式中：FA_i^t 为第 i 行业、第 t 年的固定资产存量；T 为投资时滞；$\beta_i^{t_0}$ 为第 t_0 年投资形成固定资产的形成率；δ_i^t 为第 i 行业固定资产折旧系数。

$$X_i^t = A(FA_i^t)^a(L_i^t)^b \tag{14-17}$$

式中：A 为科技进步系数；a、b 分别为固定资产存量和劳动力生产弹性系数，a 和 b 一般分别取 0.25 和 0.75；L_i^t 为第 t 年第 i 行业劳动力数量。

在安阳市因劳动力充裕，生产主要取决于固定资产投资和固定资产存量，故将式(14-17)改造为：

$$X_i^t = B \cdot FA_i^t \tag{14-18}$$

式中：B 为固定资产产出率，即为单位固定资产存量的生产能力。

(4)宏观调控模块：经济发展与外部经济环境和宏观调控政策关系密切，该模块主要用于反映这种关系。如优先发展或大力发展行业发展的特殊政策、基础行业发展的优惠政策、主要行业物品调入调出宏观控制等。

上述四个模块即构成宏观经济发展预测模型，其计算结果主要有：GDP，行业产值与增加值，经济结构，消费积累水平和区域内外之间的物品交换量等。

二、发展预测与结果分析

安阳市国民经济发展预测是以 1997 年国民经济统计资料和有关历史系列资料为基础，利用所建立的宏观经济发展预测模型进行计算和预测的。

(一)基础数据与预测依据

预测的基础数据来源包括：《安阳市投入产出模型》(1997 年)、《安阳市统计年鉴》(1997～1998 年)、《安阳市国民经济和社会发展“九五”计划和 2010 年远景目标纲要》和《安阳市国民经济和社会发展十五计划》等。

(二)指标分类与计算口径

作为“安阳市水资源可持续利用综合规划”项目的一部分，按技术大纲的统一要求，对主要经济指标和计算口径等作了如下规定。

1. 水平年与预测期限

预测基准年选为 1997 年，水平年为 2010 年、2015 年和 2030 年，预测期限为 1998～2030 年。

2. 国民经济行业分类

国民经济行业分类见表 14-13。将国民经济行业分成 18 个经济部门，即第一产业的农业，第二产业包括工业和建筑业共计 14 个经济部门，其中工业分成了采掘业、食品工业、纺织工业、缝纫及皮革制品业、木材工业、造纸工业、电力工业、石油工业、化学工业、建材工业、冶金工业、机械工业、其他工业等 13 个部门。第三产业分成了 3 个经济部门，即交通邮电业、商饮业和服务业。模型分类主要考虑了以下原则：①和现行的国民经济统计口径吻合，突出地方工业结构中居于主导地位的产业；②和投入产出表的分类相匹配；③能进行国际研究之比较；④有利于模型的计算等。

表 14-13 国民经济行业分类

三次产业	6 个部门	18 个部门	40 个部门
第一产业	农业	农业	农业
第二产业	工业	采掘业	煤炭开采业
			石油和天然气开采业
			金属矿采选业
			其他非金属矿采选业
			自来水生产与供应业
		食品工业	食品制造业
		纺织工业	纺织业
		缝纫及皮革制品业	缝纫及皮革制品业
		木材工业	木材加工及家具制造业
		造纸工业	造纸及文教用品制造业
		电力工业	电力及蒸汽、热水生产和供应业
		石油工业	石油加工业
			炼焦、煤气及煤制品业
		化学工业	化学工业
		建材工业	建筑材料及其他非金属矿物制品业
		冶金工业	金属冶炼及压延加工业
			金属制品业
		机械工业	机械工业
			交通运输设备制造业
			电气机械及器材制造业
			电子及通信设备制造业
			仪器仪表及其他计量器具制造业
			机械设备修理业
		其他工业	其他制造业
			废品及废料工业
	建筑业	建筑业	建筑业

续表 14-13

三次产业	6 个部门	18 个部门	40 个部门
第三产业	交通邮电业	交通邮电业	货运仓储业
			邮电业
			旅客运输业
	商饮业	商饮业	商业和饮食业
	服务业	服务业	金融保险业
			房地产业
			社会服务业
			卫生体育和社会福利事业
			教育文化艺术广播事业
			科学研究事业
			综合技术服务业
			行政机关

(三)参数设定与修正

模型的计算参数包括:投入产出直接消耗系数、各部门的增加值率、最终使用结构系数、最终使用系数、折旧率、固定资产投资形成率、资本产出系数和作为外生变量的部门增长率、自给率上下限等。由于模型预测期限较长,受到各种不确定性因素的影响,需要根据可能变化的情况对各种系数进行相应的调整。

对安阳市 1998～2030 年宏观经济发展趋势进行预测。首先将 1997 年安阳市 40 个部门投入产出表合并为 18 个部门投入产出表。在预测期限内,投入产出结构可能要发生变化,因此投入产出系数要作相应的调整。通过投入产出系数对比分析可知,安阳市一些行业的投入产出系数高于全国平均水平,如农业、食品制造业、纺织业、木材工业、电力工业、机械工业等。

一般而言,直接消耗系数长期呈上升趋势,但具体到某一地区的某一行业,由于增加值率较低,经济效益较差,在产业结构调整、技术进步、经济发展较为迅速的时期,随着生产效率、资源利用效率的提高,直接消耗系数也会呈下降趋势;增加值率较低的行业(如采掘业、食品工业等)直接消耗系数呈下降趋势,而增加值率较高的行业直接消耗系数将呈上升趋势。

(四)最终需求结构及变化

随着经济的发展和人民生活水平的提高,消费结构会发生变化。一般来说,随着收入水平的提高,食品、衣物、一般日用品消费支出的比重下降,文化、教育、卫生、能源、非商品性消费等支出所占的比重增加。在模型中,假设在预测期限内社会对农产品的消费需求减少,对食品加工、电力、化工和第三产业产品需求增加;社会消费结构比较稳定,在模型中假设不变;固定资产投资需求结构一般比较稳定,除了个别部门略有调整外,基本保持不变;库存结构也比较稳定,在模型中假设不变。在最终使用各项中,居民消费占国内生产总值的比重将随经济的发展和人民生活水平的提高呈上升趋势;社会消费由于社会集团购买力的下降所占份额逐渐降低;为保持较高的经济发展速度,需要有足够资金投入,因此在该模型中假定投资率在“九五”期间保持不变,其后将逐年减小;库存部分呈下降趋势;净调出部分作为投入产出约束的平衡点,由模型内生成确定。

(五)资本及投资产出系数的确定和修正

资本产出系数又称为固定资产产出率,投资产出系数又称投资产出率,它们都是反映生产水平和经济效益的指标,取决于技术和管理等因素。在预测模型中,对于工业行业使用资本产出系数,对于非工业行业使用投资产出系数。根据以往的研究经验,并结合安阳市的具体情况,在预测期限内假设工业行业的资本产出系数呈上升趋势,第三产业的投资产出系数略有上升,农业基本保持不变。

(六)外生变量的确定

模型计算的一个重要部分是外生变量的确定,该模型的外生变量有部门增长率上下限、自给率上下限等。外生变量的确定,主要考虑政策的变化等。部门增长率上下限要考虑政策目标、资源条件、产业发展规划、产业结构调整等影响因素。部门增长上下限和部门自给率上下限的设定是为模型求解的需要,给出一个可行解的合理区间。

(七)预测方案的确定

考虑到经济发展过程中存在的诸多不确定因素,本次预测采用情景预测方法,即运用宏观经济投入产出模型,分别设定高、中、低三套方案,进行各方案下的国民经济发展预测。

不同情景方案设定时,主要考虑的因素为:

(1)高方案情景,区内外经济运行环境良好,国民经济高速发展,实施“追赶战略”,迅速缩小与发达地区的差距。

(2)中方案情景,考虑到安阳市所面临的实际问题和具体挑战,实现高速发展存在一定困难,采取“适度高速发展战略”,保持国民经济稳定增长,其情景设定以安阳市制定的中长期发展规划的顺利实现为主要依据。

(3)低方案情景,由于基础设施建设对经济发展的滞后效应,以及解决诸多深层次矛盾的艰巨性和长期性,因而安阳市的发展可能达不到预期效果,基本保持低速发展态势。

(八)预测结果与分析

根据分析给出模型参数和拟定的预测方案等,利用所建立的预测模型,计算给出不同方案的预测结果。

1.六大经济部门总产出

从模型的预测结果看,安阳市全社会经济总产出,预计由1997年的553亿元,增长到2010年的1 269亿~1 843亿元,2015年的1 739亿~2 969亿元,2030年的3 938亿~12 915亿元。在中等发展情景下,1997~2010年、2010~2015年和2015~2030年安阳市社会总产出分别以年均8.6%、8.5%和7.6%的速度增长,基本保持持续、中等增长态势。其中农业在各预测期限内年均增长率分别为4.9%、5%和4.5%,与其他行业相比,农业的发展受水资源和其他因素影响较大,因而保持4.5%以上的发展速度仍是较高的。但考虑到安阳市发展大农业的基础较好,农业整个行业的经济效益在河南省具有一定的比较优势,因而这种发展目标经过努力是可以实现的,这也是经济发展总体趋势的基本要求。工业在1997~2015年期间发展速度较高,保持在8%以上,而在2015~2030年期间年均发展速度降为6.8%。建筑业发展速度比工业略高一些,在各预测期限内分别为9.5%、8.2%和7.8%。第三产业发展速度要高于工业和农业,其中商业、饮食业和其他服务业的发展较快,高于同期全社会发展速度2~3个百分点。根据国内外经济发展的环境、安阳市经济发展的优势,并考虑到我国加入WTO后对经济发展的冲击和刺激作用,认为安阳市未来的发展情景选择中方案是比较适宜的,通过各方面的努力是可以达到的。其中六大经济部门发展预测结果,详见表14-14。

表14-14 安阳市国民经济主要经济部门预测结果

方案	经济部门	总产出水平(百万元)				年均增长率(%)		
		1997年	2010年	2015年	2030年	1997~2010年	2010~2015年	2015~2030年
高方案	农业	8 059	17 401	23 287	51 987	6.1	6	5.5
	工业	33 359	112 472	177 057	780 998	9.8	9.5	10.4
	建筑业	3 969	13 702	22 168	90 107	10	10.1	9.8
	交通邮电业	1 721	6 377	11 138	47 811	10.6	11.8	10.2
	商饮业	2 467	8 720	15 028	73 871	10.2	11.5	11.2
	服务业	5 731	25 594	48 208	246 740	12.2	13.5	11.5
	合计	55 306	184 266	296 886	1 291 515	9.7	10	10.3
中方案	农业	8 059	15 009	19 156	37 073	4.9	5	4.5
	工业	33 359	98 673	145 655	390 746	8.7	8.1	6.8
	建筑业	3 969	12 914	19 151	59 086	9.5	8.2	7.8
	交通邮电业	1 721	4 852	7 196	20 997	8.3	8.2	7.4
	商饮业	2 467	8 720	14 694	55 015	10.2	11	9.2
	服务业	5 731	21 486	37 194	166 305	10.7	11.6	10.5
	合计	55 306	161 655	243 047	729 221	8.6	8.5	7.6
低方案	农业	8 059	11 686	13 548	19 621	2.9	3	2.5
	工业	33 359	77 509	104 214	210 546	6.7	6.1	4.8
	建筑业	3 969	9 110	12 307	28 670	6.6	6.2	5.8
	交通邮电业	1 721	4 624	6 547	17 811	7.9	7.2	6.9
	商饮业	2 467	7 040	10 732	31 756	8.4	8.8	7.5
	服务业	5 731	16 952	26 564	85 445	8.7	9.4	8.1
	合计	55 306	126 921	173 913	393 849	6.6	6.5	5.6

2.工业行业总产出

利用预测模型,可得到13个工业行业总产出预测结果。为了节省篇幅,只给出中方案情景下的预测结果，见表 14-15。

表 14-15 安阳市工业产值预测结果（中方案）

经济部门	总产出（百万元）				年均增长率（%）		
	1997 年	2010 年	2015 年	2030 年	1997～2010 年	2010～2015 年	2015～2030 年
采掘业	2 064	3 750	4 878	10 584	4.7	5.4	5.3
食品工业	3 947	11 531	15 437	51 765	8.6	6.0	8.4
纺织工业	2 490	7 275	11 352	44 901	8.6	9.3	9.6
缝纫皮革业	766	1 358	1 995	4 780	4.5	8.0	6.0
木材工业	571	1 279	1 761	3 311	6.4	6.6	4.3
造纸工业	1 568	3 184	4 122	7 531	5.6	5.3	4.1
电力工业	1 787	4 575	6 569	17 376	7.5	7.5	6.7
石油工业	188	493	755	2 363	7.7	8.9	7.9
化学工业	3 155	9 558	14 505	42 918	8.9	8.7	7.5
建材工业	2 936	9 899	14 612	33 088	9.8	8.1	5.6
冶金工业	7 850	19 619	30 603	78 707	7.3	9.3	6.5
机械工业	5 759	25 423	38 051	91 192	12.1	8.4	6.0
其他工业	278	729	1 013	2 230	7.7	6.8	5.4
合　计	33 359	98 673	145 655	390 746	8.7	8.1	6.8

从表 14-15 中可以看出，1997 年全市工业总产出为 334 亿元。在中方案情景下，到 2010 年、2015 年和 2030 年分别达到 987 亿元、1 456 亿元和 3 907 亿元，其相应各时期的发展速度分别为 8.7%、8.1%和 6.8%，1997～2030 年平均年增长速度为 7.7%。由于自 1997 年后国内外宏观经济形势发生较大变化，从安阳市目前的发展特点看，工业采取持续、稳定的发展模式是较合适的，适宜于安阳市工业发展的实际支撑条件。

从工业部门发展看，未来安阳市重工业发展要快于轻工业。特别是机械、建材、石化工业等支柱行业的发展比较快，年均发展速度均保持在一个相当高的水平上，轻工业在各时期保持较平缓的速度发展，使整个工业行业按比例协调发展。为了配合农业发展，就地加工、转化农产品，延长农副产品加工链条，也是工业行业内部产业结构调整的需要。电力工业发展速度也比较快，基本和社会经济发展对电力的需求相协调。采掘工业发展速度相对低一些，主要是因为采掘工业的发展受资金和生产成本、效率等方面的约束较大。

3. 国内生产总值

表 14-16 为安阳市国内生产总值的三次产业在不同的情景、不同水平年下预测，包括三次产业的增加值规模、发展速度、结构等。

如果在未来的几十年内，安阳市社会经济按上述预测情景发展，到 2010 年安阳市国内生产总值有望达到 599 亿～670 亿元，2015 年达到 879 亿～1 061 亿元，2030 年将达到 2 699 亿～4 114 亿元。

表 14-16 安阳市国内生产总值及其产业结构发展预测

指标	情景设置	产业	1997 年	2010 年	2015 年	2030 年
水平值（百万元）	高方案	第一产业	4 745	8 621	10 641	19 441
		第二产业	10 735	37 501	59 035	249 987
		第三产业	6 279	20 921	36 378	141 923
		合计	21 760	67 042	106 054	411 352
	中方案	第一产业	4 745	8 202	9 884	16 800
		第二产业	10 735	35 767	56 050	201 369
		第三产业	6 279	17 704	26 743	101 511
		合计	21 760	61 673	92 677	319 680
	低方案	第一产业	4 745	7 421	8 729	13 799
		第二产业	10 735	32 521	47 784	153 698
		第三产业	6 279	19 950	31 407	102 431
		合计	21 760	59 892	87 920	269 928
年均增率（%）	高方案	第一产业		4.7	4.3	4.1
		第二产业		10.1	9.5	10.1
		第三产业		9.7	11.7	9.5
		合计		9.0	9.6	9.5
	中方案	第一产业		4.3	3.8	3.6
		第二产业		9.7	9.4	8.9
		第三产业		8.3	8.6	9.3
		合计		8.3	8.5	8.6
	低方案	第一产业		3.5	3.3	3.1
		第二产业		8.9	8	8.1
		第三产业		9.3	9.5	8.2
		合计		8.1	8.0	7.8
结构比例（%）	高方案	第一产业	22	13	10	5
		第二产业	49	56	56	61
		第三产业	29	31	34	35
		合计	100	100	100	100
	中方案	第一产业	22	13	11	5
		第二产业	49	58	60	63
		第三产业	29	29	29	32
		合计	100	100	100	100
	低方案	第一产业	22	12	10	5
		第二产业	49	54	54	57
		第三产业	29	33	36	38
		合计	100	100	100	100

从发展速度看，安阳市在 1997～2010 年国内生产总值预计年均增长率为 8.3%（中等情景，下同），2010～2015 年年均增长率为 8.5%，2015～2030 年年均增长率 8.6 %。发展趋势为持续、快速增长，在长达 33 年的时间里，以年均 8.5%左右的速度发展。如若得以实现，则安阳市经济实力和人民生活水平必将大幅度提高。

从三次产业发展看,中等发展情景下在1997～2010年间,三次产业增加值年均增长率分别为4.3%、9.7%和8.3%,各产业发展速度在此期间均比较高,产业发展比较协调;到2015年三次产业增加值发展速度分别为3.8%、9.4%和8.6%,发展势头仍很强劲;2030年第一、第二产业发展速度有所下降,第一产业为3.6%,第二和第三产业则分别为8.9%和9.3%,第三产业GDP发展速度第一次超过第二产业,成为安阳市国民经济发展的第一增长点。

从产业结构看,现状水平年第一产业、第二产业和第三产业国内生产总值结构为22:49:29,到2010年产业结构调整则为13:58:29,到2015年调整为11:60:29,到2030年调整为5:63:32。产业结构变化的趋势是,第一产业稳步下降,第二产业和第三产业稳步上升。这表明安阳市经济正由农业型全面向工业化转变,在今后一段相当长的时间内,工业化是安阳市经济发展最基本的特征。第三产业的发展基本和工业同步。

三、工业总产值预测

由于安阳市近几年(1995～1999年)受到全国及全球尤其是东南亚经济形势的影响,其经济发展起伏比较大,如1997年全市工业总产值为334亿元(取自《安阳市1997年投入产出表》,《安阳市1997年统计年鉴》为302亿元),而1998年全市工业总产值却为283亿元(《安阳市1998年统计年鉴》)。为了消除特殊年份经济形势剧烈波动对经济预测结果合理性的影响,作为工业总产值预测基础年的现状年(1998年),其工业总产值选用近几年工业总产值的均值。

根据安阳市国民经济发展预测结果,并结合各县市区(郊)资源条件和经济发展基础等实际情况,预测不同水平年全市及各县市区(郊)工业总产值。具体预测结果见表14-17。

表14-17　工业总产值预测结果　(单位:亿元)

行政分区	现状年	高方案			中方案			低方案		
		2010年	2015年	2030年	2010年	2015年	2030年	2010年	2015年	2030年
全市	296.09	899.29	1 448.31	6 302.24	796.85	1 198.19	3 595.09	637.54	873.48	1 977.94
安阳市区(郊)	123.39	374.77	603.57	2 626.39	332.08	499.33	1 498.22	265.69	364.01	824.28
林州市	64.85	196.98	317.23	1 380.41	174.54	262.45	787.45	139.64	191.32	433.24
安阳县	42.58	129.34	208.30	906.40	114.60	172.33	517.05	91.69	125.63	284.47
汤阴县	17.24	52.37	84.35	367.03	46.41	69.78	209.37	37.13	50.87	115.19
滑县	29.60	89.89	144.77	629.97	79.65	119.77	359.36	63.73	87.31	197.71
内黄县	18.42	55.94	90.10	392.05	49.57	74.54	223.64	39.66	54.34	123.04

四、农业发展预测

(一)种植业发展现状及预测

种植业发展现状及预测主要内容包括种植结构、灌溉面积和节水灌溉面积现状统计分析,以及相应的发展预测等。

1.种植结构

根据调查和统计分析,安阳市现状年冬小麦种植面积最大,占总种植面积的47%,其次是玉米,种植面积占32%,油料作物、棉花和蔬菜种植面积分别占11%、3%与4%,其他作物占3%;现状年耕地面积为36.33万hm^2,农田有效灌溉面积和实际灌溉面积分别为27.63万、23.50万hm^2,分别占耕地面积的76%和65%(见表14-18)。我国加入WTO后,由于生产成本和品质等问题,安阳市普通小麦、玉米的种植将受到较大的冲击。安阳市处于河南省最北部的晋、冀、豫三省交界处,交通发达,对于发展外向型经济和开展自由贸易提供了便利条件,其农业结构调整应当走在全国的前列。根据全市水、光、热、土地、农艺技术、人才状况和科研水平等,其小麦和玉米的种植面积将有较大幅度的下降,并且将逐步提高优质品种的比例,在基本满足粮食供给的前提下,全市的园艺面积将有较大幅度的增加,尤其是花卉和绿色蔬菜等将有较大的发展。根据安阳市农业种植结构特点,并参照《海河流域农业用水与节水研究》(2001年)中的有关研究成果,对安阳市不同水平年的种植结构进行预测。具体预测结果见表14-19。

表14-18 耕地面积与农田灌溉面积统计 (单位:万hm^2)

分区名称	现状年(1998年)			近几年(1995~1999年)		
	耕地面积	有效灌溉面积	实灌面积	耕地面积	有效灌溉面积	实灌面积
安阳县	8.42	5.76	5.76	8.42	5.69	5.77
林州市	5.13	3.25	2.70	5.18	3.26	2.63
内黄县	6.39	5.36	5.14	6.31	5.25	5.04
滑县	11.41	9.21	6.45	11.35	9.11	8.37
汤阴县	4.14	3.28	2.72	4.14	3.25	2.84
安阳市区(郊)	0.84	0.77	0.73	0.91	0.89	0.80
全市	36.33	27.63	23.50	36.31	27.45	25.45

表14-19 种植结构预测结果 (%)

分区名称	现状年				2010年			
	复种指数	夏收作物	秋收作物	经济作物	复种指数	夏收作物	秋收作物	经济作物
全市	171	81	54	36	170	75	55	40
安阳市区(郊)	174	57	67	50	173	54	67	52
林州市	171	94	63	14	170	90	60	20
安阳县	158	75	74	9	165	71	69	25
汤阴县	180	103	62	15	176	95	63	18
滑县	168	72	42	54	170	72	42	56
内黄县	183	84	33	66	178	75	35	68

续表 14-19

分区名称	2015 年				2030 年			
	复种指数	夏收作物	秋收作物	经济作物	复种指数	夏收作物	秋收作物	经济作物
全市	170	70	55	45	170	65	55	50
安阳市区(郊)	172	50	65	57	171	46	60	65
林州市	170	84	58	28	170	80	57	33
安阳县	168	65	67	36	170	60	65	45
汤阴县	172	88	61	23	171	84	59	28
滑县	170	65	45	60	170	60	45	65
内黄县	175	68	33	74	171	60	35	76

2.灌溉面积

随着城镇化和工业化的发展,以及生态环境建设和殷墟文化遗产的保护等,安阳市未来的发展将会占用更多的土地面积(包括占用一些耕地面积),耕地面积将会有所减少,因此安阳市种植业的发展不宜选择传统的以追求规模为主的外延(扩张)式发展模式,而应选择以追求效益为主的内涵式发展模式,农田灌溉面积将不会有较大的发展,到 2030 年农田灌溉面积将接近目前的有效灌溉面积。由于在 2010 年南水北调中线工程未建成通水之前,安阳市水资源紧缺的矛盾仍十分尖锐,因此预计 2010 年安阳市农田灌溉面积将基本保持在目前近几年的平均水平上,2030 年农田灌溉面积达到现有的有效灌溉面积规模。具体预测结果见表 14-20。

表 14-20 农田灌溉面积发展预测结果 （单位:万 hm^2）

分区名称	有效灌溉面积	实灌面积			
	现状年	现状年	2010 年	2015 年	2030 年
全市	27.63	23.5	24.03	25.38	27.62
安阳市区(郊)	0.77	0.73	0.75	0.77	0.77
林州市	3.25	2.70	2.77	2.94	3.25
安阳县	5.76	5.76	5.76	5.76	5.76
汤阴县	3.28	2.72	2.79	2.94	3.27
滑县	9.21	6.45	6.70	7.61	9.21
内黄县	5.36	5.14	5.26	5.36	5.36

3.节水灌溉面积

据统计,安阳市现状年农业总节水灌溉面积为 16.82 万 hm^2,其中农田节水灌溉面积 15.25 万 hm^2,占农业总节水灌溉面积的 90%,占农田总灌溉面积的 65%。由于安阳市水资源比较贫乏,节水将是一项长期而艰巨的任务,尤其应贯穿于农业发展的各个层面,因此安阳市种植业未来的发展方向是:在现有农田节水灌溉面积的基础上,除了提升其节水水平外,要继续推广适宜的节水高产灌溉模式和进一步扩大节水灌溉面积。预计 2010 年安阳市农田节水灌溉面积所占比例将由目前的 65%增加到 80%,到 2015 年和 2030 年全市农田节水灌溉面积将分别达到85%与100%。具体预测结果见表14-21。

表14-21　农田节水灌溉面积发展预测结果　（单位:万 hm^2）

分区名称	现状年			2010年			2015年			2030年		
	实灌面积	节灌面积	节灌率（%）	实灌面积	节灌面积	节灌率（%）	实灌面积	节灌面积	节灌率（%）	实灌面积	节灌面积	节灌率（%）
全市	23.5	15.25	65	24.03	19.23	80	25.38	21.57	85	27.62	27.62	100
安阳市区(郊)	0.73	0.59	81	0.75	0.75	98	0.77	0.77	100	0.77	0.77	100
林州市	2.70	2.70	100	2.77	2.77	100	2.94	2.94	100	3.25	3.25	100
安阳县	5.76	4.61	79	5.76	5.30	92	5.76	5.47	95	5.76	5.76	100
汤阴县	2.72	2.04	75	2.79	2.37	85	2.94	2.59	88	3.27	3.27	100
滑县	6.45	2.58	40	6.70	4.10	61	7.61	5.71	75	9.21	9.21	100
内黄县	5.14	2.73	53	5.26	3.94	75	5.36	4.09	76	5.36	5.36	100

（二）林果业发展现状及预测

现状年安阳市果园总面积为4.36万 hm^2，水果总产量为24.89万t。其中苹果园面积最大，占果园总面积的50.9%；枣园面积次之，占39.5%；葡萄园面积最小，仅占0.7%。果园实际灌溉面积为1.62万 hm^2，占果树总种植面积的41%；果树灌溉用水量为1 760.33万 m^3，占农业总用水量的1.1%。

根据安阳市土地资源情况和果园面积，以及实灌面积、水资源条件等，安阳市未来林果业的发展应走内涵式发展道路，在不大规模扩大种植面积的前提下，通过逐步扩大灌溉面积和调整种植结构、挖掘内部潜力等来保障林果业经济效益不断提高。由于安阳市属于资源型缺水，在南水北调中线工程通水之前，安阳市即使采取严格的节水和污水治理回用等措施，其水资源紧张的状况依然存在，不会有根本性的改善。预计2010年前后南水北调中线工程建成通水，因此在2010年之前林果灌溉面积不会有较大的发展，而2010年以后由于南水北调中线工程建成通水，安阳市水资源短缺的局面得到较大的缓解，林果灌溉面积将有较大的发展，预计1998～2010年、2010～2015年和2015～2030年其年均增长率分别为1%、3%和5%。具体预测结果见表14-22。

表14-22　不同水平年林果灌溉面积预测结果　（单位:万 hm^2）

分区名称	现状年		不同水平年灌溉面积		
	果园面积	实灌面积	2010年	2015年	2030年
全市	4.36	1.62	1.83	2.12	4.41
安阳市区(郊)	0.21	0.14	0.15	0.18	0.3
林州市	0.41	0.28	0.31	0.36	0.41
安阳县	0.35	0.06	0.07	0.08	0.35
汤阴县	0.42	0.06	0.07	0.08	0.42
滑县	0.71	0.61	0.69	0.80	0.80
内黄县	2.27	0.48	0.54	0.62	2.13

(三)畜牧渔业发展现状及预测

为了发挥安阳市农业资源优势,需要大力发展畜牧业,优化畜牧业结构,以瘦肉型猪、高产奶牛、良种肉牛和肉羊等为重点,大力促进畜牧业发展,使畜牧业产值占农林牧渔业总产值的比重不断提高。通过综合分析安阳市农业产业结构和考虑到加入 WTO 后的国内外市场变化情况,预计全市畜牧渔业将会得到较大的发展。其中,1998～2010 年牲畜与水产养殖面积年均增长速度分别为 1.5%、0.5%;2010～2015 年牲畜和水产养殖面积年均增长速度分别为 3%、1%;2015～2030 年牲畜与水产养殖面积年均增长速度分别为 5%和 3%。具体预测结果见表 14-23。

表 14-23 畜牧渔业发展预测结果 (单位:万头(只),hm^2)

分区名称	现状年				2010 年			
	大牲畜	猪	羊	水产养殖面积	大牲畜	猪	羊	水产养殖面积
全市	31.68	134.74	70.30	1 120.00	37.88	161.1	84.05	1 193.35
安阳市区(郊)	0.55	4.37	0.95	40.00	0.66	5.22	1.14	46.67
林州市	7.20	37.74	6.06	233.33	8.61	45.12	7.25	246.67
安阳县	5.02	20.64	7.39	100.00	6.00	24.68	8.84	106.67
汤阴县	2.90	11.40	4.80	533.33	3.47	13.63	5.74	566.67
滑县	9.67	28.73	25.23	113.33	11.56	34.35	30.17	120.00
内黄县	6.34	31.86	25.87	100.00	7.58	38.09	30.93	106.67
分区名称	2015 年				2030 年			
	大牲畜	猪	羊	水产养殖面积	大牲畜	猪	羊	水产养殖面积
全市	43.91	186.76	97.44	1 260.00	91.29	388.25	202.57	1 960.00
安阳市区(郊)	0.76	6.06	1.32	46.67	1.58	12.59	2.74	73.33
林州市	9.98	52.31	8.40	260.00	20.75	108.75	17.46	406.67
安阳县	6.96	28.61	10.24	113.33	14.47	59.47	21.29	180.00
汤阴县	4.02	15.8	6.65	600.00	8.36	32.85	13.83	933.33
滑县	13.40	39.82	34.97	126.67	27.86	82.79	72.70	193.33
内黄县	8.79	44.16	35.86	113.33	18.27	91.8	74.54	173.33

第三节 生态环境发展现状及预测

20 世纪 90 年代以来,尽管安阳市在生态环境建设、治理和保护方面取得了较大进展,有效地遏制了生态环境持续恶化的趋势,局部生态环境质量开始有所好转,但总体形势依然严峻,高能耗、重污染和粗放型经济结构所造成的生态环境严重恶化的状况仍未得到根本性扭转,生态环境恶化问题仍然是制约全市社会经济健康发展的重要因素。

安阳市从“十五”开始将加快城市污水处理和回用工程建设，严格监控水污染不断恶化的态势，对入河排污量实行达标排放和总量控制，逐步缓解全市水环境恶化和水资源污染严重的局面，确保安阳市水资源的可持续利用和社会经济的可持续发展。“十五”期间，将建成市东区污水处理厂，新增污水处理能力 10 万 t/a，削减 COD 9 000t/a，使市区污水处理率达到 50%；林州市将建成 5 万 t/d 污水集中处理厂，削减 COD 5 000t/a。

另外，将逐步建成安阳市环城生态防护林体系，以安阳市区为防护中心，以建成区中环路、外环路和南水北调中线工程两侧防护林带为基本框架，以 107 国道、安林、安濮公路等构成射线林带，以县、乡、村级公路、渠道为主构成农田防护林网骨架，村镇绿化、果园、农田间作和片林等为填补，形成安阳环城生态防护林网体系。

总之，安阳市经过长期的努力，不断加大对生态环境的治理和保护的力度，全市的生态环境会逐步得到恢复和改善，为安阳市的可持续发展提供良好的生态环境支持。

第四节　需水量预测

根据研究目的和需水量预测精度等要求，将需水门类分为生活、工业、农业、生态环境等四个一级类，每个一级类可以再分成若干个二级类和三级类，如表 14-24 所示。

表 14-24　需水门类分级

Ⅰ	Ⅱ	Ⅲ	Ⅳ
生活需水	城镇生活	居民家庭 公共设施	市政、建筑、交通、商饮、服务等
	农村生活	农民家庭	含以自用为目的的菜园
		家养禽畜	以自用为目的的家禽与牲畜饲养用水
工业需水	城镇工业	一般工业	采掘；食品、纺织、造纸、木材；化工、石化、机械、冶金、建材、其他
		电力工业	火电循环冷却、火电贯流冷却
		村以上乡镇企业	县、乡两级所属乡镇企业
	农村工业	村属乡镇企业	村属乡镇企业
		村以下乡镇企业	个体企业及联户企业
农业需水	种植业	大田	棉花、冬小麦、夏玉米等
		菜田	蔬菜、油料、小品种经济作物
	畜牧业	牲畜用水等	以商品生产为目的的一切牲畜用水等
	林果业	果园等	除天然林以外的一切经济林灌溉用水
	渔 业	鱼 塘	鱼塘补水及换水
生态环境需水	河谷、河湖、绿洲、防护林带	河、湖排水沟或排污沟城镇绿化带生态防护林等	

一、生活需水量

(一)生活用水效率及节水潜力

影响城镇生活用水量的主要因素是城镇的基础设施、经济发展水平和居民生活条件、习惯以及水价政策等。现状年安阳市的人均城镇生活用水量为243L/(人·d),比全国的平均水平偏高9%,比我国北方地区的平均水平偏高40%,比河南省的平均水平偏高51%;农村生活用水量为39L/(人·d),比全国的平均水平偏低55%,比河南省的平均水平偏低41%。由此可以看出,安阳市城镇生活用水水平比较高,浪费比较严重,有一定的节水潜力,而农村生活用水水平比较低,存在生活饮用水条件差、供水保障程度亟待提高的问题,没有什么节水潜力可言。

目前,我国城镇供水管网和用水器具普遍存在漏水严重的问题,一般供水管网漏水损失率高达15%~20%,比国外先进水平高出10多个百分点。根据安阳市城镇居民生活水平、供水条件和人均生活用水指标等综合分析,安阳市城镇生活用水存在较严重的浪费现象。因此,要采取有效措施,减少城镇生活用水浪费和供水管网跑、冒、滴、漏现象,进一步提高水的利用效率。如通过宣传教育、立法或调整水价政策等,大力推广和普及节水型器具,家庭卫生洁具要逐步从传统的13L冲水量更换成9L或更低冲水量的新型节水洁具。根据测算,安阳市仅采取此一项措施,就可节约生活用水量30%以上。

据不完全统计,淋浴用水量约占家庭总用水量的30%。若采用脚踏式或混合式阀门替代老式阀门,可节约淋浴用水量15%~30%。总之,要采取一切先进、实用的节水措施,大力更新或改造城镇供水管网系统,挖掘城镇生活节水潜力,使有限的水资源最大程度地满足人民生活水平日益提高的需要。

(二)生活需水定额

在生活需水预测时,将生活需水量分为城镇生活需水量和农村生活需水量两部分。因此,生活需水定额也分为城镇和农村两种定额来进行分析。

1.城镇生活需水定额

生活需水量预测,其中一个关键是需水定额选择的是否恰当。随着城镇供水管网系统的建设和更新、改造,以及市政基础设施建设、节水措施的不断普及和居民生活水平的不断提高,全市城镇生活需水定额将呈现出较缓慢的增长态势,预计近、远期城镇生活需水定额将会比全国平均水平略高,但比海河流域的平均水平稍低一些。

在详细分析安阳市近几年城镇生活用水量调查统计资料的基础上,综合考虑了社会经济发展和居民生活消费水平提高、节水技术的应用与推广,水资源管理水平的不断提高,以及水价政策的调整和暂住人口的变化等,最后分析和确定出安阳市不同水平年的城镇生活需水定额,见表14-25。

2.农村生活用水定额

安阳市各县市区(郊)农村生活用水水平是比较低的,随着社会经济的发展和城乡差距的不断缩小、生活水平的提高,农村人均生活需水量将会有较大幅度的增长。从近几年安阳市人均农村生活用水指标变化趋势看,农村生活饮用水条件在不断改善,人均生活用水量持续增长。从目前全市农村人均生活用水指标看,人均生活用水量最高的是安阳县和安阳市区(郊),其次是滑县,最低的是林州市。林州市的大部分农村地处安阳市西部的山丘区,水资源开发难度大,水源保障程度差,丰水年水资源较丰富,供水有保障;而遇到枯水年或枯水季节水资源严重短缺,供水就没有保障,甚至正常的生活用水都无法满足,只得依靠政府组织有关部门提供紧急供水支援。

表 14-25　城镇生活需水定额预测结果　　(单位:L/(人·d))

区域	现状年	2010 年	2015 年	2030 年
全国	222**	251*	259	276*
海河流域	211***	266*	274	290*
安阳市	243	250	255	278
安阳市区(郊)	263	300	310	325
林州市	263	280	282	285
安阳县	220	270	275	315
汤阴县	152	170	177	210
滑县	128	160	165	185
内黄县	301	310	312	315

注:*数据取自:《中国农业水危机对策研究》,中国农业科技出版社,1998。
**数据取自:《中国水资源公报》(1998 年),中华人民共和国水利部,1999。
***数据取自:《海河流域水资源规划》,水利部海河水利委员会,2000。

基于上述考虑,预计安阳市农村人均生活需水量增长速度不会很快,在近、远期都很难超过海河流域的平均水平。根据各县市区(郊)水资源条件和开发利用难易程度,以及经济实力等,具体预测全市及各县市区(郊)农村生活用水定额,见表 14-26。

表 14-26　农村生活用水定额预测结果　　(单位:L/(人·d))

分区名称	现状年	2010 年	2015 年	2030 年
全国	87*	126**	134	142**
海河流域	—	99**	108	116**
安阳市	39	55	60	75
安阳市区(郊)	43	55	60	85
林州市	34	40	45	50
安阳县	43	50	55	82
汤阴县	37	45	48	64
滑县	42	50	53	68
内黄县	37	45	48	60

注:*数据取自:《中国水资源公报》(1998 年),中华人民共和国水利部,1999。
**数据取自:《中国农业水危机对策研究》,中国农业科技出版社,1998。

(三)生活需水量

根据所预测出的农业人口和非农业人口数量,以及城镇生活与农村生活人均需水定额,分析和预测不同水平年的生活需水量。具体预测结果见表 14-27。

表 14-27 不同水平年生活需水量预测结果 (单位:万 m^3)

分区名称	现状年用水量	高方案			中方案			低方案		
		2010 年	2015 年	2030 年	2010 年	2015 年	2030 年	2010 年	2015 年	2030 年
全市	13 964	24 800.12	28 562.24	40 842.17	24 222.68	27 655.65	38 618.71	23 702.08	26 800.65	36 326.63
安阳市区(郊)	5 375	7 817.51	8 864.40	11 081.85	7 434.42	8 279.86	9 829.43	7 329.78	8 096.56	9 368.52
林州市	2 121	4 731.53	5 341.56	7 532.25	4 671.44	5 245.68	7 279.47	4 560.99	5 070.79	6 828.82
安阳县	2 284	5 309.16	6 088.27	10 412.13	5 204.83	5 919.43	9 874.64	5 081.90	5 722.29	9 263.92
汤阴县	811	1 294.96	1 538.21	2 504.94	1 276.00	1 506.40	2 408.20	1 245.87	1 456.24	2 259.28
滑县	2 049	3 318.65	3 830.61	5 401.30	3 322.14	3 830.56	5 381.78	3 224.89	3 678.17	5 003.31
内黄县	1 324	2 328.31	2 899.19	3 909.69	2 313.86	2 873.72	3 845.20	2 258.65	2 776.61	3 602.80

从表 14-27 中可以看出,全市生活需水量在 2010 年、2015 年和 2030 年分别为 2.37 亿~2.48 亿 m^3、2.68 亿~2.86 亿 m^3 和 3.63 亿~4.08 亿 m^3。通过综合对比和分析,确定生活需水预测中方案为推荐方案,即 2010 年、2015 年和 2030 年全市的生活需水量分别为 2.42 亿 m^3、2.77 亿 m^3 和 3.86 亿 m^3,分别比现状年增加 73.9%、98.7%和 1.8 倍。

二、工业需水量

(一)工业用水效率及节水潜力

现状年安阳市工业万元产值取水量为 123m^3,比海河流域的平均水平偏高 1.05 倍,是河南省的 1.95 倍,是全国的 1.4 倍,分别是美国和日本的 13.7 倍、17.6 倍。由此可以看出,安阳市工业用水效率比较低。全市的工业用水重复利用率为 75%,很多企业由于设备陈旧、工艺落后,水的重复利用率只有 42%~50%,有的甚至为 0,用水浪费比较严重,节水潜力巨大。像安阳钢铁集团、安阳彩玻公司和安阳化学工业集团、安阳市热电厂等大型骨干企业,其用水效率在安阳市是比较高的,水的重复利用率已达到 80%~94%,但与国内外先进水平相比仍有一定差距,其节水潜力仍然很大。

根据安阳市工业企业的特点和现有的技术装备水平等,其节水措施主要包括产业结构调整、用水设施的更新换代、生产工艺的改进、节水器具的推广、管理水平的提高等方面。工业节水要重点抓好四个方面的工作:①全面调整工业结构,限制高耗水工业项目的建设,并有计划、有重点地将区内高耗水工业转移到区外水资源比较丰富的地区;②通过各种经济的、行政的手段加强需水管理,确保实现安阳市计划用水和节约用水,并严格控制和逐步减少废污水排放量,努力实现达标排放和污染物总量控制的目标;③结合工业产品升级换代,生产工艺设备改进,抓好工业内部循环用水,提高水的重复利用率,可以收到投资少、见效快、效益高的节水效果。

根据国内外已有的研究成果和实践经验,并结合安阳市的实际情况,其主要工业品的适宜节水措施,见表 14-28。

表 14-28　主要工业品节水的整改措施

工业品	整改措施	工业品	整改措施
棉纺织	利用压锭设备更新换代	皮革加工	改漂水洗为闷水洗，脱毛水处理回用
毛纺织	采用先进洗毛工艺	硫酸	改“一转一吸”为“两转两吸”工艺，改粗料投放为精料投放
丝织	强化用水综合管理	氯碱	逐步推广离子膜电解工艺，扩大生产装置规模
麻织	提高工艺水回用率	涂料	提高水的重复利用率
涤纶	增加废水处理回用设备	炼铁	在清水循环基础上增加污水循环系统
印染	推广逆流漂洗工艺和海水印染技术	炼钢	改善杂用水系统，增加集尘水系统及污泥处理系统
酒精	逐步采用先进发酵技术和冷却技术	轧钢	提高轧钢含油废水的处理回用率
啤酒	推广高浓度糖化发酵及洗槽水回用	医药	回收冷却水，实行生产废水的清浊分流并加大回用率
罐头	间接冷却杜绝直排，工艺用水改为逆流漂洗	彩色显像管	工艺废水处理后循环利用
制浆造纸	扩大生产装置规模，扩大废纸制浆比例，推广国产白水回收装置	机械	改生产系统直流用水为循环用水，提高废水处理回用率
干浆造纸	推广国产白水回收设备	平板玻璃	在对工艺流程进行技术改造时改进用水流程
猪屠宰加工	采用喷淋洗涤技术及厂内三级水处理技术	水泥	通过技改普及窑外预分解干法工艺
牛屠宰加工	厂内三级水处理并回用	火力发电	提高单机容量，实施干式除灰
羊屠宰加工	厂内三级水处理并回用	家禽屠宰加工	厂内三级水处理并回用

(二)工业取用水定额

安阳市今后工业发展的方向是：依靠科技进步，深化企业改革和创新，在不断优化产业结构和调整工业布局的基础上，大力发展低耗能、低耗水、低污染的产业。随着科技进步，生产工艺的不断改进，工业用水重复利用率将不断提高，工业万元产值需水量将会随之下降。通过综合分析和对比，预计 2010 年和 2015 年安阳市工业万元产值取水量将有较大幅度的下降，但仍远高于全国的平均水平；2030 年将可望达到或接近目前国内外先进水平，水的重复利用率将达到90%以上。具体预测结果见表14-29。

表14-29　工业万元产值取用水定额预测结果　（单位：m^3/万元）

分区名称	现状年	2010年	2015年	2030年
全国	94*	40.4***	32.1	15.0***
海河流域	60**	37.4***(32**)	29.3	12.7***(13**)
安阳市	123	80	60	22
安阳市区(郊)	135	85	60	18
林州市	157	100	75	26
安阳县	97	55	45	20
汤阴县	44	35	32	25
滑县	156	110	82	35
内黄县	7	28	33	15

注：*数据取自：《中国水资源公报》(1998年)，中华人民共和国水利部，1999。

**数据取自：《海河流域水资源规划》，水利部海河水利委员会，2001。

***数据取自：《中国农业水危机对策研究》，中国农业科技出版社，1998。

(三)工业需水量

根据不同水平年工业总产值和万元产值取用水定额预测结果，可计算和预测不同水平年工业需水量，见表14-30。

表14-30　不同水平年工业需水量预测结果　（单位：万m^3）

分区名称	现状年用水量	高方案			中方案			低方案		
		2010年	2015年	2030年	2010年	2015年	2030年	2010年	2015年	2030年
全市	34 853	71 954	86 924	138 399	63 758	71 912	78 949	51 011	52 423	43 436
安阳市区(郊)	16 374	31 855	36 214	47 275	28 227	29 960	26 968	22 584	21 841	14 837
林州市	9 160	19 698	23 792	35 891	17 454	19 684	20 474	13 964	14 349	11 264
安阳县	4 095	7 114	9 374	18 128	6 303	7 755	10 341	5 043	5 653	5 689
汤阴县	730	1 833	2 699	9 176	1 624	2 233	5 234	1 300	1 628	2 880
滑县	4 367	9 888	11 871	22 049	8 762	9 821	12 578	7 010	7 159	6 920
内黄县	127	1 566	2 973	5 881	1 388	2 460	3 355	1 110	1 793	1 846

从表14-30中可以看出，全市工业需水量在2010年、2015年和2030年分别为5.10亿～7.20亿m^3、5.24亿～8.69亿m^3和4.34亿～13.84亿m^3。通过综合对比和分析，确定工业需水预测中方案为推荐方案，即2010年、2015年和2030年全市的工业需水量分别为6.38亿m^3、7.19亿m^3和7.89亿m^3，分别比现状年增加82.9%、1.06倍和1.26倍，到2030年全市的工业需水量基本接近零增长。

三、农业需水量

(一)灌溉用水效率分析

全市现状年农业实灌面积为25.2万hm^2，其中节水灌溉面积为16.82万hm^2，占总灌溉面积的67%(节灌率);全市种植业综合灌溉定额为6 735m³/hm²,比海河流域平均水平(4 440m³/hm²)偏高52%,比河南省平均水平(4 710m³/hm²)偏高43%,比河北省平均水平(4 140m³/hm²)偏高63%;各主要农作物的灌溉定额也普遍偏高,如冬小麦和夏玉米灌溉定额分别为4 065、3 615m³/hm²(见表15-31),分别比我国第一个北方吨粮县——山东省淄博市桓台县冬小麦和夏玉米灌溉定额(900~1 800m³/hm²、450~1 200m³/hm²)偏高1.3~3.5倍与2~7倍;而林果业的综合灌溉定额为1 080m³/hm²,是比较节水的。由此看出,安阳市农业节水工作成绩是比较突出的,但由于受到节水投入等方面的限制,农业灌溉用水效率较低,其节水措施和节水水平尚有待进一步强化与提高,节水前景广阔、潜力巨大。

表14-31　现状年种植业综合灌溉定额统计结果　(单位:m³/hm²)

分区名称	小麦	玉米	棉花	油料作物	蔬菜	其他	综合灌溉定额
全市	4 065	3 615	3 000	2 505	11 640	2 205	6 735
安阳市区(郊)	3 300	3 150	—	2 925	11 400	—	9 030
林州市	2 550	2 250	2 250	1 950	9 000	1 800	4 500
安阳县	4 500	4 050	3 450	3 150	135 000	2 550	6 810
汤阴县	3 300	3 150	2 550	1 800	12 000	1 650	5 745
滑县	4 200	3 600	2 400	2 250	10 800	2 400	6 630
内黄县	4 950	4 500	3 300	2 700	15 000	2 250	8 160

(二)节水灌溉模式及节水潜力

安阳市水资源十分贫乏,人均水资源占有量为322m³,每公顷平均水资源占有量为4 515m³,分别是全国平均水平的14%和17%。全市农业用水量为16.21亿m³,占全市总用水量的76.7%。由此看出,安阳市一方面水资源严重短缺,而另一方面农业灌溉中又存在严重浪费的现象。因此,全市的农业节水灌溉问题显得十分重要,分析和探讨适宜的农业节水灌溉模式,具有重要的现实意义。

安阳市属于半湿润气候,多年平均降水量为573.53mm,多年平均水面蒸发量为1 075mm,且时空分布不均匀。其气候条件与我国北方地区第一个吨粮县——桓台县基本类似。桓台县多年平均降水量为549.9mm,比安阳市偏少4.1%;多年平均水面蒸发量为1 325mm,比安阳市偏高23.3%;夏玉米生长期6~9月份降水量为396.6mm,比安阳市同期降水量(429mm)偏少7.6%;冬小麦从10月初播种到6月中旬收获,8个多月降水量为153mm,比安阳市同期降水量(145mm)偏多6%。因此,桓台县的一些成功经验适合于安阳市借鉴和参考。

桓台县的成功经验主要是“节水灌溉工程措施”、“节水灌溉农艺措施”和“节水灌溉管理措施”的有机结合,形成了一套节水高产综合灌溉模式。

1.节水灌溉工程措施

桓台县是我国北方历史上的老井灌区之一,20世纪80年代以来狠抓机井配套挖潜和田间节水,提高了单井效益和用水利用率。

1)基于节水与节能的灌区配套挖潜

(1)井、泵、机、管、带配套。针对部分机井存在的大泵座小井、大马拉小车,出水管路过长,传动带既窄又松,严重影响机井综合装置效率的情况,实行“以井定泵、以泵配机”。根据井的出水量选配水泵;按选用的水泵轴功率和转速,确定动力机的功率和转速,使动力机和井、泵均能在高效低耗状态下运行,防止了大泵座小井或小马拉大车超负荷运行情况的发生。通过换泵、改机,去掉多余管路、改窄皮带为宽皮带,取消交叉带,进行合理配套,机井综合装置效率显著提高。据3 326眼机电井测试,平均装置效率由27.48%提高到38.03%,年节油963.56t,年节电180.28万kW·h,节约油、电价值达231.4万元。

(2)池、渠、田、畦配套。出水池是连接井泵出水管和渠道的水工建筑物,建在灌区的制高点处。一般用砖石浆砌或混凝土浇筑,每眼机井都修建了出水池。从出水池到田间、土渠输水损失占32%～38%。为减少沿途水的渗漏和蒸发,1985年以来修建混凝土U形防渗渠和低压输水管道3 900km,渠水利用系数达到0.95～0.98,使2.67万hm^2农田灌溉实现了防渗化。水从渠口进入田面,土地平与不平相比,可省水二至三成。70年代大搞农田基本建设时,在县乡统一规划指导下,以一、二、三、四级路为骨架,划方、修路、挖沟、整平土地,做到路直、沟通、树成行、地成方,田面南高北低,一般比降为1/1 000。土地承包到户后,每年秋种前,家家户户忙整地,挖高垫洼,筐抬锨端,把地整得四平八稳,浇地基本两头见水。根据机播和节水需要,畦长由过去的70～100m改为现在的30～40m,畦宽从2.2m改为1.55～1.6m。七成改畦,减少尾水损失。

(3)机房配套。过去多数机井露天作业,机泵被盗损坏多。1984年以来,先后建起砖屋铁门机房,改善了机泵作业环境,延长了机井使用寿命。

(4)调正机泵转速配置。由于长期干旱和超量开采地下水,导致地下水位大幅度下降,机井涌水量减少,机泵被迫降速运行,运行工况点离开高效区,造成油电浪费和提水成本增加。改进的措施有两种:一是更换水泵带轮直径;二是把195型柴油机皮带轮直径从原设计152mm加大到170～200mm。通过换水泵小带轮和加大柴油机皮带轮直径,调整机泵转速,使水泵的工况点进入经济运行区,保证了机泵都能接近或在经济负荷区运行,出水量增大,能耗下降。据在桓台县耿桥镇机手耿玉春的机井上测试,把柴油机带轮换成180mm的,170JS50－30型深井泵130mm的带轮不变,千吨米耗油从2.15kg下降到1.72kg,装置效率从34.4%提高到43%。

(5)潜水电泵减少滤网损失。据25台潜水电泵现有滤网进行测算,过水断面空隙率约62%,千吨米耗电13kW·h,后用直径0.8mm钢丝代替滤网,过水断面空隙率约84%,千吨米耗电12.3kW·h。机井有机房的潜水电泵可以去掉滤网,减少上水阻力,增加出水量。

(6)消灭“高射炮”式出水管口,减少扬程损失。造成“高射炮”的主要原因:一是群众缺乏正确安装水泵的知识,把出水口挡水墙修得过高;二是安装水泵时没有适当的出水管,装上一根长的了事;三是为了从出水管口直接往柴油机里加冷却水,故意抬高出水管口;四是司泵人员远离泵房,为了在远处能看到水泵是否出水,就把水泵管口抬高。改进的方法是正确安装使用出水管,把出水管安装成淹没式出流。在桓台县索镇赵家村机井上测试,出水管口高度降低0.51m,每小时出水量从27.32m^3增加到29.96m^3,千吨米耗能从1.9kg下降到1.8kg,装置效率从38.9%提高到40.7%。目前,桓台县已消灭“高射炮”式出水口7 818处。

2)基于节水与节能的田间灌水技术

(1)推广“五先五后”配水法。在水资源不足情况下,合理配水。小麦冬春灌时,先用沟、渠拦蓄的地表水,后用地下水,以减少蒸发;机井先灌远地作物,后灌近地作物;先浇高地作物,后浇洼地作物;先灌墒情差的作物,后灌墒情好的作物;先灌粮棉经济作物,后浇其他耐旱作物。

(2)两水夹浇。在畦田的两头开口子,引水向中间浇。据邢家镇田孟村试验,同样的水量,两头夹浇比从一头浇一天多灌地98m^2,相对节水37.5%。

(3)沟灌省水。每畦麦田套种两行夏玉米,行距0.77~0.8m。在玉米根区开沟宽15cm,深10cm,灌水定额375~450m^3/hm^2,接近喷灌,使传统的浇地变为浇作物根部,该技术充分发挥了我国劳动力资源丰富的优势,技术简单易行。

(4)低压管灌。用双壁波纹管和薄壁PVC管及混凝土管代替输水土渠将水直接送到田间沟、畦灌溉作物,减少了水在输送过程中的渗漏和蒸发损失,实现了地下管内流水,管上种地,群众高兴地称为田间自来水。主要优点:一是节水,田间水利用系数达到0.96~0.97(见表14-32),灌水定额减少30%~40%;二是节能,与土渠输水相比,节能25%以上;与高压喷灌技术相比,由于采用了低压输水,能耗也相应降低45%左右;三是减少土渠占地1.5%~2%;四是管理方便,省工、省时,有利于田间机械化的发展。尽管在田间配水中有的仍沿用土垄沟或软管输水,但却是一项很有发展前途的节水灌溉新技术。

表14-32 不同规格畦田管灌用水测试结果(1997~1998年)

畦长(m)	畦宽(m)	入田水量(m^3/hm^2)	深层渗漏(m^3/hm^2)	1m土层有效水量(m^3/hm^2)	田间水利用系数
30	1.85	657.0	22.5	643.2	0.96
20	1.60	532.5	15.0	515.6	0.97

(5)多孔配水带。管灌解决了渠道传输节水的问题,但从给水栓到田间还有一段距离,为了解决田间低压管灌和滋灌、沟灌,研究出直径50~70mm的多孔配水带,孔距80cm,孔径32mm,孔口与喷水带套接。根据作物生长需耗水规律,分别进行滋灌、沟灌、管灌、喷灌。这样一管多用配水,较好地解决了作物生育节水问题,是管灌技术的完善和发展。

(6)低压管喷灌溉。移动式软管多孔管喷灌溉技术,是利用管灌工程出水口正常水头2~3m,由多孔配水带和喷水带组成。配水带与给水栓用快速接头连接,7~8条喷水带与配水带垂直,平行摆在畦中,喷水高度1.5~2.3m,20min喷水量20mm左右,相当一场中雨,浇地0.033~0.038hm^2,比畦灌平均节水40%~50%,并做到适时适量灌水。与喷灌相比有6条优点:①投资少,由于多孔配水带和喷水带用的是软管,投资仅占喷灌工程的15%~20%;②浇地受风力影响比喷灌小,管喷是喷水带在地面,抛物线形状向两边喷射,射程低,受风力影响小,可喷到地头地边;③比喷灌节能省水,喷灌比管灌一般增压2.25m,射程高,耗能多,水雾随风飘移造成浪费,实测管喷比喷灌节能30%,节水10%以上;④管喷对水的含沙量要求不高;⑤管喷运行中故障少,维修费低;⑥管喷器材是塑料掺胶合成配件组装，搬动轻便，适于一家一户使用。在平原井灌区，发展趋势有可能代替喷灌技术，前景看好。缺点是使用寿命仅3～5年。

(7)滋灌覆盖节水技术。在低压管喷的基础上，将喷水带孔朝下就成了滋灌，浇条播玉米根部最适用，结合秸秆覆盖，减少蒸发，使有限的水分最大限度地保存下来，供植物利用，比土渠输水地面畦灌节水70%左右，比滋灌无秸秆覆盖地增产13.4%(见表14-33)。由此看出，滋灌加秸秆覆盖更加节水增产。

表14-33　玉米滋灌与秸秆覆盖节水测试(1997年)

测试项目	滋灌时间(年·月·日)	土层(cm)	土壤湿度(%)	株高(cm)	叶数(个)	产量(kg/hm^2)
滋灌覆盖	1997.06.20	20	15.29	22	6	11 265
滋灌未盖	1997.06.20	20	9.57	10	4	9 930

(8)膜孔灌。膜孔灌就是利用地膜输水，通过苗孔和渗水孔给作物局部供水的新技术。由于利用膜孔渗水，大大减少了地面渗漏、蒸发、水土流失和杂草丛生，提高了地温和降水、灌水、土壤水的利用率。主要用于经济作物，麦套棉，白果树育苗和大蒜、西瓜等。据试验比畦灌节水40%～50%，增产4.5%～10.5%。

(9)冬小麦田间节水技术组合模式。各种单项灌水技术都有其一定的适用范围、优势及不足。如管道输水灌溉一般水量较大，可保证作物生长中后期充分灌水，壮粒增产，但在苗期易造成水的浪费。而喷灌、滋灌则在小麦和玉米苗期由于及时喷洒，用水少出苗率高是最大的优势，但在作物生长中后期需水量大，喷灌时间长易引起倒伏，喷灌时间短则影响壮粒增产。滋灌、管灌结合，则可优势互补，适用于各种需水规律不同作物的供水需要。实践证明，只注重先进灌水技术组合，不与农业节水增产措施配套，虽节水但产出效益并不高。为此，通过大量的试验对比和分析，提出三种实用的田间节水灌溉技术组合模式(见表14-34)。

表14-34　小麦田间节水灌溉技术组合模式试验(1997～1998年)

模 式	灌水方式	灌水量(m^3/hm^2)	耗水量(m^3/hm^2)	产量(kg/hm^2)	水效率(kg/m^3)
A	滋管－管灌	798.3	3 485.6	8 437.2	2.42
B	管灌	1 192.1	3 942.0	7 459.5	1.89
C	喷灌	960.0	4 231.4	7 512.0	1.78

A模式：秸秆还田＋多施有机肥和三肥底施＋深耕蓄水＋选用耐旱高产良种＋FA旱地龙拌种＋晚种合理密植＋机播保证出苗率均匀＋滋灌＋麦糠覆盖增温保墒(创造冬前分蘖一次到位的条件)＋不浇越冬－返青－起身水(控制早春分蘖)＋不追越冬肥＋春季管灌有意控水晚浇＋追肥攻穗＋开花灌浆期叶面喷施FA旱地龙控蒸腾＋喷药防病治蚜虫。

B模式：秸秆还田＋施足底肥＋深耕蓄水＋选用耐旱高产良种＋农药拌种(防治地下

害虫)+晚种合理密植+机播+播后管灌+麦糠覆盖+不浇越冬-返青-起身水+不施越冬肥+春季管灌晚浇+追肥攻穗+开花灌浆期叶面喷洒FA旱地龙控蒸腾+喷药防病治蚜虫。

C模式:秸秆还田+施足底肥+深耕蓄水+选用耐旱高产良种+晚种密植+农药拌种+机播+播后喷灌+秸秆覆盖或适墒松土+越冬喷灌+拨节期喷灌+追肥攻穗+开花期喷施FA旱地龙+喷药防治病虫害。

从表14-34中可以看出,小麦三种节水组合模式都较好地发挥了综合技术整体效益,尤其是A模式,总耗水量比B模式节水11.58%,增产13.11%;比C模式节水17.63%,增产12.32%,比中国冬小麦多年平均需水量等值线图规定的该区4 755m^3/hm^2节水26.6%,比山东省主要农作物高产省水研究的5 745m^3/hm^2节水39.4%。因此,A模式是一项多功能的节水增产新技术组合体,优于单纯的管灌和喷灌,具有广阔的应用前景。

2.节水灌溉农艺措施

桓台县在提高工程节水技术的同时发展农艺节水技术,桓台县水利专家和农艺师多年合作,经过共同研究和试验提出了冬小麦、夏玉米、麦套棉的节水高产栽培措施,形成了土壤保墒、调控水肥、促进根系发育的成套自我补偿适应技术,发挥了农、水技术优势,实现了节水吨粮县,水分生产率达到1.83~2.02kg/m^3,成为我国北方农业高效节水的典范。

1)冬小麦的调控栽培技术

(1)宜时麦的栽培。

①精播促根,以根调水。9月底10月初播种的冬小麦为宜时麦,每公顷基本苗150万株左右,单株具有较多次生根,根系发达,吸收能力增强。据观测,精播小麦的根系在土壤中的分布,中层根和深层根的比例比大群体的高5%以上,因此更能有效地发挥深层土壤中贮存水分和养分的作用。

②选用耐旱良种,以种省水。水分生理学研究表明,物种资源中存在着一系列的对水分亏缺的适应机制,可用来增加作物在遭受干旱逆境时的定植、生长、发育和生产能力。选用大穗、大粒型鲁麦23为主要品种,株型紧凑,叶片斜上挺,茎秆粗壮,高抗倒伏,千粒重49g,适期早播,播种量187.5kg/hm^2,基本苗300万~375万株$/hm^2$,单产在9 000 kg/hm^2以上。

③踏压提墒,增水保苗。一般降水年份,播种后1~2天顺垄踏压,可使下层毛管水上升,促使麦种早出苗。这项技术不仅充分利用了土壤水分,而且省下跟种水,还避免了浇跟种水带来的土壤过湿、降低地温、土壤中氧气减少、地表板结等弊病。

④划锄保墒,减少蒸发。在底墒不足时播种小麦,浇跟种水后应适墒划锄一遍,改变土壤表层结构,调节土壤气候,抑制土壤水分蒸发。划锄松土,用疏松表土抑制毛管水上升,达到防止气态水扩散的目的。麦田早春锄2~3遍,除草增温保墒。据1995年4月份试验,从4月18至4月24日7天测定结果看,松土的蒸发量为21.05mm,未松土的为29.59mm,松土比未松土的每天减少蒸发土壤水分1.22mm。

⑤配方施肥,以肥济水。配方施肥就是按照每生产100kg籽量,小麦需纯N 3kg,$P_2O_5$0.5~1kg,KCl 3 kg,玉米需纯N 2.7~3kg,P_2O_5 0.5~1kg,KCl 2~2.5kg的要求,采

取缺什么补什么,缺多少补多少的原则进行施肥。1995 年秋种在秸秆还田 2.38 万 km^2 的基础上,施有机肥 41.25t/ hm^2,纯 N 化肥 369kg/ hm^2,$P_2O_5$235.5kg/hm^2,KCl 297kg/hm^2,建成肥与水的土壤高效营养库。据测定,土壤容重从 1989 年的 1.44g/cm^3 下降到 1996 年的 1.09g/cm^3,土壤有机质含量从 1.36%提高到 1.66%,碱解氮从0.005 9%增加到 0.009 5%,P_2O_5 从 0.001 1%增加到 0.004 1%,KCl 从 0.009 1%增加到0.014 2%,雨水入渗量增加 40%~60%,渗水速度增加 1/3,实现了增肥改土,以土蓄水,增温、增氧,使水、肥、气、热更加协调,保证了作物的增产。

(2)晚播麦的栽培。在寒露(10 月 8~9 日)前后播种的冬小麦称晚播麦。实践证明,推迟播种期,既可节水又不影响产量,是种植上的一大进步。具体措施有:

①足墒播种。足墒播种是小麦节水高产的基础。所谓足墒,一是汛期降水超过 400mm,2m 土层含水量达到田间持水量的 70%~80%,自然底墒好,播种前不用灌水。二是小麦播种前土壤湿度低于 17%,可通过灌水达到表墒适宜,一次播种保全苗。一般每公顷需灌水 450~600m^3,灌底墒水比播后浇跟种水省水 30%~40%。

②选用早熟、耐旱、多花、中粒、矮秆、叶小品种。早熟品种开花成熟早,缩短后期生长时间,可躲过或减轻干热风的危害,粒重变幅小,耗水量少。晚播麦分蘖少,应该用多穗多花中粒型品种,因为该品种单株单茎的叶面积小,蒸腾量少,容穗量大,适宜密植,对春季晚浇水,穗实粒重非常有利。多穗型 215953 改良系,株型紧凑,茎秆粗壮,高抗倒伏耐旱,具有 9 750kg/hm^2 的潜力。鲁麦 14 是一个中粒型品种,抗寒性、耐旱性都较强,虽然抽穗期并不早,但籽粒发育进程快灌浆强度大,是晚播麦的理想品种。

③增大播种量,确保总穗数。试验和生产实践表明,在小麦三个产量因素中,穗数对产量的影响力最大。为了适应播期晚,分蘖少和水资源紧缺,灌水时间幅度大的状况,必须适当增加播种量。10 月 10 日播种的中粒型小麦,基本苗 412.5 万株/hm^2,每晚播一天增加基本苗 225 万株/hm^2,保证成熟收获时在 600 万穗/hm^2 以上。

④前控中促巧灌关键水。小麦从播种到拔节 180 余天,占全生长期的 75%,耗水量约占总耗水量的 35%。从拔节到成熟 60 多天,仅占生育期的 25%,而耗水量约占总耗水量的 65%,日耗水量达 4.1~5.06mm,其中拔节期是小花分化阶段,对水分要求最迫切,灌水有利于小花成熟,防止小花退化,对增加穗粒数极为重要。开花期间缺水,既影响籽粒数,又影响籽粒重,减产最多。所以开花期对水分最敏感,称为需水第二临界期。因此,必须利用拔节期以前耗水量较少的特点,在生育前期控制供水,推迟灌溉时间,保证拔节至开花需水关键期的供水。这样前控中促巧灌关键水,既能提高产量又能节约用水,提高水效率。

⑤控制并减少无效分蘖耗水。小麦分蘖发育不能成穗的为无效分蘖,充分灌溉无效分蘖占初春总蘖的 56.4%~74.77%,成穗率仅占 25.23%~43.65%。控制并减少无效分蘖耗水、肥的办法:一是适当晚播种,减少分蘖,控制冬前分蘖够数而不过头,以茎成穗为主。二是在足墒播种的前提下,不浇越冬水不施越冬肥,不给早春分蘖创造适宜水肥条件,促使中小蘖早日消亡,保证合理群体,改善群体内光照条件,有利大蘖生长发育成穗。冬小麦试验结果表明,浇越冬水的比没浇的成穗率低 6%~14%,前期控水抑制了高位蘖的滋生(见表 14-35)。

表 14-35　供水量与控水期对分蘖的影响

总供水量 (m^3/hm^2)	跟种水 (m^3/hm^2)	越冬水 (m^3/hm^2)	降水 (m^3/hm^2)	冬前苗 (万株/hm^2)	拔节期 (万株/hm^2)	成熟期 (万株/hm^2)	成穗率 (%)
1 450.2	266.1	0	1 184.1	825.0	597.0	416.0	69
1 843.95	659.9	0	1 184.1	825.0	678.0	417.6	61
1 814.1	330.0	300.0	1 184.1	825.0	872.3	484.1	55

⑥减少无效蒸腾量。叶面气孔蒸腾是植物生理耗水,蒸腾作用也并不都是作物生长所必需的,植物本身和光合作用形成的产量所需要的水量不足全生育期耗水量的1%,但是这种消耗是必要的。减少奢侈蒸腾的措施:一是苗期和营养生长结束阶段进行干旱锻炼,塑造理想的高产株型和合理的群体结构(见表14-34),使叶面气孔每天晚开早闭,全生育期蒸腾量约减少1/4,产量并不降低,这说明"前期(从播种到拔节)旱点不算旱,中期干旱减一半"的农谚是正确的,因为小麦是自我调整能力较强的作物。二是用FA旱地龙在小麦开花期喷洒叶面,能缩小叶面气孔的开张度。据1998年4月30日到5月15日测定,喷施后15天减少水分蒸腾量424.5m^3/hm^2,保证了灌浆期土壤有充足的水分,使籽粒饱满,增产951kg/hm^2,水分生产率从1.83 kg/m^3 提高到2.42 kg/m^3。

2)夏玉米的调控栽培技术

玉米是一种喜温、喜光、高光效C4作物,又是一种耗水比较少的作物,水分生产率相当高,耗水量一般为300～450mm。若要采用优良品种,推广综合栽培技术和秸秆覆盖栽培措施,耗水量还会减少,水分利用率还会提高,玉米产量还会增加。

(1)合理密植节水增产。1989年桓台县的试验结果表明,栽培密度为49 950株/hm^2的玉米地,耗水量为6 426.5mm,单株玉米耗水量为85.7kg,籽粒产量为8 925kg/hm^2,水分生产率为2.08 kg/m^3。另一组试验栽培密度为99 900株/hm^2,耗水量为7 255.5mm,单株玉米耗水量为48.3kg,籽粒产量为13 665kg/hm^2,水分生产率为2.8 kg/m^3。在相同地块,同一品种,同一管理措施,玉米密度增加一倍的情况下,耗水量只相差829mm,而产量却增加53.1%,单株玉米耗水量从85.7kg下降到48.3kg,水分生产率由2.08kg/m^3提高到2.8kg/m^3。

由此可见,在基本相同的水分条件下,只要增加肥料的投入,改进栽培技术,合理密植,作物产量就有较大幅度的提高。1990年桓台县选用适宜密植的紧凑型玉米良种掖单4号和鲁玉2号在全县大面积推广,2.42万hm^2玉米平均留苗达到86 370株,比山东省平均多40 755株/hm^2,产量9 375kg/hm^2。

(2)造墒播种保全苗。为使玉米在生育期获取更多的积温和光照,错开三夏大忙时间,在收麦前7～10天进行套种。5月底6月初多干旱少雨,应适时适量进行沟灌或滋灌,灌水量300m^3/hm^2左右。如灌水量大地过湿影响小麦及时收割,并减少汛期蓄水。畦中沟灌套种最好,便于施底肥。

(3)改浇水提苗为深刨灭茬覆盖蹲苗。麦田套种的夏玉米苗期在6月份,恰逢干旱季节。群众习惯割倒麦浇水提苗,因违背"水长苗、旱长根"的科学规律,结果造成地上部分旺长,地下根系发育不良,扎根浅又少,遇上风雨易倒伏折断减产。经试验改为麦后立即深刨灭茬、覆盖保墒蹲苗。深刨灭茬是用大镢在玉米的行、株间普遍深刨一遍,刨深1.5

cm 左右,把麦茬子全部刨倒,在靠近苗子的地方适当浅刨灭草,以防伤苗。同时,将联合收割脱粒机抛下的麦糠、麦秸均匀地覆盖在玉米行间株间,能蓄雨保墒、肥田增产。据调查观测,深刨灭茬覆盖蹲苗的玉米次生根比浇提苗水的增加 1～2 层,基部节间粗短,植株矮 30cm。1998 年 8 月 4 日 9～10 级龙卷风带大雨袭击桓台县部分村庄,浇提苗水的玉米 30%～40%倒伏减产,而蹲苗的玉米倒伏仅占 2%～3%;玉米苗期需水较少,灭茬覆盖保墒能保证玉米正常生长,借助天气偏旱进行蹲苗,培育壮苗。从拔节到抽穗期,正赶上雨季来临。由于套种玉米的需水规律与当地的降水规律相吻合,大大提高了对天然降水的利用率,节约了地下水。

(4)去雄穗节水增产。在玉米雄穗刚露出顶叶还没散粉时期,隔行或隔株去掉雄穗,减少株高和蒸发量,使养分集中供给果穗,可增产 13.72%。节水增产原因有二:一是玉米去掉雄穗后(包括穗柄),平均降低株高 65cm,不仅减少蒸腾量,而且通风透光好,增强植株中上部叶片光合能力,有利于提高粒重和产量;二是生殖器官的呼吸强度比营养器官高得多,雌雄蕊则更高,去雄后叶片合成的养分集中供给雌穗,使穗长、粒多、产量高,耗水少。1995 年测定,去雄穗的玉米每消耗 1m^3 水生产籽粒 1.87kg,比没去掉雄穗的玉米水效率提高 13.9%。因此,农民总结出“玉米去雄(穗),节水增产一成”的经验。

(5)适当晚收,减少裸地蒸发失水。随着农业机械化程度的提高,套种夏玉米秋种倒茬由 9 月 10 日左右推迟到 9 月 20 日前后,延长玉米蜡熟期的生长时间,使其充分灌浆,可增产 10%以上。同时,还减少了早收裸地蒸发失水 9.9%。实践证明,这是一项不需任何投资就能节水增产的特殊技术。

(6)田间综合节水增产技术组合模式。掖单 4 号或鲁玉 2 号用 FA 旱地龙拌种 + 合理密植 + 畦沟灌、施足种肥 + 点播或套种耧条播 + 苗出齐后查苗、补苗 + 麦收后麦糠、麦稂覆盖行间 + 灭茬、培土、定苗、蹲苗 + 苗期借雨追肥 + 开花期前隔行或隔株去掉雄穗 + 叶面喷施 FA 旱地龙控蒸腾 + 适当晚收节水增产。先进的灌水技术和农艺生物措施相结合,使水效率明显提高。试验小区夏玉米水分生产率在 3.76～5.14kg/m^3,桓台县夏玉米水分生产率平均由 1996 年的 2.7kg/m^3 提高到 1998 年的 3.3kg/m^3。

3)棉花的调控栽培技术

(1)借墒移苗,科学用水。麦套棉是种麦时留下棉花套种行,春天直播或移栽。黄河流域春旱多、墒情差,土壤含水率在 14%以下时,采取借墒移苗。操作方法是:4 月下旬用铁锨将干土敛起堆在一边,露出湿土,在湿土上挖 10cm 见方的穴,然后将移来的营养钵中的棉苗放进穴,用湿土围填,干土覆盖,双脚踏实,使营养钵与湿土密结,促使下层水分沿毛细管上升,提墒保证苗全、苗壮。营养钵育苗移栽的苗龄在 1 个月左右,棉苗的茎部在营养钵内已开始木质化,加上根部有肥沃的钵土,这就大大增强了棉花抗盐碱的能力,在春旱缺墒的情况下有利保全苗。直播的棉花干旱缺墒,如不造墒播种,就很难保全苗。但造墒需水多,而借墒移苗用水少,并且移栽时苗子也大,抗旱能力强,所以成活率在 95%以上。据多点调查,借墒移苗比直播的增产 10%～20%,而且霜前花多,质量好。主要增产原因:①借墒移苗比直播棉花一般能提前 15 天以上,因而延长了棉花的有效结铃期,使棉花的早期结铃数、单株总铃数以及单铃重都能显著增加;②借墒移苗的棉花由于生育期提前,下部茎枝的生长处在低温期,生长缓慢,这样就使棉花长得棵矮、节短。同时由于早结桃，从而调节了养分的分配，控制了徒长，推迟了封行，提高了光合效能，协调了生殖生长和营养生长的矛盾，大大减少了蕾铃脱落。

(2)地膜覆盖，增产节水。地膜覆盖栽培，是棉花节水生产上的一项重大技术革新。据3处试点测定，盖膜棉花比育苗移栽增产15.5%，比畦灌节水40%～50%。盖膜节水增产的主要原因：①保水控盐。利用地膜输水，苗孔渗水，形成膜下局部灌溉，防止了深层渗漏，减少了棵间无效蒸发。据测定，盖膜的0～30cm土层湿度为15.1%，未盖膜的12.7%。地膜减少了水分蒸发，也就控制了地面积盐过程，减轻了盐害，有利于出苗发苗。②保温增气。由于地膜的物理阻隔作用，减少了水分蒸发时热量损失。据5月中旬测定，盖膜的0～20cm地温比未盖膜的高3℃左右。盖膜还引起土壤结构的变化，逐步形成“海绵田”，使土壤通气状况变好，有利于棉花根系的生长。③供肥能力高。盖膜后水、热、气增加，有利于土壤微生物的活动，促进了土壤养分的分解转化，提高了土壤的供肥能力。

(3)中耕保墒，抗旱防涝。无地膜覆盖的棉花，要适时进行中耕保墒。中耕不仅能疏松表土，切断毛管水的上升，减少土壤水的蒸发，起到保墒防旱、散墒防涝的作用，而且可破除土壤板结，改善土壤通透性，提高地温，加速养分的转化和消除田间杂草，苗期促壮苗，中期增蕾保铃，后期防止早衰。苗期中耕抓“早”字，即棉籽扎根拱土时就要锄头遍地。以后掌握有草必锄，雨后必锄；灌后必锄，到现蕾前一般要锄地4～5遍。中耕深度要由浅到深，头遍浅，二遍深，三遍四遍莫伤根。从现蕾到吐絮为生育中期，坚持锄4遍。据调查，中期中耕4次的棉田，植株健壮，早开花3～4天，单铃重增加0.1～0.3g，增产5%～8%。开始吐絮以后的后期阶段，浅中耕2遍，增加土壤中氧气，促进根系生理活动，防止早衰。农民总结出“棉花锄八遍，防涝又抗旱，果枝像蒜辫，棉桃赛鸡蛋”的中耕增产经验。

(4)坚持“三看”巧灌水。在棉花生育期，灌水坚持三看标准：看天，久旱不雨；看地，土壤湿度降至14%以下；看棉花长相，中午叶片下垂萎蔫，应赶快浇水。中棉所10号在蕾期营养生长仍占优势，如灌水量大会引起茎叶徒长。所以，灌水一定要巧；隔沟灌，浇小水。7月下旬以后，只要地里不缺肥，天不旱，便实行水肥控制，以免引起贪青晚熟。

3.灌溉管理措施

节水灌溉管理措施是提高水的利用率和利用效率的关键，灌溉节水50%的潜力在于加强管理。但是，目前我国农业节水灌溉管理水平较低，主要表现在：节水观念淡薄，水的商品意识差；重建设轻管理，有法不依，破堤用土，该修不修；管理人员专业技术水平低，前建后坏，缩短了工程使用寿命，水的跑、冒、滴、漏现象严重。如全国井灌区水的利用系数为0.6左右，比先进国家要低0.2～0.3，水分生产率不足1kg/m^3，而以色列为2.32kg/m^3。为了提高水的利用率和利用效率，保证各种节水农业技术的有效进行，桓台县结合管理工作现状，狠抓了组织管理节水措施、工程管理节水措施和用水管理节水措施，建立健全各种规章制度，基本做到依法治水、管水、用水、节水，使农业用水利用系数达到0.86～0.93，水分生产率为1.83～2.02kg/m^3。

1)组织管理节水措施

推广节水农业技术的关键是让基层管水人员和广大农民懂得各种农作物的需水规律，什么时候需要水多，什么时候需要水少，为什么？怎样才能做到既节水又增产，实现高产、优质、高效农业，为此，桓台县采取了如下措施：

(1)建立节水技术推广体系。县成立了水资源管理办公室和水利技术推广服务中心,负责全县水资源的开发利用和节水新技术的引进、试验和推广。全县13处乡镇水利管理站,每站都建立有2~3人组成的推广队,343个行政村也都配有节水技术推广员。这样县、乡、村三级推广工作层层有人管,做到定期学习、交流、检查、验收推广新项目。以水为龙头,带动其他行业抓节水农业建设。

(2)水利与政府结合,取得人财物支持。推广节水农业技术的实践使他们认识到,在我国现行管理体制下,发展节水农业必须依靠行政力量来推动,如果没有行政力量的干预,只靠水利部门发挥职能作用,节水农业就很难形成规模。所以,在每推广一项新技术前,都把技术要领和应用的好处向县政府领导汇报,把业务部门的意见变成领导的共识和行动。在修U形混凝土防渗渠时,县政府下文件规定,每修1m渠道,县财政补助1元,乡财政补助0.5元,农民自己负担0.8元,因而调动了各方面的积极性,仅用两年多的时间全县就修建U形混凝土渠2 300km。

(3)水利与宣传部门结合,提高全民节水意识。每年抓住“世界水日”和小麦拔节—开花期浇关键水及夏玉米蹲苗期,广泛开展节水宣传活动。宣传的主要内容:一是水并不是取之不尽、用之不竭的,目前已出现水危机;二是没有水就没有人类生存的余地,从战略高度对待节水问题;三是水的利用要有工程投入,所以要收水费,通过价格市场实现节约用水;四是农田灌溉并不是浇水越多越高产,超过一定限度,水利就会变水害,造成减产。

(4)水利与农业、农机部门结合,抓好技术培训。水利与农业、农机部门密切配合,利用现有师资和教学设备,采取多种形式培训乡村技术人员。①年终总结,集中培训。每年年底都把主管农业的乡镇长,水利、农机站长请上来,总结检查一年来发展节水灌溉的经验教训,对照国内外先进灌水技术,找出自己的差距,因地制宜地落实新年度推广应用节水农业面积,提高基层管理人员抓好节水农业的时代责任感。②以老带新,对口培训。推广秸秆覆盖、秸秆还田保墒技术时,农机局采取以师带徒、跟班作业、边学边干、理论联系实际,在实践中提高操作管理技术水平。水利局在推广管灌新技术时,组织乡村节水技术推广员,到田间施工现场实干,很快掌握了挖沟尺寸、接管、安装、维修、埋管技术要领。在推广配方施肥技术时,农业局组织乡镇新老农技员参加,对全县粮田进行土壤养分取样化验,根据不同的化验结果科学确定N、P、K、微肥的搭配比例和肥料配方,提高了农技人员的专业技术水平。③组织专家,下乡培训。每年夏播、秋种前,由农业、水利、农机专家组成讲师团,下乡到村宣传节水高产新品种的配套栽培技术,解答农民在生产中碰到的新问题。

(5)水利与气象部门结合,及时发布天气预报。县气象局每月定期发布天气预报,提供本县、本月、本旬可能出现的降雨时段、降雨量、气温、日照等资料。各镇村节水技术推广员根据降水预报、墒情和作物长势,确定庄稼是否需要灌水,尽量利用雨水灌溉,减少地下水开采,增加地下水贮藏量。

(6)点面结合,一田变“三田”。在每推广一项节水增产新技术时,首先在县试验田里试验,然后把得到的试验结果及时运用到乡村节水技术推广员的责任田中,进行验证示范。农民最讲实效,百闻不如一见,看到科学用水庄稼长得就是好,各家各户自然跟着学。这样试验田就成为教育农民的样板田、推广员的高产田、领导决策的指挥田,人人成为节水农业的宣传员和推广员。

2)工程管理节水措施

(1)加强工程维修,延长使用寿命。每年三秋一结束,县里根据一年来春旱引水汛期排水中,各条沟、河、水闸等建筑物出现的问题,提出冬春维修计划。按照“谁受益、谁负担”的原则,组织劳力对引水、防洪河道进行清淤、复堤,恢复了各河道的设计防洪、引水能力。近几年来疏挖治理沟、河25条,总长167.95km,维修桥、涵、闸42座,完成土石方438.5万m^3,使主要防洪河道达到20年一遇的标准。

(2)搞好工程配套,发挥工程效益。横穿桓台县北部的小清河,经过1996~1997年的开宽挖深复堤治理,行洪水量增加,污水变清,沿岸原有引水配套工程,大多不适用了。所以,在小清河治理后,桓台县马上多方集资投入引清济湖闸、小清河倒虹吸接长等6座配套建筑物的施工,并重建和恢复了小清河沿岸101个排灌站,经过全面配套,小清河在桓台县境内发挥了春夏旱时给农田供水,汛期排除内涝入海保丰收的巨大作用。

(3)建立岗位责任制,使责、权、利结合。

①引水工程承包制:三个河道管理所都落实了岗位承包制,实行所长包片(乡镇),管闸员包段(河段),水管员包线(沟、渠),责、权、利结合,调动了管水人员的积极性。如预备河的3座大闸,直接影响湖区水资源的合理使用,过去多年管不好,自从实行了“谁受益,谁维修,谁管理”的岗位责任制后,3座大闸都建有保卫室,长年专人管理,从而保证了湖区水量的合理调配和综合利用,同时也延长了工程使用寿命。

②健全机井管理责任制:桓台县有机井10 229眼,管理好坏直接影响到单井效益的发挥。针对农村改革初期出现的争机、争井、争水现象,县里及时制定了机井管理使用办法,主要内容有五点:一是各乡镇村有井单位一定要根据各自的经济条件和管理水平,因地制宜制定相应的管理办法;二是承包人对承包的机井和配套设施全权负责,任何人不得以任何借口干涉承包人的正常工作;三是承包人要认真履行自己的责任和义务,不得擅自离开自己的工作岗位;四是用户必须及时缴纳一切浇地费用;五是对于破坏机井设施的给予经济处罚,情节严重的移交司法机关追究刑事责任。随后,各村都制定了灌溉管理办法,形式有三种:联户管理出现新的“井田制”;村委统管,联户使用维修;机井股份合作制。

(4)建立执法队伍,依法管水用水。经县编委批准,先后组建了公安局水利派出所、水政监察大队、河道管理所,13个乡镇水利管理站成立了2~3人的水政执法中队,各村设有水管员。全县配备水政监察员52名,投资1.8万元配备了执法设施和器材,依法查处了一批水事案件。如起风镇北村窑厂在乌河东岸破堤挖土烧砖,毁堤200m。案发后,水政执法人员立即对其立案调查,依据《中华人民共和国水法》和《河道管理条例》第54条规定,对其送达“违反水法规行政处罚决定通知书”。在县法院协助下,执行修复河堤费2万元,罚款1万元的处罚,制止了河堤乱扒乱砍树木的违法行为。同时,对现有水利工程设施实行分级管理,层层落实责任制,使工程管理步入规范化和法制化的轨道,做到依法治水,科学管水,强化节水,保证了水利设施的正常运转。

3)用水管理节水措施

(1)计划用水,节水奖励。为保证农业用水,压缩县乡企事业单位用水。企事业单位都编制了年、季、月用水计划,由县水资办审批。全县95%的企事业单位安装了水表,制定了节水奖励办法。各企事业计划内用水支出的水费，列入成本；超计划用水，实行累计加价计收水资源费，不得进入成本。凡超计划10%～50%者，分别按1～5倍计收，超过50%者，按10倍计收。对计划用水、节约用水做出显著贡献的单位和个人，企业可以从节水总值中提出10%～20%作为奖金。全县工业万元产值取用水量由1988年的545m^3下降到1995年的163m^3，水的重复利用率从40%提高到80%左右。企事业单位节约了用水，有力地支援了农业生产。

(2)征收水费，以水养水。在水费征收上做到三个改变：一是由喝"大锅水"按亩收费，改为按方收费；机井提水耗电按度计费，耗柴油按公升计价。二是由过去先放水后收费，改为计划供水先预交水费后放水，交多少钱供多少水。三是由过去不按标准收费改为按标准合理收费。1998年征收水资源费155万元，水费412.8万元，保证了全县水利工程的正常维修和养护，使水利工程管理走上良性循环的轨道。

(3)节水高产灌溉制度。在现有的农业技术和栽培条件下，通过作物蒸腾和被植物利用的水分仅占总耗水量的50%，大约有一半的水分白白地从土壤表面蒸发掉，成为非生产性水分消耗。现有的灌溉方式、灌水次数、灌水定额都存在不少问题。当前灌溉定额超过作物需水量一倍以上，则是一个相当普遍的现象。从灌溉次数来看，农民也不是依据作物的需水规律进行灌溉。在桓台县有的村冬小麦地灌水达7～8次，多数是5～6次水。实际上灌溉次数并不与产量成正比，过多浇水不仅浪费水源、能源，产量反而下降。根据多年研究，冬小麦一般只需灌2～3次，每次450～600m^3/hm^2比较适宜，这样可节约一半的水资源。若能进行科学用水，如采用短窄畦灌、畦内沟灌、管灌、喷灌、滋灌、秸秆覆盖技术等，节省2 250m^3/hm^2水是可能的。

根据多年降水资料和试验的作物田间平均耗水量与土壤干旱指标，桓台县提出冬小麦和夏玉米的节水高产灌溉模式，简称"2312"式灌水模式：一般干旱年小麦灌2～3次水，2次水是指跟种水、挑旗水，3次水是指跟种水(或造墒水)、拔节水、开花水；夏玉米灌1～2次水，一次水是指麦田套种水，两次水是指麦田套种水和抽雄开花水。每次灌水量450～600m^3/hm^2。农作物行间进行秸秆覆盖保墒，不覆盖的浇水或降雨后及时松土，减少土壤表面蒸发损失。试验证明，节水高产灌溉制度比充分灌溉省水46.1%。

从桓台县节水灌溉的成功经验来看，安阳市农业节水潜力巨大。按照桓台县冬小麦和夏玉米节水高产灌溉模式，一般干旱年份冬小麦和夏玉米灌溉定额分别为900～2 708m^3/hm^2、450～1 200m^3/hm^2，则安阳市冬小麦可节约灌溉用水量56%～78%，夏玉米可节约灌溉用水量67%～88%。据统计分析，现状年安阳市小麦和玉米的灌溉用水量分别为7.74亿m^3、4.57亿m^3，分别占农业总用水量(16.21亿m^3)的48%和28%，小麦和玉米灌溉用水量之和占农业总用水量的76%。由此可知，安阳市仅冬小麦和夏玉米两项，如果引进和推广桓台县的节水高产灌溉模式，每年可节约灌溉用水量7亿～10亿m^3，占目前农业总用水量的45%～62%。

(三)农业需水定额

根据农业需水预测的要求，将农业需水定额分为种植业综合灌溉定额、林果业灌溉定额和畜牧渔业需水定额三大类，每一大类还可根据需要再细分，最后针对每一类用水现状和需耗水特点分别给出不同水平年的需水定额。

1. 种植业灌溉定额

根据安阳市不同水平年种植结构预测结果、适宜的节水灌溉模式及节水潜力，以及安阳市当地农田的土质条件、土壤肥力和灌溉习惯、耕作与灌溉管理水平等，并参照《海河流域农业用水与节水研究》(2001 年)中的有关研究成果，对安阳市不同水平年、不同降雨保证率(50%、75%)条件下的各类农作物节水灌溉定额和综合节水灌溉定额进行预测。具体预测结果见表 14-36 和表 14-37。

表 14-36　在 50%保证率条件下种植业灌溉定额预测结果　(单位：m^3/hm^2)

分区名称	现状年实灌定额				2010 年			
	夏收作物	秋收作物	经济作物	综合灌溉定额	夏收作物	秋收作物	经济作物	综合灌溉定额
全市	4 065	3 615	4 125	6 735	2 250	1 500	4 125	4 170
安阳市区(郊)	3 300	3 158	10 028	9 030	1 800	1 350	10 020	7 110
林州市	2 550	2 250	4 965	4 500	1 650	1 575	4 800	3 390
安阳县	4 500	4 050	4 065	5 310	2 115	1 650	4 500	3 765
汤阴县	3 300	3 158	2 565	5 745	1 950	1 425	2 700	3 225
滑县	4 200	3 600	39 15	6 630	2 250	1 500	3 915	4 440
内黄县	4 950	4 500	3 810	8 160	2 400	1 650	3 810	4 950

分区名称	2015 年				2030 年			
	夏收作物	秋收作物	经济作物	综合灌溉定额	夏收作物	秋收作物	经济作物	综合灌溉定额
全市	1 950	1 350	4 200	3 975	1 350	900	3 900	3 315
安阳市区(郊)	1 575	1 050	10 095	7 230	1 275	750	4 200	3 765
林州市	1 575	1 275	4 875	3 435	1 350	975	2 250	2 370
安阳县	1 875	1 350	4 575	3 765	1 350	900	3 750	3 090
汤阴县	1 545	1 125	2 775	2 685	1 275	825	2 205	2 175
滑县	1 800	1 200	3 990	4 110	1 380	900	2 750	3 675
内黄县	1 950	1 350	3 885	4 650	1 425	1 050	3 900	4 185

根据安阳市种植业的实际情况和目前灌溉方式、管理水平等，并参考《海河流域农业用水与节水研究》(2001 年)等有关研究成果，预期不同水平年降雨保证率为 75%条件下的非节水灌溉定额保持在现状年的灌溉定额水平上，而降雨保证率为 75%条件下的非节水灌溉定额比降雨保证率为 50%条件下的非节水灌溉定额高出 20%～50%。具体预测结果，见表 14-38。

表 14-37 在 75%保证率条件下种植业灌溉定额预测结果 （单位：m^3/hm^2）

分区名称	现状年实灌定额				2010 年			
	夏收作物	秋收作物	经济作物	综合灌溉定额	夏收作物	秋收作物	经济作物	综合灌溉定额
全市	4 065	3 615	4 125	6 735	2 925	1 950	5 370	5 415
安阳市区(郊)	3 300	3 158	10 028	9 030	2 340	1 755	13 028	9 240
林州市	2 550	2 250	4 965	4 500	2 145	2 055	6 240	4 410
安阳县	4 500	4 050	4 065	5 310	2 745	2 145	5 850	4 890
汤阴县	3 300	3 158	2 565	5 745	2 535	1 860	3 510	4 200
滑县	4 200	3 600	3 915	6 630	2 925	1 950	5 100	5 775
内黄县	4 950	4 500	3 810	8 160	3 120	2 145	4 950	6 450
分区名称	2015 年				2030 年			
	夏收作物	秋收作物	经济作物	综合灌溉定额	夏收作物	秋收作物	经济作物	综合灌溉定额
全市	2 445	1 695	5 250	4 950	1 695	1 125	4 875	4 155
安阳市区(郊)	1 965	1 320	12 615	9 030	1 590	945	5 250	4 710
林州市	1 965	1 590	6 090	4 290	1 695	1 215	2 820	2 955
安阳县	2 340	1 695	5 715	4 710	1 695	1 125	4 695	3 855
汤阴县	1 935	1 410	3 465	3 345	1 590	1 035	2 760	2 715
滑县	2 250	1 500	4 995	5 130	1 725	1 125	4 695	4 590
内黄县	2 445	1 695	4 860	5 805	1 785	1 320	4 875	5 235

表 14-38 不同水平年非节水灌溉定额预测结果 （单位：m^3/hm^2）

分区名称	50%降雨保证率				75%降雨保证率			
	夏收作物	秋收作物	经济作物	综合灌溉定额	夏收作物	秋收作物	经济作物	综合灌溉定额
全市	2 850	2 535	2 895	4 695	4 065	3 615	4 125	6 720
安阳市区(郊)	2 310	2 205	7 020	6 315	3 300	3 158	10 028	9 030
林州市	1 785	1 575	3 480	3 150	2 550	2 250	4 965	4 500
安阳县	3 150	2 835	2 850	4 695	4 500	4 050	4 065	6 720
汤阴县	2 310	2 205	1 800	4 020	3 300	3 158	2 565	5 745
滑县	2 940	2 520	2 745	4 650	4 200	3 600	3 915	6 630
内黄县	3 465	3 158	2 670	5 715	4 950	4 500	3 810	8 160

2. 林果业灌溉定额

根据安阳市林果业现状灌溉模式和灌溉定额，应该说是比较节水的，将来再推广和应用更为先进的节水措施，其节水有一定的潜力，但不大。因此，预期安阳市不同水平年林果业灌溉定额略低于或接近目前的平均灌溉水平。预测出不同降雨保证率条件下的灌溉定额，见表 14-39。

表 14-39　不同水平年林果业灌溉定额预测结果　（单位：m^3/hm^2）

分区名称	现状年用水量	50%保证率	75%保证率
全市	1 080	795	1 050
安阳市区(郊)	1 125	900	1 125
林州市	1 200	840	1 125
安阳县	1 125	900	1 095
汤阴县	1 050	795	1 050
滑县	1 050	765	1 020
内黄县	1 050	1 020	765

3.畜牧渔业需水定额

根据对比分析，安阳市的畜牧渔业单位用水量是比较适中的。由于安阳市水文气象条件和牲畜、鱼类品种特性等将来不会发生很大的变化，因此可以预期全市不同水平年的畜牧渔业单位需水量仍保持在目前的用水水平(见表 14-40)。

表 14-40　不同水平年畜牧渔业需水定额预测结果

分区名称	畜牧业			渔业
	大牲畜	猪	羊	水产养殖
	需水定额 (m^3/(日·头))	需水定额 (m^3/(日·头))	需水定额 (m^3/(日·只))	需水定额 (m^3/(年·hm^2))
全市	0.043	0.026	0.009	1.920
安阳市区(郊)	0.040	0.030	0.010	1.845
林州市	0.045	0.025	0.010	1.935
安阳县	0.050	0.030	0.015	1.950
汤阴县	0.040	0.030	0.005	1.920
滑县	0.040	0.025	0.008	1.950
内黄县	0.040	0.025	0.008	1.890

(四)农业需水量

根据种植业、林果业、畜牧渔业发展预测结果和相应的需水定额预测结果，分别预测其不同水平年的需水量。

1.种植业需水量

根据农作物种植结构、灌溉面积和节水灌溉面积，以及不同降雨保证率条件下的节水和非节水灌溉定额等预测结果，预测不同水平年种植业需水量见表 14-41。

2.林果业需水量

根据林果灌溉面积和灌溉定额预测结果，预测不同水平年不同保证率的林果业需水量，见表 14-42。

表 14-41　不同水平年种植业需水量预测结果　（单位：万 m^3）

分区名称	现状年用水量	50%保证率			75%保证率		
		2010 年	2015 年	2030 年	2010 年	2015 年	2030 年
全市	158 339	110 601	110 289	91 727	137 508	134 016	114 658
安阳市区(郊)	6 554	5 308	5 590	2 913	6 901	6 988	3 641
林州市	12 132	9 379	10 077	7 690	12 193	12 596	9 612
安阳县	39 249	22 744	22 376	17 755	29 025	27 720	22 194
汤阴县	15 643	9 802	8 745	7 112	12 332	10 675	8 890
滑县	42 824	33 945	34 926	33 818	40 930	41 895	42 272
内黄县	41 938	29 422	28 575	22 440	36 128	34 143	28 050

表 14-42　林果业灌溉需水量预测结果　（单位：万 m^3）

分区名称	现状年用水量	50%保证率			75%保证率		
		2010 年	2015 年	2030 年	2010 年	2015 年	2030 年
全市	1 760	1 455	1 686	3 503	1 921	2 227	4 611
安阳市区(郊)	153	138	160	270	173	200	338
林州市	331	263	304	343	350	406	458
安阳县	65	59	68	315	72	83	383
汤阴县	68	57	67	331	76	89	441
滑县	641	526	610	612	702	814	816
内黄县	502	412	477	1 632	549	636	2 176

3. 畜牧渔业需水量

根据畜牧渔业发展预测结果和单位需水定额预测结果，预测不同水平年畜牧渔业需水量，见表 14-43。

表 14-43　畜牧渔业需水量预测结果　（单位：万 m^3）

分区名称	现状年用水量					2010 年				
	大牲畜	猪	羊	水产养殖	合计	大牲畜	猪	羊	水产养殖	合计
全市	493.99	1295.95	224.02	0.22	2014.18	590.66	1549.39	267.91	0.23	4 422.37
安阳市区(郊)	8.03	47.85	3.47	0.01	59.36	9.64	57.16	4.16	0.01	130.32
林州市	118.26	344.38	22.12	0.05	484.80	141.42	411.72	26.46	0.05	1 064.45
安阳县	91.62	226.01	40.46	0.02	358.10	109.50	270.25	48.40	0.02	786.27
汤阴县	42.34	124.83	8.76	0.10	176.03	50.66	149.25	10.48	0.11	386.53
滑县	141.18	262.16	73.67	0.02	477.04	168.78	313.44	88.10	0.02	1 047.38
内黄县	92.56	290.72	75.54	0.02	458.85	110.67	347.57	90.32	0.02	1 007.42

续表 14-43

分区名称	2015年					2030年				
	大牲畜	猪	羊	水产养殖	合计	大牲畜	猪	羊	水产养殖	合计
全市	684.70	1 796.29	310.50	0.24	2 791.74	1 423.52	3 734.24	645.47	0.38	5 803.61
安阳市区(郊)	11.10	66.36	4.82	0.01	82.28	23.07	137.86	10.00	0.01	170.94
林州市	163.92	477.33	30.66	0.05	671.96	340.82	992.34	63.73	0.08	1 396.97
安阳县	127.02	313.28	56.06	0.02	496.39	264.08	651.20	116.56	0.04	1 031.87
汤阴县	58.69	173.01	12.14	0.12	243.95	122.06	359.71	25.24	0.18	507.18
滑县	195.64	363.36	102.11	0.02	661.13	406.76	755.46	212.28	0.04	1 374.54
内黄县	128.33	402.96	104.71	0.02	636.03	266.74	837.68	217.66	0.03	1322.11

4.农业需水总量

根据种植业、林果业和畜牧渔业需水量预测结果,可以确定出安阳市不同水平年不同保证率条件下的农业需水总量,见表 14-44。

表 14-44　农业需水总量预测结果　(单位:万 m^3)

分区名称	现状年用水量	50%保证率			75%保证率		
		2010年	2015年	2030年	2010年	2015年	2030年
全市	162 114	116 477	114 767	101 035	143 853	139 037	125 075
安阳市区(郊)	6 766	5 576	5 832	3 354	7 204	7 270	4 150
林州市	12 948	10 706	11 053	9 430	13 607	13 674	11 467
安阳县	39 672	23 589	22 940	19 102	29 883	28 299	23 609
汤阴县	15 887	10 246	9 056	7 950	12 795	11 008	9 838
滑县	43 942	35 518	36 197	35 805	42 679	43 370	44 463
内黄县	42 899	30 841	29 688	25 394	37 684	35 415	31 548

四、生态环境需水量

世界上近 40%的人生活在由两个以上国家所共有的河水流域,各国为了保护各自的取用水权力和以水为依托的社会经济、生态环境,不断地讨价还价,争论、冲突,甚至战争。近年来,在许多国际会议上一致认为需要一个新的包含有生态环境用水的解决方案。1993 年,世界银行发布了一个水资源政策文件,但缺乏有关生态环境水量解决方案的具体原则。其中关键的问题是,如何确定可再生水域的水生动、植物体系的生态环境标准。可再生地下水的可维持性(生态环境可承受的)标准相当明确,那就是净提取水资源量决不能超过地下水补给量。然而,构成河流水资源的可再生性运动相当复杂。随着四季的变化,沿岸各种生命的生态环境需求,河道水系的沉淀与盐分平衡,地方居民在养鱼与娱乐方面的价值观念，以及某条河流水域方面的其他因素，对保留多少河水才能满足各种环境因素的需求，往往很难取得一致意见。即使科学家们更深入地了解某条河流复杂的生态运行，也需规定必需的径流量。1997 年联合国大会通过了《国际水域非航海使用法条款》，使处理国际间的水危机问题有了一定的依据，但仍缺乏河道内生态环境需水量的计算原则和方法。

在美国，环境用水系指服务于鱼类和野生动物、娱乐及其他美学价值类的水资源需求。主要包括：①联邦和州确定的自然和景观河流的基本流量。联邦制定了《自然和景观河流法》，将部分河流划定为自然风景类河流，以保护其不被开发或阻止开发与该法案目的不一致的水利工程，一些州也划定出本州的自然和景观河流加以保护；②河道内用水，指用于航运、娱乐、鱼类和野生动物保护等用水；③湿地需水，主要指湿地保护区的需水，包括咸水湿地、微盐沼泽和淡水湿地的需水；④海湾和三角洲的流量，为保持和控制海湾和三角洲的环境（咸度、入海流量）而规定的需水量。

我国 1990 年的《中国水利百科全书》将环境用水量定义为："改善水质、协调生态和美化环境等的用水"。并进一步解释为：①改善水质，即"对于河流，应保证枯水期的最小流量，使其得到一定的污径比，以改善水质"。②协调生态用水，即"水生物受外界非生物环境的影响……一般可根据不同鱼类区系，鱼类组成及生理习性来考虑维持鱼类生态环境用水。为了防止入海河口泥沙淤积，维护河口地区生态环境，需要保持一定的河道径流水量"。③美化环境用水，即"对于旅游区的水库、湖泊和河流，应考虑旅游景观和通航要求，保持一定的湖面和水深……在城市，主要应根据各地气候条件和水源条件，考虑城市的净化、绿化及公园湖泊等用水要求"。此外，还有为控制地面沉降的回灌用水，为减轻咸潮倒灌而加大枯水季河道水量用水等。

上述定义和概念基本上都是基于水体及与水体有直接联系的"水生态"和"水环境"的用水量。目前，我国水利界及社会各界所讨论的"生态环境用水量"，已经大大超过了上述内容和范围。例如，由中国工程院组织完成的《21 世纪中国可持续发展水资源战略研究》认为：广义的生态环境用水，是指"维持全球生物地理生态系统水分平衡所需用的水，包括水热平衡、水沙平衡、水盐平衡等，都是生态环境用水"。"狭义的生态环境用水是指为维护生态环境不再恶化并逐渐改善所需要消耗的水资源总量"。

生态环境需水量的提出，是一个社会文明的标志，是一个社会的某些物质财富不断积累和过剩的产物；它随着人们的休闲、娱乐时间的增多而增加，随着科学技术的广泛应用和社会生产力的不断提高而增值。从宏观上讲，未来的生态环境需水量是一个动态的、不断递增的变量。因而，生态环境需水量的多少，随着社会经济发展和人民生活水平的不断提高而增加。这是应当引起特别重视的问题。

基于安阳市水资源条件和经济社会发展情况等，安阳市生态环境需水量主要包括河道内与河道外生态环境需水量。其中河道内生态环境需水量是指娱乐、鱼类和景观的需水量；河道外生态环境需水量主要是指城乡的净化、绿化及公园湖泊等需水量。安阳市现状年的生态环境用水量为 483 万 m^3，占全市总用水量的 0.2%。其中河道内生态环境用水量几乎没有，河道外生态环境用水量占总生态环境用水量的 99% 以上。

安阳市的河道内需水量主要是指河道内生态环境需水量，即最小环境水量（流量）。

严格地讲,河道内最小环境水量(流量)的确定,需要考虑城市或区域的水污染综合防治,并通过水质模型的具体计算确定。由于卫河、汤河、大功河受上游来水的影响较大,在安阳市境内无法较合理地考虑和计算其河道内生态环境需水量,因此本次主要计算洹河的河道内生态环境需水量。目前,确定河道内生态环境需水量的计算方法很多,如河道内流量增加法、以曼宁公式为基础的计算方法(R2CROSS法)、河道湿周法、Montana法等。根据安阳市的具体情况和我国《制订地方水污染物排放标准的技术原则和方法》(GB3839－83)中的规定,并参考《南水北调中线工程河南省供水区——安阳市城市水资源规划报告》(2001)的有关分析结果,采用洹河安阳站近10年最枯月平均流量作为洹河的河道内生态环境需水量,即6 812万 m^3(合流量2.15m^3/s)。河道内生态环境需水量不参加河道外各单元供需水量平衡分析,只作为水资源优化配置计算的一个约束条件加以考虑。

河道外生态环境需水量,目前计算方法也很多,根据不同目的所选择的方法亦不同。如陆地生态环境需水量计算方法,大多为"面积定额法"或者是"植株定额法";湿地生态需水量,可以依据水平衡的基本原理进行计算等。对于安阳市而言,随着社会的进步和经济的不断发展,以及人们的休闲、娱乐时间的增多和对生态环境要求的不断提高等,其河道外生态环境需水量将会呈现出一种明显增加的态势,预计2010年安阳市河道外生态环境需水量(简称生态环境需水量,以下同)占总需水量的比例将达到1%左右,2015年、2030年将分别达到2%和5%左右。具体预测结果见表14-45。

表14-45　生态环境需水量预测结果　(单位:万 m^3)

分区名称	现状年用水量	50%保证率			75%保证率		
		2010年	2015年	2030年	2010年	2015年	2030年
全市	483	2 065	4 374	11 505	2 342	4 869	12 771
安阳市区(郊)	450	720	1 250	3 200	820	1 250	3 450
林州市	30	280	550	1 800	300	650	1 950
安阳县	2	350	850	2 700	350	950	2 821
汤阴县	1	150	261	920	159	301	1 050
滑县	0	340	863	1 850	450	950	2 200
内黄县	1	225	600	1 035	263	769	1 300

五、总需水量

根据生活、工业、农业和生态环境需水量预测结果,确定出安阳市不同水平年不同保证率条件下的总需水量,见表14-46。

从表14-46中可以看出,到2030年安阳市总需水量为23亿～25.5亿 m^3,即安阳市2030年的极限需水量为25亿 m^3 左右,比现状年用水量增加了4亿 m^3,平均每年新增需水量最多为1 100万 m^3,年均增长率最大为0.5%。

为了进一步分析安阳市需水量增长情况、人均需水量和需水结构,对不同保证率不同水平年的需水量进行统计分析,见表14-47至表14-50。

表14-46 总需水量预测结果 (单位:万 m^3)

分区名称	现状年用水量	50%保证率			75%保证率		
		2010年	2015年	2030年	2010年	2015年	2030年
全市	211 415	206 523	218 709	230 108	234 175	243 474	255 413
安阳市区(郊)	28 965	41 958	45 322	43 351	43 686	46 760	44 397
林州市	24 259	33 112	36 532	38 983	36 033	39 253	41 170
安阳县	46 053	35 447	37 465	42 018	41 741	42 924	46 646
汤阴县	17 429	13 296	13 056	16 513	15 853	15 048	18 531
滑县	50 358	47 942	50 712	55 614	55 213	57 972	64 622
内黄县	44 351	34 768	35 622	33 629	41 649	41 518	40 048

从表14-47和表14-48中可以看出,安阳市在保证率为50%条件下不同水平年的人均需水量在381~400m^3之间波动,总体上呈现下降趋势,比全市现状年人均用水量415m^3偏小15~34m^3,比河南省现状年人均用水量250 m^3偏大131~150m^3,比全国现状年平均水平(448m^3)偏小48~67m^3;预计2010年需水量比现状年累计减少需水量4 892万 m^3,2030年累计新增需水量1.87亿 m^3,1998~2030年期间年均增长率为0.27%。在保证率为75%条件下不同水平年的人均需水量在432~444m^3之间波动,总体上呈现略微上升趋势,比全市和河南省现状年人均用水量分别偏大17~29m^3、182~194m^3,比全国现状年偏小4~16m^3;预计全市2010年和2030年比现状年累计新增需水量分别为2.28亿 m^3、4.4亿 m^3,1998~2030年期间年均增长率为0.63%。总之,安阳市不同水平年的人均需水量在381~444m^3之间波动,在世界上位居中下水平(1995年)。

需水增长主要集中在林州市、滑县和安阳市区(郊),其2030年保证率为50%时累计新增需水量分别为1.47亿 m^3、0.53亿 m^3、1.44亿 m^3,保证率为75%时累计新增需水量分别为1.70亿 m^3、1.43亿 m^3、1.54亿 m^3。主要原因是工业的快速发展和人口增长,以及生态环境保护、建设力度的加大等造成工业、生活和生态环境需水增长较快。

由于农业广泛采取节水措施,大力推广先进的节水高产灌溉模式,农业需水量得到有效抑制,基本实现灌溉面积扩大和农业增产增收不增水的目标,到2030年农田灌溉面积比1998年新增4.11万 hm^2,而灌溉需水量50%保证率时却减少6.66亿 m^3,75%保证率时减少4.37亿 m^3,安阳市农业真正走上以追求效益为主的内涵式发展的道路。

从表14-48、表14-49中可以看出,安阳市现状年的人均用水量415m^3,其中生活用水量27m^3,工业用水量68m^3,农业用水量319m^3,生态环境用水量1m^3,其用水比例为6.6:16.5:76.7:0.2;到2030年在保证率为50%条件下安阳市需水结构为16.8:34.3:43.9:5.0(生活需水量:工业需水量:农业需水量:生态环境需水量),即安阳市的需用水结构由现状年的极不协调状况逐步调整为比较协调的发展态势,为安阳市生活、生产和生态协调发展提供了强有力的保障。

表 14-47　保证率为 50%条件下需水量统计分析结果

分区名称	现状年用水量	总需水量(万 m^3)			累计新增需水量(万 m^3)			现状年人均用水量(m^3/人)	人均需水量(m^3/人)		
		2010	2015 年	2030 年	2010 年	2015 年	2030 年		2010 年	2015 年	2030 年
全市	211 415	206 523	218 709	230 108	−4 892	7 294	18 693	415	381	394	400
安阳市区(郊)	28 965	41 958	45 322	43 351	12 993	16 357	14 386	403	542	569	515
林州市	24 259	33 112	36 532	38 983	8 853	12 273	14 724	251	327	355	373
安阳县	46 053	35 447	37 465	42 018	−10 606	−8 588	−4 035	413	299	310	337
汤阴县	17 429	13 296	13 056	16 513	−4 133	−4 373	−916	398	285	274	336
滑县	50 358	47 942	50 712	55 614	−2 416	354	5 256	429	379	391	411
内黄县	44 351	34 768	35 622	33 629	−9 583	−8 729	−10 722	654	479	480	436

表 14-48　保证率为 75%条件下需水量统计分析结果

分区名称	现状年用水量	总需水量(万 m^3)			累计新增需水量(万 m^3)			现状年人均用水量(m^3/人)	人均需水量(m^3/人)		
		2010 年	2015 年	2030 年	2010 年	2015 年	2030 年		2010 年	2015 年	2030 年
全市	211 415	234 175	243 474	255 413	22 760	32 059	43 998	415	431.56	439	444
安阳市区(郊)	28 965	43 686	46 760	44 397	14 721	17 795	15 432	403	564.61	587	528
林州市	24 259	36 033	39 253	41 170	11 774	14 994	16 911	251	355.87	382	394
安阳县	46 053	41 741	42 924	46 646	−4 312	−3 129	593	413	352.43	355	374
汤阴县	17 429	15 853	15 048	18 531	−1 576	−2 381	1 102	398	340.11	316	377
滑县	50 358	55 213	57 972	64 622	4 855	7 614	14 264	429	436.77	447	478
内黄县	44 351	41 649	41 518	40 048	−2 702	−2 833	−4 303	654	574.22	559	519

表 14-49　保证率为 50%条件下的需水结构分析结果　（%）

分区名称	生活				工业			
	现状年	2010 年	2015 年	2030 年	现状年	2010 年	2015 年	2030 年
全市	6.6	11.7	12.6	16.8	16.5	30.9	32.9	34.3
安阳市区(郊)	18.6	17.7	18.3	22.7	56.5	67.3	66.1	62.2
林州市	8.7	14.1	14.4	18.7	37.8	52.7	53.9	52.5
安阳县	5.0	14.7	15.8	23.5	8.9	17.8	20.7	24.6
汤阴县	4.7	9.6	11.5	14.6	4.2	12.2	17.1	31.7
滑县	4.1	6.9	7.6	9.7	8.7	18.3	19.4	22.6
内黄县	3.0	6.7	8.1	11.4	0.3	4.0	6.9	10.0

分区名称	农业				生态环境			
	现状年	2010 年	2015 年	2030 年	现状年	2010 年	2015 年	2030 年
全市	76.7	56.4	52.5	43.9	0.2	1.0	2.0	5.0
安阳市区(郊)	23.4	13.3	12.9	7.7	1.6	1.7	2.8	7.4
林州市	53.4	32.3	30.3	24.2	0.1	0.8	1.5	4.6
安阳县	86.1	66.5	61.2	45.5	0.0	1.0	2.3	6.4
汤阴县	91.2	77.1	69.4	48.1	0.0	1.1	2.0	5.6
滑县	87.3	74.1	71.4	64.4	0.0	0.7	1.7	3.3
内黄县	96.7	88.7	83.3	75.5	0.0	0.6	1.7	3.1

表 14-50　保证率 75%条件下的需水结构分析结果　（%）

分区名称	生活				工业			
	现状年	2010 年	2015 年	2030 年	现状年	2010 年	2015 年	2030 年
全市	6.6	10.3	11.4	15.1	16.5	27.2	29.5	30.9
安阳市区(郊)	18.6	17.0	17.7	22.1	56.5	64.6	64.1	60.7
林州市	8.7	13.0	13.4	17.7	37.8	48.4	50.1	49.7
安阳县	5.0	12.5	13.8	21.2	8.9	15.1	18.1	22.2
汤阴县	4.7	8.0	10.0	13.0	4.2	10.2	14.8	28.2
滑县	4.1	6.0	6.6	8.3	8.7	15.9	16.9	19.5
内黄县	3.0	5.6	6.9	9.6	0.3	3.3	5.9	8.4

分区名称	农业				生态环境			
	现状年	2010 年	2015 年	2030 年	现状年	2010 年	2015 年	2030 年
全市	76.7	61.4	57.1	49.0	0.2	1.0	2.0	5.0
安阳市区(郊)	23.4	16.5	15.5	9.3	1.6	1.9	2.7	7.8
林州市	53.4	37.8	34.8	27.9	0.1	0.8	1.7	4.7
安阳县	86.1	71.6	65.9	50.6	0.0	0.8	2.2	6.0
汤阴县	91.2	80.7	73.2	53.1	0.0	1.0	2.0	5.7
滑县	87.3	77.3	74.8	68.8	0.0	0.8	1.6	3.4
内黄县	96.7	90.5	85.3	78.8	0.0	0.6	1.9	3.2

从表 14-50 中可以看出，安阳市现状年的用水比例为 6.6∶16.5∶76.7∶0.2(生活用水量∶工业用水量∶农业用水量∶生态环境用水量)，农业用水量占全市总用水量的比重明显偏高，反映出安阳市以农业为主的经济特征。安阳市未来尽管大力优化和调整产业结构、积极扶持发展高新技术产业和优势传统工业以及第三产业等，其需水结构的基本格局仍将不会发生根本性的改变，农业需水量仍将占据较大比重，但将逐步下降，而工业、生活和生态环境需水量所占的比重将有所上升。预计到 2030 年在保证率为 75% 条件下的需水结构将变化为 15.1∶30.9∶49.0∶5.0(生活需水量∶工业需水量∶农业需水量∶生态环境需水量)，即安阳市的需用水结构由现状年的极其不协调状况逐步调整为比较协调的发展态势，为安阳市经济社会可持续发展奠定坚实的基础。同时，安阳市需水结构的变化基本反映了全市产业结构调整和社会经济良性发展的趋势。

第十五章　水资源配置动态模拟模型

第一节　国内外研究概况

水资源系统分析源于20世纪40年代Masse提出的水库优化调度问题。50年代以后，随着系统分析与优化技术的引入以及60年代以来计算机技术的发展，使水资源系统模型技术得以迅速发展。由于水资源系统的复杂性（包括自然、工程、经济、社会以及环境的复杂性），使得简单使用某些优化技术往往并不能取得预期的结果，而水资源供需平衡模拟模型技术可更加详细地描述水资源系统内部复杂关系，通过有效的分析计算，可以获得较为合理的结果，近10～20年研究和应用发展迅速，特别是在我国应用成果尤为显著。

一、国外研究概况

自20世纪50年代以来，国外对水库调度及水资源系统运行模拟方面作了大量的研究，应用线性规划、非线性规划、动态规划、网络技术、多目标优化等技术在解决水库调度、流域规划与管理、水资源开发与管理等复杂问题方面取得了相当大的进展，并有不少较成功的范例。例如，美国密苏里河流域研究六水库的调度问题、南斯拉夫Moraua流域的水资源规划管理、加拿大Ottawa流域及Great Lakes系统的水资源规划与调度、华盛顿特区城市配水系统、阿根廷河Rio Colorado流域的水资源开发规划等。同时，还出现了一些商业软件，如HEC-3和HEC-5（主要应用于防洪）等。还有荷兰推出的水资源规划商业化软件，已在一些国家得到了应用。

二、国内研究概况

我国水资源大系统的研究起步较迟，但发展很快，应用成果喜人。如80年代初华士乾等对北京地区的水资源系统的研究，方淑秀、黄守信等（1990）对滦河的跨流域引水多水库联合优化调度的研究，翁文斌等对区域水资源规划中的供水可靠性的研究。《水资源大系统优化规划与优化调度经验汇编》一书集中介绍了20世纪80、90年代水资源大系统研究领域的发展。特别是中国水利水电科学研究院水资源研究所、黄河水利委员会勘测规划设计研究院、河北省水利厅设计院、长江水利委员会，分别结合国家"八五"攻关华北地区水资源管理项目、世界银行黄河流域经济模型、亚行海南项目、UNDP华北水资源管理项目、河北省水资源宏观经济规划项目、新疆北部地区水资源可持续开发利用项目以及南水北调项目等重大项目，开发和改进了水供需模拟模型，解决区域性水资源供需平衡规划问题，取得了较好的效果。邯郸市水资源管理项目（甘泓、尹明万，1998）率先在地区一级行政区域，应用了水供需模拟模型。大沙河流域水资源规划研究项目（尹明万、李令跃，1999）研制出了第一个针对小流域规划的水供需平衡优化模拟模型，其突出特点：一是模型除了能够以全局最优进行优化模拟以外，还可以按流域从上到下分段以不同的优先级别进行优化模拟；二是模型中对大、中、小型水利工程的应用过程都要详细反映。国家“九五”新疆水资源攻关项目(尹明万，1999)研制出了第一个可适用于巨型水资源系统的智能型模拟模型，该项目有两个突出特点：一是考虑了河道内生态供水的要求；二是水系统巨大，要素众多，为保证计算精度和加快计算速度，模型中采用了智能化技术。

三、发展趋势

由于水资源系统的复杂性以及还存在着政治、社会、经济、环境、生态、决策偏好等各种非技术性因素，使得简单使用某些优化技术并不能取得比较合理的结果。随着系统分析、优化技术的应用以及计算机技术的飞速发展，水资源系统分析技术也得以迅速发展。在水资源系统分析中，考虑更多的因素、更复杂的关系，不仅理论上更加合理，而且求解也成为现实可能。尤其是水资源供需平衡模拟模型方法能够综合运用上述先进技术，更加真实地、详细地描述水资源系统复杂的内部关系和外部边界，通过有效的分析计算，获得满意的结果，为水资源宏观规划及实际调度运行提供较为充分的科学依据。无论是在方法研究还是实际应用方面，水资源供需平衡模拟模型发展得都比较快。

当前水资源大系统供需平衡分析的发展趋势，一是对水资源系统结构、供求关系的描述更深入和具体，更多地采用水文长系列分析方法；二是从区域社会、经济、环境及生态持续发展的动态角度研究水资源供需平衡，从而使水资源供需平衡模拟模型成为更高层次的水资源分析模型(如水资源决策支持系统)的一部分；三是在软件技术方面，更加强调通用性、易维护性、界面的友好性，各子模型间的数据交换多以数据库为中心。

第二节　动态模拟分析的思路

一、动态模拟概念

水资源配置动态模拟中的基本概念主要包括水资源系统、用水的竞争性、水资源时空调节、水资源可持续利用等方面的一些基本观点和认识。

(一)水资源系统概念

水资源有多种功能可为人类服务。例如：向工业、农业、生活、环境、生态等方面的供水，通常利用的是水量及水的有关物理化学性能；航运利用的是水体的承载能力；水力发电利用的是水的运动能量。水资源不仅可以兴利，也可能带来灾害，如洪涝灾害、水环境污染等。人类通过合理利用自然物和人工建筑物，调度控制水资源，达到兴利除害的目的。

水资源系统研究包括四个重要方面：①水源。主要包括大气水、地表水、土壤水和地下水，经处理后的水和从系统外调入的水等。②水运动转化所涉及的各种物体。例如河流、湖泊、水库、塘、池、窖、水坝、水闸、渠道、管道、地下水库、地下水通道等。③水的运动和转化规律。④人类控制和调度水资源的目的。可能是单一目的，也可能是为了多种目的。

水资源系统一般具有如下特点：

(1)多水平年：对于安阳市水资源规划，选择了 4 个规划水平年，即 1998、2010、2015 年和 2030 年。

(2)多层次多地区：对于安阳市水资源规划，有 3 个层次。最高层次是整个安阳市，中间层次是 6 个行政分区，最低层次是 20 个计算单元。分析计算结果，从微观到宏观逐层向上汇总。每一个计算单元就是一个地区。水资源的配置是着眼于整个水资源系统，水的供需平衡则逐个单元、逐个用户、逐个工程、逐个时段地进行。

(3)多水源：包括地表水、地下水、污水处理回用水、外调水和其他水源(如微咸水)。

(4)多用户：分河道外与河道内用水户。河道外用水包括生活用水(又分居民生活用水和公共生活用水、农村人畜用水、菜田用水等)、工业用水(包括各主要非农业部门)、农业灌溉用水(包括畜牧业和林果业)等。河道内包括水力发电用水，航运、环境、排沙、入海等的最小流量要求。

(5)多工程：包括蓄水工程、引水工程、提水工程、污水处理工程、供水工程、输水工程、排水工程等。

(6)多目标：由于系统运行策略的不同可具有不同的调度运行目标，它包括最大经济效益、最小水量损失和最大保证供水量等。

对于本项目来说，南水北调中线工程向安阳市供水的成本价格很贵(无论是基本水价，还是计量水价)，其供水量和水价体系目前还难以确定，今后这些方面的变化可能对安阳市的财政、水资源系统的调配目标和策略都会产生重大影响。包括用多少南水北调中线的水、何时多用何时少用、社会经济用水与环境用水(特别是补充地下水)的协调等。这是我国以往区域水资源规划项目所没有遇到的新问题。难度和工作量都将大大增加。

(7)风险性：由于来水的随机性导致水资源系统调度的困难，从而造成了水资源系统的供水风险。

(二)用水的竞争性

由于水量不足、水质达不到用水标准或工程调蓄能力限制所导致的在用水目的上、时间上、地域上的冲突，从而产生用水目的上的竞争性。主要表现在：防洪与兴利，以及兴利诸目标间的用水矛盾。如防洪需要在汛前尽量多预留一些防洪库容，而兴利诸目标均希望水库在汛期多蓄水，以备汛后“均匀”地利用。在有限的水资源已成为区域可持续发展的主要制约因素时，若满足迅速增长的城市与工业用水，则势必影响农业灌溉；若把有限的资金用于扩大供水能力，则可能弱化水源地保护和污水治理，从而导致水污染和有效水资源量的减少，形成开发与保护的矛盾。

用水竞争性在时间上的冲突主要体现在发电与灌溉、城市供水与灌溉、通航与发电的用水矛盾上。对于水力发电、城市与工业供水等一般需要在各时段有稳定的水库泄水量，而灌溉用水则有较强的季节性，因而产生了年内均匀用水与灌溉期集中用水的冲突。又如水库水电站一般担负电力系统的调峰任务，因而往往一天仅在几个小时内大量用水，造成下游河道水位变化较大，给航运和泊岸装卸操作带来困难。

用水竞争性在地域上的冲突主要体现在上下游、左右岸的可用水量及水质上。往往是上游多用水，下游可用量不足；上游水质条件好而下游河水矿化度升高，并常常受到污废水污染的威胁。

用水目的上的竞争性,在决策上属于多目标决策问题。

(三)水资源时空的可调节性

通过工程与非工程措施对水资源进行再分配,使供水在时空分布上符合用水需要,并在地域分布上与需水分布相适应。

时间上的调节分为年内调节和年际调节。由于水库库容的补偿作用,将水文年的丰水期(通常为6~9月)的水储存起来,到枯水期用称年内调节。年际调节则是在丰枯水年之间进行调节。时空调节不仅包括用于各种用途的供水,而且还包括防洪排涝。由于雨季集中,我国大部分水资源量由暴雨洪水形成。

从水源组成看,地表水资源季节性很强,且数量较大。地下水资源数量较少,除受抽水能力限制外,可进行季调节和多年调节。

从用水特性看,城市用水年内年际变化不大,受季节和气候影响有一定差别。而农业灌溉用水则主要集中在作物生长期,同时年际变化也较大。

地域调节的主要工程手段是远距离调水、区域换水。远距离调水如南水北调工程,将富水区可调水量直接调入缺水区。区域换水则是某区域下游有了外调水以后,其对本区域水资源需求下降,从而允许本区域上游可以多用水。地域调节涉及范围更加广大,问题更加复杂,需同时考虑水资源调入和调出区的利益,使水资源得到合理利用。

(四)水资源的可持续利用原则

水资源可持续利用是为保证人类社会经济和生存环境的持续协调发展,对水资源实行可持续开发和利用的原则。在水资源的开发利用中,应遵守供饮用的水源和土地生产力得到保护的原则,保护生物多样性不受干扰或生态系统平衡发展的原则,对可更新的淡水资源的不可过量开发使用的原则。绝对不能损害地球上的生命支持系统,包括生态系统,必须保证为社会和经济可持续发展所需物资的合理供应。还应注意自然界中对水循环过程和水资源可持续利用的各种干扰因素。对于安阳市来说,为了确保实现水资源的可持续利用,需要解决两个问题:一是要尽快遏制对地下水的超采;二是要抓好水污染的防止和治理,特别要保护好小南海泉、珍珠泉和彰武水库等水源。

二、动态模拟分析的基本思路

(一)建模的基本思路

水资源系统供需平衡分析,是当今水资源短缺地区实施水资源可持续发展战略、制定水的合理分配与管理政策措施工作中极为重要的内容之一。其方法已不能局限于用多年平均法、典型年法或一般的常规水平衡模拟计算方法去解决复杂水资源系统的问题。对不同水源的传输供给也应分别加以考虑。水资源系统供需平衡问题还涉及到流域或区域的宏观经济发展。

本研究在了解和掌握国内外先进技术和发展趋势,以及我们以往的研究成果基础上,针对安阳市水系统具体情况,进行深入研究,并建立实用性很强的水资源供需平衡优化模拟模型。在城市及农村需水预测、工程方案组合、污水处理回用等方面,都与水资源宏观经济模型、水资源多目标分析模型以及水环境分析模型紧密结合,并将水供需平衡分析模型作为水资源决策支持系统的一部分，做到之间有效连接与反馈，同决策支持系统融为一体，从而完成水资源系统分析的任务与目标。

在水资源系统描述方面，采用了多水源(地表水、地下水、外调水及污水处理回用水)，多工程(蓄水工程、引水工程、提水工程、污水处理工程以及闸堰湖泊洼淀等)，多水传输系统(包括地表水传输系统、外调水传输系统、弃水污水传输系统和地下水的侧渗补给与排泄关系)的系统网络描述法。该方法使水资源系统中的各种水源、水量在各处的调蓄情况及来去关系都能够得到客观的、清晰的描述，为得到水资源供需平衡的正确结果打下了基础。

在运行方案上考虑了对系统内的不同地区或流域的选择和定义，各个工程方案组合，各水平年的需水量、来水量的预测，以及污水处理与回用能力、节水水平、地下水可开采量、工程运行规则、各种参数等。

在结果分析上包括了各系统元素的水平衡分析、系统内各分区的供水量及供水能力分析、供水效益分析、水源利用情况、弃水情况、污水排放情况、工程分水情况、河流与渠道过流情况、系统发电量等。并对各模拟计算方案进行综合分析比较，寻找出合理可行的规划方案。

在软件实现方面，采用 GAMS 语言编制模拟优化求解核心模型，采用 FOXPRO 语言编制用户界面以及实现数据库管理。

(二)模拟计算概念

模拟是一种用数学方法尽可能真实地描述系统的各种重要特性和系统行为的模型技术。模拟模型是实现模拟的一种工具，应用它能够观察和了解已有或虚拟系统对给定输入的响应，便于在系统规划和运行中正确决策，从而避免实际决策的失误或节省物理模拟的大量费用。典型的水资源模拟模型，是在给定的系统结构和参数以及系统运行规则下，对水资源系统进行逐时段的调度操作，然后得出水资源系统的供需平衡结果。水资源系统概念图反映了一般水资源系统的基本结构以及各种水源通过蓄水、输水、用水而建立起的相互依存、相互转换关系。由于水资源系统的复杂性，对系统的全部特性和演变规律都详尽地模拟是不现实的。因此，必须根据模拟计算的目的与需要，紧紧抓住主要问题和主要矛盾，深入分析和研究水资源系统，对与模拟计算的目的相关的各种重要特性和规律都要真实地在模拟模型中加以反映，而对其他次要方面需作适当的概化。

(三)模型的特点

由于水资源系统内部结构十分复杂，涉及方面非常广泛，简单使用某些优化方法难以取得区域性水资源供需平衡的合理结果。水资源模拟模型能够综合运用系统分析方法、运筹方法、多水平年动态水资源供需平衡思想、水文长系列模拟操作方法以及风险分析和统计学方法等，因而能够得到比较符合实际的计算结果。通过理论和技术改进，安阳市水供需平衡优化模拟模型主要具有以下特点：

(1)不仅能较完整地反映单站地表径流的季节和年际变化，又能反映多站地表径流间的不同步性。这是进行系统长系列调节的必然结果。

(2)较合理地反映农业需水的变动要求。长系列调节能够同时考虑所在地域降水系列，通过有效降水的转换可以求出种植业的需水过程，以反映系统的变动需水要求。这样就能够更深入地反映供需矛盾的客观事实。

(3)能考虑地下水各项补给来源的系列变化。模拟模型可以利用分区地下水各项参数,逐时段计算地下水的各项补给。

(4)能实现地表水与地下水的联合供水,尽可能发挥年际变化相对较小、调节作用相对较强的地下水对地表水的供水补偿作用,提高供水可靠性。

(5)能较真实地确定供水保证率及确定超出保证率年份的供水破坏深度及其持续性影响。

(6)通过不同优化目标,综合分析和评价各个水资源配置方案的差异,并给出相应的水资源供需态势。

三、水资源配置模式

根据安阳市水资源及其开发利用现状评价结果,对将来安阳市社会经济发展预测和水源条件,以及水资源供需态势的基本分析,认为安阳市的水资源配置模式应该是以水源配置和用水配置相结合的综合配置模式。

根据水资源优化配置的基本原则,当水源充足、用水不紧张时,应以水源配置为主,实现供水成本最低的目标;但当用水紧张、水源不充足时,则应以用水配置为主,实现供水效益最大的目标。由于水资源时空分布的极不均匀性和工程调蓄能力的有限性等,同一计算单元在有些时段可能水源充足,而在另外一些时段可能用水紧张,或者在同一时段有些计算单元水源充足,另一些单元用水紧张。因此,安阳市水资源配置模式宜选择水源—用水综合配置模式。

第三节　动态模拟模型的基本任务

水资源配置动态模拟模型是研究和解决水资源问题的一个重要模型。它的主要任务是进行水资源系统的供需平衡计算。它或者单独运行直接分析水资源系统的供需平衡、联合调度、工程有效供水量等问题;或者作为更高层次的模型的一个子模型,与其他模型一起运行,除了分析和回答上述问题之外,还可以回答不同规划水平年的给定供水工程组合及节水措施、污水处理回用措施等条件下,水资源动态供需平衡问题及对地区社会经济发展的制约问题,并为搞清楚宏观方案的区域经济效果、水资源及水环境效果、规划供水工程的宏观经济效益等提供翔实的数据和结果。概括地讲,该模型主要有以下几项内容:

(1)客观地描述和反映安阳市水资源系统;

(2)合理地进行长系列水资源供需平衡调度模拟操作;

(3)从时间和空间的角度,给出安阳市各规划水平年水资源系统供需平衡的总体结果和详细结果;

(4)结合不同优化目标,分析在将来南水北调中线工程实行不同的水价体系和运行机制的前提下,安阳市应该采取的水资源配置措施及其效果。

上述第一点是对水资源模拟模型的最基本的也是最重要的要求。

首先需要从时间和空间的角度对所研究的水资源系统做出正确的划分。在时间方面,要结合该地区社会经济发展的需要,将整个规划研究时期划分为若干个水平年。对每一水平年又要划分若干计算时段。在空间方面,首先需要按行政区进行划分,还要按流域特性和用水特点进一步划分更细的供水区,即计算单元。计算单元的划分要基本保证在同一计算单元内水资源的供需特性(包括用户、水源、水量、水质、水量损失、地表及地下水库的特征参数及供水范围等)比较均匀。

要正确描述各种可能的供水水源及各类需水要求。它们不但在地域分布上有所不同,而且在时间分布上也有差异。某些水源之间存在着一定的转化关系,各类需水对供水水源也起着反馈和补充的作用。

由于河川地表径流季节变化(即年内分配)明显的不均匀性,以及年际变化(即多年期间)的连丰、连枯的现象,使得要合理地利用地表径流,就必须有很大的调蓄库容。兴建大型水库的制约因素很多,加之多数水库要承担相应的防洪任务,汛期蓄水位受到防洪限制水位约束,不允许多水多蓄,通常汛期弃水、非汛期缺水,遇到连续枯水年水库蓄不到设计正常高水位的现象极为普遍。

浅层地下水的主要补给来源是当地的降水。补给的途径是通过整个面上的降水入渗、河道及渠道渗漏、田间灌溉入渗来实现的。地下水的侧渗也将影响计算单元的地下水资源量。地下水补给变化相对于地表径流而言要“平坦”得多。在地表水源与地下水源的联合调度中,可利用地下水对地表水进行补偿,减少系统缺水和弃水。

种植业的需水随作物生长期内有效降水分布不同而变化,有明显的季节变化与年际变化特征。对此本模型中作了考虑。此外,这部分的需水要求通常很难得到较充分的满足。特别是在华北等缺水地区。

合理地进行长系列水资源供需平衡调度模拟操作,给出水资源系统供需平衡结果是模拟模型的主要计算工作量之所在。

通常这些分析的内容包括:

(1)研究系统内各水资源利用分区的水量平衡;

(2)各大中型水库(包括地下水库)的水量平衡;

(3)各调入水工程的供水情况和弃水情况;

(4)同时向本地区和外地区供水的工程的供水情况和弃水情况;

(5)各水资源利用分区和水库的供水保证率;

(6)各分区的地表水、地下水、污水处理回用量以及外调水的使用比例;

(7)各输水渠道(管道)的过流能力;

(8)各分区间的分水比例;

(9)水库各供水对象间的分水比例;

(10)各水利工程和各水资源利用分区的供水效益计算;

(11)各水库(包括地下水库)运用方式的比较及运行规则的推求;

(12)连续枯水条件下的国民经济缺水损失。

对安阳市还包括以下内容:

(1)研究南水北调中线工程水价体系和运行机制对安阳市的用水策略的影响;

(2)研究南水北调中线工程不同供水方案对安阳市水供需平衡的影响。

通过对水资源系统的众多方案的优化模拟计算,就能够弄清楚系统中的各个主要因素对系统水资源供需平衡的影响,各种措施对水资源可持续利用的影响规律。

如果是作为水资源决策支持系统总体模型的一个子模型,模拟模型还要在总体模型的控制下,与影响供需平衡计算输入的有关子模型和与需要引用供需平衡计算输出结果的有关子模型进行信息交换与反馈。各子模型间的信息交换与反馈可通过总体模型及各子模型所建立的数据库来实现。各个模型联合运行,共同形成水资源决策支持系统,为安阳市水资源决策提供帮助,为地区社会经济的持续发展服务。

第四节　动态模拟模型

一、模型结构

水资源系统中各类物理元素(水库工程、水资源计算单元、河渠道交汇点等)概化为结点,各结点间通过线段(河道或渠道等)连接,形成水资源系统概化网络图(见图 16-1)。

水资源系统供需平衡模拟模型由五部分构成:①基本物理元素(集合);②各物理元素量度数据(参数及变量);③物理元素之间的相互关系(约束条件)和系统协调准则(目标函数);④解决问题的方法;⑤各物理元素在此基础上所处的状态(结果)。模型设计主要包括对水资源空间关系、时间关系的描述和模型的约束条件的建立。

二、主要约束方程

(1)水库地表水库容水平衡方程:

$$
\begin{aligned}
XRSV_t^i = {} & XRSV_{t-1}^i + PRSF_t^i \\
& + \sum_{ls(u(i),i)} (PCSC1^{ls(u(i),i)} \cdot XCSI_t^{ls(u(i),i)} + PCSC2^{ls(u(i),i)} \cdot XCSA_t^{ls(u(i),i)}) \\
& + \sum_{lo(u(i),i)} (XCSR_{t-1}^{lo(u(i),i)} + PCSC3^{lo(u(i),i)} \cdot XCSO_t^{lo(u(i),i)}) \\
& - \sum_{ls(i,d(i))} (XCSI_t^{ls(i,d(i))} + XCSA_t^{ls(i,d(i))}) \\
& - \sum_{lo(i,d(i))} XCSO_t^{lo(i,d(i))} - PRSL^i \cdot \frac{1}{2}(XRSV_{t-1}^i + XRSV_t^i) \quad \forall t, i
\end{aligned} \tag{15-1}
$$

(2)水库外调水库容水平衡方程:

$$
\begin{aligned}
XRDV_t^i = {} & XRDV_{t-1}^i + PRDF_t^i \\
& + \sum_{ld(u(i),i)} (PCSC1^{ld(u(i),i)} \cdot XCDI_t^{ld(u(i),i)} + PCSC2^{ld(u(i),i)} \cdot XCDA_t^{ld(u(i),i)} \\
& - \sum_{ld(i,d(i))} (XCDI_t^{ld(i,d(i))} + XCDA_t^{ld(i,d(i))}) \\
& - \sum_{lo(i,d(i))} XCDO_t^{lo(i,d(i))} - PRSL^i \cdot \frac{1}{2}(XRDV_{t-1}^i + XRDV_t^i) \quad \forall t, i
\end{aligned} \tag{15-2}
$$

(3)水库库容限制:

$$
\begin{aligned}
& XRSV_t^i + XRDV_t^i \leqslant PRSU_t^i \qquad \forall t, i \\
& XRSV_t^i + XRDV_t^i \geqslant PRSL_t^i \qquad \forall t, i
\end{aligned} \tag{15-3}
$$

其中：

$$PRSU_t^i = \begin{cases} PRSU1_t^i & PRSL_t^i \leqslant VRSV_{t-1}^i + VRDV_{t-1}^i < PRSU2_t^i \\ PRSU2_t^i & VRSV_{t-1}^i + VRDV_{t-1}^i \geqslant PRSU2_t^i \end{cases} \quad \forall t, i \tag{15-4}$$

$$PRSL_t^i = PRSL1_t^i \quad \forall t, i \tag{15-5}$$

式(15-4)表示汛限水位的限制。即当上时段水库库容(水位)落在防洪限制库容(水位)以上时,以防洪限制库容(水位)为上限,否则仍以最大库容(水位)为上限。而水库的农业供水量则受水库限制供水线的限制,当上时段末水库库容(水位)在该线以下时,则停止向农业供水,如下式表示:

$$\sum_{ls(i,d(i))} XCSA_t^{ls(i,d(i))} + \sum_{ld(i,d(i))} XCDA_t^{ld(i,d(i))} \begin{cases} = 0 & VRSV_{t-1}^i + VRDV_{t-1}^i < PRSL2_t^i \\ \leqslant PCSU_t^i & VRSV_{t-1}^i + VRDV_{t-1}^i \geqslant PRSL2_t^i \end{cases} \quad \forall t, i \tag{15-6}$$

(4)水库分水量限制。对于向多个计算单元同时供水的水库,如果完全按优化目标进行供水优化分配,在枯水年或偏枯水年就可能出现这样的情况:最近的计算单元供水很多,需水得以全部满足,而较远的计算单元供水很少,破坏程度很大。实践经验告诉我们,无论是从时间分布还是从空间分布的角度看,需水发生破坏时,都是以“宽浅式”破坏所造成的损失最小。另一方面,实际上有些水库本身对各地区的供水都有一定约定的,供水调度必须遵守。否则,可能会导致地区之间的矛盾。因此,对于这样的水库,当进行供水调度计算时,水库对下游元素(下游水库、下游供水区或下游节点)的分水量按下式进行计算,即按确定分水比进行水量的地区分配。

$$\begin{aligned} & XCSI_t^{l(i,d(i))} + XCSA_t^{l(i,k(i))} + XCDI_t^{l(i,d(i))} + XCDA_t^{l(i,k(i))} \\ &= PCSD^{l(i,d(i))} \cdot \Big(\sum_{ls(i,d(i))} (XCSI_t^{ls(i,d(i))} + XCSA_t^{ls(i,d(i))}) \\ &\quad + \sum_{ld(i,d(i))} (XCDI_t^{ld(i,d(i))} + XCDA_t^{ld(i,d(i))}) \Big) \quad \forall t, i, l(i,d(i)) \end{aligned} \tag{15-7}$$

其中 $PCSD$ 为某渠道分水比例。对地表水和外调水也可按上式分别进行计算。而对城市、农村供水比例,可参照类似方法进行定义,不再赘述。

对于有些水库,供水约束可能不需要式(15-7),而是通过渠道的过水能力进行限制。

(5) 河流渠道过流能力约束:

$$XCSO_t^l + XCDO_t^l \leqslant PCSU_t^l \quad \forall t, l \tag{15-8}$$

(6)河流渠道最小流量要求:

$$XCSO_t^l + XCDO_t^l \geqslant PCSL_t^l \quad \forall t, l \tag{15-9}$$

(7)水平衡计算单元城市供水水平衡方程:

$$\begin{aligned} PZWI_t^j = & XZSF1_t^j \\ & + \sum_{ls(u(j),j)} PCSC1^{ls(u(j),j)} \cdot XCSI_t^{ls(u(j),j)} \\ & + \sum_{ld(u(j),j)} PCSC1^{ld(u(j),j)}) \cdot XCDI_t^{ld(u(j),j)} \end{aligned}$$

$$+ XZGI_t^j + XZTI_t^j + XZMI_t^j \qquad \forall t,j \tag{15-10}$$

(8)水平衡计算单元农村供水水平衡方程：

$$\begin{aligned} PZWA_t^j = {} & XZSF2_t^j \\ & + \sum_{ls(u(j),j)} PCSC2^{ls(u(j),j)} \cdot XCSA_t^{ls(u(j),j)} \\ & + \sum_{ld(u(j),j)} PCSC2^{ld(u(j),j)} \cdot XCDA_t^{ld(u(j),j)} \\ & + \sum_{lo(u(j),j)} (XCTL_{t-1}^{lo(u(j),j)} + XCSR_{t-1}^{lo(u(j),j)} \\ & + PCSC3^{lo(u(j),j)} \cdot XCSO_{t-1}^{lo(u(j),j)}) \\ & + XZGA_t^j + XZTA_t^j + XZMA_t^j + XZSN_{t-1}^j - XZSN_t^j \\ & - \sum_{lo(j,d(j))} XCSO_t^{lo(j,d(j))} \qquad \forall t,j \end{aligned} \tag{15-11}$$

其中，上游区域或水库的弃水 $XCSO$、农业灌溉回归水 $XCSR$ 和可用的剩余污水处理回用水 $XCTL$ 以及本流域河网调蓄水 $XZSN$ 均考虑了流达时间或滞后时间的影响。式(15-9)、式(15-10)中 $XZMI$ 和 $XZMA$ 为分区缺水量，当所有地表水、地下水、外调水、污水回用水及上游弃水、回归水等均不能满足本单元的需水要求时，其值大于零，认为是缺水。从而可由需水量减去缺水量得到城市总供水 $XZWI$ 和农村总供水 $XZWA$。上游剩余污水处理水量也可通过渠道过水变量 $XCSR$ 相互转换。其他不再赘述。

(9)计算单元生态供水水平衡方程。生态需水分河道内需水与河道外需水，需要分别进行平衡。计算单元河道外生态供水采用以下平衡方程：

$$\begin{aligned} PZWE_t^j = {} & XZSF3_t^j + \sum_{ls(u(j),j)} PCSC3^{ls(u(j),j)} \cdot XCSE_t^{ls(u(j),j)} \\ & + \sum_{ld(u(j),j)} PCSC3^{ld(u(j),j)} \cdot XCDE_t^{ld(u(j),j)} \\ & + \sum_{lo(u(j),j)} (XCTLE_{t-1}^{lo(u(j),j)} + XCSRE_{t-1}^{lo(u(j),j)} \\ & + PCSC3^{lo(u(j),j)} \cdot XCSOE^{lo(u(j),j)}) + XZGE_t^j + XZTE_t^j \\ & + XZME_t^j + XZSNE_{t-1}^j \end{aligned} \tag{15-12}$$

原则上所有地表水、地下水、外调水、污水回用水及上游弃水、回归水等均可以参加河道外生态需水的平衡。河道外生态需水与生活需水和生产需水要求不一样，要求每一个时段必须平衡，而河道外生态需水弹性要大得多，可以每个时段刚好平衡，也可以不平衡，只要每个时段的供需量在允许的上下限之间，而全年或两三年的供水量与需水量平衡即可。

河道内需水的供需平衡约束方程主要有：最小流量约束、年最小过水量约束、河道水质约束等。安阳市河道内需水的控制，本规划选择的是在重点保护河段上建立约束方程。所选择的重点保护河段是洹河上从安阳站到洹河与卫河的汇合处。方程式比较多、比较复杂，在此省略。

(10)分区内地表水源的利用：

$$XZSF1_t^j + XZSF2_t^j = PZSF_t^j \qquad \forall t,j \tag{15-13}$$

一般而言，分区内地表水源主要用于农业灌溉和林牧渔业发展。因此，城市利用部分大多为 0。

(11)回归水量计算:

$$XZSR_t^j = PZSR_t^j \cdot XZWA_t^j \qquad \forall t,j \tag{15-14}$$

(12)污水排放量计算:

$$XZTP_t^j = XZWI_t^j \cdot PZTC1^j \cdot (1 - PZTC2^j) \qquad \forall t,j \tag{15-15}$$

(13)污水处理回用水量计算:

$$XZTI_t + XZTA_t^j + XZTL_t^j = (PZWI_t^j - XZMI_t^j) \cdot PZTC1^j \cdot PZTC2^j \cdot PZTC3^j \qquad \forall i,j \tag{15-16}$$

而

$$\begin{aligned} XZTI_t^j &\leqslant PZTC4 \cdot (XZTI_t^l + XZTA_t^l + XZTL_t^l) \qquad \forall t,j \\ XZTA_t^j &\leqslant PZTC5 \cdot (XZTI_t^l + XZTA_t^l + XZTL_t^l) \end{aligned} \tag{15-17}$$

表示城市和农业灌溉对污水处理回用水的利用分配。由于农业灌溉的季节性,一部分处理后的污水不能得到充分利用而排入河道,可供下游继续使用。以 $XZTL$ 或 $XCTL$ 表示。

(14)地下水库水量平衡方程:

$$\begin{aligned} XZGV_t^j = {} & XZGV_{t-1}^j + PZGD_t^j + \alpha^j \cdot PZPW_t^j + \beta^j \cdot XZWA_t^j \\ & + \gamma^j \cdot (\sum_{ls(u(j),j)} PCSC2^{ls(u(j),j)} \cdot XCSA_{t-1}^{ls(u(j),j)}) \\ & + \sum_{lo(u(j),j)} PCSC3^{lo(u(j),j)} \cdot XCSD_{t-1}^{ld(u(j),j)}) \\ & + \sum_{lg(u(j),j)} XZGO_{t-1}^{lg(u(j),j)} - (XZGI_t^j + XZGA_t^j) \\ & - \sum_{lg(j,d(j))} XZGO_{t-1}^{lg(j,d(j))} - \phi^j \cdot (XZGV_{t-1}^j + XZGV_t^j) \qquad \forall t,j \end{aligned} \tag{15-18}$$

(15)地下水开采限制:

$$XZDI_t^j + XZGA_t^j \leqslant \frac{1}{12} PZGU^j \cdot PZGC^j \qquad \forall t,j \tag{15-19}$$

(16)节点地表水平衡方程:

$$\begin{aligned} PNSF_t^k + {} & \sum_{ls(u(k),k)} (PCSC1^{ls(u(k),k)} \cdot XCSI_t^{ls(u(k),k)} + PCSC2^{ls(u(k),k)} \cdot XCSA_t^{ls(u(k),k)}) \\ & + \sum_{lo(u(k),k)} (XCSR_t^{lo(u(k),k)} + PCSC3^{lo(u(k),k)} \cdot XCSO_t^{lo(u(k),k)}) \\ & - \sum_{ls(k,d(k))} (XCSI_t^{ls(k,d(k))} + XCSA_t^{ls(k,d(k))}) - \sum_{lo(k,d(k))} XCSO_t^{lo(k,d(k))} = 0 \quad \forall t,k \end{aligned} \tag{15-20}$$

(17)节点外调水平衡方程:

$$\begin{aligned} \sum_{ld(u(k),k)} & (PCSC1^{ld(u(k),k)} \cdot XCDI_t^{ld(u(k),k)} + PCSC2^{ld(u(k),k)} \cdot XCDA_t^{ld(u(k),k)}) \\ & + \sum_{lo(u(k),k)} (PCSC3^{lo(u(k),k)} \cdot XCDO_t^{lo(u(k),k)}) \\ & - \sum_{ld(k,d(k))} (XCDI_t^{ld(k,d(k))} + XCDA_t^{ld(k,d(k))}) \\ & - \sum_{lo(k,d(k))} XCDO_t^{lo(k,d(k))} = 0 \qquad \forall t,k \end{aligned} \tag{15-21}$$

(18)发电水量计算：

$$XREO_t^i + XREQ_t^i = \sum_{ls(i,d(i))} (XCSI_t^{ls(i,d(i))} + XCSA_t^{ls(i,d(i))}) + \sum_{ld(i,d(i))} (XCDI_t^{ld(i,d(i))} + XCDA_t^{ld(i,d(i))}) + \sum_{lo(i,d(i))} (XCSO_t^{lo(i,d(i))} + XCDO_t^{lo(i,d(i))}) \quad \forall t,i \tag{15-22}$$

(19)发电量计算：

$$XREE_t^i = 9.81 \cdot PREC^i \cdot PREH^i \cdot XREQ_t^i \quad \forall t,i \tag{15-23}$$

(20)系统保证出力约束：

$$\sum_i XREE_t^i \geqslant PNET \quad \forall t,i \tag{15-24}$$

其中 $PNET$ 为系统保证出力。

(21)农业供水效益计算：

$$XZBA_t^j = PZBC1^j + PZBC2^j \cdot XZWA_t^j + PZBC3^j \cdot XZWA_t^j \cdot XZWA \quad \forall t,j \tag{15-25}$$

上式称为农业生产函数。

(22)工业供水效益计算：

$$XZBI_t^j = PZBC4^j \cdot XZWI_t^j \quad \forall t,j \tag{15-26}$$

其中：

$$PZBC4^j = \frac{1}{Q^j} \quad \forall t,j \tag{16-27}$$

Q^j 为综合万元产值取水量。

(23)发电效益计算：

$$XRBE_t^i = PRBC5^i \cdot XREE_t^i \quad \forall t,j \tag{15-28}$$

公式(15-1)～(15-28)中的主要符号意义见表 15-1。

表 15-1　主要符号意义一览表

符号名称	意义及说明	符号名称	意义及说明
i	水库等水利工程	$XZTA$	污水处理回用水农村供水量
j	计算单元及与单元对应的地下水库	$XZTI$	污水处理回用水城市供水量
k	节点	$XZTL$	污水处理回用水剩余水量
t	计算时段	$XZTP$	城市未处理污水排放量
α	降雨入渗补给系数	$XZWA$	农村总供水量
β	灌溉入渗补给系数(井灌和渠灌)	$XZWI$	城市总供水量
γ	地表供水河流渠道渗漏补给系数	$XCDO$	外调水弃水量
ϕ	潜水蒸发系数	$XCDE$	外调水河道外生态环境供水量
$ls()$	地表水供水河流渠道集合，括号内有两个参数，分别为起点和终点	$XZGE$	地下水河道外生态环境供水量

续表 15-1

符号名称	意义及说明	符号名称	意义及说明
ld()	外调水供水河流渠道集合,括号内有两个参数,分别为起点和终点	*XZTE*	污水处理回用水河道外生态环境供水量
lo()	弃水河流渠道集合,括号内有两个参数,分别为起点和终点	*XZME*	河道外生态环境缺水量
u()	上游对象集合,括号内有1个参数,为对象,如水利工程、单元、节点等	*XZSNE*	河网调蓄水河道外生态环境供水量
d()	下游对象集合,括号内有1个参数,为对象,如水利工程、单元、节点	*XCTL*	河流渠道排放的剩余的污水处理量
XCDA	河流渠道外调水农村供水量	*XZSR*	农业灌溉回归水量
XCDI	河流渠道外调水城市供水量	*XZSF*3	地表水河道外生态环境供水量
XCSA	河流渠道地表水农村供水量	*XCTLE*	污水处理回用水的余水河道外生态环境供水量
XCSI	河流渠道地表水城市供水量	*XCSRE*	渠道灌溉回归水河道外生态环境供水量
XCSO	河流渠道弃水量	*XCSD*	河流渠道外调水量
XCSR	河流渠道灌溉回归水量	*XCSE*	河流渠道地表水河道外生态环境供水量
XRBE	发电效益	*XZGO*	地下水侧向径流量
XRDV	水库外调水库容	*XCSOE*	河流渠道弃水河道外生态环境供水量
XREE	发电量	*PCSC*1	河流渠道城市供水渠系利用系数
XREO	水库发电弃水量	*PCSC*2	河流渠道农村供水渠系利用系数
XREQ	水库发电水量	*PCSC*3	退水弃水河道有效利用系数
XRSV	水库地表水库容	*PRSF*	(水库或工程)本流域入流量
XZBA	农村供水效益	*PRDF*	(水库或工程)外调水来水量
XZBI	城市供水效益	*PRSU*1	工程最大蓄水位
XZGA	地下水农村供水量	*PRSU*2	工程防洪汛限水位
XZGI	地下水城市供水量	*PRSU*	工程蓄水上限
XZGV	地下水库容	*PRSL*	有时段下标时为工程蓄水下限
XZMA	农村缺水量	*PRSL*	无时段下标时为工程蒸发渗漏损失系数
XZMI	城市缺水量	*PRSL*1	工程死水位线
*XZSF*1	地表城市供水量	*PRSL*2	工程限制供水线
*XZSF*2	地表农村供水量	*PCSU*	河流渠道过水能力
XZSN	河网调蓄水量	*PCSD*	渠道分水比例
PCSL	河流渠道最小流量要求,如发电、环境、排沙、航运等	*PZSR*	灌溉回归系数
PREC	水电站效率系数	*PZTC*1	城市污水产出系数
PREH	水电站平均水头	*PZTC*2	城市污水处理率
PNSF	河流渠道节点未控入流	*PZTC*3	城市污水利用率
PNET	水电站保证出力相应电量	*PZTC*4	城市污水处理水工业利用率
PZWA	农村需水量(农业、农村生活)	*PZTC*5	城市污水处理水农业利用率
PZWI	城市需水量(工业、城市生活)	*PZGD*	深层地下水可开采量

续表 15-1

符号名称	意义及说明	符号名称	意义及说明
PZWE	河道外生态需水量	*PZPW*	降水量
*PZBC*1	农业生产函数系数	*PZGU*	地下水开采上限
*PZBC*2	农业生产函数系数	*PZGC*	地下水开采弹性系数(大于1则允许地下水超采,小于1则不允许超采)
*PZBC*3	农业生产函数系数	*PZSF*	地表径流可利用水量
*PZBC*4	城市供水效益系数	*VRSV*	当地入库径流量所占库容
*PRBC*5	水电站发电效益系数	*VRDV*	外调水量所占库容

三、目标函数

在水资源配置优化模拟模型系统中,可用优化方法或常规方法分别进行模拟计算。常规方法是在分水比、水源工程运行方式、供水用水优先序等确定的条件下进行模拟计算的。而优化方法则是根据系统的实际需要,设计一定的目标函数,通过不断地改变、比较这些因素,使目标函数值达到最大或者最小,即系统达到最佳状态,得到水资源系统优化配水运行方式。

对于不同系统的实际需要,应该追求或选择不同的目标。如果优化模型中只有一个目标,则属于单目标规划;如果有两个或两个以上的目标,则属于多目标规划。多目标规划往往通过采取一定手段转化为单目标进行求解。

一个水资源系统满足其全部约束条件限制的可行运行方式是无穷多的。为了从某一角度衡量这些可行运行方式的优劣,就需要制定某种评价的标准。通常的评价标准可分为经济、水量和能量三类。在此基础上还可考虑各种蓄放水、用水优先级和社会环境等方面的因素。

在优化模拟模型中,所采用的评价运行方式优劣的标准由目标函数表示。当目标函数选定之后,模型求解软件对所定义的问题进行求解,即从所有可行解中找到使目标函数达到最大值(或最小值)的解。其物理意义便是满足系统的水平衡要求、运行要求、容量要求及其他要求后,使系统的经济效益(或水量损失,或按优先级)达到最好。

水资源优化模拟模型通常具有以下几类目标函数,并且用统一的数学结构表达出来,通过对选择项参数赋值,可以选择采用任一种目标函数(系统运行的评价标准)。这些目标函数为:①净效益最大调度准则;②损失水量最小调度准则;③供水用水优先序准则;④水库蓄放水优先级准则;⑤混合型准则。

这几种目标函数形式中,自然是经济效益准则最为合理和理想。但在实际水资源系统中,可能由于基本经济数据不足,特别是各种供水的单位供水量的效益很难定量确定;再者在社会、体制、环境等方面的一些制约因素,也会对净效益最大调度原则的实现给出很大限制;在这样的情况下,可以采用水量损失最小准则。对于缺水地区,因它在某种意义上体现了对水资源合理利用的观点。但是水量损失最小准则,可能导致在缺水的情况下,供水量的分配上出现违背经济效益准则或供水重要性准则的现象,因而需要注意对这种不合理现象的修正。

供水用水优先序准则,一种是按供水用途划分的优先顺序,譬如,通常采用生活用水优先于工业用水、工业用水优先于农业用水、农业用水优先于生态用水(但最低生态用水量应优先保证)等;一种是按客观上实际存在的行政区域或按流域上下游关系或水权关系划分的优先顺序。严格地讲,这不符合总体最优的原则,会损失一部分总体效益,但是实际上往往某些原因总体最优的配置或调度方案难以实现,而局部区域的最优方案比较容易实现,效益也比较容易取得,这也算是对现实的一种改进。例如,大连市大沙河流域水资源规划中除了采用全流域整体最优目标外,还采用了先上游最优,再下游最优的准则进行模拟计算,有关水资源管理部门对此结果非常重视。

对于蓄放水优先级问题,不仅各水库优先级组合众多,而且还涉及到各水库供水后的渠道分水比例问题,不仅工作量大,而且结果因人而异,难以具有说服力。

四、模型软件设计

(一)模型流程图及模型界面图

对于水资源配置每一个系统规划方案包括有若干个水平年,对于每一个水平年都要采用长系列资料逐时段进行水资源供需平衡优化模拟计算。安阳市水资源配置模型人机界面图、每一规划水平年的优化模拟计算过程,如图 15-1(图中,A1998 为现状水平年方案)和图 15-2 所示。

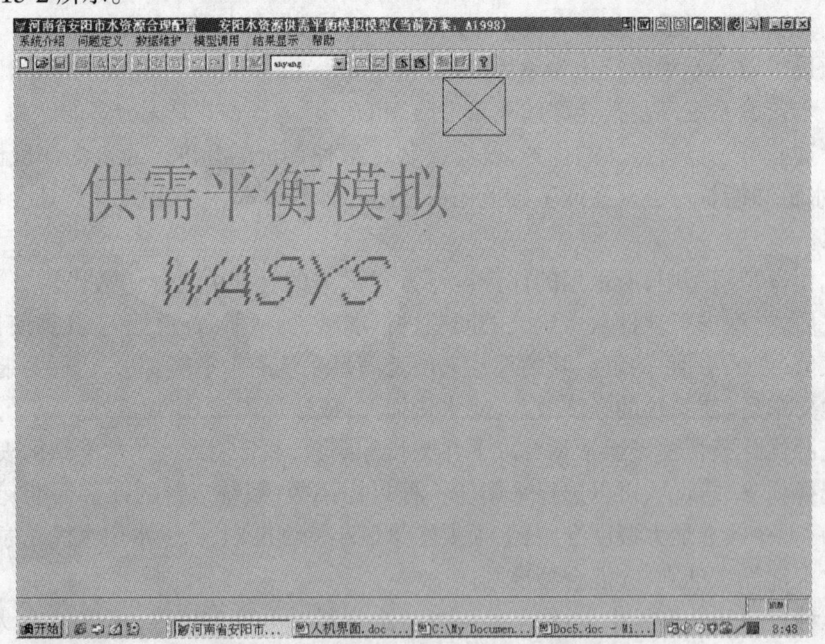

图 15-1　安阳市水资源配置模型人机界面图

(二)优化模拟模型系统设计内容

1. 求解计算

本模型采用 GAMS 语言作为建立大规模水资源系统优化模拟模型及其求解的基本

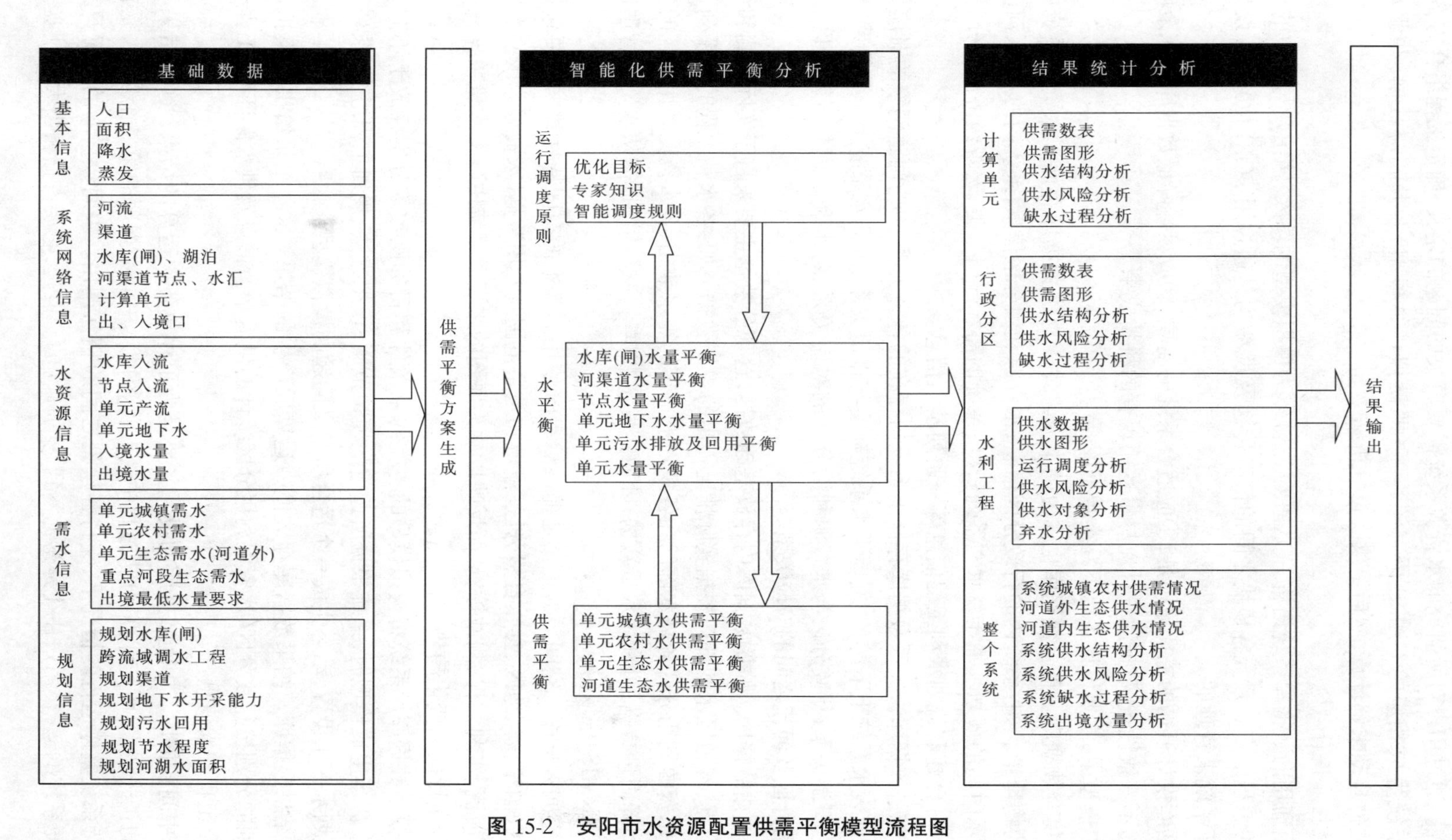

图 15-2 安阳市水资源配置供需平衡模型流程图

编程语言。通过用户对所研究的水资源系统需要解决的问题的定义，确定工程组合方案，由模型系统生成相应的 GAMS 语言源程序（即模拟计算模型）及其相应数据，并驱动 GAMS 软件自动求解计算，然后提供大量分析结果。

2.数据库设计

运用通用的数据库系统语言 FOXPRO 语言作为模拟模型的输入、输出及与用户的交互界面的编程语言。系统各模块之间的信息传递及反馈均是通过用 FOXPRO 语言设计的数据库系统来管理的。

数据库设计遵循的主要原则是：①应适合系统的需要；②应尽量降低数据库的冗余度和数据的不一致性；③数据库设计应尽量运用现有的科技成果。

在本模型中，主要设计了以下几类数据库：

(1)集合数据库。集合数据库也称为基本元素库。这类数据库存储了水资源系统中最基本的物理量。如：系统内的行政分区信息、水资源利用分区信息；系统内的水系、河流信息；表示时间的规划水平年及水文系列长度；系统的需水部门分类、宏观经济部门分类；系统内各种已建和规划水利工程信息等一系列基本信息。

(2)关系数据库。关系数据库存储了系统内存在的各种关系。如：河道网络的对应关系，包括地表水系统上下游关系、地下水系统补给与排泄关系、外调水系统上下游关系、弃水系统上下游关系；行政分区与水资源利用分区的对应关系、各水利工程与行政分区、水资源利用分区及河流之间的对应关系等。

(3)原始数据库。原始数据库内存放基础数据，这部分数据主要来自于实际观测和统计分析数据，各地区水利部门根据实际情况得出的规划数据。如：各水利工程的长系列径流数据；水资源利用分区各需水部门在各规划水平年的需水数据；各水资源利用分区的多年长系列降雨量数据；可利用水量数据；陆面蒸发量数据等。这些数据需从水资源管理信息系统(WRMIS)中取得。

(4)空间数据库。空间数据主要是提供给 GIS 使用。基本的空间特性数据主要包括行政分区（国家、省、地区、县）、自然分区（流域和水系范围）、专用数据（水资源分区）、水库和湖泊、河流、水利工程、测站等，从而反映以此为底图的水资源系统中各类水量数据在空间上的分布特征和变化趋势。

(5)模型数据库。系统将模拟模型的各类约束条件和目标函数等分别存放于不同的数据库中。当生成模型时，系统根据所选定的模拟范围、模拟方法、规划工程组合、系列年长度、规划水平年设置，动态生成一个适合所定义问题的模拟模型。

(6)结果数据库。结果数据库存放模拟运算后产生的结果。这些结果给出了模拟运算后得到的分别按行政分区、水资源利用分区统计的供需平衡信息及供水保证率，工程来水信息及工程分水信息。

(7)中间数据库。中间数据库的设置主要是为了存放各次运算的结果，这些结果不是最终的正式结果，而是计算、分析过程中暂时保留的。中间数据库的第二个功能，是在决策支持系统整体运行的情况下，支持各模型之间的相互调用。中间数据库的设置只是为了方便系统的运行，用户往往是察觉不到它的存在的。但是，它要占据相当大的硬盘空间。

(8)系统输入设计。考虑了尽量降低对用户所具备的计算机操作水平和数据库知识的要求,操作尽量简化。实际上,在数据输入过程中,用户根本见不到诸如数据库、域、字段、打开数据库、关闭数据库、更新数据库、存储等字眼,除了输入数据以外,其他的操作都可按"回车"键,或用鼠标选择完成。输入系统具备自动进行数据合理性、有效性、惟一性检查的功能。

(9)输出系统设计。输出是将模型运算的结果进行必要的统计计算后利用表格或图形的方式提供给用户,包括总体结果和详细过程,以便于用户分析、对照、比较。分析结果直接显示在屏幕上,用户可通过菜单选择将分析结果输出到磁盘文件,或直接打印输出。在打印过程中或者向文件输入时,不中断屏幕显示,用户可继续对结果进行分析。输出的文件名由用户自己定义,文件名可包括驱动器名和路径。

第五节　模拟模型的特色

安阳市水资源配置动态模拟模型是一个充分反映水资源系统的多水平年、多层次、多地区、多用户、多水源、多工程的特性,能够将多种水源进行时空调控,实现动态配置和优化模拟有机结合的模型系统。该模型系统既能提供以年为时间尺度、以市县及整个项目区为空间尺度的水资源配置宏观成果,为区域水资源发展战略提供科学依据和决策支持,又能提供以月为时间尺度、以计算单元为空间尺度、以具体水利工程和措施及用水户为分析对象的水资源配置微观成果,能够为各地区的水资源开发利用规划和管理、供水工程设计、水系统薄弱环节诊断提供科学的依据和十分丰富、翔实的基础数据。

如前所述,安阳市基于河道内与河道外生态环境需水量的水资源配置动态模拟模型,是在国家"八五"、"九五"攻关所建立的模型基础上,进一步改进和发展起来的,具有以下主要特点。

一、完备的模型结构设计

所开发的安阳市水资源配置动态模拟模型,首次将生态环境需水量处理模块嵌入模型结构中,使得模型结构的设计更加合理和完备,并具备了同时考虑河道内生态环境需水量和河道外生态环境需水量的计算功能。

在水资源供需平衡动态模拟过程中,河道内生态环境需水量处理模块是以保护河段生态环境而设计的。河道内生态环境需水量处理模块能够从水量和水质等方面来反映河道内生态环境的需水要求,同时也反映社会及国民经济用水对河道里的水量和水质的影响。河道内生态环境需水量处理模块在水供需平衡计算时,主要设计了两类约束方程:一是各时段的生态环境需要的最小流量约束;二是生态环境需要的枯水年最小水量约束。在水质方面,考虑了河道上游的工业、农业及生活污水排放量或回归水量、城市污水处理量及处理程度、处理污水的回用情况(包括城镇回用、农业回用和生态回用),还考虑了河道的天然来水量、水库等工程专为调控河道内生态环境用水需求而下放的水量等;在此基础上分析河道中的水质状况(水质指标主要选择BOD、COD或未处理的污水与总水量的比例等指标),既有年平均指标,又有各时段指标所形成的过程线。

河道外生态环境需水量处理模块是以计算单元为对象设计的，要根据计算单元内的生态林、绿地等分别预测需水量及需水过程，再汇总得到计算单元的河道外生态环境总需水过程。生态环境需水与生活需水和国民经济需水不同，后者需要对整个需水过程完全满足，前者不需要对整个需水过程完全满足，生态环境系统本身一般有一定的适应能力和调节能力。具体某一时段的供水量既可以大于需水量，也可以小于需水量，但不能超过一定的上下限。但是，长时间的生态环境需水量是需要满足的。虽然河道外生态环境需水的约束比较宽松，但对于模型的设计和编程实现来说却难度很大。在安阳市水资源配置动态模拟模型中河道外生态环境需水量处理模块的建成，与其他模块无缝衔接，实现了模型功能质的飞跃，使模型更加完备、功能更加强大。

综上所述，本次建立的基于河道内与河道外生态环境需水量的水资源配置动态模拟模型，在规划思想、理论方法、模型技术及应用实践等方面，均有所突破和创新，在国内尚属首次，在国际上也未见到先例。

二、强大的多水源配置功能

安阳市水资源十分紧张，当地水资源不能满足需求，缺口较大。因此，安阳人民早在20世纪60年代就修建了著名的“红旗渠”调水工程，后来又陆续修建了跃进渠、漳南干渠、桑村干渠等调水工程，先后引来了漳河水和黄河水。在规划期内，还规划了南水北调中线工程和大功引黄工程。这样就形成了长江、黄河、海河三大流域水资源共同满足安阳市用水需求的格局，同时也带来了一系列复杂的水资源统一规划和联合调度问题：①安阳市是否需要这么多的外调水？什么地方需要？何时需要？②哪些调水工程能满足什么地方的需要？③调水工程之间有没有重复建设问题？④各调水工程何时修建比较合理？⑤哪些供水工程组合的配置方案比较合理？⑥长江、黄河、海河三大流域的水文气象特征不同，来水的丰枯关系复杂，如何调度才能够较好地满足安阳市的用水需求等。在安阳市水资源配置动态模拟模型的功能设计和方案设置过程中，都充分考虑了上述重要问题，使得所建立的配置动态模拟模型具备了更强大的计算功能，有力地保障了本规划顺利地实现了长江、黄河、海河三大流域水资源在安阳市的合理配置与联合调度，上述问题也得到了令人满意的回答。

三、实现了地表水与地下水的统一配置

除部分山区外，安阳市多数计算单元都有地下水供水。目前地下水供水量占安阳市总供水量的80%以上。安阳市平原地区大部分区域的地下水严重超采，因此必须加以控制。如何配置当地地表水和外调水来减轻和控制地下水持续超采的问题，如何实现地表水(包括外调水)与地下水的统一配置与联合调度，最有效地保障社会经济和生态环境的可持续发展，已经成为安阳市水资源可持续利用综合规划和统一管理中不可回避的现实。在安阳市水资源配置动态模拟模型中，充分考虑了地表水与地下水之间的相互转化和补偿关系，考虑了各计算单元不同时段地下水可开采量约束，还考虑了不同用水户对地下水的需求特点，设计了地下水对不同用水户的供水优先级别。该模型在整个水资源系统总体最优的目标下，借助于所建立的配置动态模拟模型，真正实现了地表水与地下水的统

一、动态和科学配置,保障了地表水与地下水资源的联合高效利用。

四、水资源“三次平衡”配置思想的完美体现

安阳市水资源可持续利用综合规划,根据国家新的治水思路,按照水资源“三次平衡”配置的思想,应用所建立的配置动态模拟模型,进行了长系列模拟计算,从水资源“一次平衡”、“二次平衡”、“三次平衡”的角度,分别进行立足于现状开发利用模式下的水资源供需平衡分析,基于保持现有调水工程规模不变并充分考虑节水、治污和挖潜等条件下的水资源供需平衡分析,以及考虑新修调水工程后的水资源供需平衡分析。

在水资源“一次平衡”计算中,分别考虑了允许地下水超采和不允许地下水超采两种情况,给出了不采取有效措施的水资源供需平衡动态趋势;水资源“二次平衡”计算,考虑了三种情况:一是保持现状水平年地下水超采程度,各规划水平年都采取了城市污水处理及回用措施,除此之外没有新建其他供水工程;二是各水平年都不允许超采地下水,都采取了城市污水处理及回用措施,没有新建其他供水工程;三是各水平年不允许超采地下水,但都采取了城市污水处理及回用措施,新建了当地供水工程。“二次平衡”计算给出了安阳市只依靠当地现有水资源和现有外调水量情况下的水资源供需动态平衡趋势及缺水发展趋势。水资源“三次平衡”计算,所拟订的方案都不允许超采地下水,但都配置了跨流域调水工程。通过安阳市水资源的“三次平衡”计算,通过多方案分析和对比,最后给出了安阳市水资源配置的优先推荐方案。

五、实现对南水北调中线工程供水作用的数字仿真

南水北调中线工程是影响安阳市发展全局的重大供水工程,除了林州市及部分县市的山丘区外,可以向安阳市的整个平原区供水。南水北调中线工程何时上马,何时向安阳市供水,供水规模、方式等,对安阳市水资源的配置都有重大影响。以前南水北调中线工程的总体设计方案,是向各行各业供水。而 2001 年底通过审查的新总体设计方案,是只向城镇供水(包括城镇生活、工业供水),不向农业供水和生态环境供水。

为了深入分析二者的差别,利用所开发的模型计算软件,专门设置了多套调水工程组合方案。通过多组合方案的长系列模拟计算,实现了对南水北调中线工程供水作用的数字仿真,基本搞清楚了南水北调中线工程只向城镇供水与向所有行业供水的差别,为安阳市针对南水北调中线工程的分水方案而采取不同的水资源开发利用方案提供了重要依据。

第十六章　水资源配置方案分析

第一节　水资源系统的概化

一、水资源系统特点

从水资源开发利用的角度看,安阳市水资源系统具有以下主要特点。

(一)地势西高东低

安阳市地势总趋势为西高东低,以京广铁路线为界,西部为山丘区,间有小型盆地,最高山峰海拔高度为1 653m,包括林州市和安阳县、汤阴县及安阳市区(郊)的西部,涉及本次规划的有8个计算单元:林州漳山区、林州洹河区、林州淇河区、安阳县漳山区、安阳县洹山区、安阳县汤山区、安阳市山区(安阳市区(郊)山丘区)和汤阴山区,总面积为2 990km^2。东部为冲积平原,海拔高度一般在50m以下,包括内黄县、滑县和汤阴县、安阳市区(郊)平原部分,总面积为4 423km^2。

安阳市地势西高东低这一特点,对东西部地区的水资源分布、供求关系和利用方式都有显著的影响。西部水资源量相对比东部丰富,西部山丘区农业需水比例相对较高,东部平原区工业和生活需水以及生态环境需水的比例相对较高;西部山丘区主要是开发利用地表水,东部平原区主要是开发利用地下水,平原区与山丘区的交界地带则多是地表水与地下水联合运用。

(二)水资源供求矛盾突出

安阳市属于资源型缺水,人均水资源量(322m^3)是全国的1/7,每公顷水资源占有量(4 515m^3/亩)是全国的1/6。可以说,安阳市水资源已经处于明显的过度开发利用状态。现状年水资源的开发利用程度已达到了118%,其中地下水开发利用程度为117%,已大大超过了世界公认的合理极限值,目前已基本没有进一步开发利用的潜力。因此,要解决安阳市日益严峻的水资源供求矛盾,在节约、治污和产业结构调整的基础上从外流域调水已势在必行。

(三)地下水超采严重

自20世纪90年代以来,全市地下水超采现象十分严峻,目前年均超采量为4.27亿m^3,年均超采率为39%,其中内黄县超采80%,滑县超采43%。全市地下水埋深呈现出区域性、大幅度下降的趋势。由于安阳市区(郊)地下水开采量远大于其补给量,这一方面导致地下水位的不断下降,地下水降落漏斗的不断扩展;另一方面大量袭夺周边区域的地下水越来越多地流向漏斗中心区,导致周边区域的地下水用水户特别是农村居民,不得不面对地下水资源不断枯竭和机电井吊泵、设备报废与更新的问题。

安阳市地下水严重超采的现实,给全市水资源的规划和管理带来很大难度。一方面地下水应该实现采补平衡,以保证地下水资源的可再生性,以避免进一步加剧水资源的供需矛盾和造成生态环境问题,进而危及当地的供水安全和可持续发展。另一方面,由于地下水超采的数量太大,当地可以用于增加补给地下水的水源又十分有限,单靠节约用水方式来使地下水完全达到采补平衡状态将很难做到。如果要在短期内不准超采地下水,则会造成国民经济的巨大损失和社会的不稳定,这是不现实的。因此,从水资源规划的角度看,一是要依靠加大节约用水力度、污水处理回用和调整产业结构等措施逐步减少地下水的超采量;二是要靠跨流域调水,减少对地下水的需求量,同时增加对地下水的补给量,以逐步实现地下水的采补平衡。

(四)水污染问题突出

安阳市水污染问题日趋严重,除山区河流水质较好外,平原区河流普遍遭受污染;城市附近、平原区河道两岸附近和污灌区的地下水均存在程度不同的污染;饮用水水源井也遭到一定程度的污染。

安阳市污水既有外部来源,也有内部来源。安阳市主要有三条河流:卫河、汤河及洹河。污水的外部来源主要是卫河。卫河的水量最大,但是除了洪水以外基本上都是污水,改善卫河水环境质量,除了安阳市的努力外,主要取决于上游地区。污水的内部来源是汤河及洹河。解决这两条河的水污染问题,需要安阳市各级政府强有力的协调和监督管理,更需要社会各界的广泛关注和积极参与。

二、水资源系统的概化

按照水资源系统分析的特点和水资源配置模型的要求,需要对实际的安阳市水资源系统进行抽象和概化,达到既满足数学模拟模型的技术要求,又不失实际系统的主要特征。概化后的安阳市水资源系统网络,如图 16-1 所示。水资源系统要素及优化模拟模型规模见表 16-1。

表 16-1　安阳市水资源系统要素及优化模拟模型规模

要素名称	单位	数目	要素名称	单位	数目
计算单元	个	20	河流出境口	处	4
汇总行政分区	个	6	地下水库	个	20
水源种类	种	4	河网调蓄库	个	20
需水种类	种	5	重点保护河段控制点	个	2
水库*	座	9	水平年	年	4
跨流域调水工程	项	5	水文系列年	年	30
拦河闸	座	4	每一水文年中的计算时段	个	12
直接供水渠道	条	51	联立方程行数	行	
间接供水、退水渠(河)道	条	54	联立方程列数	列	
河流或渠道交汇节点	个	16	非零元素	个	25 000~30 000

注: * 其中已建成水库 8 座,规划水库 1 座;本次只把岳城水库向安阳市的供水纳入系统调度,但是不调度岳城水库。

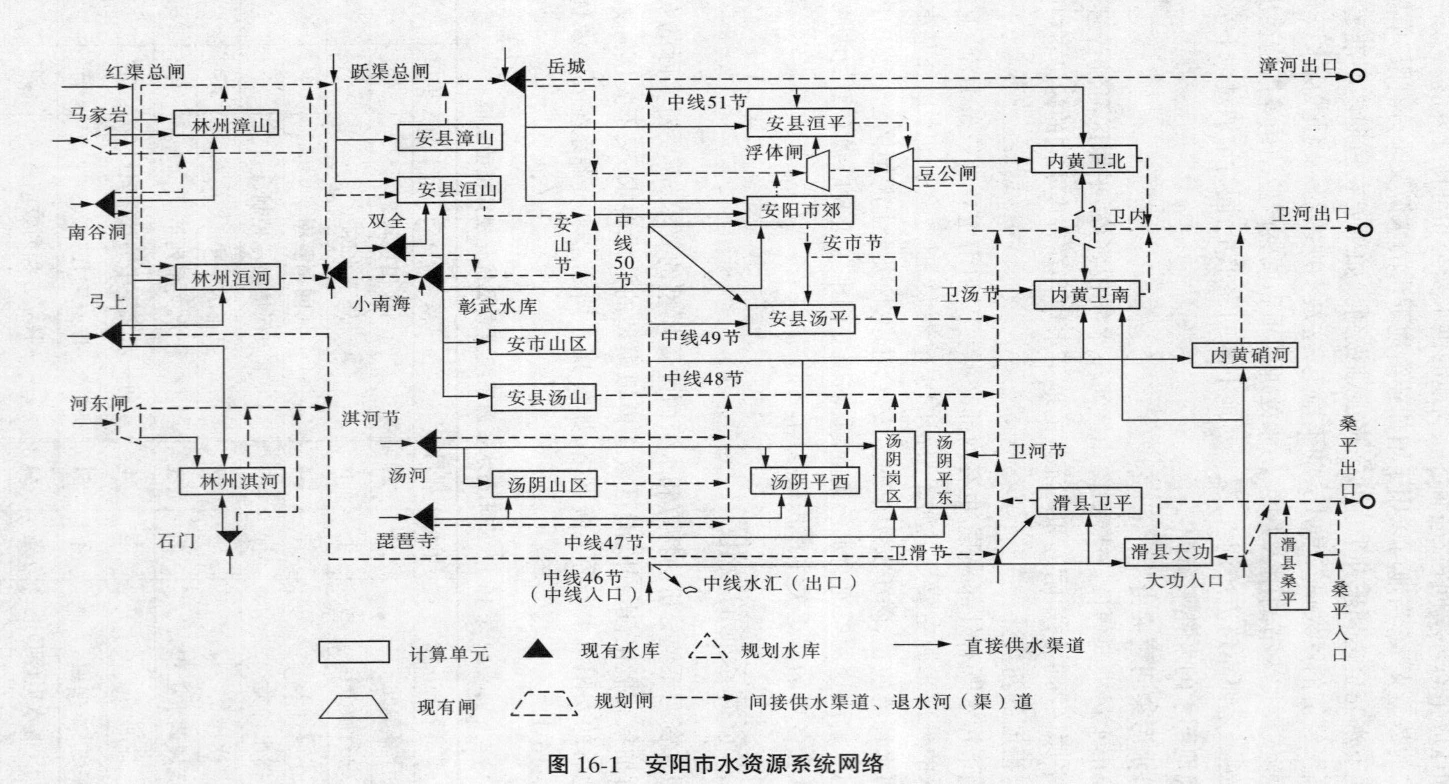

图 16-1　安阳市水资源系统网络

第二节　水资源配置方案设置

一、方案设置的原则

水资源配置是由工程措施和非工程措施共同组成的一个完整体系来实现的。该体系包括两个方面:一是需水;二是供水。在需水方面,通过调整产业结构、建设节水型经济并调整生产力布局,可以达到控制需水量增长,以适应较为不利的水资源条件的目的。需水调控在现实中是有一定可行范围的,而且不同的调节控制程度所付出的代价是不同的。在供水方面,可以通过水利工程措施来改变水资源的天然时空分布来适应社会生产的需水要求,提高水资源的开发利用程度;也可以通过加强用水管理,协调各项竞争性用水以及各种水源的联合供水策略,尽量做到一水多用,从而提高水的利用效率和效益。供水方面的这些措施,也是需要代价的。特别是修建水利工程的代价是非常大的。实践证明,如果水利工程规模、布局或上马时机选择不合理,都会造成巨大的浪费。因此,水资源配置方案设置主要应该遵循以下三个原则:

(1)需水的代表性。尽量体现安阳市社会经济发展的现实情况和用水水平,参考安阳市近年来的社会经济发展速度和用水变化趋势,借鉴我国其他地区的需水预测经验和方法。预测了将来安阳市的社会经济发展情景(分高、中、低方案)及其需水量,经综合分析,决定选择需水中方案作为推荐方案进行水资源配置模拟计算。

(2)供水的代表性。充分反映安阳市水资源的开发利用格局:西部山丘区水资源相对比较丰富,供水以地表水(包括当地水和外调水)为主;中部山前平原地带,供水由地表水和地下水共同承担;东部平原区地表水资源相对较少,供水主要依靠地下水。

对于相同的水源工程布局方案,供水代表性的好坏直接取决于来水量或可利用水量的代表性。来水量的代表性好,供水的代表性才可能好。提高来水量代表性的关键在于对来水量不确定性的反映是否合理,规划中通常采用的是典型年法和水文长系列法。典型年法的优点是分析计算比较简单,缺点是典型年不容易选好。年水量符合某个频率的年份的年内来水分布可能不具有代表性。为了避免典型年选择不好影响来水量的代表性,我们决定采用水文长系列法。由于人类活动影响的不断加剧将会深刻地改变来水情况,规划的目的是面向未来,引用过去太长的水文系列资料,可能与面向未来的目的不相符合,特别是可能会出现计算引用的来水量比实际来水量偏大或偏小的情况。因此,实际情况并不是系列越长,代表性越好。参考国际上的经验,通过综合考虑,本次规划采用1969～1998年的30年来水系列资料。

(3)工程布局的代表性。西部山丘区水资源相对比较丰富,供水以蓄水工程和引水工程为主;中部山前平原地带,供水由地表水工程和地下水工程共同承担;东部平原区地表水资源较贫乏,供水主要以地下水工程为主。在规划期增加的水源工程,必须以已经做过一定规划工作的水源工程为备选工程,才具有可能性和代表性。山丘区可供选择的重点工程是修建马家岩水库和河东闸,以及彰武水库扩容;平原区可供选择的水源工程主要是南水北调工程和引黄工程。由于受地形条件的限制,这部分借助于调水工程引来的长江和黄河水量只能用于安阳市平原区,不能供西部山丘区。安阳市的地下水目前已处于严重的超采状态,今后必须减少地下水工程的供水量,减少超采量。但是,减少的程度不能太大太猛,必须考虑节水的能力和外调水源增加的情况,否则将会影响当地经济的发展和人民生活水平的提高。平原沿河地区可以适当修建一些拦河闸增加供水量,但是必须在上游城市对污水进行处理,河道水质必须符合灌溉水水质标准的要求。

二、水资源配置方案设置

对于安阳市水资源系统,如果从社会经济发展速度、产业结构、地区经济发展步伐、生态环境保护、水资源开发利用的工程措施与非工程措施等方面进行任意组合来构造水资源配置方案,其方案数目将是非常庞大的,无法枚举的。每一种水资源配置方案都需要对各计算单元及单元之间的关系进行深入分析和详尽描述,并进行长系列供需平衡分析,其工作量将是非常繁重的。因此,分析和拟订的水资源配置方案不能太多,但必须具有良好的代表性。依据上述三大代表性原则,通过综合分析和对比,对安阳市众多的水资源配置方案进行筛选,排除了大量的代表性不强和不具有可行性或明显较劣的方案。按1998、2010、2015、2030年四个水平年,利用所建立的水资源配置动态模拟模型对所拟订的方案进行长系列供需平衡计算。同一水平年的每一种水源工程及措施的组合方案,称为小方案;包括四个水平年的四个小方案称为大方案。通过多方案的长系列模拟计算和综合对比分析,最后优选出13个大的配置方案(简称大方案),其中包括38个小方案。具体情况,见表16-2。为了便于理解和决策,现对这10个大方案的主要计算条件,予以简要说明:

A方案:包括A1998、A2010、A2015、A2030四个小方案,分别对应每一水平年。各水平年地下水开采量都以现状年的地下水开采量作为约束,即允许超采地下水,但超采量不能超过现状年的地下水超采量;各水平年污水处理及回用量均以现状年的污水处理及回用量作为约束;各水平年均无规划的水源工程,并采用推荐方案的需水量(下同)。

B方案:包括B1998、B2010、B2015、B2030四个小方案。每一水平年都不允许超采地下水,即各计算单元的地下水允许开采量上限为其地下水可利用量(以《安阳市水资源综合评价》为依据,下同);各水平年均无规划的水源工程;各水平年的污水处理及回用程度呈逐年提高的态势。污水处理程度是硬性要求,为等式约束;对污水处理回用量是非硬性要求,需要回用多少,能够回用多少就回用多少,为不等式约束(下同)。

C方案:包括C2010、C2015、C2030三个小方案。各水平年地下水开采量都不允许超过其可利用量;各水平年污水处理及回用量都以现状年污水处理及回用量作为约束。

D方案至I方案及其小方案,都选有规划水源工程(见表16-2),都不允许超采地下水,都采用推荐方案的需水量。这些方案都是为了分析各规划工程的供水作用而设立的。其中F方案和H方案允许南水北调中线向城镇、农村和生态环境等各种用水行业供水;而I方案只允许南水北调中线工程向城镇供水,不向农村、生态环境等用水行业供水。南水北调中线工程原先的总体设计是考虑向各种用水行业供水的,但2001年底通过的总体设计方案改为只向城镇供水。南水北调中线工程是自流引水工程,工程建成后的供水可变成本(或费用)几乎为零,即多供水不增加费用,少供水不减少费用。在优先满足了城镇

表16-2 安阳市水资源规划工程组合方案

工程序号	方案名称	A、B、C、L				D			E		
	水平年/小方案	A1998	A2010	A2015	A2030	D2010	D2015	D2030	E2010	E2015	E2030
	工程名称										
1	马家岩水库						v	v		v	v
2	彰武水库扩容										
3	大功引黄工程								v	v	v
4	南水北调中线工程										
5	河东闸					v	v	v	v	v	v
6	卫内闸					v	v	v			
7	节水	v	v	v	v	v	v	v	v	v	v
8	污水处理回用	v	v	v	v	v	v	v	v	v	v

工程序号	方案名称	F				G			H		
	水平年/小方案	F1998	F2010	F2015	F2030	G2010	G2015	G2030	H2010	H2015	H2030
	工程名称										
1	马家岩水库			v	v						v
2	彰武水库扩容										
3	大功引黄工程										
4	南水北调中线工程		v	v	v		v	v		v	v
5	河东闸		v	v	v	v	v	v	v	v	v
6	卫内闸										
7	节水	v	v	v	v	v	v	v	v	v	v
8	污水处理回用	v	v	v	v	v	v	v	v	v	v

工程序号	方案名称	I			J、K			M		
	水平年/小方案	I2010	I2015	I2030	J2010	J2015	J2030	M2010	M2015	M2030
	工程名称									
1	马家岩水库			v			v			v
2	彰武水库扩容							v	v	v
3	大功引黄工程				v	v	v	v	v	v
4	南水北调中线工程		v	v		v	v		v	v
5	河东闸	v	v	v	v	v	v	v	v	v
6	卫内闸									
7	节水	v	v	v	v	v	v	v	v	v
8	污水处理回用	v	v	v	v	v	v	v	v	v

注:1.A 、B、C、L 方案各水平年均没新增水源工程。

2.A方案各水平年均以现状年的地下水开采量(即允许超采)和污水处理及回用量作为约束。

3.B方案各水平年不允许超采地下水,污水处理及回用程度各水平年不同。

4.C方案各水平年不允许超采地下水,并以现状年污水处理及回用量作为约束。

5.L方案各水平年均以现状年的地下水开采量(即允许超采)作为约束,且污水处理及回用程度各水平年不同。

6.其余各方案各水平年均不允许超采地下水,污水处理及回用程度各水平年不同。

7.F、G、H、J方案中的南水北调中线工程允许向各行业供水,I、K方案中的南水北调中线工程只允许向城镇供水。

8.M方案为推荐方案。该方案等于K方案加上彰武水库扩容所构成的组合方案。

供水需求后，如果有剩余供水量应该以很低的价格向其他行业供水，以充分发挥南水北调中线工程的应有效益。关键是要建立一套合理、有效的水价体系和运行管理机制。本次研究两种情况都进行了考虑，分析结果可供今后决策时参考。

L 方案：包括 L2010、L2015、L2030 三个小方案。各水平年地下水开采量以现状年地下水开采量作为约束；各水平年的污水处理及回用程度不同，这是 L 方案与 A 方案的区别，其中 L1998 与 A1998 相同。

第三节　现状年水供需平衡模拟分析

现状年的水供需平衡分析，是进行各规划水平年水资源配置和供需平衡分析的基础。因此，本次规划对安阳市现状年的水供需平衡的模拟分析特别重视，对问题研究得相当深入细致，分析工作量特别庞大。特别是对各种分布参数、水量损失系数等进行了反复率定和校验。

尽管现状年的水供需平衡分析采用的计算单元比水资源评价时采用的更多一些，而且选用 30 年的水文系列进行逐月模拟计算，其分析结果必然与评价时的结果有一定出入。但从统计分析角度看，二者的分析结果应该是接近的。这就是我们进行参数率定的依据。

对于现状年是在两种情况下进行模拟分析的：一是允许地下水超采（A1998 方案），二是不允许地下水超采（L1998 方案）。前者更接近实际情况，所以采用允许地下水超采的情况进行参数率定。下面简单介绍 A1998 方案的计算结果。

一、现状年的水供需分析结果

利用所建立的水资源配置动态模拟模型，经过长系列水供需模拟计算得到安阳市现状年各层次的供需平衡分析结果，见表 16-3。

（1）安阳市多年平均的总供水量能够达到 20.48 亿 m^3，其中城市供水 4.14 亿 m^3，农村供水 16.30 亿 m^3，生态环境供水量很小，只有 481 万 m^3。总供水量中当地地表水 4.47 亿 m^3，地下水 14.79 亿 m^3，外调水 1.56 亿 m^3，污水处理后的回用水量很小，只有 400 万 m^3。全市多年平均需水满足程度为 98.6%，即平均破坏深度为 1.4%，多年平均缺水量为 0.6589 亿 m^3（不计地下水超采量），其中农村缺水 0.653 4 亿 m^3。即在城镇供水优于农村供水的原则下，城市需水基本上可以得到满足。

（2）安阳市各地区的缺水程度是不相同的。在允许适量超采地下水的条件下，从行政分区看，缺水量最大的是滑县，为 0.22 亿 m^3。各行政分区和各计算单元的多年平均的缺水程度并不大，都不超过 10%。实际的缺水量还应该包括地下水超采量，在计入地下水超采量的情况下各行政分区和各计算单元的缺水程度就明显不同，缺水量最大的行政分区是内黄县，为 1.64 亿 m^3，其缺水程度为 37.1%；其次是滑县，其缺水量为 1.24 亿 m^3，缺水程度为 24.7%。由此可见，内黄县和滑县缺水情况是严重的。

（3）供水分析表明，安阳市水资源年际间的供水破坏深度属于中等，主要是多数缺水严重的地区地下水供水比例很大的缘故。因为地下水具有很好的多年调节性能，所以在允许地下水超采的情况下年际间的供水破坏深度变化不大。

(4)年内缺水量集中的时段主要在农业灌溉的高峰季节,一般5月份缺水量最大。各单元的详细情况可从人机界面上查看。例如安县汤山区(安阳县汤河山丘区)在1981水文年年内农村需水、供水、缺水的过程,如图16-2所示。

表16-3 安阳市现状年水供需平衡分析结果 (单位:100万 m^3)

行政分区	计算单元	需水量				供水量				缺水量			
		城镇	农村	生态环境	合计	城镇	农村	生态环境	合计	城镇	农村	生态环境	合计
安阳县	漳山	0	2.62	0	2.62	0	2.62	0	2.62	0	0	0	0
	洹山	38.64	111.71	0	150.35	38.64	105.49	0	144.13	0	6.22	0	6.22
	汤山	0.12	57.61	0	57.73	0.12	57.60	0	57.72	0	0.01	0	0.01
	洹平	2.52	117.09	0	119.61	2.52	117.08	0	119.6	0	0.01	0	0.01
	汤平	5.16	125.03	0	130.19	5.16	112.36	0	117.52	0	12.67	0	12.67
	小计	46.44	414.06	0	460.5	46.44	395.15	0	441.59	0	18.91	0	18.91
林州市	漳山	13.56	15.29	0	28.85	13.56	15.29	0	28.85	0	0	0	0
	洹河	51.48	90.25	0.30	142.04	51.48	90.24	0.3	142.02	0	0.01	0	0.02
	淇河	32.40	39.45	0	71.85	32.40	39.43	0	71.83	0	0.02	0	0.02
	小计	97.44	144.99	0.30	242.74	97.44	144.96	0.3	242.70	0	0.03	0	0.04
内黄县	卫北	0.60	104.30	0	104.9	0.60	104.29	0	104.89	0	0.01	0	0.01
	卫南	0.48	83.44	0	83.92	0.48	83.43	0	83.91	0	0.01	0	0.01
	硝河	0.96	253.76	0	254.72	0.96	242.08	0	243.04	0	11.68	0	11.68
	小计	2.04	441.5	0	443.54	2.04	429.8	0	431.84	0	11.70	0	11.70
滑县	卫平	8.52	20.11	0	28.63	8.52	20.11	0	28.63	0	0	0	0
	大功	33.60	370.17	0	403.77	33.60	347.70	0	381.30	0	22.47	0	22.47
	桑平	2.64	68.43	0	71.07	2.64	68.43	0	71.07	0	0	0	0
	小计	44.76	458.71	0	503.47	44.76	436.24	0	481.00	0	22.47	0	22.47
汤阴县	山区	1.80	34.94	0	36.74	1.26	32.51	0	33.77	0.54	2.43	0	2.97
	平西	3.36	60.81	0	64.17	3.36	55.28	0	58.64	0	5.53	0	5.53
	岗区	1.44	21.72	0	23.16	1.44	21.39	0	22.83	0	0.33	0	0.33
	平东	2.64	47.62	0	50.26	2.64	43.69	0	46.33	0	3.93	0	3.93
	小计	9.24	165.09	0	174.33	8.70	152.87	0	161.57	0.54	12.22	0	12.76
安阳市区(郊)	山区	1.20	7.41	0	8.61	1.20	7.41	0	8.61	0	0	0	0
	市区(郊)	213.36	63.3	4.51	281.17	213.36	63.29	4.51	281.16	0	0.01	0	0.01
	小计	214.56	70.71	4.51	289.78	214.56	70.70	4.51	289.77	0	0.01	0	0.01
全市	合计	414.48	1 695.06	4.81	2 114.36	413.94	1 629.72	4.81	2 048.47	0.54	65.34	0	65.89

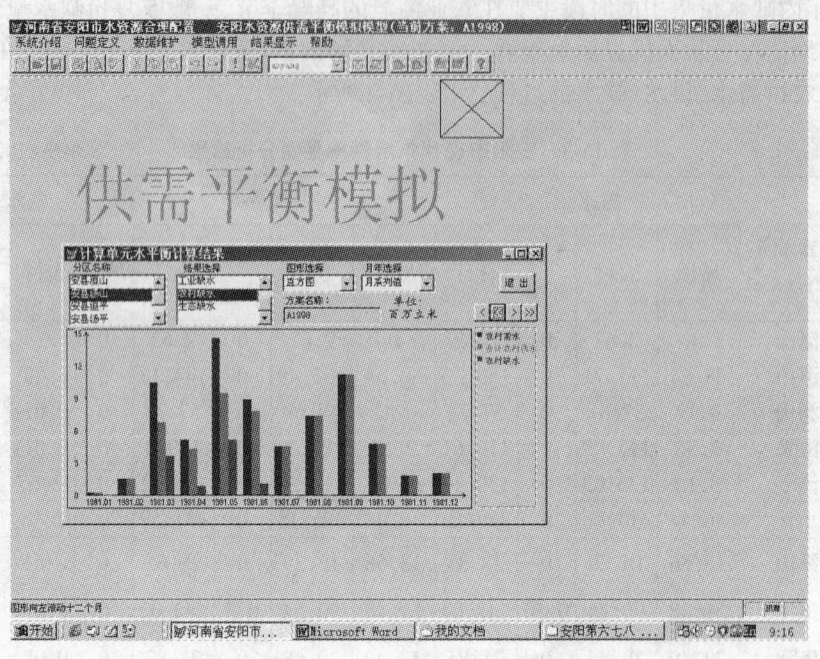

图 16-2　安阳县汤河山丘区典型年(1981 年)的年内缺水过程图

(5)各单元城市供水月保证率基本上都可达到 100%，农村供水月保证率在 65% 以上，有些单元农村供水的年保证率很低，但是其破坏深度不是很大。这是因为在供需平衡优化模拟模型中采用了“宽浅式”破坏的模式。各行业的需水满足程度见表 16-4。

表 16-4　现状年各行业的需水满足程度　(%)

行政分区	计算单元	城镇	农村	生态环境	合计
安阳县	安县漳山	100.0	100.0	100.0	100.0
	安县洹山	100.0	94.4	100.0	95.9
	安县汤山	100.0	100.0	100.0	100.0
	安县洹平	100.0	100.0	100.0	100.0
	安县汤平	100.0	89.9	100.0	90.3
	小计	100.0	95.4	100.0	95.9
林州市	林州漳山	100.0	100.0	100.0	100.0
	林州洹河	100.0	100.0	100.0	100.0
	林州淇河	100.0	99.9	100.0	100.0
	小计	100.0	100.0	100.0	100.0
内黄县	内黄卫北	100.0	100.0	100.0	100.0
	内黄卫南	100.0	100.0	100.0	100.0
	内黄硝河	100.0	95.4	100.0	95.4
	小计	100.0	97.3	100.0	97.4

续表 16-4

行政分区	计算单元	城镇	农村	生态环境	合计
滑县	滑县卫平	100.0	100.0	100.0	100.0
	滑县大功	100.0	93.9	100.0	94.4
	滑县桑平	100.0	100.0	100.0	100.0
	小计	100.0	95.1	100.0	95.5
汤阴县	汤阴山区	70.0	93.0	100.0	91.9
	汤阴平西	100.0	90.9	100.0	91.4
	汤阴岗区	100.0	98.5	100.0	98.6
	汤阴平东	100.0	91.7	100.0	92.2
	小计	94.2	92.6	100.0	92.7
市区(郊)	安市山区	100.0	100.0	100.0	100.0
	安阳市区(郊)	100.0	100.0	100.0	100.0
	小计	100.0	100.0	100.0	100.0
全市	合计	99.9	96.1	100.0	96.9

从表 16-4 中可以看出,由于在水资源配置计算中采用了城镇供水优先的原则,使得整个安阳市的城镇需水满足程度平均达到了 99.9%,几乎全部满足。由于生态环境需水过程要求的放宽,生态环境总需水量也得到了满足。农业需水满足程度平均达到了 96.1%,只有轻微不满足。各行各业总需水的满足程度为 96.9%。

各种水源的供水情况,见表 16-5。总供水量中地下水占 70.9%,当地地表水占 21.4%,外调水占 7.5%。

表 16-5 现状年各种水源的年均供水量 (单位:100 万 m^3)

行政分区	计算单元	地表水	地下水	回用水	外调水	合计
安阳县	安县漳山	1	0	0	2	3
	安县洹山	27	116	0	8	150
	安县汤山	32	22	0	0	54
	安县洹平	53	51	0	16	120
	安县汤平	16	115	0	0	130
	小计	128	303	0	26	456
林州市	林州漳山	13	0	0	16	29
	林州洹河	51	24	0	66	142
	林州淇河	26	5	0	41	72
	小计	91	29	0	123	243
内黄县	内黄卫北	23	82	0	0	105
	内黄卫南	5	79	0	0	84
	内黄硝河	4	250	0	0	254
	小计	32	411	0	0	443

续表 16-5

行政分区	计算单元	地表水	地下水	回用水	外调水	合计
滑县	滑县卫平	18	11	0	0	29
	滑县大功	6	398	0	0	404
	滑县桑平	21	39	0	0	60
	小计	45	448	0	0	492
汤阴县	汤阴山区	24	0	0	0	24
	汤阴平西	19	45	0	0	64
	汤阴岗区	1	23	0	0	23
	汤阴平东	8	42	0	0	50
	小计	52	110	0	0	161
市郊	安市山区	8	1	0	0	9
	安阳市郊	92	178	4	7	281
	小计	100	179	4	7	290
全市	合计	447	1 479	4	156	2 086

(6)安阳市现有大中型水库的供水情况见表 16-6。现状年安阳市外调水工程的多年平均总调水量为 3.52 亿 m^3,直接参加供需平衡的供水量为 2.00 亿 m^3,其余水量为间接供水或弃水,详细情况见表 16-7。各行业的供水保证率、城市供水和农村供水的平均破坏深度、不同供水频率下各种水源的供水量等详细情况,见人机系统图 16-3。

表 16-6 现状年大中型水库供水情况(A1998 方案) (单位:100 万 m^3)

水库	入库水量	总供水量	城镇	农村	生态环境	损失水量	下泄水量
彰武	243	107	76	26	5	4	132
双全	7	2	2	0	0	0	5
汤河	63	24	2	23	0	4	35
琵琶寺	14	8	0	8	0	2	3
南谷洞	54	19	8	12	0	6	29
弓上	65	23	2	21	0	2	39
石门	5	2	0	2	0	1	1
合计	450	187	90	92	5	20	244

注:本表数据按水库毛供水量统计,以下同。

表 16-7 现状年外调水工程供水情况(A1998 方案) (单位:100 万 m^3)

调水工程	总调水量	总供水量	城镇	农村	生态环境
红旗渠	248	123	86	37	0
跃进渠	54	10	8	2	0
漳南干渠	50	23	8	15	0
合计	351	156	102	54	0

注:本表数据按计算单元净供水量统计,以下同。

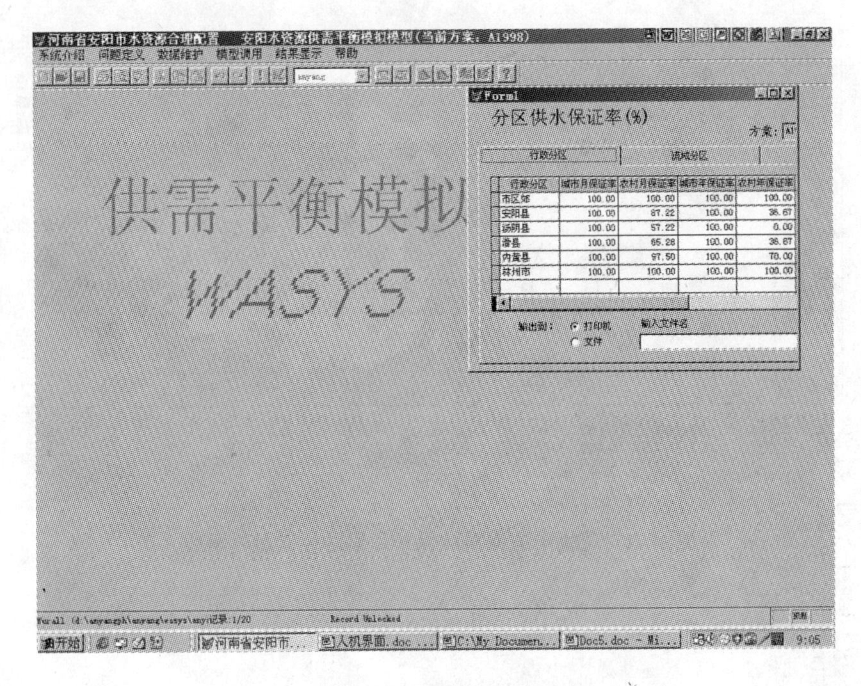

图 16-3　人机系统图

二、现状年的地下水超采情况

安阳市现状年多年平均地下水超采量为 3.05 亿 m^3,这是超采行政区与没超采行政区的代数和;而超采行政区的超采量之和为 3.68 亿 m^3。超采量最大的行政区是内黄县,为 1.95 亿 m^3,其次是滑县,为 0.94 亿 m^3。

三、现状年的生态需水情况

现状年安阳市的河道外生态需水量 481 万 m^3,全部得到了满足。

安阳市的重点保护河段是洹河的安阳站到洹河与卫河的交汇处(网络图上河段的上下控制点分别为浮体闸上、豆公闸下)。现状年浮体闸上的多年平均来水量 2.42 亿 m^3,豆公闸下的多年平均下泄水量 2.00 亿 m^3。该河段的年过水量及各月流量均符合河道内最低生态需水量的要求。浮体闸上的未处理污水量占总来水量的比例为 31%,豆公闸下的未处理污水量占总过水量的比例为 34%,这是多年平均情况,而在比较偏枯的 1997 年和 1998 年该河段的全年污水比例则为 70%上下。污水比例各年各月差别很大,例如像遇到 1997~1998 年这样的连续枯水年,枯水期河道中的污水比例都接近于 1,也就是说几乎全是污水。洹河重点保护河段的径流量过程线,见图 16-4,污水比例的变化过程线,见图 16-5。由此可见,城镇污水处理工作已刻不容缓。

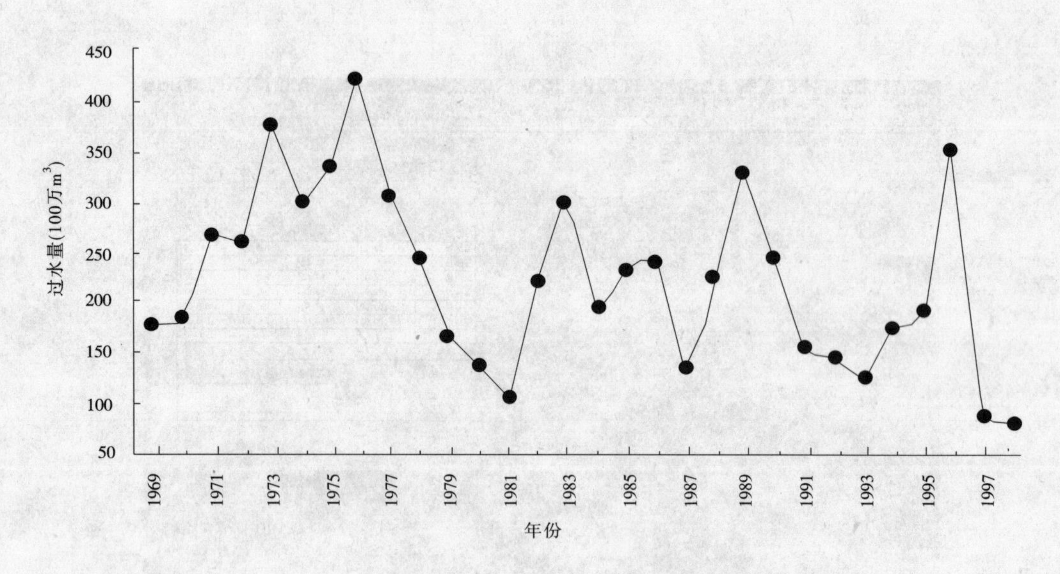

图 16-4　现状年洹河重点保护河段的径流量过程线

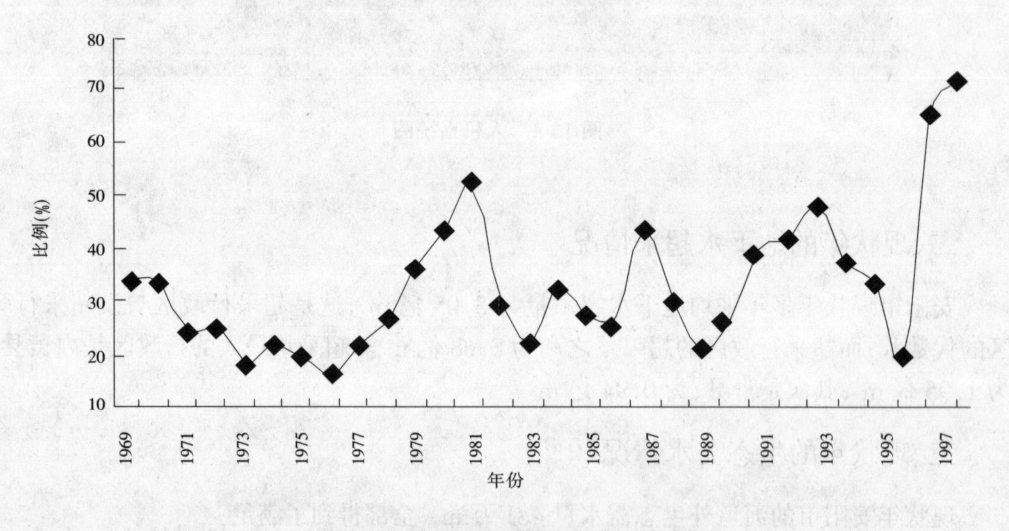

图 16-5　现状年洹河重点保护河段的污水比例的变化过程线

第四节　水资源动态平衡模拟分析

安阳市不同水平年水资源动态平衡模拟分析，主要包括以下三个方面：其一为立足于现状开发利用模式下的水资源供需平衡分析，即一次平衡；其二为基于保持现有调水工程规模不变并充分考虑节水、治污和挖潜等条件下的水资源供需平衡分析，即二次平衡；其三为考虑新修调水工程后的水资源供需平衡分析，即三次平衡。

一次平衡主要回答三个问题：一是明确在无外在投资条件下未来不同时间断面的供水能力和可供水量；二是明确在无节水工程投资条件下的水资源需求自然增长量；三是明确在现状开发利用模式下的水资源供需缺口，为确定节水、治污和挖潜等措施提供依据。

二次平衡是在一次平衡的基础上,结合产业结构调整、节水和治污、挖潜等措施所进行的基于当地水资源承载能力的供需平衡分析。主要回答:在充分发挥当地水资源承载能力条件下仍不能解决的水资源供需缺口,只能依靠新建跨流域调水工程来解决的缺水量问题。从而为确定新建调水工程规模提供依据。

三次平衡则是在一次平衡的基础上,考虑新建调水工程条件下的水资源供需平衡分析,统筹考虑外调水资源与当地水资源的联合运用和优化配置。主要回答:外调水量及其合理分配问题,为制定新建调水工程规划方案提供基本依据。

本次选用长系列法对拟定的各种配置方案进行模拟计算,选择的系列为 1969～1998 年,针对这 30 年长系列不同的降水年型分别选择三种保证率(25%、50%、75%)的需水量与之对应计算。除工业和生活需水量均选择 95%保证率进行预测外,农业和生态环境需水量则根据三种保证率(25%、50%、75%)分别进行预测。根据三种保证率(25%、50%、75%)的需水量预测结果,利用所建立的模拟模型分别对拟定的各种方案进行长系列模拟计算。

一、水资源供需一次平衡结果

水资源一次平衡,就是指在现状的用水效率和现有的水源工程设施条件下对未来各水平年的供需平衡进行分析。即过去所说的对零方案的分析。为了详细进行水资源供需一次平衡分析,分析和预测了安阳市在现状用水效率下的需水量,见表 16-8。

前述 L 方案各水平年都允许超采地下水,且都用现状年的污水处理及回用量作为约束条件。因此,可以作为分析零方案供水能力和水资源供需缺口的一个基本背景。

按照常理,地下水超采量也应算作缺水量。前述 B1998、C2010、C2015、C2030 方案各水平年都不允许超采地下水,而且都用现状年的污水处理及回用量作为约束条件。因此,可以作为分析零方案供水能力和水资源供需缺口的另一个基本背景。

(一)基于允许地下水超采情况下的水资源动态平衡分析

根据水资源一次平衡的思想,利用所建立的模拟模型进行长系列模拟计算,确定基于允许地下水超采情况下的水资源动态一次平衡计算结果(采用 L 方案的供水能力),见表 16-8 和图 16-6。

安阳市现状年、2010 年、2015 年和 2030 年地下水超采量依次为 3.68 亿 m^3、2.87 亿 m^3、3.21 亿 m^3、3.16 亿 m^3;全市各水平年的地下水累计超采量依次为 1998 年 3.68 亿 m^3,2010 年 47.03 亿 m^3,2015 年 61.56 亿 m^3,2030 年 109.52 亿 m^3,累计超采过程,如图 16-7所示。这些分析结果充分说明,安阳市如果不及时采取有力措施对地下水超采现象加以限制,则要不了多少年安阳市就会把上百、几千、上万年形成并赋存于地下的优质地下水资源全部抽干、喝净,地下水资源的可再生性将遭到毁灭性破坏,地下水资源的可持续利用将成为一句空话,不仅地下水资源几尽枯竭,同时还会产生难以估量的生态环境和地质灾害问题。由此可知,该方案显然是不可行的。

(二)基于不允许地下水超采情况下的水资源动态平衡分析

根据水资源一次平衡的思想,利用所建立的模拟模型进行长系列模拟计算,确定基于不允许地下水超采情况下的水资源动态一次平衡计算结果(采用 B1998、C2010、C2015、C2030 方案的供水能力),见图 16-8 和表 16-9。

表 16-8　基于允许地下水超采情况下的水资源动态一次平衡计算结果

行政区	指标	现状年	2010 年	2015 年	2030 年
安阳县	总需水量（100 万 m^3）	461	432	509	953
林州市		243	371	491	1 154
内黄县		444	395	423	578
滑县		503	490	556	873
汤阴县		174	174	194	370
市区(郊)		290	546	768	2 007
全市合计		2 114	2 408	2 942	5 934
安阳县	总供水量（100 万 m^3）	456	355	375	420
林州市		243	331	365	381
内黄县		443	348	356	336
滑县		492	478	505	552
汤阴县		161	129	130	164
市区(郊)		290	392	431	419
全市合计		2 086	2 032	2 162	2 273
安阳县	总缺水量（100 万 m^3）	4	78	134	533
林州市		0	40	126	773
内黄县		0	47	67	242
滑县		11	12	51	320
汤阴县		13	44	64	206
市区(郊)		0	154	337	1 587
全市合计		29	375	780	3 661
安阳县	平均缺水程度（%）	0.9	18.0	26.4	55.9
林州市		0.0	10.8	25.7	67.0
内黄县		0.1	11.9	15.8	41.8
滑县		2.2	2.5	9.2	36.7
汤阴县		7.4	25.5	33.0	55.7
市区(郊)		0.0	28.2	43.9	79.1
全市合计		1.4	15.6	26.5	61.7

从表 16-9 中的分析结果可以看出，安阳市现状年、2010 年、2015 年和 2030 年的缺水量依次为 3.92 亿 m^3、6.72 亿 m^3、11.72 亿 m^3、41.44 亿 m^3。虽然该方案地下水没有继续超采，但是缺水程度极高(2030 年高达 69.8%)，各方面都无法接受。因此，该方案也是不可行的。

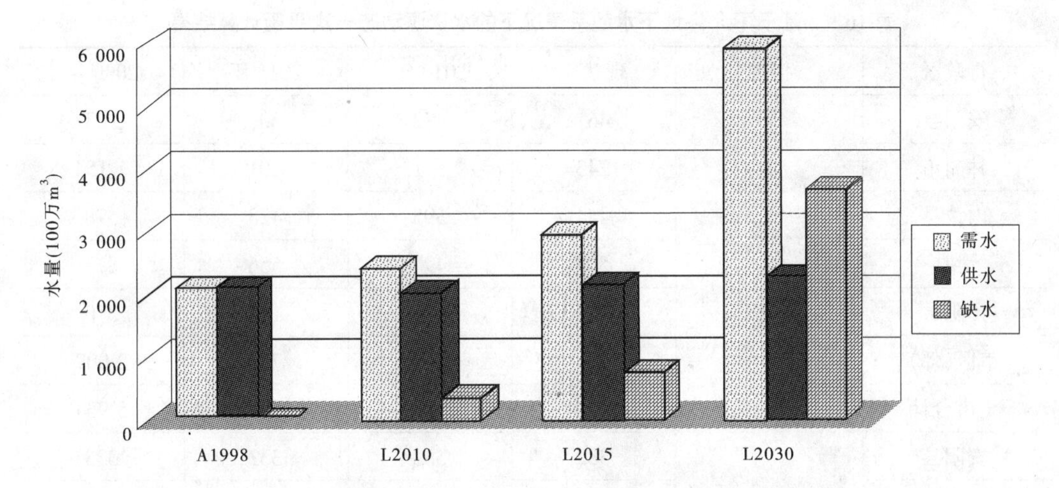

图 16-6 基于允许地下水超采情况下的水资源动态一次平衡计算结果

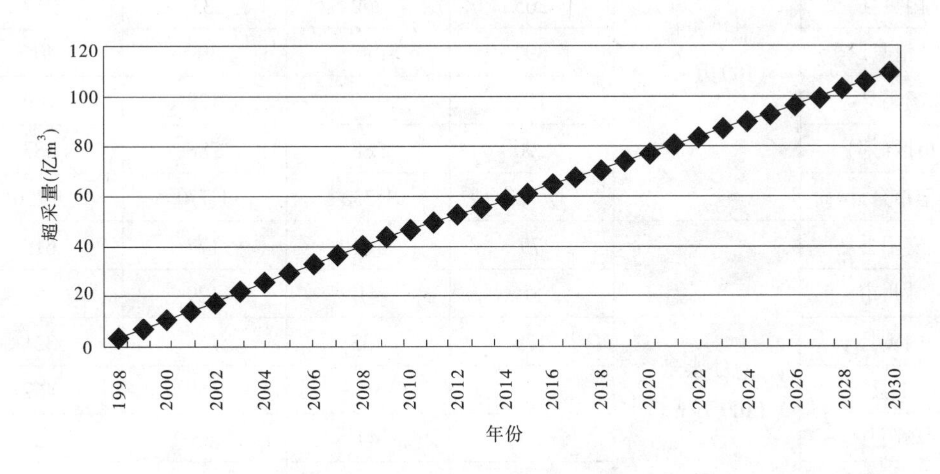

图 16-7 基于允许地下水超采情况下地下水累计超采量计算结果

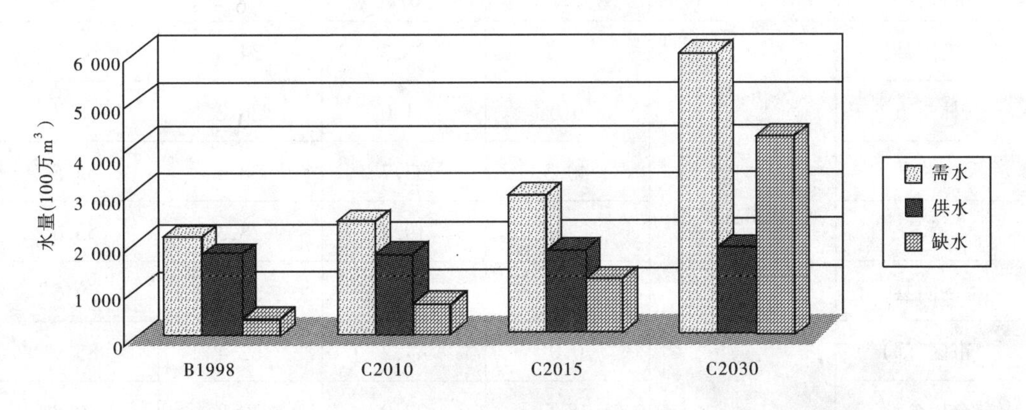

图 16-8 基于不允许地下水超采情况下的水资源动态一次平衡计算结果

表 16-9　基于不允许地下水超采情况下的水资源动态一次平衡计算结果

行政区	指标	现状年	2010 年	2015 年	2030 年
安阳县	总需水量（100 万 m^3）	461	432	509	953
林州市		243	371	491	1 154
内黄县		444	395	423	578
滑县		503	490	556	873
汤阴县		174	174	194	370
市区(郊)		290	546	768	2 007
全市合计		2 114	2 408	2 942	5 934
安阳县	总供水量（100 万 m^3）	382	332	332	333
林州市		243	330	362	361
内黄县		265	262	260	257
滑县		392	395	399	405
汤阴县		152	129	128	150
市区(郊)		290	288	288	283
全市合计		1 723	1 736	1 770	1 790
安阳县	总缺水量（100 万 m^3）	79	101	177	619
林州市		0	41	129	793
内黄县		179	133	163	321
滑县		112	95	158	467
汤阴县		23	44	66	221
市区(郊)		0	258	479	1 723
全市合计		392	672	1 172	4 144
安阳县	平均缺水程度（%）	17.1	23.3	34.8	65.0
林州市		0.0	11.0	26.2	68.7
内黄县		40.3	33.7	38.6	55.5
滑县		22.2	19.4	28.3	53.6
汤阴县		13.1	25.5	33.8	59.6
市区(郊)		0.0	47.2	62.4	85.9
全市合计		18.5	27.9	39.8	69.8

二、水资源供需二次平衡结果

水资源二次平衡，就是指在采取了节水措施的前提下充分发挥和挖掘现有水利工程措施的供水潜力，并考虑规划建设的当地水源工程，对未来各水平年的水资源供需平衡进行分析。即分析在充分利用当地水资源的前提下，是否存在缺水的问题。

在水资源二次平衡中，我们对规划的所有当地水源工程方案进行了各种比较现实的组合，构造了多组水资源配置方案。主要分三类：第一类是保持现状年地下水超采程度，各规划水平年都采取了城市污水处理及回用措施，除此之外没有新建其他水源工程，例如L方案；第二类是各规划水平年都不允许超采地下水，都采取了城市污水处理及回用措施，没有新建其他水源工程，例如B方案；第三类是各规划水平年都不允许超采地下水，都采取了城市污水处理及回用措施，新建了当地水源工程。

前两类方案是为了展示只考虑污水处理及回用措施，不新建当地水源工程条件下的水资源供需平衡情况，也是为了比较地下水超采约束对供水量的影响，例如L方案和B方案等。第三类则是为了弄清楚当地水源工程能否满足当地的水资源需求情况，哪些工程能解决哪些地方的水资源需求问题，解决程度如何，还有一个很重要的目的就是需要回答不新建调水工程仅依靠新建当地的水源工程能否满足当地水资源的需求问题，如果缺水，缺多少？缺水分布情况如何？例如D方案。

根据水资源二次平衡的思想，利用所建立的模拟模型对L方案和B方案进行长系列模拟计算，确定基于允许和不允许地下水超采情况下的水资源动态二次平衡计算结果。其中L方案和B方案的分析对比结果，见图16-9和表16-10、图16-10。

由图16-9可见，如果只考虑节水和污水处理及回用措施，而不考虑新建水源工程，尽管允许地下水超采能够明显减轻缺水程度，但是长期、大量地超采地下水是不可持续的(见表16-12)。因此，L方案是不可行的。

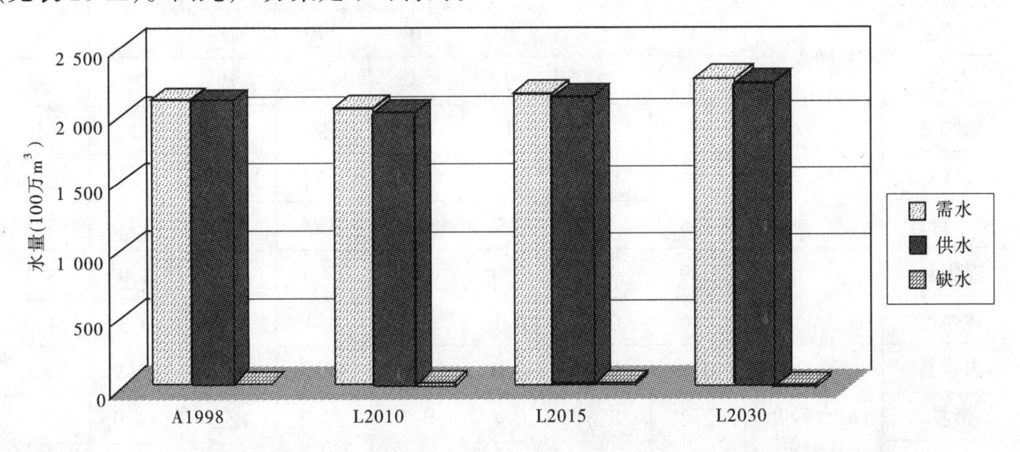

图16-9 基于L方案的水资源二次平衡趋势图

由图16-10可见，如果只考虑节水和污水处理及回用措施，而不考虑新建水源工程，则安阳市未来的总供水量不能满足需水要求，且缺水程度很大，其中2030年平均缺水程度将高达14.1%，总缺水量将达到3.26亿m^3。由此可知，B方案也是不可行的。

表 16-10 基于不新建供水工程的水资源二次平衡计算结果

行政区	指标	允许地下水超采(L 方案)				不允许地下水超采(B 方案)			
		现状年	2010 年	2015 年	2030 年	现状年	2010 年	2015 年	2030 年
安阳县	总需水量(100 万 m^3)	461	355	375	420	461	355	375	420
林州市		243	331	365	390	243	331	365	390
内黄县		444	348	356	336	444	348	356	336
滑县		503	480	507	556	503	480	507	556
汤阴县		174	133	131	165	174	133	131	165
市区(郊)		290	420	453	434	290	420	453	434
全市合计		2 116	2 066	2 187	2 301	2 114	2 066	2 187	2 301
安阳县	总供水量(100 万 m^3)	456	355	375	420	382	345	364	386
林州市		243	331	365	381	243	331	364	371
内黄县		443	348	356	336	265	270	275	280
滑县		492	478	505	552	392	421	431	458
汤阴县		161	129	130	164	152	131	130	164
市区(郊)		290	392	431	419	290	320	328	316
全市合计		2 086	2 032	2 162	2 273	1 723	1 817	1 892	1 976
安阳县	总缺水量(100 万 m^3)	4	0	0	0	79	10	11	34
林州市		0	0	0	9	0	0	1	19
内黄县		0	0	0	0	179	78	82	56
滑县		11	2	2	4	112	59	76	98
汤阴县		13	4	1	1	23	2	1	1
市区(郊)		0	28	23	14	0	100	125	117
全市合计		29	34	25	28	392	249	295	326
安阳县	平均缺水程度(%)	0.9	0.0	0.0	0.0	17.1	2.8	2.9	8.1
林州市		0.0	0.0	0.1	2.3	0.0	0.0	0.3	4.9
内黄县		0.1	0.0	0.0	0.0	40.3	22.3	22.9	16.6
滑县		2.2	0.4	0.4	0.7	22.2	12.3	14.9	17.7
汤阴县		7.4	2.8	0.6	0.7	13.1	1.8	0.6	0.7
市区(郊)		0.0	6.6	5.0	3.3	0.0	23.8	27.6	27.1
全市合计		1.4	1.6	1.2	1.2	18.5	12.0	13.5	14.1

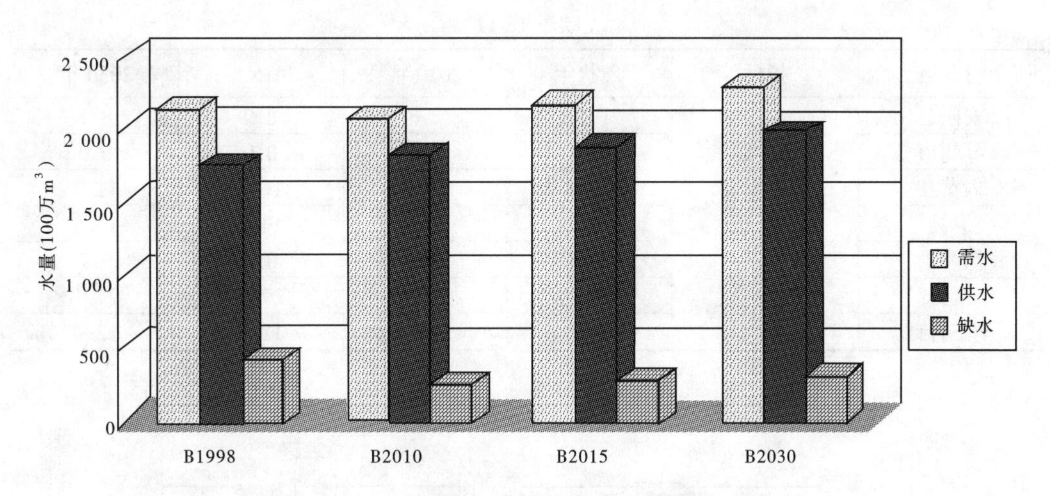

图 16-10 基于 B 方案的水资源二次平衡趋势图

D 方案则是根据各水平年各地区的需水情况，把规划新建的当地水源工程及污水处理及回用措施都投入运行，保持现有的调水工程条件，但不允许超采地下水。D 方案的长系列模拟计算结果见表 16-11 和图 16-11。

表 16-11 基于 D 方案的水资源动态二次平衡计算结果

行政区	指标	现状年	2010 年	2015 年	2030 年
安阳县	总需水量(100 万 m^3)	461	355	375	420
林州市		243	331	365	390
内黄县		444	348	356	336
滑县		504	480	507	556
汤阴县		174	133	131	165
市区(郊)		290	420	453	434
全市合计		2 114	2 066	2 187	2 301
安阳县	总供水量(100 万 m^3)	382	345	364	386
林州市		243	331	365	390
内黄县		265	291	298	298
滑县		392	421	432	458
汤阴县		152	131	130	164
市区(郊)		290	320	328	316
全市合计		1 724	1 839	1 917	2 013
安阳县	总缺水量(100 万 m^3)	79	10	11	34
林州市		0	0	0	0
内黄县		179	56	58	38
滑县		112	59	75	98
汤阴县		23	2	1	1
市区(郊)		0	100	125	117
全市合计		392	227	270	288

续表 16-11

行政区	指标	现状年	2010 年	2015 年	2030 年
安阳县	平均缺水程度(%)	17.1	2.8	2.9	8.1
林州市		0.0	0.0	0.0	0.0
内黄县		40.3	16.2	16.3	11.2
滑县		22.2	12.3	14.8	17.6
汤阴县		13.1	1.8	0.6	0.7
市区(郊)		0.0	23.8	27.6	27.1
全市合计		18.5	11.0	12.3	12.5

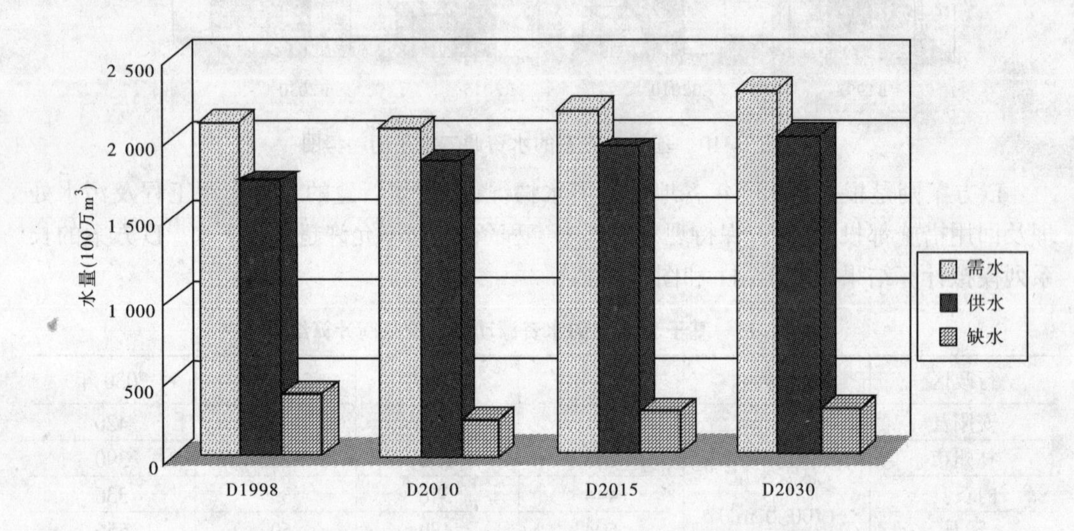

图 16-11 基于 D 方案的水资源动态二次平衡计算结果

从表 16-11 和图 16-11 中可以看出,D 方案各水平年的供水量都不能满足需水要求,其中现状年的缺水量最大,为 3.9 亿 m³,2010 水平年缺水量最小,为 2.3 亿 m³,2030 年缺水量为 2.9 亿 m³。该方案的总供水量代表了在保持现有调水工程不变的条件下,当地水资源能满足需水的最大能力,总缺水量即是需要从外流域增加调水量来满足的。因此,增加从外流域调水规模势在必行。

三、水资源供需三次平衡结果

安阳市水资源供需二次平衡计算结果表明,要满足安阳市社会、经济、环境可持续发展的需水要求,增加外调水已势在必行。下面重点分析在水资源二次平衡的基础上,如何考虑新建调水工程条件下的水资源供需三次平衡问题。

利用所建立的模拟模型对南水北调中线工程、大功引黄工程与当地水源工程统一配置条件下的水资源供需动态平衡进行长系列模拟计算。在这种条件下,可以组合成多种规划方案。

在表 16-2 中从 E 方案到 M 方案(L 方案除外),都是安阳市水资源供需三次平衡计算的组合方案。安阳市水资源三次平衡计算的所有方案都不允许地下水超采,其长系列模拟计算结果,见表 16-12。

表 16-12　各方案的水资源动态平衡计算结果汇总　（单位：100 万 m^3）

方案	水平年	需水量	总供水量	缺水量	缺水程度（%）	供水量				地下水超采量
						地表水	地下水	回用水量	外调水	
A	A1998	2 114	2 086	29	1.4	447	1 479	4	156	368
	A2010	2 066	2 032	34	1.6	483	1 386	6	158	283
	A2015	2187	2119	68	3.1	497	1 453	10	160	320
	A2030	2 301	2 221	81	3.5	520	1 528	8	165	368
B	B1998	2 114	1 723	392	18.5	543	1019	4	156	0
	B2010	2 066	1 817	249	12.0	608	1 013	38	158	0
	B2015	2 187	1 892	295	13.5	666	1 018	43	164	0
	B2030	2 301	1 976	326	14.1	720	1 028	62	166	0
C	C2010	2 066	1 736	330	16.0	566	1 008	4	158	0
	C2015	2 187	1 770	417	19.1	590	1 011	5	163	0
	C2030	2 301	1 790	511	22.2	587	1 032	7	164	0
D	D2010	2 066	1 839	227	11.0	658	974	48	159	0
	D2015	2 187	1 917	270	12.3	730	981	42	164	0
	D2030	2 301	2 013	288	12.5	772	1 006	70	165	0
E	E2010	2 066	1 898	168	8.2	571	996	31	299	0
	E2015	2 187	2 019	168	7.7	617	1 008	42	351	0
	E2030	2 301	2 120	181	7.9	688	1 022	57	353	0
F	F2010	2 066	2 047	19	0.9	591	936	45	475	0
	F2015	2 187	2 168	19	0.9	648	963	56	500	0
	F2030	2 301	2 286	16	0.7	701	1 028	60	497	0
G	G2010	2 066	1 817	249	12.0	618	1001	40	159	0
	G2015	2 187	2 167	20	0.9	646	962	61	498	0
	G2030	2 301	2 267	34	1.5	696	1 016	56	499	0
H	H2010	2 066	1 817	249	12.0	618	1 001	40	159	0
	H2015	2 187	2 167	20	0.9	646	962	61	498	0
	H2030	2 301	2 286	16	0.7	701	1 028	60	497	0
I	I2010	2 066	1 817	249	12.0	618	1 001	40	159	0
	I2015	2 187	2 130	57	2.6	682	953	63	433	0
	I2030	2 301	2 270	32	1.4	727	1 002	78	463	0
J	J2010	2 066	1 898	168	8.2	571	996	31	299	0
	J2015	2 187	2 174	13	0.6	576	887	62	650	0
	J2030	2 301	2 289	12	0.5	610	953	70	656	0
K	K2010	2 066	1 898	168	8.2	571	996	31	299	0
	K2015	2 187	2 163	24	1.1	573	919	73	599	0
	K2030	2 301	2 286	15	0.6	619	962	73	632	0
L	L2010	2 066	2 032	34	1.6	478	1 393	4	158	287
	L2015	2 187	2 162	25	1.2	539	1 416	44	163	321
	L2030	2 301	2 273	28	1.2	588	1454	66	165	316
M	M2010	2 066	1 912	154	7.5	585	996	31	299	0
	M2015	2 187	2 177	10	0.4	587	919	73	599	0
	M2030	2 301	2 301	0	0.0	633	962	73	632	0

从表16-12中各方案的水资源三次平衡计算结果，可以得出如下结论：

(1)E方案：以大功引黄工程为主，配以林州市的水源工程。该方案各水平年的供水量都不能满足需水要求，2010年、2015年、2030年的缺水量在1.7亿～1.8亿m^3，缺水程度在7.7%～8.2%。主要原因是：①安阳市区(郊)缺水比较严重，缺水量在1.0亿～1.3亿m^3，缺水程度24.3 %～28.2%，缺水对安阳市区(郊)的正常生活和经济发展影响很大；②黄河水源紧张，而且大功引黄工程因上游其他地区可能的引水、拦截都会影响引黄工程到安阳市的实际水量。所以，大功引黄工程作为安阳市长期的水源工程存在较大的风险，尤其是在没有与上游其他地区签订引水协议的条件下。

(2)F方案：以南水北调中线工程为主，配以林州市的水源工程。该方案2010年、2015年、2030年的缺水量均在0.2亿m^3以下，缺水程度均小于1.0%。总的来说，缺水问题可以基本得到解决。其关键问题是，南水北调中线工程能否在2010年如期通水。若南水北调中线工程能在2010年建成通水，则该方案是一个值得优先推荐的方案。

(3)G方案：以南水北调中线工程为主，配以林州市的水源工程。由于假定2010年南水北调中线工程尚未建成通水，马家岩水库也没有上马，所以2010年安阳市市区(郊)缺水程度比较严重，内黄、滑县有较大数量的农业缺水。其他水平年内黄、滑县也有一定的农业缺水。该方案缺水对安阳市东部平原区的生活和生产影响很大，因此不宜作为优先推荐方案。

(4)H方案：以南水北调中线工程为主，配以林州市的水源工程。该方案各水平年供水均不能满足需水要求，2010年、2015年、2030年的供、缺水情况同G方案，虽然2030年增加了马家岩水库，缺水量约减少了0.2亿m^3，但关键问题与G方案相同，故也不宜作为优先推荐方案。

(5)I方案：以南水北调中线工程为主，配以林州市的水源工程。该方案以南水北调中线总体工程设计审查结果为依据，南水北调中线工程只向城镇供水(包括城镇生活和工业生产)，不给其他行业供水。在长系列供需平衡模拟计算时，考虑将城市原先挤占的农业用水还给农业，但是由于受农业需水过程的影响，南水北调中线工程的供水量以及整个安阳市水资源系统的总供水量比同样工程组合方案的总供水量有所减少。如2030年该方案的外调水工程的总供水量减少约0.34亿m^3，而水资源系统的总供水量减少0.16亿m^3，缺水程度相应地增加到了1.4%。该方案的主要问题，仍然是2010年安阳市区(郊)缺水比较严重。

(6)J、K方案：两个方案的水源工程组合相同，都选择了大功引黄工程、南水北调中线工程、马家岩水库。两方案的配水差别在于K方案的南水北调中线工程只向城镇供水，而J方案的南水北调中线工程向各行业供水。可见，J方案的外调水量和总供水量均大于K方案；J方案的缺水程度略低于K方案；具体供水指标的差异，见表16-12。这是在优化调配情况下的结果，总的来说两方案的差别较小。但是，实际上的调度不可能完全达到优化的效果，南水北调中线工程只向城镇供水，并不可能把原先挤占的农业用水完全还给农业，因此，K方案南水北调中线工程的供水量会比J方案的小，而且其差距也会比优化结果大。K方案2010年安阳市郊的城镇缺水过程，如人机界面系统图16-12所示。

(7)M方案：是在K方案的水源工程组合上增加了彰武水库扩容。这主要是为了减

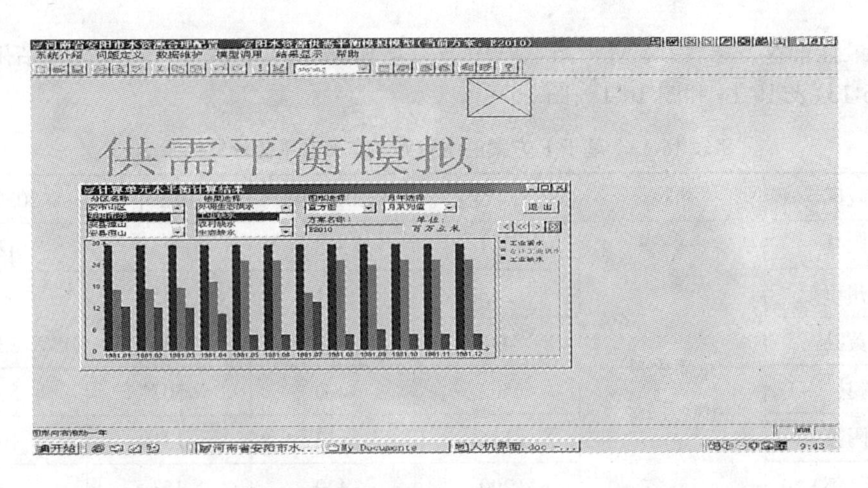

图 16-12　2010 年安阳市郊枯水年年内需、供、缺水过程(K2010)

少 2010 年安阳市区(郊)的城镇缺水量,各水平年该方案比 K 方案约增加供水量 0.15 亿 m^3。特别是 2010 年对减轻安阳市区(郊)的城镇缺水程度有比较明显的作用。而投资增加不大,仅为 1.6 亿元,是值得优先推荐的方案。该方案的主要问题,仍然是 2010 年安阳市区(郊)的城镇缺水问题没有完全解决,只是缺水程度减轻了一些。

从上面众多方案的分析结果可知,大功调水工程能够部分解决东部平原地区的缺水问题,但不能解决整个平原地区的缺水问题,并且水源保障存在问题;而南水北调中线基本上能够解决平原地区的缺水问题,再配上林州市的规划供水工程,就解决了整个安阳市的缺水问题。所以,除了节水、调整产业结构和污水处理回用等措施外,安阳市水资源配置最理想的规划工程组合方案是 2010 年投入南水北调中线和河东闸,2030 年再投入马家岩水库。这样不仅解决了各水平年城镇、农村和生态环境的需水问题,而且基本上没有出现水源工程重复建设的问题。但是,南水北调中线工程的建设进度、建成投入运行的时间不取决于安阳市或河南省。该工程若推迟到 2015 水平年投入,又不上大功调水,则 2010 年缺水程度较高,特别是城镇缺水严重,缺水损失较大。另一方面大功调水工程目前已经在建。从安阳市整个水资源系统来看,大功引黄工程与南水北调中线工程虽然存在重复建设的问题,但作为安阳市近期解决或缓解严重缺水问题的应急工程的确也是很有必要的。2010 年大功引黄工程投入运行后最大的问题是,该水平年安阳市区(郊)的缺水问题仍然无法彻底解决。总之,由于南水北调中线工程存在很大的不确定性,为了尽可能地保障当地的供水安全,新建的水源工程存在重复建设的问题也是在所难免的。

另外,虽然通过长系列计算表明到 2030 年修建马家岩水库最为合适,但考虑到近几年由于漳河上游来水量急剧减少,导致红旗渠引水量锐减,给当地社会经济发展造成巨大损失,因此将马家岩水库作为一项应急工程尽早开工建设是必要的,预计建成后马家岩水库每年可向红旗渠补水 4 540 万 m^3,可以大大缓解红旗渠灌区用水紧张的局面,支持安阳市西部山丘区社会经济发展及生态环境建设。

综上所述,若 2010 年南水北调中线工程建成通水,则安阳市水资源优化配置的最佳推荐方案,当属 F 方案;若 2015 年南水北调中线工程才能建成通水,则安阳市水资源优化配置的最佳推荐方案，当属 M 方案。其中 F 方案和 M 方案的长系列模拟计算结果，分别见表 16-13、表 16-14 和图 16-13、图 16-14。

表 16-13　基于 F 方案的水资源动态三次平衡计算结果

行政区	指标	现状年	2010 年	2015 年	2030 年
安阳县	总需水量（100 万 m^3）	461	355	375	420
林州市		243	331	365	390
内黄县		444	348	356	336
滑县		503	480	507	556
汤阴县		174	133	131	165
市区(郊)		290	420	453	434
全市合计		2 114	2 066	2 187	2 301
安阳县	总供水量（100 万 m^3）	382	355	375	420
林州市		243	331	365	390
内黄县		265	335	344	330
滑县		392	474	500	547
汤阴县		152	133	131	165
市区(郊)		290	420	453	433
全市合计		1 723	2 047	2 168	2 286
安阳县	总缺水量（100 万 m^3）	79	0	0	0
林州市		0	0	0	0
内黄县		179	13	12	6
滑县		112	6	7	9
汤阴县		23	0	0	0
市区(郊)		0	0	0	0
全市合计		392	19	19	16
安阳县	平均缺水程度（%）	17.1	0.0	0.0	0.1
林州市		0.0	0.0	0.0	0.1
内黄县		40.3	3.7	3.4	1.7
滑县		22.2	1.2	1.3	1.7
汤阴县		13.1	0.0	0.0	0.0
市区(郊)		0.0	0.0	0.1	0.0
全市合计		18.5	0.9	0.9	0.7

表 16-14　基于 M 方案的水资源动态三次平衡计算结果

行政区	指标	现状年	2010 年	2015 年	2030 年
安阳县	总需水量（100 万 m^3）	461	355	375	420
林州市		243	331	365	390
内黄县		444	348	356	336
滑县		503	480	507	556
汤阴县		174	133	131	165
市区(郊)		290	420	453	434
全市合计		2 114	2 066	2 187	2 301
安阳县	总供水量（100 万 m^3）	382	345	375	420
林州市		243	331	364	390
内黄县		265	298	354	336
滑县		392	474	501	556
汤阴县		152	131	131	165
市区(郊)		290	334	453	433
全市合计		1 723	1 912	2 177	2 301
安阳县	总缺水量（100 万 m^3）	79	10	0	0
林州市		0	0	1	0
内黄县		179	50	2	0
滑县		112	6	7	0
汤阴县		23	2	0	0
市区(郊)		0	85	0	0
全市合计		392	154	10	0
安阳县	平均缺水程度（%）	17.1	2.8	0.0	0.0
林州市		0.0	0.0	0.3	0.0
内黄县		40.3	14.5	0.5	0.0
滑县		22.2	1.3	1.3	0.0
汤阴县		13.1	1.8	0.0	0.0
市区(郊)		0.0	20.3	0.1	0.0
全市合计		18.5	7.5	0.4	0.0

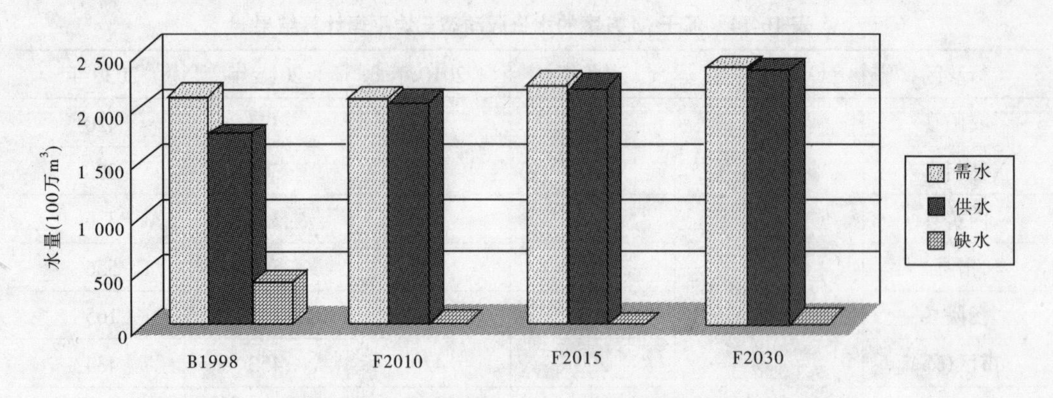

图 16-13　基于 F 方案的水资源动态三次平衡计算结果

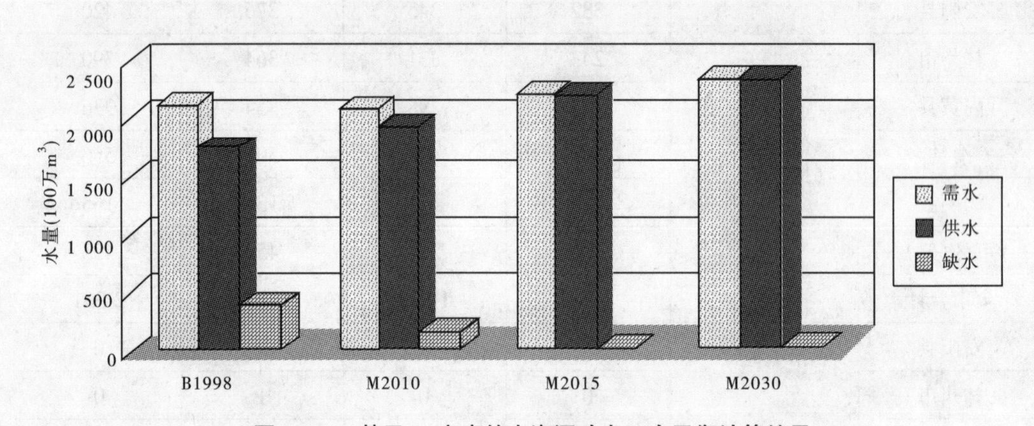

图 16-14　基于 M 方案的水资源动态三次平衡计算结果

第五节　水利工程供水作用分析

一、各种水利工程的供水结构

现状年(A1998)各种水源工程的供水量,见表 16-5,各种水源供水占总供水量的比例见表 16-15。

表 16-15　现状年各种水源的供水比例结构(A1998)　　(%)

行政分区	计算单元	地表水	地下水	回用水	外调水	合计
安阳县	漳山	15.6	0.0	0.0	84.4	100
	洹山	17.7	77.0	0.0	5.2	100
	汤山	59.9	40.1	0.0	0.0	100
	洹平	44.1	42.5	0.0	13.4	100
	汤平	12.0	88.0	0.0	0.0	100
	小计	28.0	66.3	0.0	5.7	100

续表 16-15

行政分区	计算单元	地表水	地下水	回用水	外调水	合计
林州市	漳山	45.2	0.0	0.0	54.8	100
	洹河	36.2	17.0	0.0	46.7	100
	淇河	36.2	7.0	0.0	56.8	100
	小计	37.3	12.0	0.0	50.7	100
内黄县	卫北	22.3	77.7	0.0	0.0	100
	卫南	5.9	94.1	0.0	0.0	100
	硝河	1.5	98.5	0.0	0.0	100
	小计	7.3	92.7	0.0	0.0	100
滑县	卫平	61.6	38.4	0.0	0.0	100
	大功	1.4	98.6	0.0	0.0	100
	桑平	35.7	64.3	0.0	0.0	100
	小计	9.0	91.0	0.0	0.0	100
汤阴县	山区	100.0	0.0	0.0	0.0	100
	平西	30.0	70.0	0.0	0.0	100
	岗区	2.8	97.2	0.0	0.0	100
	平东	15.9	84.1	0.0	0.0	100
	小计	32.1	67.9	0.0	0.0	100
安阳市区(郊)	山区	92.5	7.5	0.0	0.0	100
	市郊	32.7	63.4	1.4	2.5	100
	小计	34.5	61.7	1.3	2.4	100
全市	合计	21.4	70.9	0.2	7.5	100

从表 16-15 中的分析结果可以看出,安阳市地下水的供水比例最大,为 70.9%;当地地表水次之,为 21.4%;外调水占 7.5%;污水处理及回用水几乎没有,为 0.2%。

现状年(A1998)7 座已有大中型水库多年平均供水情况,见表 16-6;红旗渠、跃进渠和漳南干渠的多年平均供水情况,见表 16-7。值得说明的是,这里的供水过程是指实际参加各计算单元的供需平衡的水量,不包括沿途损失的水量和间接供水量,因此比其总引水量要小一些。

2030 年各种水利工程的供水量及供水比例结构,以同时建成南水北调中线工程和大功引黄工程的 K2030 为例,见表 16-16 和表 16-17。2030 年安阳市地下水的供水比例仍然最大,为 42.1%;外调水次之,为 27.7%;当地地表水与外调水相当占 27.1%;污水处理回用水为 3.2%。由于不允许地下水超采,在基本满足需水的情况下各方案各种水源的供水比例变化不是很大。

2030 年与现状年比较,安阳市各种水利工程的供水比例结构发生了显著变化。由于不允许地下水超采以及总供水量的增加,地下水的比例下降了 28.8%;南水北调中线工程和大功调水等规划供水工程的投入运行,外调水供水量增加了 20.2%,同时当地地表水、污水处理回用水的比例也有所提高。

二、南水北调中线工程的作用

南水北调中线工程对于解决安阳市的水资源短缺问题至关重要。在南水北调中线工

表 16-16　各种水利工程 2030 年的供水量(K2030)　　(单位:100 万 m^3)

行政分区	计算单元	地表水	地下水	回用水	外调水	合计
安阳县	漳山	1	0	0	3	4
	洹山	88	98	5	8	199
	汤山	29	3	0	0	32
	洹平	38	19	2	31	88
	汤平	25	55	2	15	98
	小计	180	175	9	57	420
林州市	漳山	19	0	2	19	41
	洹河	107	51	20	71	249
	淇河	44	18	1	37	100
	小计	171	69	23	128	390
内黄县	卫北	36	28	1	11	76
	卫南	5	37	0	24	66
	硝河	0	107	0	82	189
	小计	41	172	1	117	331
滑县	卫平	20	11	0	28	59
	大功	0	253	0	179	432
	桑平	24	32	0	0	56
	小计	44	296	0	207	548
汤阴县	山区	33	0	0	0	33
	平西	31	33	0	0	64
	岗区	8	15	0	0	23
	平东	14	31	0	0	45
	小计	87	79	0	0	165
安阳市区(郊)	山区	8	1	0	0	9
	市郊	89	172	41	123	425
	小计	97	173	41	123	433
全市	合计	619	962	73	632	2 286

程规划给安阳市分配水量 4.5 亿 m^3 的前提下,中线工程能够向平原区的各个单元供水,不同程度地减少了这些单元的缺水量,提高了需水满足程度,同时有效地控制了地下水的超采,并基本实现采补平衡。

同一个水源工程在不同工程组合方案中的供水量一般是不同的。在供需平衡模拟系统中有每个工程的供水过程图及数据库,这里只选择典型方案中的南水北调中线工程的供水量进行分析。以 H2030 方案为例,南水北调中线工程允许向各行业供水,而且又不存在与大功引黄工程争供水量的情况,其供水量应该是比较大的,可以近似看作是安阳市对南水北调中线工程的最大需水规模。通过 30 年长系列的动态模拟计算,其多年平均总供水量为 3.3 亿 m^3,其中城镇供水量为 1.4 亿 m^3。不同频率条件下南水北调中线工程的调水供水情况,见表 16-18。

表 16-17 各种水源 2030 年的供水比例结构(K2030) (%)

行政分区	计算单元	地表水	地下水	回用水	外调水	合计
安阳县	漳山	16.5	0.0	0.3	83.2	100
	洹山	44.2	49.3	2.6	3.9	100
	汤山	91.8	8.2	0.0	0.0	100
	洹平	42.5	21.0	1.7	34.8	100
	汤平	25.8	56.9	1.9	15.4	100
	小计	42.9	41.6	2.0	13.5	100
林州市	漳山	47.2	0.0	5.1	47.7	100
	洹河	43.2	20.4	7.9	28.5	100
	淇河	43.9	17.9	0.8	37.4	100
	小计	43.8	17.6	5.8	32.8	100
内黄县	卫北	47.2	36.5	1.2	15.0	100
	卫南	7.3	56.4	0.0	36.4	100
	硝河	0.2	56.4	0.0	43.4	100
	小计	12.4	51.8	0.3	35.5	100
滑县	卫平	33.8	18.6	0.0	47.6	100
	大功	0.1	58.5	0.0	41.4	100
	桑平	42.1	57.0	0.9	0.0	100
	小计	8.0	54.1	0.1	37.8	100
汤阴县	山区	100.0	0.0	0.0	0.0	100
	平西	47.9	52.1	0.0	0.0	100
	岗区	36.4	63.6	0.0	0.0	100
	平东	31.9	68.1	0.0	0.0	100
	小计	52.4	47.5	0.0	0.0	100
安阳市区(郊)	山区	87.6	12.3	0.1	0.0	100
	市郊	20.9	40.4	9.6	29.1	100
	小计	22.3	39.8	9.4	28.5	100
全市	合计	27.1	42.1	3.1	27.7	100

表 16-18 不同频率下南水北调中线工程的供水情况(H2030 方案) (单位:100 万 m^3)

供水情况	多年平均水量	50%	75%	90%	100%
调水量	449.90	470.00	372.25	277.00	133.00
总供水量	331.10	337.34	305.90	263.89	126.11
损失水量	16.17	17.65	11.01	7.18	6.33
弃水量	102.63	89.41	34.12	2.11	0.00
城镇供水	138.56	138.48	132.68	115.38	110.44
农村供水	176.65	184.18	139.16	119.53	11.07
生态供水	15.89	15.79	13.63	9.26	4.59

在 I2030 方案中，南水北调中线工程只允许向城镇供水。通过 30 年长系列的动态模拟计算，其多年平均总供水量为 3.0 亿 m^3。对各地区各行业的多年平均供水量见表 16-19；不同频率下南水北调中线工程的调水供水情况，见表 16-20。

表 16-19　南水北调中线工程供水的空间分布情况（H2030 和 I2030 方案）（单位：100 万 m^3）

行政分区	计算单元	H2030 方案（向各行业供水）				I2030 方案
		生态	城镇	农村	合计	城镇
安阳县	洹平	0.09	7.46	0.02	7.57	8.85
	汤平	4.74	0.06	10.82	15.62	15.52
	小计	4.83	7.52	10.84	23.19	24.37
内黄县	卫北	1.49	4.49	11.19	17.17	14.14
	卫南	0.55	0	1.81	2.36	0.02
	硝河	1.99	0	35.46	37.45	25.37
	小计	4.03	4.49	48.46	56.98	39.53
滑县	卫平	2.53	10.81	9.97	23.31	25.97
	大功	4.5	1.39	116.55	122.44	97.6
	小计	7.03	12.2	126.52	145.75	123.57
汤阴县	平西	0	0	0	0	0
	岗区	0.03	0	0	0.03	0
	平东	0.05	0	0	0.05	0
	小计	0.08	0	0	0.08	0
市区（郊）	安阳市区（郊）	0.86	120.37	0	121.23	121.68
全市	合计	16.83	144.58	185.82	347.23	309.15

表 16-20　不同频率下南水北调中线工程的调水供水情况（I2030 方案）（单位：100 万 m^3）

供水情况	多年平均水量	50%	75%	90%	100%
调水量	449.90	470.00	372.25	277.00	133.00
总供水量	295.89	303.34	269.93	236.70	123.95
损失水量	13.08	16.59	6.87	5.39	5.33
弃水量	140.93	134.04	65.23	15.44	3.71

H2030 方案和 I2030 方案的需水和各种供水措施组合完全相同，惟一差别是调度方式不同，即南水北调中线工程向各行业供水与只向城镇供水的差别。其对比结果，见表 16-21。

表 16-21　南水北调中线不同供水方式的供水情况比较(H2030 - I2030)（单位:100 万 m^3）

供水情况	多年平均水量	50%	75%	90%	100%
总供水量	35.21	34.00	35.97	27.19	2.16
弃水量	-38.3	-44.63	-31.11	-13.33	-3.71

由表 16-21 中的分析结果可以看出,南水北调中线工程向各行业供水要比只向城镇供水年均多供 0.35 亿 m^3。由于这两方案没有大功调水,供水能力富裕度较小,该结果反映了客观的真实情况。

在 K2030 方案中,南水北调中线工程只允许向城镇供水。通过 30 年长系列的动态模拟计算,其多年平均总供水量为 2.8 亿 m^3。由于存在与大功引黄工程争供水的问题,其总供水量略有下降。不同频率下南水北调中线工程的调水供水情况见表 16-22;对各地区的平均供水量见表 16-23。

表 16-22　不同频率下南水北调中线工程的调水供水情况(K2030 方案)　(单位:100 万 m^3)

供水情况	多年平均水量	50%	75%	90%	100%
调水量	449.90	470.00	372.25	277.00	133.00
总供水量	282.26	291.47	270.20	238.22	123.27
损失水量	8.54	9.73	6.62	5.43	4.95
弃水量	159.10	166.62	75.76	20.25	4.78

表 16-23　南水北调中线工程供水的空间分布情况(K2030 方案)(单位:100 万 m^3)

行政分区	计算单元	城镇
安阳县	洹平	8.97
	汤平	15.53
	小计	24.5
内黄县	卫北	14.14
	卫南	0
	硝河	0
	小计	14.14
滑县	卫平	28.11
	大功	101.81
	小计	129.92
汤阴县	平西	0
	岗区	0
	平东	0
	小计	0
市区(郊)	安阳市区(郊)	122.25
全市	合计	290.81

从表 16-23 的计算结果可以看出,虽然汤阴县在各规划水平年基本上都不需要南水北调中线工程的供水量,但是我们还是建议在规划中适当给汤阴县留有一定的供水量。

其原因:一方面是汤阴县目前的城镇需水量基数很小,今后中远期或超远期社会经济发展速度多大、需水量增长多快,目前还很难准确估算和预测;另一方面,汤阴县的水资源污染问题目前已相当严重,尤其是汤河的水污染问题十分严峻,现有的工农业生产用水的水质普遍较差,为了确保汤阴县今后的供水安全和环境安全,需要根据其上游鹤壁市和汤阴县自己的水污染治理和保护情况,适时利用南水北调中线工程的优质水源置换当地的劣质供水水源,以支持当地的可持续发展。

通过各方案的分析结果表明,安阳市对南水北调中线工程的需水规模在3.0亿~3.5亿 m^3 比较合适。在工程规划期内,南水北调中线工程给安阳市4.5亿 m^3 的分配指标,显得有些偏大、偏于保守。另外,安阳市将由此担负起更多一些的工程投资或基本水费的分摊份额。因此,南水北调中线工程给安阳市4.5亿 m^3 的分配指标,在2030年以前是很难充分利用完的,尚有1亿~1.5亿 m^3 的水量富裕。但考虑到安阳市超长期发展的需要,预计到2040年或2050年安阳市可基本上充分利用完4.5亿 m^3 的分配指标。从这个角度看,南水北调中线工程给安阳市4.5亿 m^3 的分配指标对安阳市的长远发展还是有利的。

综上所述,从南水北调中线工程建成通水后安阳市的水资源开发利用格局看,安阳市今后的工业布局及城镇化发展重点应放在京广线一带。这样不仅有南水北调中线工程的优质供水水源作保证,还可以减少供水成本,增加产品的市场竞争力,有利于招商引资和全面提升全市的区位优势及综合实力。

三、彰武水库的供水作用

(一)彰武水库不扩容条件下的供水情况

K2030方案中彰武水库及其他大中型水库的供水量见表16-24。由此可见,在彰武水库不扩容的情况下,其总供水量可以接近1.6亿 m^3。

表16-24　2030年各大中型水库水量平衡(K2030方案)　(单位:100万 m^3)

水库名称	入库水量	总供水量	其中			失水量	弃水量
			城镇	农村	生态环境		
彰武水库	228	156	111	12	33	4	69
双全水库	7	2	1	0	1	0	5
汤河水库	63	36	11	21	3	4	23
琵琶寺水库	14	6	2	2	2	2	5
南谷洞水库	54	24	21	1	2	5	25
弓上水库	65	28	17	9	2	2	34
石门水库	5	3	2	1	0	1	1
马家岩水库	50	43	36	2	4	3	4
合　计	485	297	201	48	48	21	167

(二)彰武水库扩容条件下的供水情况

在彰武水库扩容的条件下,其兴利库容比不扩容增加0.14亿 m^3。在现状年彰武水库还有 1.3 亿 m^3 的弃水量，估计该库扩容可增加供水量 0.14 亿 m^3，而到 2030 年(例如 K2030 方案)水库的弃水量明显减少，扩容增加的供水量将有所减少。彰武水库虽然不能改变安阳市区(郊)缺水的被动局面，但是可以缓解安阳市区(郊)和安阳县的局部严重的水资源供需矛盾。彰武水库扩容的工程问题比较简单，库区移民是其主要问题。

四、城市污水处理措施的作用

城市污水处理措施的作用主要体现在两方面：一是改善了水质，保护地表水源和地下水源；二是增加了可利用水源。从图 16-15、图 16-16 中 1998 年与 2030 年的对比结果可知，由于供水量和耗水增加，洹河里的水量有明显减少的趋势，而同时城镇排放的水量大幅增加，如果不进行污水处理，河里的污水比例(河道中未处理的污水量占总水量的比例)将非常高(近似为 1)。由于规划对城镇污水采取有效处理和回用措施，使 2030 水平年的污水比例比现状年明显下降(特枯水年除外。2030 水平年特枯水年未处理污水占河道总过水量的比例较现状年大的原因是河道总过水量很小，未处理污水量并没有比一般来水年份增加。)，沿河的地表水及地下水水质将会明显提高。其他地区同样如此。另一方面，2030 水平年的污水处理回用水量比现状年增加了约 0.7 亿 m^3。

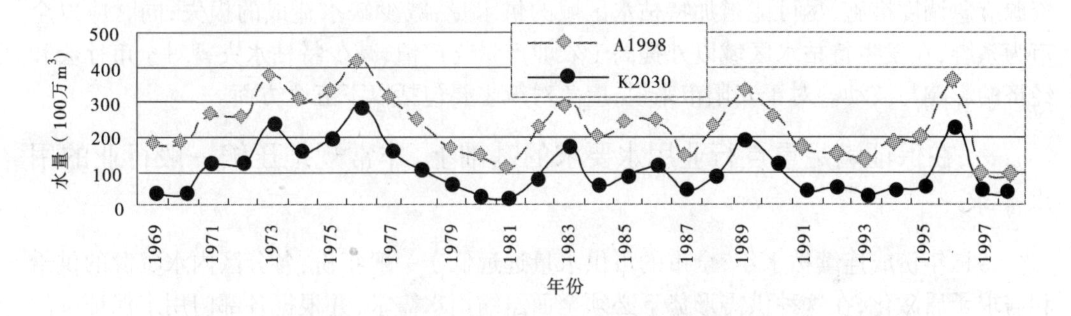

图 16-15　洹河重点保护河道的年过水量过程对比

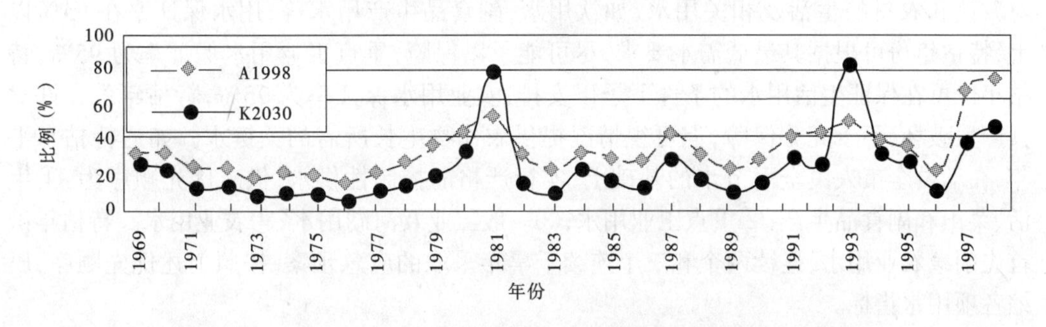

图 16-16　洹河重点保护河道未处理污水量占总过水量的比例过程线

五、其他水资源措施的作用

通过综合分析表明，节水措施的作用最大。各水平年采取节水措施后，可大大提高安阳市的用水效率，与保持现有用水效率相比，通过节水措施有效控制 2010 年、2015 年、2030 年安阳市的社会经济总需水量的增长，分别减少需水增量 3.4 亿 m^3、7.6 亿 m^3、

36.3亿 m^3,分别占按现状用水效率预测的当年社会经济总需水量的14.2 %、25.7%、61.2 %。由此可见,加强节约用水工作是非常重要的,势在必行。

大功引黄工程,对于解决滑县和内黄县的缺水问题很重要。事实上,目前该调水工程已经实现了向滑县供水,尚未实现向内黄县供水。在规划设计的引黄水量前提下,以E方案为例,该工程2010年、2015年和2030年的供水量分别为1.6亿 m^3、2.1亿 m^3 和2.1亿 m^3。今后该工程的实际供水量,主要取决于黄河有多少水量可引和引黄总干渠所经过的上游地区能够剩余多少水量到达安阳市境界。大功引黄工程能否配合南水北调中线工程进行供水,其作用究竟有多大,要取决于南水北调中线工程的总体设计方案,尤其是最终的功能定位、供水对象、供水范围和水价政策等。

第六节　特枯年和连续枯水年应急对策

由于安阳市水资源时空分布不均的特性,各分区的特枯水年同时出现的概率很小,因此在不同分区旱涝灾害同时发生的概率也很小。当安阳市局部区域出现特枯干旱年时,从全市来说,应依据河流水系与跨流域调水工程情况,采取本市所辖区域内和跨流域的水资源应急调度措施,尽可能增加特枯水区域的供水量,减少缺水造成的损失;同时应以全市为系统,在发生特枯水区域以外提高工农业产量与产值,减少特枯水灾害对全市社会和经济的影响与波动。对于安阳市来说,应急对策主要包括以下五个方面。

一、在保证满足重点行业用水要求的基础上,非常规地压缩一般行业的用水需求

特枯年份或连续枯水年,全市的可供水量远远低于一般年份,各分区内水资源的供给和需求矛盾激化,在这种供需形势下必须全面压缩用水需求,并根据各部门用水保证率的高低,确定供水的优先顺序,进行有选择地供给,以保障重点部门的正常秩序和运行。如对城镇和农村的生活及相关用水,如饮用水、副食品生产用水等,用水保证率在95%以上,特枯年份可根据其最低需水要求,尽可能予以保障;重点工业用水保证率为95%,特枯年份可在保证生活用水的条件下予以安排;农业用水保证率为75%,特枯年份允许对其产生破坏,不予充分保障,但可视情况提供农作物生长所需的关键水。如遇特枯水平年,在动员全市人民全面节水的基础上,实行严格的控制性供水,供水优先顺序为:①生活、菜田和副食品生产;②重点工业用水;③一般工业及河湖用水;④农业用水。特枯年份首先削减农业用水,连续两个和三个连续干旱年采取的应急预案,按照上述优先顺序,压缩各项用水指标。

在这个过程中必须注意两个问题,即农业用水和生态环境用水的优先级别确定问题。在以上排序过程中,最主要的依据是行业用水保证率的高低。农业用水保证率较低的原因,一方面是基于分区之间具有农产品调配能力和条件而言的,另一方面在遭遇连续枯水年情况下,农业供水优先方案相比较工业优先供水方案对于提高粮食产量并无明显优势,如《黄河流域水旱灾害》中假设流域在遭遇11年连续旱期的极端情景下,农业优先供水方案仅比工业优先供水方案少减产656万t,占两种供水方案减产粮食总量的3.6%～

3.8%。另外生态环境用水保证率目前尚无准确定量标准，特枯年份以不对生态环境造成不可逆转损害为限。其供水优先顺序主要参考两个因素，一是区域生态环境系统的稳定性和抗干扰性，二是区域生态环境保障目标。

在对需求进行压缩的具体操作时，除加强各项日常管理措施外，非常规的行政手段和经济手段也应被纳入应急措施当中，如特殊时期执行特殊水价政策，强行关闭高耗水企业，限时限量供水等。

二、有条件地挤占生态环境用水需求

为保障社会经济的可持续发展，生态环境用水已经引起了社会的广泛重视。但一旦遇连续枯水年或特枯年，挤占生态环境用水也可以成为应急预案中的一项胁迫行为，如减少河道最小基流量、降低河道外生态环境用水标准等。但必须强调的是，采取这种行为的前提是不对生态环境系统造成不可逆转的影响或是受损生态系统在预期时段内能够恢复或重建。由于地下含水层具有多年调节性能，如遇枯水年可适当增加地下水开采量，但该原则必须建立在地下水没有严重超采的基础上，并在其后的丰水年和平水年进行调蓄。如遇2～3个连续枯水年，应启动地下水应急备用水源。

三、挖掘供水工程潜力，增加临时供水量

挖掘供水工程的潜力，包括对综合利用工程临时改变供水运行方式、挖掘水库死库容等措施。在特枯年份或连续枯水年，根据缺水程度可以动用区域内水库的部分备用库容，特殊干旱年份甚至启用死库容，以解燃眉之急。一般说来，多个流域同时特枯更为稀遇，因此安阳市的长江、黄河、海河三种主要供水水源，其保障程度还是相当高的，同时发生特枯年份或连续枯水年的概率几乎是零。因此，安阳市在发生特枯年份或连续枯水年时，除采取一系列非常规的压缩需求和区域内部挖潜措施以外，在有工程条件情况下，从流域外临时增加引水量也是解决安阳市水资源异常短缺的主要途径之一。

四、发挥南水北调中线工程作用，维持生活及重点部门的基本供水

南水北调中线工程作为解决安阳市水资源短缺的外流域调水工程，在特枯年份更应当利用水源稳定、供水保证率高、覆盖面广的特点，充分发挥其对受水区的基本保障功能，保障安阳市发生枯水年或连续枯水年，且又遇黄河枯水无水接济时充足供水或加大供水规模和扩大供水范围，以降低因干旱造成的损失。

五、大力推进安阳市各分区水资源内部的调配

安阳市由黄河和海河两大流域片组成，其同时发生枯水年尤其是极端枯水年的频率不大，各分区之间同时特枯年份更为稀遇，因此当一个分区遭遇特枯年份时，安阳市所辖区内部以及与长江水源之间的统一调配就显得尤为重要。如逢安阳市海河流域片遭遇特枯年，可加大引黄水量；黄河流域片如遇特枯年份，也可加大引漳河和长江的水量，实现全市水资源统一调配，增强特枯年份的供水能力，保证社会经济的健康发展。

第十七章　水资源统一管理政策法规体系

第一节　水价理论与水价政策

一、基本概念

目前有关水价的概念比较多,含义也各不相同。其中比较重要而又经常遇到的主要有:成本水价、理论水价、生产水价、目标水价、影子水价、均衡水价等。

(一)成本水价

成本水价,又称生产成本。客观地讲,成本水价应是商品价格的下限。若商品价格低于它,生产者或经营者就要亏损。成本水价是制定其供水价格的基础和依据。当前我国的农田灌溉用水水费就是按成本价格征收的。

(二)理论价格

理论价格,又叫理想价格或合理价格。理论价格可能不是马上可以实施的,但它能为调整不合理的价格指明方向。在理论价格的基础上,参照供求状况和国家有关政策等制定实际价格或计划价格,所以理论价格有时又叫基础价格。

一般来讲,理论价格是根据会计学核算,以产品社会成本加合理盈利额制订的。所谓合理盈利额应指按社会平均盈利率计算的盈利。但我国现行的工业供水价格也并非真正的理论价格,只能说是具有理论价格性质的水价。

(三)生产水价

生产水价,根据会计学核算应等于产品的社会成本加按社会平均资金盈利率计算的盈利额。所以,实质上生产水价是一种理论价格,只不过理论价格的内涵更广泛。

(四)目标水价

目标水价,也叫决策水价,它是以理论价格为基础,考虑其他经济、政治等因素而制定的价格。目标水价可促进生产和流通,鼓励合理利用各种资源,调节生产比例和效益分配,指导消费,使国民经济取得最大经济效益。

在水利工程供水中,许多水价都是目标水价。例如为了促进经济落后地区的工农业发展,降低该地区的供水价格,甚至免费供水;为了鼓励某一事业的发展,给以优惠水价。为了节约或高效利用水资源,在缺水地区或一般地区的干旱年或干旱季节,实行高价供水;为了使多余水资源发挥更大的效益,在多水地区或丰水年、丰水季节,即供大于需的情况下,实行低价供水;为了合理地再分配经济效益,对于经济效益较低的用水户,如一般作物的灌溉用水,采用低水价;对经济效益较好的用水户,如经济作物、养殖用水等采用高水价。由于水质不同,也可定义不同的价格。实质上,灌溉用水采用成本价格,工业用水采用成本加盈利的水价也是目标水价。

(五)影子水价

影子水价,指的是在一定的区域内和一定的供水条件下,由于多年平均有效供水增加(或减少)一个单位而相应造成的区域国民经济收入的增加量(或减少量)。从供水单位的角度看,一般来讲,影子水价反映了区域内供水的一种平均临界价格,即当区域内某个供水工程的实际供水成本低于该临界价格时,供水是有利润的;反之,其供水则是无利润的。影子水价是市场条件下供需动态均衡时的重要价格信号,可为制定水价政策提供理论依据。

(六)均衡水价

均衡水价是指在市场经济条件下,水资源供需达到动态均衡状态下的水市场供水价格。按照经济学定义,在均衡价格下水资源供需市场是动态平衡的。若市场水价大于均衡价格,则将使水市场存在一定的稀缺,供应过少,刺激供应增加,导致价格下降,市场重新处于平衡状态;反之,若低于均衡价格,则水市场存在一定的剩余,供应过多,将减少供应,致使价格上升,市场也将处于平衡状态。因此,若市场发展完善,市场具有趋于均衡的内在机制。高价抑制消费,低价鼓励消费。由于价格直接反映在生产者的收入中,因此对生产也起着调节作用,高价鼓励增加生产,而低价抑制生产。由于对市场的需求和供给两方面都起作用,价格指导着资源的配置。

一般来讲,若政府由于某种理由试图把水商品价格维持在均衡水平之上或之下,都是很困难的。若维持在均衡价格之上,用户将采取节约用水或减少用水,或用其他污水处理、海水利用或雨水利用等方法代替,从而减少水资源的需求量,但这将使供水工程不能发挥其正常的能力,供水能力过剩,影响经济效益。目前,我国的青岛市就是这种例子,尽管高水价有效地抑制了需求,但也造成了耗费巨额投资而建成的大型调水工程(引黄济青)不能充分发挥应有的效益,供水能力得不到充分利用。

若把价格维持在均衡价格之下,政府将对水企业提供补助,以维持水利工程或供水企业的正常运行,否则供水企业将承担亏损,长此下去,将给政府或企业造成沉重的负担。目前,我国的水利工程几乎都是在这种状态下运行的。由于水价长期过低,致使国有资产流失,国家财政收入降低,水管单位不能维持正常的运行和发展,部门入不敷出,水利工程老化,缺少资金维修和管理,国家财政补贴加大。而对用户来讲,用水浪费巨大,用水量大,排污量大,不利于节水和治污等措施的落实,水资源供需矛盾突出,缺水问题日益严重,水环境恶化。

因此,在市场经济条件下,均衡水价应该是明确体现水资源供求关系的合理价格。但由于水商品市场具有不同于其他商品的市场运行规律,如垄断性、区域性和公益性等,均衡价格是难以确定的。

二、水价的制定原则

在制定水价时应坚持以下基本原则:

(1)体现水资源价值的原则。水资源价值应体现水资源的稀缺性价值、水资源产权(所有权)的价值和保证水资源循环再生产而投入劳动的价值。其中水资源产权是最根本的,它是目前水行政主管部门征收水资源费的依据。国家拥有水资源所有权,通过使用权和经营权的转让,收取开发利用者一定的费用,这便是目前所说的水资源费。水资源费应体现水资源价值,故在制定收费标准时一定要充分考虑水资源的稀缺性和投入到水资源再生产过程中的劳动价值(主要包括水资源及其赋存环境的保护、治理、监测和评价、规划等投入)。

(2)成本回收原则。合理的水价应能保证供水部门按期收回开发水资源的全部成本,包括固定投资折旧和运行费用等。同时,还应使其获得一定的利润,这样才能保证水利工程和供水企业的正常运转和扩大再生产。

(3)可持续发展的原则。合理的水价应包含水资源开发利用的外部成本,即利用水资源时给他人造成的没有得到相应补偿的损失。水资源外部成本主要包括水污染造成的损失和恢复水环境所需的费用。水资源的稀缺性和多用途性决定了其具有机会成本。机会成本是指使用者在以某种方式利用水资源时所放弃的水资源的其他用途和将来时段使用该资源可能获得的纯收益。机会成本包括代内机会成本和代际机会成本。只有将外部成本和机会成本考虑并计入水价内,才能体现水资源开发利用的公平性原则。

(4)可承受性原则。水资源是人民生活和工农业生产不可缺少的自然资源,因此在制定水价时应充分考虑社会的承受能力。其中居民的承受能力可采用水费支出占可支配支出的比例来衡量。

水利部水利管理司(1991)核定的《水利工程供水水价理论与核定方法》中认为,水价理论也应符合价格是价值的货币表现,价格理论是阐述价格、价值、货币之间的关系和价格形成规律的,由下式来表示:

$$P = C + V + M$$

其中:P 为价格;C 为生产消耗性支出;V 为劳动报酬支付;M 为盈利。并把上式中的物化劳动价值的货币表现(C)和劳动者为自己所创造的价值的货币表现(V)之和,作为一个经济学范畴,定义为成本,则水价的基本模式为:

$$\text{水价} = \text{供水成本} + \text{盈利}$$

$$P = (C + V) + M$$

并提出:

(1)成本是价格的最低界限,规定商品价格不得低于成本,这是为了最大限度地保证水利工程经营单位的基本运行能力,必须正确地核算成本。

(2)把部门平均成本作为制定价格的依据。制定价格应以工程正式投入生产后的正常成本为依据。若调整现行价格,则必须以现值成本为依据。要区别个别成本和社会成本之间的差异,并提出了按照部门平均成本对全国主要产品规定统一价格的设想。

(3)边际成本和水价的关系。认为决定商品价格的是边际成本而非平均成本,把边际费用或社会边际费用作为定价的依据是有道理的。但认为确定边际成本是有困难的,所以一般都采用社会平均成本值的办法来确定价格,并认为用平均成本定价有利于鼓励先进和鞭策落后。

G. Sivalingum(1995)在《可持续发展的水价制定》中认为,水价的制定尽管是有益的,但由于水价制定中的各种目标间的冲突,因而是十分复杂的。例如低收入者可能支付不起按完全成本定价的水,这样反映完全成本定价的制度可能同社会平等原则冲突。同样,水以低价或无偿供给,将可能导致不可持续发展水平下的消费、环境破坏和稀缺资源的错误配置。因此,水价制度在被社会接受之前应该协调这些冲突目标。同时,G. Sivalingum又提出了水价制定的几个目标:

(1)水资源的有效利用。即只有当水价真正反映生产水的经济成本时,水才能在不同用户之间进行有效分配。换一句话说,如果水被真正定价,水将流向价值最高的地区或用户。

(2)水资源的平等分配。如果水流向价值最高的地区或用户,低收入者将支付不起高价的水,这种社会不平等是不能接受的。为了解决这个问题,低收入者的最低基本用水量应该以低价和补助方式供给,以使低收入者能支付得起维持基本生活的用水量。

(3)水资源和环境保护。若水资源合理定价,水将被更加有效地利用和保护,促进可持续发展的水消费和较少的环境破坏。社会上也可同时推迟修建投资巨大的大坝。

(4)投资回收。只有水价收益能保证水利工程的投资回收,维持水经营单位的正常运行,才能促进水投资单位的投资积极性,同时也鼓励其他资金对水部门的投入,否则将无法保证水资源的可持续开发和利用。

(5)简单的价格结构。这是为水管理部门的管理着想。

在以上五个目标中,只有(1)和(2)是冲突的,而在解决这些冲突的各种水价制定方法中,经济学家经过长期争论认为,长期运行边际成本定价制度(Long run marginal cost pricing rule)是最能容纳这些目标的。

以上所述表明,水价的制定不仅应考虑资源配置的高效率,同时还应顾及会计学的财务成本、福利经济学的公平原则和水资源的可持续发展原则。但以上所提出的水价制定方法都没有明确指出不同用途供水区别对待原则。由于水资源开发利用的多目标和综合性,在不同用途供水的定价上,应体现上述几个原则的轻重缓急。对于公益性较强的生活用水等,首先需要考虑的是公平性原则,在公平性原则的基础上,再考虑会计学的成本回收及资源的高效配置;对于农业用水,由于国家产业政策的倾斜等原因,农业用水定价首要考虑的是资源的高效配置,然后才是成本回收,而对于公平性原则一般可不予考虑;对于工业用水,由于水是一种生产资料,将计入生产成本,转嫁于商品的购买者,因此工业用水首先应考虑的是资源的高效配置和成本回收,同时还必须考虑利润。因此,对于不同公益度的水资源活动(用水类型)应区别定价。

三、水价实施种类

由于不同的社会经济情况,在水价的实施中必须对计算的水价(理论水价)进行具体的调整和修改,以便在具体实施中体现经济学原则和可持续发展原则等。而其中最关键的是水费征收的具体实施办法,即水价的实施种类。

一般来讲,目前有四种广义的水费征收制度。由于水费征收制度的选择对水资源的有效和平等分配及收入能否弥补成本有十分重要的影响,收费制度的选择将同时决定是鼓励用水还是节约用水。如果水被很好地保护和节约利用,建设高投资的大坝工程将可能被推迟,环境损失将避免。同时,若水费足够弥补全部成本,政府就有可能利用收入投资于水资源的合理开发和利用,促进水利事业的永续发展。目前最常用的四种水费征收制度为累进减价收费、统一收费、累进加价收费和季节水价。

(一)累进减价收费

累进减价收费是以不同级差制定水价的。在这种收费制度下,第一级差的水价将比第二级差的水价高,第二级差的水价将比第三级差的水价高。在这种收费制度下,当用户的用水量增加时,用户所付的单位水价将越来越少,即当消费水量从低级差向高级差组过渡时,供水成本随供水量增加而减少。家庭由于用水量较小,将比工厂企业付较高的水价,只有在长期边际成本下降的情况下,水经营者才能收回成本,这意味着在水生产和供给过程中存在规模经济的问题,即供水量越高,其供水成本越低。有时,水经营者为了收回投资或不变成本,会对第一级差内的水收很高的水费,然后,随着可变成本的下降,水价开始降低。如果采用这种收费制度,对消费量在第一级差内的消费者是十分不公平的。

显而易见的是,累进减价收费制度不鼓励节约用水,因为它对多使用水的用户可以打一定的折扣。由于工业和农业的用水量较大,因此它对工业和农业发展有利。同时,它鼓励消耗水资源,不鼓励水资源的有效利用和节约利用。

以前,美国的大多数州都是实行这种收费制度。现在由于保护水资源的呼声日益高涨,美国的许多州正从累进减价收费制向统一收费制过渡(Duke 和 Montoya,1994)。在许多发展中国家,由于长期边际成本经常是上升的而非下降,这种收费制度也是不太合适的。

(二)统一收费

在统一收费制度下,不考虑用水量的变化,水价都是固定的。用户并不因为他们多用水或少用水受到惩罚或补助。从这个意义上讲,它比累进减价收费制度公平。但同时也应该看到,由于低收入者和高收入者对单位用水量所要支付的一样多,它存在某种程度上的不公平。但相对于累进减价收费制度,它是促进节约用水的,因为多消耗水量将要相应地多支付水费。从供水成本考虑,由于单位供水量间存在供水成本的差异,统一收费将存在不同供水量之间成本互补的问题。

这种水价制度的最大优点是易于推行和管理,是目前最流行的方法,而且用户也易于计算其水费。我国目前大多实行的是这种收费制度。

(三)累进加价收费

在累进加价收费制度下,随着用户用水量进入较高的消费量级,单位水价将相应地提高。同时,制定大级差的级差水费,可以更好地促进水资源的高效利用和节约用水,大幅度增长的级差水费对用户节约用水提供了更多的经济刺激。

在节约用水方面,由于该收费制度惩罚多用水的用户,相对于前两种收费制度,累进加价收费制度更为优越一些,可促进水资源的有效利用。其级差幅度越大,越有利于水资源的高效利用。

累进加价收费方式在大多数国家得到广泛应用,当新增供水的边际成本上升时,公用事业部门经常采用累进加价收费制,每一级差内的水被定价于生产这种级差水的长期边际成本,这样将加速全部成本的回收。由于最低级差的水费很低,累进加价收费体现了公平性原则。一般假定只有最低级差的水将被低收入者消耗,最低级差的上限应反映典型的低收入者家庭的最大消费水量。最低级差经常是补助的,因为水是人类生存的基本条件和社会商品。

为了向低收入者提供补助,又能保证收回成本,政府可能向高收入者或用水大户征收超过高级差供水的长期边际成本的水费,以向低收入者提供补助。

目前,由于水资源日益紧缺,世界上许多国家和地区正在逐步实施累进加价收费制,如以色列、马来西亚等。以色列为了从管理措施上促进节水型农业的发展,在水费收取方面实行严格的奖惩措施。

马来西亚在20世纪六七十年代,大多数州采用统一收费制,即每千加仑0.4美元。水价也不是按长期边际成本制定的,同时政府还给种植橡胶和油桐的庄园分别提供7年和5年的免费供水,因此许多供水企业不能自养。20世纪80年代,由于工程的运行和维护等费用的上涨,政府引进累进加价收费制度。同时,跨流域调水工程的实施及可利用低成本水资源量的减少,特别是在农村,现在的长期边际成本是七八十年代的两倍还多。政府制订的累进加价收费的最低级的数量等于生命必须保证的水量,同时考虑低收入者的支付能力(Sivalingam 和 Vincent,1993)。制订的原则是有能力多付的应该多付,即高收入者应该多付。工业用水价格平均是生活用水的两倍。20世纪80年代,估计低收入者家庭月平均消耗水量为20m^3,因此第一个20m^{3}被调整,以使低收入者能支付不超过月收入4%的钱使用水。4%的支付能力准则是世界银行经常使用的经验结果。

但实行累进加价收费制度并不能保证水经营单位的自负盈亏。在马来西亚现有的41个供水项目中,有1/3不能自养。这41个项目的平均使用寿命是50年,折旧率为8%,每一项目的长期边际成本用平均增加成本(Average Incremental Cost,AIC)计算,但其中的原因是水价过低。

(四)季节水价

有些国家的水价随季节变动。例如在美国和澳大利亚,由于夏季用水量比其他季节较多,特别是绿地和户外的用水量增加。由于增加供水的边际成本将上升,因此水价也将相应地上升,比其他季节高。同样,在智利干旱季节和正常季节也实行不同的水价,干旱季节水价高于正常季节。

由于季节水价能比较灵活地反映水资源的供求和水商品生产劳动消耗的变化,促使供水企业及时调整生产或供销计划和改善管理。我国部分地区已经开始实施。如山西潇河灌区的做法是,当来水流量低于某一数时,特殊多供的水量,水价向上浮动,浮动幅度接近当季水价的一倍;丰水季节动员重点村多用水,水价下浮,下浮水价一般不低于当季水价的50%。山东省规定,各市、地可根据本地区水资源的丰缺情况,实行季节水价,但浮动幅度不得超过规定标准水价的15%。

四、水价政策

(一)国内外水价政策

1.国外的情况

为了促进高效用水、节省水资源和保证供水工程的运行维修费,并尽可能回收投资,世界上许多国家和地区都制定有征收水费的政策和水价标准。世界各国对水费标准普遍给予政策调整和政府干预。

为了发展农业，各国政府对灌溉用水都实行不同程度的补贴，如欧洲各国补贴灌溉费用的40%；加拿大补贴工程投资的50%以上；美国灌溉工程只还本不付息，还本时间长达30～50年；日本补贴工程投资和维护管理费的40%～80%；印度大型工程补贴年费用的80%；澳大利亚和马来西亚补贴全部工程投资和部分运行费。亚洲开发银行在下达大连水资源综合利用可行性研究报告任务书的要求中，明确规定灌溉水费定价只要求能维持年运行维护费，政府负担折旧与还贷，并认为这是国际惯例。

对于生活用水，世界各国及地区都给予优先保证和优惠价格。日本生活用水工程费用中央政府补助1/3～1/2。香港是严重缺水地区，但对最基本的生活用水给予免费优惠(每户每4个月用水不超过14t时免费)。

对工业用水，一般采用长期优惠贷款，除按成本计价外，还应有一定的合理利润。例如美国对工业供水投资采用长期优惠贷款，贷款偿还期30年，确定工业水价的原则是必须偿还全部投资和利息，并保证中等水平的利润率。日本工业供水工程费用由中央政府补助20%～40%。印度城市供水工程由邦政府贷款加补贴或人寿保险公司借款多至工程总额2/3的资金兴建，地方政府负责供水系统运行并决定水价。

鼓励节约用水，对超标准用水采取惩罚性加价。如俄罗斯许多城市规定，超额取水，罚款5倍。以色列政府规定：家庭每户每月用水8m^3以内，水价2.46美元/m^3(1977年价，下同)，16m^3以上6.16美元/m^3；定额以内的工业用水2.32美元/m^3，超定额用水3.27美元/m^3。

用水费促进环境保护。许多国家工业和生活水费标准中含有污水处理费。例如意大利罗马市所收的水费中，近80%用于污水处理。英国泰晤士河水费中，50%是污水处理费。法国巴黎1995年水价中，污水处理费占1/4以上。

适时调整水价。各国通常要根据通货膨胀水平和社会承受能力进行宏观指导性干预，适时调整水价。

关于用水户对水价的承受能力。亚太经济和社会委员会(ESCAP)建议居民用水的水费支出应不超过家庭收入的3%。印度规定灌溉水费不应超过农民增收净收入的50%，一般控制在总收入的5%～12%。工业水费一般采用工业产值的3%左右作为水费现实可行的标准。

2.国内的情况

从古至今，凡能持续正常使用的水利工程，都有一套比较合理的水价政策。兴建于公元前2世纪驰名中外的四川都江堰灌溉工程，过去执行每亩农田交稻谷5kg的水费征收制度。但在新中国成立初期，我国水利工作的重点集中在工程建设方面，对已建工程的经营管理重视不够，没有行之有效的水费章程办法，不收水费或收得很低。多年来，水利工程的维修和养护主要靠国家补助，直到改革开放以后，我国的水费征收制度才开始逐步走向正轨。纵观新中国成立以来我国水费征收制度的发展过程，大体可划分为以下三个阶段。

(1)无偿供水阶段。新中国成立到1965年，供水不收取水费，因而无水价可言。这一时期在全国范围内兴建了大批水利工程，水利管理单位的经费和工程维修费基本靠国家拨付的水利事业费解决。但有的地方也征收少量水费，或征用一部分水利粮，或由群众负担一定的维修工程用工。此阶段基本上实行无偿供水，一直到1964年，水利电力部在江西省召开了全国首次水利管理会议，提出了水费征收和管理的试行办法，结束了无偿供水状况。

(2)低标准水费阶段。在全国首次水利管理会议后，1965年10月13日，国务院批转了水利电力部制定的《水库工程水费征收、使用和管理试行办法》，改变了水利工程无偿供水的局面，逐步推行了供水水费征收制度。《水库工程水费征收、使用和管理试行办法》规定："凡以发挥兴利效益的水利工程，其管理、维修、建筑物设备更新等费用，由水利管理单位向受益单位征收水费解决。水费标准，应当按照自给自足，适当积累的原则，并参照受益单位的受益情况和群众的经济力量合理确定"。但当时水费征收标准很低，自给自足也只是低标准的，加之有的地区群众经济力量差等原因，水费很难收缴。有些地区虽计收了一部分水费，但标准太低，不能满足水利工程管理单位的管理、运行和维修的需要。水价的规定也没有考虑供水成本，水价过低，不符合商品定价原理。

(3)成本收费阶段。1979年，水利电力部在广东省东莞召开了全国水库养鱼与综合经营座谈会，会上针对如何加强我国现有水利工程的经营管理，提高经济效益，进行了充分的讨论。水费征收及管理等各项工作，才开始逐步走上正轨。1982年国务院1号文件提出："城乡工农业用水应重新核定收费制度"。1985年7月22日国务院以国发(1985)94号文，颁布了《水利工程水费核定、计收和管理办法》(以下简称《水费办法》)，该《水费办法》规定："凡水利工程都应实行有偿供水。""水费标准应在核算供水成本的基础上，根据国家经济政策和当地水资源状况，对各类用水分别核定。""农业水费：粮食作物按供水成本核定水费标准；经济作物可略高于供水成本。""工业水费：消耗水，按供水部分全部投资(包括农民投劳折资)计算的供水成本加供水投资4%～6%的盈余核定水费标准。水资源短缺地区的水费可略高于以上标准。""城镇生活水费：由水利工程提供城镇自来水厂水源并用于居民生活的水费，一般按供水成本或略加盈余核定，其标准可低于工业水费。"可以说，该《水费办法》的颁布使我国的水利工程供水由低标准收费和不收费，进入了有偿供水、核算成本、按量收费的新阶段。

1994年12月22日，水利部以水政资(1994)553号文件向国务院报送了《关于报送〈水利工程供水价格管理办法〉(送审稿)的报告》，其附件一《水利工程供水价格管理办法》(送审稿)第四条指出："水利工程供水价格按照单个工程逐一核定。经济状况、地理环境和水资源条件相近的区域，其水利工程供水价格也可按区域统一核定"；第九条指出："水利工程供水价格由供水生产成本、费用、税金和利润构成。供水生产成本是指供水生产过程中发生的水资源费、燃料动力费、直接工资、其他直接支出和应计入供水生产成本的各项间接费用等……"。

1997年国务院印发的《水利产业政策》规定："新建水利工程的供水价格，要满足运行成本和费用、缴纳税金、归还贷款和获得合理利润的原则制定。原有水利工程的供水价格，要根据国家的水价政策和成本补偿、合理收益的原则，区别不同用途，在三年内逐步调整到位，以后再根据供水成本变化情况适时调整。"目前已建、在建水利工程供水价格基本上都是按《水费办法》规定的原则和方法核定的。

现将目前国内几座已建跨流域调水工程的水价情况简介如下：

(1)东深供水工程。东深供水工程向香港供水按照商品价值定价,实行"限量定价、超量加价、逐年浮动"的办法,三年签订一次供水协议,每年根据物价上涨情况调整水价。水价测算水库到香港的交水点,1994 年水价 1.94 港元/m^3,1997 年 2.614 港元/m^3。向深圳市自来水厂的供水价格有三个标准:一期扩建工程 0.054 元/m^3,二期扩建工程 0.18 元/m^3,三期扩建工程 0.5 元/m^3;而 1997 年测算的水价:二期扩建工程为 0.578 元/m^3,三期扩建工程为 0.889 元/m^3,分别为现行水价的 3.2 倍和 1.8 倍。深圳市 1996 年居民生活水价 1.0 元/m^3(每人每月用水量 6m^3 以内)~1.5 元/m^3(6m^3 以上),工业用水价 1.7 元/m^3,商业、建筑等行业用水价 2.1 元/m^3,外轮 3.5 元/m^3。

(2)引黄济青工程。引黄济青工程 1991 年按《水费办法》测定向青岛市的供水价格为 0.89 元/m^3,考虑用水户的承受能力,从 1993 年开始执行,分三年逐步到位;1996 年实际供水成本水价为 1.16 元/m^3。同期,自来水公司供水价格为:居民用水 1.5 元/m^3,办公用水 2.0 元/m^3,外轮用水 3.0 元/m^3。

引黄济青工程采用基本水费与计量水费相结合的办法向青岛市收取水费,青岛市一年内用水量在 3 700 万 m^3 以内时交基本水费 3 840 万元,年用水量超过 3 700 万 m^3 的部分按计量水费收取水费。

(3)引滦入津工程。引滦入津工程的供水水价主要指引滦入津工程向天津市自来水公司的供水水价,水价中包含了潘家口水库原水费。引滦入津工程的水价主要根据潘家口水库原水费的调整情况确定,并没有根据引滦入津工程的实际供水成本核算。如 1994 年潘家口水库向引滦入津工程供水水价为 0.054 元/m^3,引滦入津工程向天津市自来水公司的供水水价为 0.149 元/m^3,该水价仅为当年引滦入津工程实际供水成本 0.385 元/m^3的 39%。1997 年潘家口水库供水水价调到 0.081 元/m^3,引滦入津工程供水水价也相应调到 0.25 元/m^3。

另据引滦入津工程后评价的结果,要使引滦入津工程财务上不亏本,在潘家口水库供水原水费为 0.054 元/m^3,并考虑一定供水利润(供水投资利润率 6%)的前提下,引滦入津工程的水价至少要达到 1.17 元/m^3,这个水价标准约是现行水价标准的 5 倍;若是潘家口水库原水费上调,引滦入津工程的水价还要高。

(二)安阳市现行的水价政策

安阳市属于资源型缺水的城市,人均水资源占有量为 322m^3,水资源开发利用程度已达到 118%,远远超出世界公认的合理极限值。同时,地下水超采十分严重,目前地下水的年均超采率为 39%,水污染日趋严重。安阳市面临着资源型和污染型缺水的双重压力,对 21 世纪的可持续发展构成了严峻的挑战。因此,为了更好地发挥水价的经济杠杆作用,缓解水资源日益尖锐的供需矛盾,促进水资源的高效利用,更好地实现水资源的优化配置和统一调配,进一步提高用水效率,改革现行的水价政策是很有必要的。

根据水价的制定原则和有关的最新研究成果,合理的水价应包含四部分内容:水资源价值、供水成本、外部成本和机会成本。目前,水资源价值是通过征收水资源费来体现的;供水成本包括水利工程的供水成本,主要有水源工程和输水工程的运营成本和供水企业的生产成本以及相应的利润;外部成本目前主要是通过征收排污费或污水处理费来体现的,但它并不是完全意义上的外部成本,只是外部成本的一个方面;而机会成本目前尚未纳入现行的水价中。在实际应用中,供水成本比较容易核定和计算,但水资源价值、外部成本和机会成本的计算比较困难,目前还很难准确定量。这主要是由于水资源的稀缺性、用途的多样性、不可替代性和来源的不确定性以及开发利用对社会、经济和环境的影响等,目前尚难以完全把握和准确定量等原因所决定的。

通过典型调查和对比分析(见表 17-1)可以发现,安阳市目前的水价存在一些问题。首先,水价的构成不完备。目前的自来水价格中一般只包含供水成本和外部成本中的污水处理费,只有安阳市区和内黄县自来水价格中包含有地下水资源费,但没有包含地表水资源费,滑县和汤阴县等自来水价格中根本就没有包含水资源费。而在自来水价格中即使包含有地下水资源费,征收也还很不科学,没有充分体现水资源价值的全部内涵,如水资源的稀缺性和为保证水资源循环再生产而投入劳动的价值等没有得到很好反映或体现。其次,安阳市水价中所包含的污水处理费只是外部成本中的一部分,并且收费标准与污水处理成本尚有较大的差距。因此,安阳市的水价政策目前仍没能有效地起到抑制用水大量浪费和污水大量排放,以及提高用水效率的作用。另外,由于机会成本较难准确测算,目前还没有计入水价中。最后,水价实施种类单一,不能很好地反映水资源开发利用成本和水资源的稀缺性、可持续性原则,尚不能适应水资源的丰枯变化和减缓水资源的供需矛盾,以及促进节水型农业、工业和节水型社会的建立。因此,迫切需要研究和制定更为科学的水价政策,以支持安阳市水资源的优化配置和统一管理,保障社会经济的可持续发展。

表 17-1 安阳市水价调查分析结果 (单位:元 /m^3)

典型区、县名称	年份	按水价构成分类				按行业分类					
		水资源费*	供水成本	排污处理费	水价	居民生活	工业	农业	商业	环境	综合水价
安阳市区	1997	0.106	0.620	0	0.854	0.495	0.66	0.05	0.77	0.495	0.854
	1998	0.106	0.624	0.20	0.93	0.715	0.968	0.05	1.375	0.715	0.93
	1999	0.106	0.801	0.20	1.296	1.10	1.30	0.06	1.80	1.10	1.296
内黄县	1997	0.06	0.86	0	0.96	0.85	1.10		1.10	0.85	0.96
	1998	0.06	0.96	0	0.96	0.85	1.10		1.10	0.85	0.96
	1999	0.06	1.00	0	0.96	0.85	1.10		1.10	0.85	0.96
汤阴县	1997	0	0.53	0	0.53	0.50	0.85		0.85	0.50	0.53
	1998	0	0.78	0	0.78	0.70	1.05		1.05	0.70	0.78
	1999	0	0.78	0	0.78	0.70	1.05		1.05	0.70	0.78
滑县	1997	0	1.46	0	0.85	0.75	0.95		0.95	0.75	0.85
	1998	0	1.46	0	0.85	0.75	0.95		0.95	0.75	0.85
	1999	0	1.46	0	1.05	0.95	1.05		1.05	0.95	1.05

注: * 水资源费:这里指原水费,系地下水和地表水等平均费用;目前安阳市只征收地下水资源费,地表水资源费未开征。

(三)安阳市水价调整方案分析

根据水价的制定原则和其应包含的水资源价值、供水成本、外部成本和机会成本四部分内容,并结合安阳市的水资源条件及其开发利用现状、社会的承受能力等,制定安阳市水价调整方案。

应该看到,随着水资源条件与开发利用形势的变化、社会进步和经济发展,以及生活水平的提高和人们对环境保护意识的加强等,决定水价大小的水资源价值、供水成本、外部成本和机会成本等也是变化的,即水价是动态的,但同时又具有相对的稳定性。因此,这就为制定或适时调整水价政策提供了理论依据和客观需要。

1.水资源费征收标准的制定

水资源价值是水资源价格的重要组成部分,而水资源费是目前我国水资源价值的一种经济表现形式,因此要制定合理的水价政策就必须先确定科学的水资源费征收标准。由于水资源价值受社会、经济、资源和环境等方面因素的影响,因此水资源费征收标准应依据当地水资源条件、开发利用程度、污染态势和缺水形势,以及社会经济发展情况等综合确定。

根据安阳市的实际情况,并结合我国北方其他典型城市的水资源费征收标准,综合确定安阳市水资源费征收标准调整方案,见表17-2。

表17-2　安阳市水资源费征收标准调整方案　(单位:元/m^3)

分区名称	从河流和水库取水	从地下取水				
		自备水源	自来水公司水源	微咸水	超采漏斗区	疏干排水
济南市*	0.45	1.20	0.95	0.60	2.40	0.24
烟台市*	0.45	1.20	0.95	0.50	2.00	0.20
聊城市*	0.25	0.60	0.55	0.35	1.20	0.12
安阳市	0.25	0.60	0.55	0.35	2.00	0.12
安阳市区	0.45	0.95	0.85		2.40	0.20
内黄县	0.12	0.60	0.55	0.25	2.00	0.12
汤阴县	0.15	0.60	0.55		1.20	0.12
滑县	0.12	0.60	0.55	0.25	2.00	0.12

注:自来水公司水源包括村以上集中取水水源;*资料来源:山东省物价局、山东省水利厅文件,2001年8月20日;疏干排水包括矿坑排水、干道排水和建筑物降排水。

2.污水处理费征收标准调整方案

污水处理费即排污费,是外部成本的一个方面,为水价的组成部分。污水处理费是控制或抑制污水大量排放的有效手段之一,其征收标准合理才能有效地抑制污水的大量排放。如果污水处理费征收标准远远低于污水处理成本,那么就不能充分发挥污水处理费应有的作用,污水大量排放就是必然的。

根据国外的经验,污水处理费占整个水费支出的50%左右。如意大利罗马市所收的水费中,污水处理费占了近80%;英国伦敦市所收的水费中,污水处理费占50%;法国巴黎市1995年水价中，污水处理费占25%以上。国内的污水处理费征收标准，目前普遍偏低。如济南市2001年工业用水水价中，污水处理费占17%(见表17-3)；安阳市1999年的水价中，污水处理费占15%(见表17-4)。

表17-3　2001年济南市污水处理费征收标准及其占水价、污水处理成本比例

用水分类	污水处理费(元/m^3)	占水价比例(%)	占污水处理成本比例(%)
居民生活用水	0.29	16.6	27.1
工业用水	0.35	16.7	32.7
宾馆餐饮业用水	0.50	15.6	46.7
洗车业用水	0.50	12.5	46.7
纯净水加工业	0.50	6.3	46.7

根据安阳市现有污水处理厂运行维护和建设费用核算，确定出安阳市污水处理成本，在参考其他城市污水处理成本及污水处理费征收标准的基础上，制定安阳市污水处理费征收标准调整方案，见表17-4。

表17-4　安阳市污水处理费征收标准调整方案

方案	调整前			调整后		
	污水处理费(元/m^3)	占污水处理成本比例(%)	占水价比例(%)	污水处理费(元/m^3)	占污水处理成本比例(%)	占水价比例(%)
第一方案	0.20	57.1	15.4	0.648	185	50
第二方案	0.20	57.1	15.4	0.350	100	27
第三方案	0.20	57.1	15.4	0.324	92.6	25

从表17-4中可以看出，目前安阳市污水处理费征收标准是比较低的，分别占污水处理成本和水价的57.1%和15.4%，低于污水处理成本，这不仅不能补偿污水处理工程建设的投入，甚至不能保证污水处理设施的正常运行，对筹集污水处理设施建设资金不利。目前，安阳市现有污水处理厂三个，主要集中在安阳市区(郊)，其污水处理率仅为8%，其他各县市尚无污水处理厂。

通过与国内外典型城市对比显示，安阳市的污水处理费占水价的比例分别比罗马市和巴黎市偏小81%、38%；安阳市污水处理费征收标准比济南市偏小31%～60%。所拟定的第一方案，其污水处理费占水价的比例与英国伦敦市(50%)相同，污水处理费征收标准为0.648元/m^3，是目前污水处理成本的1.85倍；第二方案污水处理费征收标准与污水处理成本持平，即污水处理费征收标准为0.35元/m^3，占水价比例为27%；第三方案污水处理费占水价的比例与法国巴黎市(25%)相同，污水处理费征收标准为0.324元/m^3，是目前污水处理成本的92.6%。

综上所述，第一方案是最理想的方案，污水处理厂不但可以保本，而且可以获得一定的利润，有利于污水处理厂的良性运行和抑制污水大量排放，但增加了居民生活负担和生产成本；第二方案是比较适宜的方案，污水处理厂可以保本运营，并且不会给居民生活造成较大负担、给生产成本造成很大压力;第三方案虽然污水处理费征收标准提高了一些,但污水处理厂仍然不能保本运营,因此很难保证污水处理厂正常运行。对比分析表明,第二方案可以作为目前的推荐方案。

3.水价调整方案

安阳市现行的水价制度是单一计量水价,它是按照用水量的大小,按方计收水费,每一单位用水量的价格都相同。从水资源价值考虑,由于影响水资源价值的自然因素、经济因素和社会因素等均随时间和空间而变化,水资源价值也由此具有了时空特性,单一计量水价显然不能反映随时空变化而变化的水价特点。因此,为了保障全市水资源的可持续利用,针对安阳市目前的实际情况,应实行季节水价、两部制水价和阶梯式计量水价的政策。

(1)季节水价。安阳市水资源主要来源于大气降水,而安阳市大气降水的季节差别比较大,每年的6~9月份为汛期,其降水量占总降水量的70%以上,为水资源的主要形成期,是一年内的丰水季节,而其余月份则为枯水季节。因此,为了有效抑制枯水季节的用水需求、减缓水资源的供需矛盾,建议安阳市探索施行季节水价政策,促使工业企业及时调整生产和改善管理,同时也可促进农业种植结构调整和推广节水高效灌溉模式。我国目前部分地区已经开始实施季节水价政策,如山西潇河灌区和山东省部分地市。

(2)两部制水价。由于大气降水是水资源的补给来源,所以大气降水的不确定性直接导致了水资源的不确定性,降水量越少,水资源量就越寡,生活、生产和生态环境用水需求反而越多,从而造成了水资源供需矛盾更加尖锐化,严重地影响了社会经济的可持续发展。为了保证供水工程正常运行和用水单位利益,有效地减缓枯、平水年水资源的供需矛盾,建议考虑采用两部制水价政策。两部制水价政策的主要内容是将供水价格分解为基本水价(或称容量水价)和计量水价两部分,分别作为基本水费和计量水费的征收依据。基本水费按补偿水利工程正常运行、维护和管理费用(不含或含少部分折旧)的原则核定,不论哪种水文年型,用不用水,受水地区或部门、用水户都要按基本供水量缴纳基本水费;计量水费是用水户用水超过水量后按量计费,多用多少水量就多付多少水费。国家和各受水地区投巨资兴建的南水北调工程建成通水后,将极大地缓解安阳市的严重缺水局面。从水资源优化配置和高效利用的角度出发,在市场经济条件下不论是当地水还是外来水、不论是地表水还是地下水,供水质量相同的水价应该基本统一,即制定统一的水价政策。因此,在南水北调工程建成之前,安阳市应理顺长江水、黄河水、漳河水和当地水之间的关系,调整现行水价政策,使调整后的水价与南水北调工程通水后的水价基本一致。在此基础上,对长江水、黄河水和漳河水、当地水的水价实行两部制水价政策,以有利于水资源的统一配置、统一调度、统一管理及节约利用。

(3)阶梯式计量水价。在采用两部制水价政策的基础上,为了促使各部门、各行业和广大居民节约用水,强化取水许可和需水管理(定额管理),可以考虑采取阶梯式计量水价的政策。阶梯式计量水价是指确定用水基数(需用水定额),基数内实行基本水价,超基数部分按用水量超过用水基数的比例实行阶梯式加价,即超得越多,价格越高,与目前有些国家和地区实行的累进加价收费制度基本类似。

第二节　地下水超采区管理办法

一、地下水超采区划分

根据安阳市区域水文地质条件和地下水资源开发利用程度、“四水”转化关系，以及抽水井深、抽水机具情况等，确定全市地下水严重超采区、一般超采区和基本采补平衡区（未超采区）三大类。

通过分析安阳市东部平原区近几年的地下水动态特征和补排平衡关系，将地下水埋深作为地下水超采区划分的标准，地下水埋深大于20m的开采区域，定为地下水严重超采区；地下水埋深大于10m、小于20m的开采区域，定为地下水一般超采区；地下水埋深小于10m的开采区域，定为基本采补平衡区。地下水超采区具体划分结果见表17-5，地下水超采区分布位置见图5-22。

表17-5　安阳市东部平原区地下水超采区划分一览　（单位：km^2）

县、市区（郊）	严重超采区		一般超采区		基本采补平衡区		合计
	乡镇名称	面积	乡镇名称	面积	乡镇名称	面积	
安阳市区（郊）	北关区、文峰区、铁西区、开发区、郊区	172	郊区	5	无	0	177
安阳县	无	0	蒋村、韩陵、柏庄、洪河屯、安丰、瓦店、辛村、北郭、吕村	521	宝莲寺、高庄、柏庄、崔家桥、白壁、安丰、永和	226	747
汤阴县	无	0	五陵、伏道	223	任固、宜沟、菜园、古贤、白营、韩庄	200	423
滑县	道口、小铺、枣村	94	高平、万古、八里营、四间房、白道口、枣村、留固、上官、慈周寨、瓦岗寨、老店、焦虎、牛屯、半坡店、王庄、小铺、城关	1 580	老庙、赵营、大寨、桑村	140	1 814
内黄县	井店、亳城、东庄、田氏、宋村、楚旺	286	田氏、石盘屯、马上、城关、高堤、二安、井店、六村、后河、中召、梁庄	827	豆公、高堤	48	1 161
合计	–	552	–	3 156	–	614	4 322

注：*未包括汤阴县岗区。

从表17-5中可以看出，安阳市东部平原地下水严重超采区面积为552km^2，占平原区总面积的13%；一般超采区面积为3 156 km^2，占平原区总面积的73%；基本采补平衡区面积为614 km²,占平原区总面积的14%。其中安阳市区(郊)的严重超采区面积所占比例最大,为97%;其次是内黄县,严重超采区面积所占比例为25%。滑县的一般超采区面积所占比例最大,为87%;其次是内黄县和安阳县,一般超采区面积所占比例分别为71%、70%。汤阴县的基本采补平衡区面积所占比例最大,为47%;其次是安阳县,基本采补平衡区面积所占比例为30%。

二、超采区地下水超采削减量核算

根据安阳市水资源开发利用现状、水文地质条件和地下水超采程度、未来的引调水情况等,将目前的地下水超采量削减60%是比较适宜的,既能防止地下水位在南水北调中线工程建成通水前出现大幅度下降、大量更新机井和提水设备,又不会因减少地下水开采量而影响社会经济的正常发展,因此是一个优先推荐方案。具体分析结果见表17-6。

表17-6 超采区地下水开采量削减方案 (单位:亿 m³)

行政分区	实际开采量	地下水资源量	地下水可利用量	地下水超采量	地下水超采量削减方案		
					削减80%	削减60%	削减40%
全市	15.12	10.35	10.85	4.27	3.42	2.56	1.71
安阳市区(郊)	2.05	0.81	1.81	0.23	0.18	0.14	0.09
安阳县	2.75	2.17	2.26	0.49	0.39	0.29	0.20
汤阴县	1.39	1.67	1.08	0.3	0.24	0.18	0.12
滑县	5.06	3.6	3.54	1.51	1.21	0.91	0.60
内黄县	3.88	2.1	2.15	1.73	1.38	1.04	0.69

三、安阳市地下水超采区管理办法

第一条 为更有效地保护和合理开发利用地下水资源,防止地下水过量开采,实现地下水资源的可持续利用,根据《中华人民共和国水法》、国务院《取水许可制度实施办法》和《河南省取水许可制度和水资源费征收管理办法》等水法律法规,制定本办法。

第二条 本办法所称地下水超采区是指地下水的开采量超过其开采条件下的补给量,并导致地下水位持续下降的区域。按照超采程度将超采区划分为一般超采区和严重超采区。

第三条 在安阳市所辖区域,凡是在地下水超采区内从事地下水开发利用活动的单位及个人,必须遵守本办法。

第四条 各级水行政主管部门应当加强对超采区地下水资源开发利用的有效监督和管理,逐步实现地下水超采区的采补平衡,确定超采区水资源合理开发和可持续利用的管理目标,对超采区依法从严管理。

超采区管理责任目标应作为各级人民政府对同级水行政主管部门或上一级水行政主管部门对下一级水行政主管部门进行考核的重要内容。

第五条 在地下水超采区内必须实行"三水"(大气降水、地表水、地下水)资源的统一规划,坚持以"优先开发利用地表水,合理开采浅层地下水,积极利用雨水和微咸水,严格控制开采深层地下水"为原则,强化地下水资源保护,防治地下水污染,实行水量和水质的统一管理。优质的地下水资源应当首先保证城乡居民生活用水需要,适当兼顾工农业生产用水需要。

第六条 安阳市水行政主管部门负责全市地下水的管理工作,会同有关部门对地下水资源进行分区评价,划定地下水超采区的区域范围,并组织实施对全市重要超采区的管理和监督。跨县(市)、区的地下水超采区,由市水行政主管部门负责协调管理和监督。

县级水行政主管部门负责本辖区内地下水的管理工作,并组织实施对本辖区地下水超采区的监督和管理。

第七条 各级水行政主管部门应组织有关部门定期开展地下水动态监测和地下水资源开发利用现状调查工作,及时了解和掌握超采区地下水的时空变化态势,为超采区的科学管理提供可靠依据。

第八条 各级水行政主管部门应组织制定超采区的水资源合理调度方案,严格控制地下水的开采;加强对雨洪资源化和地下水人工回灌工作的指导,不断削减超采区地下水开采量,逐步增加其补给量,实现超采区地下水资源的可持续利用。

第九条 根据超采区地下水资源变化情况,各级水行政主管部门应会同有关部门适时核定或调整地下水超采区范围,经上级水行政主管部门组织技术论证后,报省级人民政府批准施行。

第十条 地下水超采区内原则上不再审批地下水取水许可申请。凡已列入国家规定关停、淘汰、清理整顿目录的地下水取水项目,应按规定的期限,依法吊销其取水许可证。各级水行政主管部门一律不得审批此类建设项目的地下水取水许可申请。

第十一条 在严重超采区内已办理地下水取水许可证的单位及个人,应根据实际情况对地下水取水量予以有计划的核减,或重新办理其替代水源的取水许可申请。

第十二条 在地下水严重超采区,凡具有下列情况之一者,水行政主管部门应按程序报请省人民政府批准划定为地下水禁止开采区。

(一)地下水水质严重恶化,多种成分超过用水标准,并已对居民身体健康或工业产品、农副产品产生明显影响,且处理困难的;

(二)发生地面沉降、地裂缝,危及人身安全或严重影响重要工程设施及交通枢纽运行的;

(三)已发生地面沉降并严重危及城市建筑、地面重荷载、城市堤防、输水(气)管线、涵闸、坝址、重要工矿、大型桥梁等安全的;

(四)发生的环境地质问题危及著名景点、重要古建筑和遗迹的安全的。

第十三条 在严重超采区,除以下特殊情况外一律停止审批新建、改建、扩建项目的地下水取水许可申请:

(一)城镇生活供水严重不足,且无其他供水水源的;

(二)因其他生活用水水源受到污染,必须暂时扩大取用地下水的;

(三)涉及国防建设、国家安全方面的地下水取水。

以上情况，要在核减地下水许可取水量和调整工农业用水量的前提下予以从严审批。

第十四条 在有条件的地区，水行政主管部门应会同有关部门利用人工湖泊、绿地、引排水沟渠等有计划地进行地下水人工回灌，制定相应的鼓励政策，并纳入水资源的日常管理议程；人工回灌规划和实施细则（计划）应报人民政府批准后执行，人工回灌的水质必须符合国家规定的水质标准。

第十五条 各级水行政主管部门应会同有关部门建立和完善地下水动态监测站网，加强对地下水动态（水量、水位、水质）的监测和预报，并定期以公报、通报等形式向社会公布。有条件的地区，应逐步实现地表水与地下水、水质与水量的统一监测并定期向社会公开发布，为水资源的科学管理、合理安排生产以及制定国民经济发展计划提供依据。

第十六条 各级水行政主管部门应将超采区内替代地下水源的工程建设纳入地方水利发展规划和年度计划，予以优先安排。

第十七条 经省价格行政主管部门批准，对于在超采区内取用地下水的单位和个人，根据地下水超采的程度，可适当提高地下水资源费的征收标准。对于超计划取用地下水的单位和个人，在地下水超采许可范围内实行超计划累进加价收费；超出地下水超采许可范围，则视情节从严惩处，直至吊销其取水许可证。

第十八条 一切违反本办法的行为，依照有关法律法规的规定予以处罚。

第十九条 本办法自发布之日起施行。

第三节　安阳市计划节约用水管理办法

第一章　总　则

第一条 为加强计划节约用水管理，保护和合理利用水资源，促进安阳市经济建设和社会发展，根据《中华人民共和国水法》及其他有关法律、法规的规定，结合本市实际，制定本办法。

第二条 凡安阳市范围内使用自来水和使用自备井的用水单位和个人，必须遵守本办法。农村家庭生活和农业灌溉取水的，不适用本办法。

第三条 城乡用水坚持开源与节流并重的方针，实行计划用水和节约用水；城乡用水坚持先地表水、后地下水的原则，充分利用地表水，合理利用地下水。

第四条 计划节约用水应当纳入国民经济和社会发展计划。

第五条 市、县（市）区水行政主管部门主管本行政区域内计划节约用水工作。计划、规划、财政、物价、城市建设等有关部门，应在各自职责范围内做好节约用水工作。

第二章　计划用水

第六条 城乡用水实行计划管理。市、县（市）区水行政主管部门根据本行政区域总体规划，编制水长期供求计划和节约用水规划，并根据节约用水规划制定年度计划，报同级人民政府批准。各有关部门应当根据节约用水规划和年度计划，制定本行业的计划节约用水规划和年度计划。

第七条 市、县（市）区水行政主管部门应当将自备井用户和用水量达到规定标准的自来水用户纳入计划用水单位。

第八条 市、县(市)区水行政主管部门应根据年度用水计划和用水定额制定计划用水单位的年度用水指标,计划用水单位应根据年度用水指标按月分配计划用水量,报水行政主管部门备案。

第九条 计划用水单位需要临时增加用水的,应向水行政主管部门申请临时用水指标。

第十条 计划用水单位应当分级装表计量,其用水量按注册水表行度为准。注册水表必须经法定计量检定机构检定合格后方可使用。水行政主管部门应组织法定计量检定机构对注册水表进行定期检验。禁止擅自安装、移动、拆换注册水表。

第十一条 使用自备井的用水单位,由水行政主管部门按月抄表计量;使用自来水的计划用水单位,由供水单位抄表计量,按月报送水行政主管部门。使用自备井水的用水单位,因其水表发生故障或者其他原因无法抄表计量的,按前3个月平均用水量计量。

第十二条 实行水资源有偿使用制度。对直接从地下或地表取水的单位和个人,由水行政主管部门依法征收水资源费。水资源费征收、管理和使用按有关规定执行。

第十三条 使用自来水的计划用水单位超计划用水的,对超出部分按规定缴纳加价水费;使用自备井的用水单位超计划用水的,对超出部分按规定加1至3倍缴纳水资源费。加价水费和加价水资源费按月征收,取水单位和个人应当在每月10日前结缴上一月加价水费或水资源费。逾期不缴纳的,按日加收2‰的滞纳金。

第三章 节约用水

第十四条 鼓励、支持节水科学技术研究和节约用水设施、设备、器具的研制开发,推广应用先进技术,提高节水科学技术水平。

第十五条 新建、改建、扩建工程应当选用节水型生产工艺、设备和器具,配套建设相应的节约用水设施,并与主体工程同时设计、同时施工、同时投入使用。

凡设计使用自备井水的建设项目和自来水月用水量达到计划用水标准的建设项目,组织建设项目设计审查的部门和组织建设项目竣工验收的单位,应当通知水行政主管部门参加节约用水设施的设计审查和竣工验收。

第十六条 用水单位应当加强节约用水管理,使用先进的节水器具、设备,改进生产用水工艺;使用国家明令淘汰的用水设施、器具的,应当限期更新改造。

第十七条 用水单位应当采取循环用水、一水多用、综合利用及废水处理回用等措施,降低用水单耗,提高水的重复利用率。用水单耗高于用水定额的单位,应当采取措施,降低用水单耗。对用水单耗高于用水定额的生产企业,水行政主管部门不再新增其用水指标。

第十八条 用水单位不得使用国家强制报废的用水设备、器具;冷冻机及其他制冷设备的冷却水应当循环使用,不得直接排放;不得擅自停止使用节约用水设施。

第十九条 凡生活污水排放量大,具备重复利用条件的单位和住宅小区,应当按照水行政主管部门的要求,建设中水设施。

第二十条 计划用水单位应定期进行水量平衡测试,挖掘节水潜力。凡月用水10 000m^3以上的,每3年至少测试1次,10 000m^3以下的每5年至少测试1次。当其生产的产品结构和工艺发生变化时,应当在半年内及时复测。

第二十一条 禁止实行生活用水包费制。

第二十二条 禁止用自来水进行水产养殖和农业灌溉。

第二十三条 营业性洗车场(点)和洗浴场所,必须使用节水型器具。具备条件的应当建立循环用水系统。

第二十四条 供水单位应当经常对供水设施、设备进行检修保养,减少水的漏损量。用水单位应当经常对用水设备、器具进行检修,预防水的跑、冒、滴、漏。

第二十五条 符合下列条件之一的单位和个人,由县级以上人民政府或其水行政主管部门给予表彰、奖励:

(一)节约用水效果明显的;

(二)在节约用水科学研究和技术推广中有突出贡献的;

(三)在节约用水管理工作中做出显著成绩的;

(四)积极支持配合、宣传报道节约用水工作的;

(五)举报或制止违反本办法规定行为的。

第二十六条 各级水行政主管部门应当大力宣传节约用水的法律、法规、规章、政策和节约用水先进典型、先进经验,普及节约用水知识。

第二十七条 推广应用节水型设施、设备、器具及开展节约用水宣传、科研、奖励等所需费用,纳入财政年度支出计划。

第四章 法律责任

第二十八条 有下列行为之一的,由县级以上人民政府水行政主管部门给予警告,责令改正,并处以 500 元以上 3 000 元以下罚款:

(一) 计划用水单位未经核定用水指标擅自用水的;

(二)使用自来水进行水产养殖和农业灌溉的;

(三)使用国家强制报废的用水设备、器具的;

(四)冷冻机及其他制冷设备的冷却水,未经循环使用而直接排放的;

(五) 对居民生活用水实行包费制的;

(六)用水单位因管理不善造成严重浪费的。

第二十九条 有下列行为之一的,由县级以上人民政府水行政主管部门责令限期改正;逾期不改正的,限制其用水量,并处以 5 000 元以上 20 000 元以下罚款:

(一)新建、扩建和改建工程项目未按规定配套建设节约用水设施或者节约用水设施经验收不合格的;

(二)无故停用节约用水设施的。

第三十条 对应当纳入计划管理的用水单位,拒绝纳入计划管理的,由县级以上人民政府水行政主管部门给予警告,责令限期改正;逾期不改正的,强制纳入计划管理,处以 1 000元以上 3 000 元以下罚款。自备井未经验收,擅自启用的,由县级以上水行政主管部门处以 1 000 元以上 5 000 元以下罚款。

第三十一条 擅自安装、移动、拆换自备井注册水表的,由县级以上人民政府水行政主管部门责令限期改正,处以 500元以上 1 000 元以下罚款。损坏自备井注册水表的,应当给予赔偿。

第三十二条 营业性洗车场(点)和洗浴场所未使用节水型器具,由县级以上人民政府水行政主管部门给予警告,责令限期改正;逾期不改正的,处以1 000元以上5 000元以下罚款。

第三十三条 水行政主管部门工作人员玩忽职守、滥用职权、徇私舞弊的,由有关部门给予行政处分;构成犯罪的,依法追究刑事责任。

第五章 附 则

第三十四条 本办法自发布之日起施行。

第四节 水资源统一管理体制建设

一、水资源管理体制现状

国内外的大量实践表明,以水务一体化管理模式统一管理水资源,能够更好地发挥水资源的综合效益。例如巴黎对水事务的统一管理被认为是世界上最好的,得到联合国的肯定和推荐。只有在城市水资源统一管理、统一调度的基础上,才能依据本地区水资源条件和开发利用潜力,合理确定城市发展规模和产业结构调整的方向。

城市水务一体化管理的总目标是:保证城市人民饮用水安全,保护城市供水水源地,节水与防污统一,城市建设与水资源配置统一,城市化发展与水生态系统建设统一,形成水源地—供水—用水—排水—治污—回用完整的资源循环体系。城市水务工作的总体思路是以水利部新时期治水思路为指导,适应城市化和社会经济可持续发展的要求,贯彻《国务院关于加强城市供水节水和水污染防治工作的通知》精神,建立辖区内水资源统一管理的城市水务管理体制;建立适应社会主义市场经济条件的投资主体多元化、产业发展市场化、行业监管法制化的城市水务运行机制;建立发挥体制优势、强化行业管理的水务法规体系;加强城乡水资源的统一管理。在城乡水资源统一管理的前提下,建立谁耗费水量谁补偿、谁污染水质谁补偿、谁破坏水生态环境谁补偿三个补偿机制。同时,利用补偿建立保证水量的供需平衡、保证水质达到需求标准、保证水环境与生态达到要求三个恢复机制。水务局作为水行政主管部门要具体负责统一法规,统一政策,统一规划,统一监测,统一调度,统一治理,统一保护,统一制定用水定额,统一制定水价,统一发放取水许可证,统一征收水资源费等水资源管理工作。

安阳市是一个严重的资源型缺水城市,几年来在各级政府和有关部门的大力支持下,坚持依法治水,积极主动地开展全市的水资源管理工作,使取水许可制度在安阳市得以全面贯彻和落实,取得了明显效果。截至2001年底,全市共发放取水许可证4 700套,批准许可取水量72 320万m^3。严格凿井审批程序,封闭水井39眼,基本实现了水资源的“五统一”管理,确保了全市水资源的合理开发和高效利用,有力地促进了全市社会经济的快速、健康发展。

安阳市水资源管理体制在改革和发展中取得了实质性的进展和突破。目前,全市五县(市)一区全部成立了水务局,基本实现了城乡水务一体化管理。其中林州市将红旗渠管理局、节水办和自来水公司一并划归新成立的林州市水务局,汤阴县、内黄县将节水办、自来水公司划入水务局,安阳县、滑县将节水办划归水务局。从体制上保障了水资源的统一管理和高效利用。

但应指出的是,随着人口的增长、工农业生产和城市建设的发展,水的供需矛盾日趋尖锐,加之受“多龙管水”旧体制的束缚和对水资源的分割管理,使本已缺乏的水资源得不到合理利用,造成了很大的浪费,加剧了水资源供需矛盾,严重阻碍了水资源的统一管理和优化配置、高效利用。

安阳市水利局作为市水行政主管部门,对全市水资源的开发利用行使监督和管理职能,负责权属管理、水行政执法、取水许可审批、水资源费征收、水资源规划、水资源保护和计划用水节约用水等工作;市节水办作为隶属城建主管部门的事业单位,沿袭过去的做法,负责市区计划、节约用水和取水许可审核。市水务总公司,隶属于城建部门,为市区自来水供水企业,同时又负责污水处理厂的建设和运营。部门分割管理,弊端很多,存在的问题主要有:

(1)无法实现水资源统一规划和优化配置。由于目前安阳市市区水资源管理仍沿袭过去的分部门管理体制,使得地表水与地下水、主水与客水、城乡水资源很难实行统一规划、统一调配,也就很难实现全市水资源的优化配置和科学管理。尤其明显的是,目前水资源的权属管理不统一,地下水取水许可制度不能有效地实施,造成洗浴业、洗车行、个别企业在利益驱动下乱打井、无证开采地下水的现象屡禁不止。虽然近两年通过各部门之间协调和通力合作,对市区部分自备井进行了封停,取得了一定成效,但水资源管理体制问题依然没有从根本上得到解决。例如安阳市第五水厂(水源地为岳城水库)工程总投资9 600万元,设计日供水能力为10万t,加大供水能力为15万t。其中引水工程(投资4 600万元)归水利部门建设管理,供水工程由水务总公司建设管理。由于部门利益冲突,目前五水厂引水量每天不足3.0万t,同时每天抽取地下水2.5万t,导致一方面水资源工程闲置,地表水资源不能充分利用,水源工程的综合效益不能正常发挥,而另一方面地下水继续严重超采,水位不断下降,供水成本增大。

(2)无法建立统一的水资源管理政策法规体系和执法队伍。由于水资源权属管理、节水管理、供水管理分属不同部门,很难出台统一的水资源管理政策,即使出台了,也因部门利益而无法有效实施。按照水政监察规范化建设的“八化”标准,应该进行统一的水法律法规培训,对水行政执法人员进行统一管理,统一着装,统一执法文书,统一持证上岗,加大对水事活动中违法行为的打击力度,树立水政执法人员的良好形象,有效地依法监督和管理水资源,确保水资源的合理开发和高效利用。但目前由于水资源管理体制没有彻底理顺,无法建立统一、高效的水资源管理政策法规体系和执法队伍。

(3)水资源管理效率低,不能适应时代要求。用水户办理取用水手续,跑了这个单位跑那个单位,用水计划指标水利部门和城建部门都下达,影响了水资源管理的权威性和政府形象。实施水务一体化管理,可以极大地提高行政办事效率。实践证明,一龙管水,减少了许多推诿、扯皮现象,能够使党政领导干部从事务性协调工作中解脱出来,把主要精力放在抓生产和管理上,减轻领导负担。同时,“一龙管水”,也使水利部门从部门之间的协调和争斗中解脱出来,把工作重点放在水资源的开发和利用、节约、配置、治理保护以及协调、监督和管理上,更好地为社会和经济发展服务。

(4)无法制定合理的水价政策。水价是促进节水的经济杠杆,但水利工程供水、自来水、自备井的水费、水资源费、污水处理费,涉及到几个部门,很难协调,更难实现利用水价经济杠杆的作用促进节约用水的目的。

二、水资源统一管理体制建设

水务一体化管理,是实现水资源优化配置和可持续利用的前提,为水资源的合理开发、高效利用和有效保护提供了体制保障。截止到2001年10月,全国已有28个省、自治区、直辖市的804个单位成立水务局或由水利系统实施水务管理,其中成立水务局528个,分别为省级2个,地级49个,县级477个;暂未成立水务局,但由水利部门实施水务管理的单位276个,其中地级2个,县级274个。随着县级机构改革的展开,还有一大批市、县将陆续成立水务局。

国内外实践证明,水务一体化管理体制具有明显的成效,主要是解决了政府部门在水管理方面的职能交叉、政出多门、执法难、管理难的问题,有利于城乡水资源的统一监测、统一评价、统一规划、统一调配、统一管理和统一保护,从而有利于水资源的优化配置和可持续利用,更好地满足城乡人民的水资源需求。首先,在实现城乡水务一体化管理后,取水许可制度和水资源费征收制度才能得以更好地贯彻实施,计划用水、节约用水才能逐步实现制度化、规范化。尤其重要的是,安阳市市区实现水务一体化管理以后,目前所存在的多部门管水,取水许可制度难以实施,擅自凿井,地下水严重超采等问题,将会迎刃而解,水行政主管部门可以全方位履行其职责,有效地控制地下水资源超采。另外,全市在实施水务一体化管理以后,将会有效地缓解城市供水不足的问题,水行政主管部门在水资源优化配置和优化调度上就可以做到先地表水、后地下水,先当地水,后过境水,逐步改变过去一个水系、一个水库、一条河道的单一水源向城市供水的方式,采取"多库串联,水系联网,地表水与地下水联调,优化配置水资源"的方式,同时积极筹措资金,大力开展水源工程和节水工程、污水处理回用工程、水资源保护工程建设,有效地缓解城乡供水不足,切实保障全市的供水安全、水环境安全,为安阳市社会经济的可持续发展做出积极贡献。

大量的城市水务管理实践表明,将"多龙管水"改革为"一龙管水",对城市的防洪、蓄水、供水、用水、节水、排水、水资源保护、污水处理及其回用等实行一体化管理,有利于体现政府改革精简、统一、效能的原则和权责一致的原则,克服城乡分割、部门分割管理水资源出现的部门职能交叉、多头管理、政出多门、推诿扯皮、办事效率低下的弊端;有利于遵循水的自然循环规律;有利于城乡社会经济的可持续发展;有利于优化配置水资源,提高城乡供水保证率;有利于充分发挥各类水工程综合效益,提高用水效率;有利于按市场经济规律,建立科学的水价体系。因此,要保障安阳市21世纪社会经济可持续发展,应积极采用水务一体化管理模式,尽快成立市水务局,建立和完善统一的水务管理体制。

水务局作为市政府水行政工作的职能部门,要突破部门利益的束缚,从政府的角度而不是部门的角度实现对城市规划区一切水事行为的集中统一管理,包括防洪、蓄水、供水、用水、节水、排水、水资源保护、污水处理及其回用等事务。水务管理部门要实行政企分开、政事分开,不直接进行水的经营和水企业的管理,而是通过政策法规的制定实施对水企业实施监督管理。

众所周知,安阳市在水资源分割管理的体制下,城市供水过度依靠地下水源,目前已形成了以城区为中心的地下水严重超采区,并引发了一系列生态环境问题。安阳市实行城乡水务一体化管理以后,水行政主管部门将统筹调配城乡水资源,优化配置当地的地表水和地下水、漳河水、黄河水与长江水,将会有效地缓解全市水资源紧缺和地下水超采问题,城乡水生态系统将得到逐步恢复,最终实现以水资源的可持续利用来保障社会经济的可持续发展。

三、体制建设与技术保障

国内外的大量实践表明,要实现社会经济的可持续发展,必须实现水资源的可持续利用。为实现水资源的可持续利用,必须实现水资源的统一管理,在管理体制方面有所突破,实现水务一体化管理。水务局应负责全市范围内水资源水量与水质的统一管理、水资源综合评价、规划编制和监督实施;主管其行政区域的防汛、抗旱和水土保持工作,负责全市水务管理;统一调配城乡地下、地表水资源,统一实施取水和排(污)水许可管理制度,统一实施水资源保护监督管理;拟定实施从源水、供水、排水到污水处理回用的水资源利用和保护的价格政策;统筹管理城乡防洪与排涝、供水与排(污)水、污水处理回用和地下水回灌等水利基础设施建设事务;指导和规范供水、排水和污水处理等水行业。

在技术层面上,要研制和建立水资源实时监控管理系统,为水资源的统一管理、科学管理和动态管理提供工作平台;加强水资源的统一管理和合理调配,实现一水多用、污水资源化、洪水资源化和充分利用客水资源,并不断完善有关的政策法规,实现依法管水;建立和完善节水激励制度和水价体系,居民生活用水实行阶梯计价,非居民用水超计划超定额累计加价,用水高峰期实行季节性水价,充分发挥经济杠杆的作用;同时要加强对水资源的保护、治污和节水等宣传,提高全民的水患意识和水污染防范意识,支持全市水资源的合理开发和高效利用。

值得说明的是,安阳市政府为了解决全市水资源日趋严峻的供需矛盾,于2002年5月率先颁布实施了《安阳市城市供水价格改革暨调整方案》。该《方案》对城市居民生活用水基础水价和行政事业单位用水、工业生产用水、经营服务用水、特殊行业用水水价都作了调整,调整后的水价从2002年5月开始执行。同时,该《方案》还规定,逐步在全市范围内推行阶梯式水价,对已实行抄表到户的居民生活用水,实行阶梯式水价:每月每户用水量$12m^3$(含$12m^3$)以下部分按1.00元/m^3的基础水价计收,13~$19m^3$(含$19m^3$)部分按1.50元/m^3的二级水价计收,$20m^3$以上部分按3.00元/m^3的三级水价计收。这是安阳市进行水价改革的一项重要举措,相信对安阳市水资源的优化配置和科学管理,尤其是对全市的计划用水和节约用水工作将产生积极、深远的影响。

第十八章　结论与建议

试点项目“安阳市水资源综合评价”和“安阳市水资源可持续利用综合规划”，在项目领导小组和项目办公室的大力支持和协助下，历经三年多的时间进行了多学科多部门的深入、系统研究和联合攻关，现已全面达到预定目标，并在着力解决新时期水资源的开发、利用、配置、节约、保护、治理和管理等重大问题的理论与实践方面取得了一系列的突破性进展，获得了一批具有国际水准的重要成果，为安阳市贯彻落实国家新时期的治水方针，适应社会经济发展和水资源供求状况的变化，实现水资源的可持续利用和社会经济的可持续发展提供了强有力的决策支持。

第一节　结　论

在水利部水资源司、河南省水利厅与安阳市政府的领导和支持下，经过主持、参加单位和课题组的共同努力，该试点项目研究取得了丰硕成果。综合起来，可归纳为以下主要结论。

(1)水资源总量及可利用量。安阳市水资源十分贫乏，水资源总量为16.403亿m^3，客水资源量为5.46亿m^3，水资源总量比第一次评价结果减少4.1%，客水资源量比第一次评价结果减少65%。人均水资源占有量为322m^3，仅为全国的1/7，每公顷土地平均水资源占有量为4 515m^3，仅为全国的1/6。安阳市水资源可利用量为11.94亿m^3，客水资源可利用量为4.37亿m^3。

(2)水资源变化趋势。安阳市近20年来水资源量总体上呈现出逐渐减少的趋势：20世纪90年代的年均降水量是1956～1998年系列降水量均值的90%多，而90年代的地表水资源量却为1956～1998年系列地表水资源量均值的77%，仅为50年代地表水资源量的50%；90年代新村站和安阳站的实测年径流量与前20年(1956～1979年)的均值比较，新村站仅为31%，安阳站为57%；90年代新村站和安阳站的天然年径流量与长系列(1956～1998年)均值比较，新村站为79%，安阳站为72%。

大中型水库的入库水量也呈逐年减少的趋势；地下水尤其是平原区的地下水也有不同程度的衰减，但其衰减的程度比地表水相对要小一些。

近20年来，从境外引调入的水资源量也呈明显的下降趋势：红旗渠、跃进渠和漳南干渠1998～1999年平均每年的总引调水量不足2亿m^3，尚不到1962～1999年多年平均引水量的一半；引淇入琵工程已停止引水多年；入境的河川径流量也呈现下降趋势。

(3)水资源开发利用程度。目前，安阳市水资源的开发利用程度已达到118%，其中地下水开发利用程度为117%，远远超出世界公认的警戒线。地下水超采严重，全市地下水年均超采量为4.27亿m^3，年均超采率为39%，特别是内黄县超采80%、滑县超采43%。全市地下水埋深呈现出区域性、大幅度下降的趋势，由20世纪五六十年代的2～

3m 或 7～8m 下降到目前的 10～20m 或 30～40m。

综合上述分析,安阳市今后的社会经济发展和生态环境建设对水资源的新增需求,总体上不能再依靠扩大当地水资源的开发规模,而只能依靠污水处理回用和节水,以及产业结构调整或者跨流域调水等予以解决。

(4)水资源污染态势。安阳市水污染问题日趋严重,除山区河流水质较好外,平原区河流水质普遍严重污染;城市附近、平原区河道两岸附近和污灌区的地下水水质均存在程度不同的污染;饮用水水源井也遭到一定程度的污染。因此,如果对水污染日趋严峻的态势不进行积极有效的治理,则安阳市未来的缺水问题将更加严重和尖锐,不仅受到资源型缺水的困扰,而且同时受到污染型(水质型)缺水的压力,全市的供水安全将受到越来越严峻的威胁,对 21 世纪安阳市社会经济可持续发展构成严峻的挑战。

(5)根据安阳市水资源条件和供用水结构、效率以及水资源开发利用程度,首次提出安阳市的水资源开发利用模式是掠夺式的,是不可持续的;安阳市的缺水属于资源型缺水,今后安阳市社会经济发展和生态环境建设对水资源的新增需求,总体上不能再依靠扩大当地水资源的开发规模,而只能依靠污水处理回用和节水,以及产业结构调整和跨流域调水等综合措施予以解决,为安阳市解决缺水问题提出了应采取的对策措施和努力的方向。

(6)根据安阳市新的治水思路,即"用足境外配额水,设法蓄住天上水,尽量拦住过境水,充分利用地表水,合理开发地下水,提高标准抗洪水,水土保持涵养水,处理回用污染水,强化措施抓节水",通过分析安阳市水资源现状和将来发展的特点,提出了安阳市水资源开发利用的四种模式:①建设节水型社会,走内涵式发展道路的模式;②当地水资源的充分挖潜与污水处理回用模式;③经济利用外调水的模式;④有效解决人畜饮水的模式。总之,上述四种模式为改变安阳市过去掠夺式的、以大量超采地下水和牺牲生态环境为代价的水资源开发利用模式提供了重要依据。

(7)根据国内外节水灌溉发展的最新动态,确立安阳市未来农业节水灌溉的发展目标是:节水、节能和增产、增效,逐步向节水型、效益型农业转变,走节水高效农业、生态农业和绿色农业的发展道路。提出安阳市节水灌溉的发展方向为:山丘区发展经济作物的喷灌、滴灌和果树微灌,旱作物以旱作农业和非充分灌溉为主;平原机井灌区以推广低压管道输水灌溉技术为主;渠灌区以混凝土衬砌渠道为主,田间农、毛渠推广"U"形混凝土衬砌渠道;引黄灌区采用地表水与地下水联合调控技术,实行井渠双灌等。

(8)根据安阳市国民经济发展现状和区域优势,重点研究基于宏观经济模型的国民经济发展预测问题。从分析结果可以看出,安阳市在综合经济实力、社会进步和人民生活水平等方面,都有了长足发展和进步。在"七五"期间,安阳市国内生产总值年均增长速度比全国平均发展速度低 2.4 个百分点;而在"八五"时期,安阳市国内生产总值年均增长速度达到 16.7%,高于全国平均水平 4.7 个百分点;但在 1996 年至 1998 年期间,安阳市国内生产总值年均增长速度下降为 5.2%,明显低于全国平均水平。基于此,安阳市未来产业结构调整的主要目标是:以农业、能源资源优势为依托,大力发展并形成相互协调的两大主导产业群,即农业—轻纺工业系列和石化、钢铁重加工工业系列,稳步发展电子通讯制造业,强化发展第三产业,使安阳市经济逐步由资源开发—粗加工型向资源开发—深加工型的方向转化，努力实现三大产业的协调发展。通过宏观经济模型预测确定安阳市在1998～2010年、2011～2015年和2016～2030年期间国民经济发展的年均增长率分别为8.3%、8.5%和8.6%，产业结构由现状年的22:49:29调整为2030年的5:63:32，安阳市将由农业型经济全面向工业型经济转变，在今后相当长的时间内工业化将是安阳市经济发展的基本特征。

(9)根据安阳市水文、气象和水资源条件以及农业发展水平等，提出了安阳市今后应该大力推广的节水高产综合灌溉模式，即“节水灌溉工程措施”、“节水灌溉农艺措施”和“节水灌溉管理措施”有机耦合而成的一套节水高产综合灌溉模式，即“桓台模式”。通过测算，安阳市仅推广冬小麦和夏玉米节水高产灌溉模式，其冬小麦可节约灌溉用水量56%～78%，夏玉米可节约灌溉用水量67%～88%。安阳市现状年冬小麦和夏玉米的灌溉用水量分别为7.74亿m^3、4.57亿m^3，分别占农业总用水量的48%和28%，小麦和玉米灌溉用水量之和占农业总用水量的76%。因此，安阳市仅冬小麦及夏玉米两种农作物推广这种节水高产灌溉模式，每年就可节约灌溉用水量7亿～10亿m^3，占目前农业总用水量的45%～62%。

(10)针对不断变化的水资源形势，坚持人与自然相协调的原则，提出安阳市的生态环境需水量应包括河道内与河道外生态环境需水量。其中河道内生态环境需水量是指娱乐、鱼类和景观的需水量，为了配合安阳市殷墟遗址申报世界文化遗产，将洹河的河道内生态环境需水量作为分析的重点，首次采用安阳站近10年最枯月平均流量作为洹河的河道内生态环境需水量(即为6 812万m^3，合流量2.15m^3/s)，为洹河的治理和保护提供了重要依据；河道外生态环境需水量主要指城乡的净化、绿化及公园湖泊等需水量，随着社会的进步和经济的不断发展，以及人们的休闲、娱乐时间的增多和对生态环境要求的不断提高，其河道外生态环境需水量将会呈现出一种明显增加的态势。为此，根据50%和75%两种保证率分别预测未来不同水平年安阳市的河道外生态环境需水量，为安阳市的生活、生产和生态协调发展提供了强有力的保障。

(11)针对安阳市水资源开发利用面临的问题和水资源管理中[illegible]用现代的规划技术手段，包括可持续发展理论、系统论、市场经济学、现[illegible]技术、优化技术等，根据国家新的治水方针，在国家“九五”重点科技攻关[illegible]，在国内外首次建立了基于河道内与河道外生态环境需水量的水资源配[illegible]，无论从规划思想、理念和理论上，还是从模型技术、仿真与求解方法上[illegible]破。通过多方案长系列模拟计算和综合对比分析，最后优选出3个大的配[illegible]个小方案)和2个优先推荐的配置方案(包括6个小方案)，为安阳市未[illegible]时间尺度上的水资源优化配置和统一管理提供了科学的依据，确保安阳市在21世纪初期逐步实现社会经济、水资源与生态环境之间的协调、健康发展。

(12)在国内外第一次利用基于河道内与河道外生态环境需水量的水资源配置动态模拟模型，按照水资源三次平衡的配置思想，对所拟定的方案进行长系列精细模拟计算，不仅给出了行政分区空间尺度和年时间尺度上的水资源宏观配置方案，而且给出了计算单元空间尺度和月时间尺度上的水资源微观配置方案，为安阳市水资源优化配置与科学管理提供了宏观的决策依据和微观的操作指南。

(13)通过安阳市水资源“一次平衡”的长系列模拟计算，提出安阳市在无外在投资和允许地下水超采的条件下2010年、2015年和2030年的总供水量分别为20.32亿m^3、21.62亿m^3、22.73亿m^3，在无直接节水工程投资条件下2010年、2015年和2030年的总需水量分别为24.08亿m^3、29.42亿m^3、59.34亿m^3，以及基于水资源现状开发利用模式下2010年、2015年和2030年的缺水量分别为3.75亿m^3、7.80亿m^3、36.61亿m^3；在无外在投资和不允许地下水超采的条件下2010年、2015年和2030年的总供水量分别为17.36亿m^3、17.70亿m^3、17.90亿m^3，以及基于水资源现状开发利用模式下2010年、2015年和2030年的缺水量分别为6.72亿m^3、11.72亿m^3、41.44亿m^3。上述成果，为制定未来不同水平年节水、治污和挖潜等具体政策与措施提供了可靠依据。

(14)通过安阳市水资源“二次平衡”的长系列模拟计算，提出安阳市通过采取节水和治污、挖潜以及产业结构调整等综合措施，基于充分发挥当地水资源承载能力条件下2010年、2015年和2030年的缺水量仍分别为2.27亿m^3、2.70亿m^3、2.88亿m^3，缺水程度分别为11.0%、12.3%、12.5%，即说明依靠节水和治污、挖潜、产业结构调整以及充分扩大当地水资源开发利用潜力仍不能解决安阳市水资源供需缺口问题(D方案)，只能依靠新建跨流域或区域调水工程来解决缺水问题，为确定新建调水规模提供科学依据。

(15)通过安阳市水资源“三次平衡”的长系列模拟计算，提出安阳市基于漳河、黄河、长江等外调水量与当地水资源联合运用和优化配置条件下(M方案)，2010年、2015年和2030年供水量分别为19.12亿m^3、21.77亿m^3、23.01亿m^3，缺水量分别为1.54亿m^3、0.10亿m^3、0，缺水程度分别为7.5%、0.4%、0。由此可见，这时安阳市的水资源基本实现了供需平衡。2030年当地水资源供水量为16.69亿m^3，外调水供水量为6.32亿m^3，其中漳河水占26.4%、黄河水占29.0%、长江水占44.6%；河道外生态环境需水基本上得到了保证。由于采取了强有力的城市污水处理措施，河道水质将明显提高，2030年洹河中的污水比例将由现状年的32.6%下降到21.9%。

(16)根据水价的制定原则和其应包含的水资源价值、供水成本、外部成本和机会成本四部分内容，并结合安阳市的水资源条件及其开发利用现状、社会的承受能力等，给出了安阳市水资源费和污水处理费征收标准调整方案，以及基于可持续发展的水价调整方案，提出安阳市在南水北调建成之前，应理顺长江水、黄河水、漳河水和当地水之间的关系，调整现行的水价政策，使调整后的水价与南水北调工程通水后的水价基本一致；并在此基础上，对长江水、黄河水和漳河水、当地水的水价适时实行季节水价、两部制水价和阶梯式计量水价的政策，为全市水资源的统一配置、统一调度、统一管理和高效利用提供水价格体系方面的保障。

(17)根据安阳市区域水文地质条件和地下水资源开发利用程度、“四水”转化关系，以及抽水井深、抽水机具情况等，将东部平原区地下水系统划分出地下水严重超采区、一般超采区和基本采补平衡区，并给出地下水超采区近期开采量削减方案；同时，提出了安阳市地下水超采区管理办法。上述成果，不仅为安阳市具体实施地下水保护行动计划提供了具体操作方案，而且为确保安阳市地下水资源的可持续利用提供了具体的管理办法。

(18)提出为保障21世纪安阳市水资源可持续利用和社会经济可持续发展，应积极采用水务一体化管理的新模式，对城市的防洪、蓄水、供水、用水、节水、排水、水资源保护、污水处理及其回用等实行一体化管理;并尽快建立和完善权威、高效、协调的水资源管理新体制,为漳河水、黄河水、长江水与当地水资源的优化配置和统一管理提供体制上的保证。

(19)在上述成果的基础上,形成了一套较完备的基于生态环境需水量的水资源综合规划理论技术体系,第一次完整地提出事关安阳市可持续发展大局的水资源可持续利用综合规划成果,为加强安阳市水资源的合理开发、科学配置、全面节约、高效利用、有效保护、综合治理,以及加强水资源一体化管理等提供了可靠依据。

总之,该项目研究成果,以国家新的治水方针为指导,以水资源可持续利用保障社会经济可持续发展为主线,坚持兴利除害结合、开源节流治污并重,运用现代化的技术手段、理论方法和规划思想,针对安阳市水资源开发利用和管理中出现的新情况与新问题,提出未来30年时间跨度上的水资源综合规划成果,为21世纪初期安阳市实现人口、资源、环境和经济的协调发展提供了重要依据,因此将对安阳市今后的社会经济发展、水资源开发利用和生态环境保护等产生深刻而久远的影响。

第二节　建　议

根据安阳市的水资源形势和所面临的问题,建议在已有成果的基础上积极组织和开展以下主要工作:

(1)加强水污染的监控与治理。安阳市水污染问题日趋严重,目前已对全市的供水安全构成巨大威胁,必须给予高度重视,并加大监控和治理力度。首先要关停一批对水污染大、经济规模小、没有污水处理能力的小企业;提高企业内部的污水处理重复利用率和污水达标排放率;洹河的污染治理关键是一些排污大户的综合治理,如安阳钢铁厂、电厂、焦化厂、染料厂、啤酒食品企业、糖厂、造纸厂等。其次要建设一批城市综合污水处理厂,逐步提高城市污水处理能力和重复利用率。

研究结果表明,不仅地表水严重污染是明显的事实,而且地下水的污染问题也相当严重。地下水污染的治理难度和所需的时间跨度要比地表水污染治理大得多、长得多。因此,从现在起对社会各界要大力宣传污染水体和盲目利用污水灌溉或回灌地下水可能带来的灾难性后果,加强污水排放、污水灌溉和污水回灌地下水的监督和管理,逐步减少污水直接灌溉的面积和直接回灌地下水的范围,严格执行污染物总量控制和污水达标排放制度,逐步扩大符合农业灌溉水标准的灌溉面积,确保供水安全、食品安全及环境安全等。

(2)狠抓节水,进一步提高水资源利用效率。目前安阳市的水资源开发利用程度已经很高了,考虑到生态环境、水利工程及经济状况等方面的制约,安阳市所辖区域已基本上没有新增水源的余地。今后安阳市除了依靠南水北调中线工程可增加一些水量外,只有依靠节水和提高水的重复利用率以及调整经济结构等来解决日益突出的水资源供求矛盾。

安阳市的农业毛灌溉定额和工业万元产值取水量均比较高,城镇人口的经济水平和生活水平虽然不高,但人均生活用水指标却不低。总的来说,安阳市的用水效率比较低,节水潜力比较大。

总之,要因地制宜地制订一些鼓励性政策,大力推广节水灌溉技术,努力降低灌溉定额,并加大节水投入和节水管理的力度,尽量减少城乡供水系统的跑、冒、滴、漏现象。要通过国民经济各部门的产业结构调整和采用先进技术、先进工艺,最大程度地减少企业的用水量和污水排放量,发展当地经济和提高用水的经济效率。

(3)减少地下水超采量,逐步实现地下水的采补平衡。一方面要严格控制地下水的过量开采(特别是地下水漏斗中心区),另一方面要在有条件的地方采取有效措施,拦蓄洪水和水库弃水,增加地下水补给量,减缓和抑制地下水位继续下降的态势,使地下水逐步实现采补平衡。但要注意补源水的水质,避免加重地下水的污染。

(4)充分利用漳河、黄河及南水北调中线工程的分水配额。在水资源统一管理和洪水资源调蓄补源等措施的基础上,采取有力措施和具体步骤,努力增加对漳河水的利用量,要用足漳河的分水指标;目前引黄入内工程已经开工建设,建成通水后要尽量用足黄河的分水指标(黄河分配给安阳市的用水指标)。虽然引用漳河、黄河水源要比利用当地水资源的经济代价相对大一些,但比南水北调中线工程的水价还是要便宜很多。另外,南水北调中线工程的水何时能引来、配额多大、水价多高,目前尚不能完全确定。因此,在充分挖潜和高效利用当地水资源的前提下,要做好全面合理利用当地水资源、漳河与黄河客水资源和污水处理回用水量,以及南水北调中线工程调水量的规划工作,切实用好、管好这五种水,使其发挥更大作用,更好地支撑全市社会经济的可持续发展。

(5)充分发挥水价在水资源管理和节水工作中的作用。大量的成功经验表明,建立完善、灵活的水价体系对于加强水资源统一管理,实现水资源的优化配置,合理开发利用五种水(大气降水、地表水、地下水、污水、外调水)以及有效地满足五种需求(工业、农业、生活、环境、生态用水)的增长,均具有重要的作用。如2000年宁夏实施新的水价政策后,在短短的6个多月时间内就产生了巨大的经济和社会效益,少引黄河水8亿m^3,农民水费支出减少700多万元。在风沙频繁、干旱严重的情况下,宁夏引黄灌区灌溉秩序良好,特别是在4、5月份麦稻用水高峰期和7、8月份伏灌期,不仅较好地保证了灌区的作物灌溉,而且为支持黄河下游抗旱和防止黄河断流做出了贡献。天津市在2001年颁布了《天津市节约用水管理办法》,对超计划用水实行累进加价制度,取得了较好的效果。因此,建立和完善安阳市水价体系,利用水价政策进一步促进全市的水资源统一管理和计划用水、节约用水工作,支持全市水资源的合理开发和高效利用。

(6)从安阳市水资源条件和开发利用格局看,安阳市当地水资源除东部平原区地下水资源外,大多集中在西部山丘区,尤其是可利用的地表水资源主要集中在洹河上游山丘区。通过水资源综合规划结果也可以看出,小南海水库、小南海泉和彰武水库对于安阳市的城镇供水作用即使南水北调中线工程建成通水,仍然是不可替代的。而洹河从安阳市区缓缓穿行而过,沿河两岸分布有重要的生活小区、公园、机关和企业、商业区等,尤其是正在申请世界文化遗产的殷墟遗址就坐落在洹河南岸。因此,尽快制订"安阳市两库(小南海水库、彰武水库)两泉(小南海泉和珍珠泉)一河(洹河)保护规划",制定"安阳市两库(小南海水库、彰武水库)两泉(小南海泉和珍珠泉)一河(洹河)保护条例",严禁在泉域内乱垦乱伐和乱排乱放污水污物,尤其是严格规范泉域内矿山开采并严禁打深井袭夺泉水涌出量,为保障安阳市的供水安全、保护泉域景观和支持殷墟遗址申报世界文化遗产和发展旅游经济等提供切实可行的保护方案和决策依据。

(7)根据国家提出的治水新思路，在重视水资源开发、利用、治理的同时，更加注重水资源的合理配置、节约和保护，切实改变过去“重建设、轻管理”的做法，要在重视工程措施的同时，特别强调和重视非工程措施，强调科学管理。为了进一步完善和提高安阳市水资源的管理体制和科学管理水平，有力地促进安阳市水资源管理的三个重大转变，即由过去“静态管理”向“动态管理”转变、由“经验管理”向“科学管理”转变、由“分散的条块管理”向“统一管理”转变，系统地研究和建设“安阳市水资源实时监控管理系统”，为全市水资源优化配置和科学、动态、统一管理提供工作平台，已显得十分必要和迫切。

研发和建设安阳市水资源实时监控管理系统的主要目的是，以水利信息化促进水利现代化，以水利现代化保障水资源的可持续利用，并以水资源的可持续利用来支撑社会经济的可持续发展。该系统是以水资源实时监测系统为基础，以现代通信和计算机网络系统为手段，以水资源优化调度和地表水、地下水、污水处理回用、微咸水及外调水的联合高效利用为核心，以节水、防污、提高水资源利用效率和最终实现水资源的可持续利用为目标，通过水资源信息的实时采集、传输、模型分析，及时提供水资源决策方案，并快速给出方案实施情况的后评估结果等，以确保实现水资源的统一、动态和科学管理，做到防洪与兴利、地表水与地下水、当地水与外调水、水质与水量、优质水与劣质水之间联合调度和高效利用，以支撑社会经济的可持续发展。

(8)尽快开展和实施以小南海泉域和珍珠泉域综合治理、城镇地下水水源地保护、东部平原地下水漏斗区补源等为重点的“安阳市地下水保护行动计划”，针对不同规划分区所存在的问题，在充分考虑产业结构调整、节水、污染源整治及污水处理回用的基础上，积极寻找替代水源与适合人工回灌的地段，充分利用雨洪资源开展人工回灌补源，以及外流域调水等综合措施，通过多方案分析和对比，提出近、中、远期地下水治理与保护的实施方案；并调整和完善地下水动态监测网，建设地下水资源监控系统，对地下水进行实时监测预警和调控管理，确保实现地下水资源的统一、动态和科学管理。同时，建议尽快出台“安阳市地下水超采区管理办法”，为安阳市地下水保护行动计划的顺利实施提供法律依据。

(9)自新中国成立以来，安阳市先后设立了十几个垃圾场，由于认识和重视不够，目前大多数垃圾填埋场仍未采取防护措施。据有关监测资料显示，安阳市众多的垃圾填埋场现已对周围环境和水资源造成了严重污染，对供水安全构成了威胁。因此，尽快开展“安阳市垃圾填埋现状及其对水资源的影响调查评估与预测”项目，全面调查和评估垃圾填埋场的地质环境和污染现状；通过建立有关模型，分析和预测典型垃圾填埋场污染物在含水层中的运移机理及扩散趋势；并在此基础上，提出垃圾填埋场污染的恢复治理措施，为安阳市合理处理和规划垃圾填埋场提供科学依据，是十分重要和迫切的。

(10)根据2001年国际饮用水研讨会信息，目前我国的生活饮用水质量水平参差不齐，城镇生活饮用水三成不安全，农村饮用水86%不符合标准，有关部门正致力改善饮用水水质状况。中国预防医学科学院环境卫生监测所陈昌杰教授指出，目前我国直辖市和部分省会城市的市政自来水合格率为93.7%，二次供水的总大肠菌群合格率为92%；而我国农村饮用水目前只有13.8%符合饮用水标准，比较安全的占47.5%，有38.6%属不安全饮用水。安阳市境内的主要河流和水库已遭受到程度不同的污染，如洹河、汤河、彰武水库和汤河水库等的水质已经受到了严重污染，水质达到了Ⅳ类和Ⅴ类水质标准。随着地表水水质的严重恶化，地下水水质也不断趋于恶化，尤其严重的是安阳市的水源井已普遍遭到诸如氨氮、大肠杆菌、硬度、硝酸盐氮和亚硝酸盐氮、氟化物和挥发酚等的严重污染。目前，安阳市的缺水正面临着资源型和污染型缺水的双重压力。因此，迫切需要开展“安阳市人口健康状况与水污染调查及对策研究”或“安阳市可持续发展与水安全战略研究”项目，查清安阳市高发病区分布、疾病种类及病因等第一手资料，调查和分析水资源的污染类型、程度和途径，以及对人口质量和社会经济发展等影响的相关性研究，为政府及有关部门提供科学的决策依据。

(11)在已有的工作基础上，要强化安阳市供用水调查、统计和分析工作，为全市水资源的需求管理和计划用水、节约用水工作提供坚实的基础；并大力宣传节水、治污和环境保护的重要意义，使各级政府领导和广大人民群众进一步增强水患意识，并建议加快“安阳市节约用水管理办法”的制订，为安阳市水资源的节约、保护和可持续利用奠定思想基础和提供政策法律依据。

(12)国内大量的实践表明，在严重缺水的山丘区推广应用窑窖集雨工程，是有效地利用雨水资源解决农村吃水困难和发展高效农业、群众脱贫致富的一项重要措施。近几年宁夏、甘肃省和林州市的实践证明，推广这一实用技术不仅可解决当地群众的温饱问题，加快脱贫步伐，而且可减少水土流失，促进部分群众退耕还牧，种草种树发展养殖业，增加收入，使生态环境得到明显的改善。因此，在安阳市西部山丘区大力发展窑窖集雨工程，是高效利用汛期雨水资源解决农村人畜吃水和发展高产农业的重要措施。基于上述情况，应全面规划西部山丘区窑窖集雨工程，并加大建设的投资力度，以解决山丘区农村人畜吃水和农业灌溉缺水问题，支持当地社会经济的发展。

东部平原区与城(镇)市区要进一步研究和规划雨洪资源利用和地下水回灌补源问题。根据日本和其他国家的成功经验，绿地或绿化地段的地面标高要尽量低于路面高度，并结合城市景观在适合地段修建雨洪蓄水工程，以利于地下水回灌补源，减缓地下水严重超采和城市防洪的压力。

(13)根据国家对南水北调中线工程的总体安排，预计 2010 年前建成通水，安阳市除了积极规划其配套工程的建设规模和实施顺序外，要积极探讨和调整现行的水价政策，在市场经济条件下不论是当地水还是外来水、不论是地表水还是地下水，供水质量相同的水价应该基本统一。要制定统一的水价政策，逐步实行分质供水和优质优价。同时，还应积极研究和探讨生态环境用水费用的支付和分摊机制。基于上述考虑，建议在南水北调建成之前，安阳市应理顺长江水、黄河水、漳河水和当地水之间的关系，使调整后的水价与南水北调工程通水后的水价大致相同。并在此基础上，对长江水、黄河水和漳河水、当地水的水价实行两部制水价政策，以有利于全市水资源的统一配置、统一调度、统一管理，促进水资源的高效利用。

参考文献

[1] 安阳市水利局等.安阳市水资源公报.1992～1999

[2] 中国有色金属工业总公司河南地质一队.中国北方岩溶地下水资源及大水矿区岩溶水的预测、利用与管理的研究项目——豫北(安阳林县、鹤壁)地区研究报告.1988

[3] 河南省水文总站.河南省水资源评价报告.1985

[4] 许新宜,王浩,甘泓等.华北地区宏观经济水资源规划理论与方法.郑州:黄河水利出版社,1997

[5] 叶永毅,黄守信等.水资源大系统优化规划与优化调度经验汇编.北京:中国科学技术出版社,1995

[6] 邓楠.可持续发展:人类关怀未来.哈尔滨:黑龙江教育出版社,1998

[7] 陈志恺.人口、经济和水资源的关系.水利规划设计,2000(3)

[8] 陈家琦,王浩.水资源学概论.北京:中国水利水电出版社,1996

[9] 陈传友等.水资源与可持续发展.北京:中国科学技术出版社,1999

[10] 许志方,沈佩君.水利工程经济学.1986

[11] 谢新民.地下水资源系统多目标模糊管理模型研究.水利学报,1995(8)

[12] 谢新民,郭洪宇,尹明万等.我国华北地区蒸发能力及其变化趋势分析.水利规划设计,2001(4)

[13] 海、滦河流域年径流分析协作组.海、滦河流域年径流分析报告.1976

[14] 安阳市防汛指挥部办公室.安阳市防汛简明手册.2000

[15] 安阳市水利局.河南省安阳市大中型水库水文资料汇编(1991～1996).1999

[16] 安阳市水利局.安阳市小型水库资料汇编.1995

[17] 中华人民共和国水利部水文局.华北区水文资料(第九册)降水、蒸发量,1841～1949),中华人民共和国水利部水文局刊印,1956

[18] 中华人民共和国水文年鉴,1974,3(6)

[19] 安阳市统计局.安阳统计年鉴.1995～1998

[20] 建设部城市水资源中心.北方地区水资源总体规划.北方城市用水定额分析,2000

[21] 水利部农田灌溉研究所和中国水利水电科学研究院水利所.北方地区主要农作物灌溉用水定额的研究.2000

[22] 水利部海河委员会.海河流域水资源规划.2000

[23] 黄荣翰等.作物需水量估算方法简介及黄淮海平原几种主要作物需水量初估(供参考).水利水电科学研究院水利研究所.1980

[24] 联合国粮农组织灌溉及排水丛书 №24——作物需水量.1977年修订,罗马

[25] 沈振荣等.水资源科学试验与研究——大气水、地表水、土壤水、地下水相互转化关系.北京:中国科学技术出版社,1992

[26] 安阳市节水办等.安阳市规划区地下水资源评价报告.1996

[27] 谢新民,赵全生.地下水资源系统多目标管理模型及模糊决策分析.中国控制与决策学术年会论文集.沈阳:东北大学出版社,1993

[28] 安阳市人民政府.市土地利用总体规划.1999

[29] 贺伟程等."八五"国家重点科技攻关成果:华北及胶东地区水资源综合评价.水利水电科学研究院,1990

[30] 河南省豫北水利勘测设计院.安阳市城市供水水源规划.1995

[31] 河南省豫北水利勘测设计院.安阳市节水灌溉发展规划.1999

[32] 方子云等编.水资源保护手册.北京:中国环境科学技术出版社,1997

[33] 李青山等编.水功能区划分实用手册.沈阳:东北师范大学出版社,1999
[34] 水利部.中国水资源公报.1998～1999
[35] 谢新民,石玉波等.华北地区枯季水资源实时预报试点研究.中国水利水电科学研究院,1998
[36] 河南省水文水资源总站.河南省地下水资料.1991
[37] 安阳市环境保护监测中心站.洹河有机物种类和特性研究.1999
[38] 安阳市环境保护局.安阳冲洪积扇地下水污染防治研究与规划.1997
[39] 安阳市环境保护应用科学技术研究所.水源保护研究报告.1987
[40] 安阳市海河流域水资源保护办公室.河南安阳市海河流域水资源保护规划.1987
[41] 海河流域水资源保护局.海河流域水资源保护规划.2000
[42] 绳建等.安阳市地面水环境污染现状调查与评价.安阳市水环境规划管理处.1997
[43] 安阳市环境保护监测中心站.安阳市辖区域地下水环境质量分析研究报告.2000
[44] 河北省水文水资源勘测局.河北省水资源状况分析报告.1999
[45] 河南省水利勘测设计院.河南省水中长期供求计划报告.1996
[46] 河南省水利厅.河南省地下水资源开发利用规划报告.1997
[47] 华北水资源研究中心河北分中心.河北平原四水转化及2000年水资源量评估研究报告.1994
[48] 中华人民共和国水利部.水资源评价导则.中华人民共和国行业标准(SL/T238—1999)
[49] 河北省保定市水文水资源勘测局.地下水深埋区降雨入渗补给机理及入渗补给系数研究报告.1997
[50] 贺伟程.黄河水资源情势分析.水文问题论坛.2000(2)
[51] 水利部漳卫南运河管理局规划设计室.安阳市第五水厂二期扩建工程供水可行性分析报告.2000
[52] 曾肇京,石海峰.中国水资源利用发展趋势合理性分析.水利规划设计,2000(3)
[53] Rechhardt T. Environmental GIS: The World in a computer. *Environmental Sciences and Technology*, VOL.30, No.8, 1996, 341A
[54] Michael WS. Geographic Information System. *Water Environment Research*, Vol.68, No.4, 1996
[55] 周成虎.地理信息系统的透视——理论与方法.地理学报,1995(5)
[56] 何延波,杨琨.遥感和地理信息系统在水文模型中的应用.水科学进展.1997(1)
[57] 魏文秋,于建营.地理信息相同在水文学和水资源管理中的应用.水科学进展,1997(3)
[58] 谢新民,杨小柳.干旱半干旱地区枯季水资源实时预测理论与实践.北京:中国水利水电出版社,1999
[59] D. Z. Sui, R. C. Maggio. Intergrating GIS with hydrological modeling: practices, problems and prospects, Computer. *Environment and Urban Systems*, 23(1999):33～51
[60] 张国良,徐子恺,王浩等.21世纪中国水供求.北京:中国水利水电出版社,1999
[61] 陈志恺.持续干旱与华北水危机.水利规划设计,2002(4)
[62] 许新宜,王浩,甘泓等.华北地区宏观经济水资源规划理论与方法.郑州:黄河水利出版社,1997
[63] 王浩,秦大庸,徐子恺等.黄淮海流域水资源合理配置研究.中国水利水电科学研究院等,2001
[64] 谢新民,赵文骏,裴源生等.国家“九五”科技攻关专题报告:宁夏水资源优化配置与可持续利用战略研究.中国水利水电科学研究院等,1999
[65] 王浩,何希吾,陈敏建等.国家“九五”科技攻关专题报告:西北地区水资源合理配置和承载能力研究.中国水利水电科学研究院等,2000
[66] 甘泓,杨小柳,尹明万等.“九五”国家重点科技攻关专题报告:新疆经济发展与水资源合理配置及承载能力研究,中国水利水电科学研究院等,1999
[67] 安阳市人民政府.安阳市国民经济和社会发展十五计划.2001

[68] 陈志恺.人口、经济和水资源的关系.水利规划设计,2000(3)
[69] 王浩,杨小柳.中国水资源态势分析与预测.中国农业水危机对策研究,北京:中国农业科技出版社,1998
[70] 尹明万,韩素华等.新疆水资源可持续发展系统方案研究.见:邓楠主编可持续发展:人类生存环境(中国可持续发展研究会1999年年会论文集),北京:中国电子工业出版社,1999
[71] 甘泓,李令跃,尹明万.水资源合理配置浅析.中国水利,2000(4)
[72] 尹明万,甘泓,汪党献等.智能型水供需平衡模型及其应用.水利学报,2000(10)
[73] 水利部海河水利委员会.海河流域农业用水与节水研究.2001
[74] 甘弘,汪党献等.南水北调工程节水规划要点.中国水利水电科学研究院,2001
[75] 侯捷,林家宁等.中国城市节水2010年技术进步发展规划.上海:文汇出版社,1998
[76] 王家仁,张增杰等.节水灌溉工程建设与实践.水问题论坛,2000(1)
[77] 王家仁,张光栋等.节水灌溉农艺技术研究.水问题论坛,2000(2)
[78] 王家仁,张光栋等.节水灌溉管理技术探讨.水问题论坛,2000(3)
[79] 王家仁,李树宝等.冬小麦节水高产栽培技术研究.水问题论坛,2001(2)
[80] 王家仁,李树宝等.夏玉米节水高产综合配套技术的试验与应用.水问题论坛,2001(2)
[81] 谢新民,唐克旺等.华北平原区地表水与地下水统一评价的二元耦合模型研究.水利学报,2002(12)
[82] 中国统计出版社.中国统计年鉴(2001年).2001
[83] 河南省安阳市统计局.安阳统计年鉴(1995~1998年).
[84] 河南省水利厅.河南省水利统计年鉴(1995~1998年).
[85] 安阳市南水北调中线工程建设协调小组办公室.南水北调中线工程河南省供水区——安阳市城市水资源规划报告.2001
[86] 河南省豫北水利勘测设计院.彰武水库扩容迁安设计项目建议书.2001
[87] 安阳市水利局.安阳市水利建设十五计划及2015年发展规划.2001
[88] 安阳市计划委员会.安阳市计划委员会关于印发安阳市“十五”农业和农村经济结构调整规划的通知.2001
[89] 安阳市农业局.安阳市农业“十五”计划及2015年远景发展规划纲要.1999
[90] 安阳市计划委员会.安阳市计划委员会关于印发安阳市“十五”工业经济结构调整规划的通知.2001
[91] 河南省豫北水利勘测设计院.内黄县引黄补源工程初步设计报告.2000
[92] 河南省水利勘测设计院.林州市红旗渠补源工程马家岩水库可行性研究报告.2000
[93] 河南省水利勘测设计院.河南省水中长期供求计划报告.1996
[94] 翁文斌,丘培佳等.河南省安阳市水资源联合调度的动态模拟分析及评价.清华大学、安阳市水利局,1986
[95] 谢新民,尹明万,张海庆等.面向二十一世纪安阳市可持续发展的水资源形势及对策.水问题论坛,2001年增刊:60~64
[96] 谢新民,于福亮等.基于灌区可持续发展的水价调整方案研究.水问题论坛,1999(2)
[97] 谢新民,秦大庸等.宁夏水资源优化配置模型与方案分析.中国水利水电科学研究院学报,2000,4(1):16~26、35
[98] 董哲仁,陈明忠,闫继军等.建设水资源实时监控管理系统——水利现代化的技术方向.中国水利,2000,(7):27~28、38
[99] 谢新民,颜勇.浅析西北地区地表水与地下水之间的相互转化关系.水问题论坛,2002,(1):31~32

[100] 中国统计出版社.新中国五十年统计资料汇编.1999
[101] 谢新民,蒋云钟等.流域水资源实时监控管理系统研究.水科学进展,2002(4)
[102] 河南省豫北水利勘测设计院.河南省安阳市大功引黄灌区续建配套工程项目可行性研究报告,1998
[103] 水利部发展研究中心.南水北调工程水价分析研究.2001.12
[104] 水利部发展研究中心.南水北调工程建设与管理体制研究报告.2001.11
[105] 水利部海河水利委员会,水利部天津水利水电勘测设计研究院.漳河侯壁、匡门口到观台河段治理规划.1996.12
[106] 河南省豫北水利勘测设计院.安阳县跃进渠灌区古城电站改建工程初步设计.1994.5
[107] 河南省豫北水利勘测设计院.南水北调中线工程安阳市供水区可行性研究报告(上、中、下册).1996.12

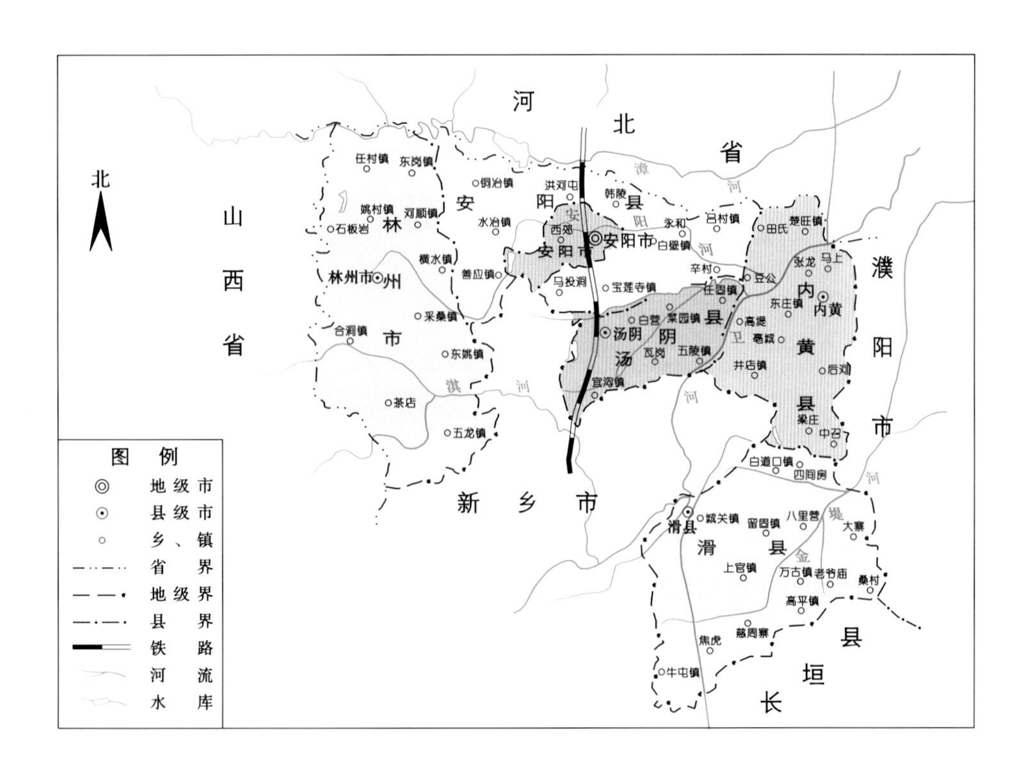

附图1　安阳市地理位置分布

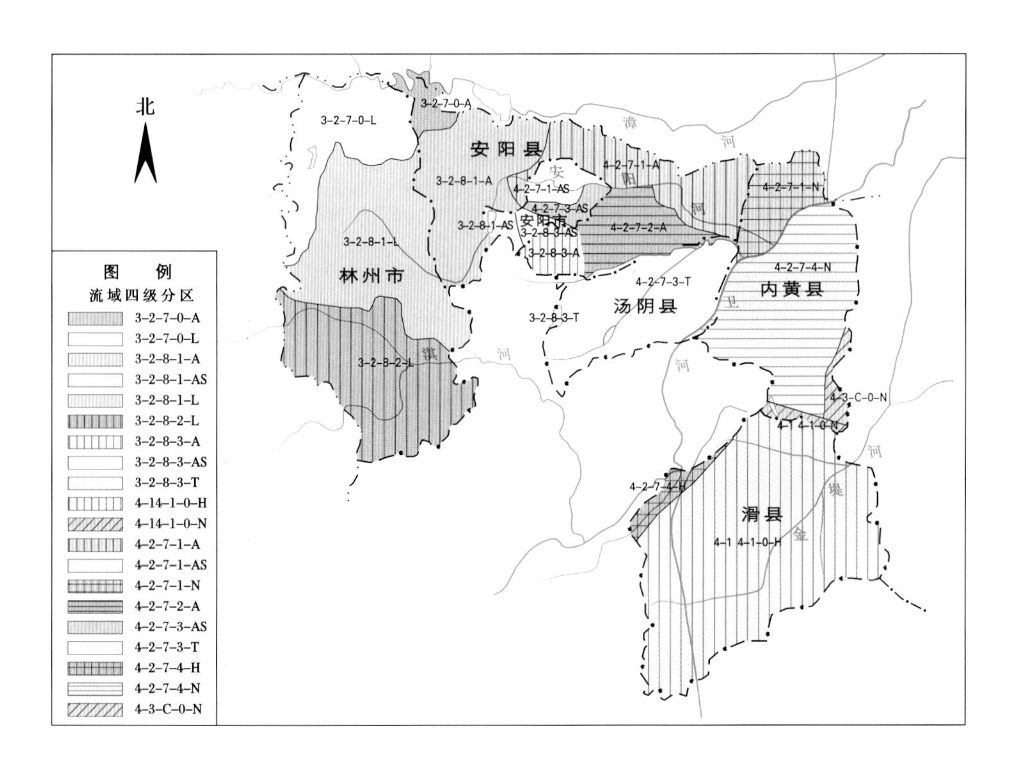

附图2　安阳市水资源综合评价分区